U0038999

CHIANG
FAN

蔣
凡
學術論文集
（上集）

　　本書出版得到設在美國的"張敬教授國學基金會"的經費資助，謹致衷心的謝意！

目　錄

```
下　冊
```

第三部分　中國古代文學研究

第五部分　古今人物評傳

王序
王更生

　　客歲四月，我參加在江蘇鎮江召開的「《文心雕龍》國際學術研討會」時，知蔣凡先生正籌畫《學術論集》的出版，後因故未果。正遺憾間，好友林君中明自滬來台，說先生大作已改洽台灣萬卷樓發行。十二月初，復接先生書，囑我為序。

　　我知先生有年矣，至九八年始得讀先生的《三管詩話校注》，對其橫逸的才華，精博的學養，歎為是繼郭紹虞《滄浪詩話校釋》後，又一不可多得的鉅獻。九九年，蒙其惠我《周易演說》。通讀一過後，深感無論是從宏觀的俯視，或微觀的剖析來看，都是「易學研究史」上的奇文妙品。先生將《周易》六十四卦，用前後系聯，多元一體，化虛為實，袪翳存真之法，有系統、有組織的加以梳理。可謂給新世紀的「易學研究」別闢坦途。

　　先生曾從游於當代國學大師朱東潤、郭紹虞之門，並盡得其治學心法。近又精選其半世紀來筆耕墨法的心得，成《蔣凡學術論集》，決定在海外發行，以饗廣大讀者。這既然是先生以學術濟世的盛業，我就本著先睹為快的心情，向同道先進們略攄一點讀後的淺見。

　　我觀此皇皇鉅著，其內容可謂胸羅萬卷，上下千載。凡五部之中，與音樂、美術、戲曲、文學，以及美學有關，且滋味雋永，足以啟迪心智，而又為前人所不曾及，或曾及而看法歧互者，先生皆兼收並蓄，賦予新的詮釋。他這種參古定法，融舊創

新的用意，於此正可窺其大略。先生又巧用雅俗共賞的語言，來
條析其事理，究明其旨趣、比較其得失、闡發其隱晦；無論是發
伏或摘疑，莫不修短有度，情韻深長。其字裡行間，不僅張皇了
前修的潛德幽光，而且在他那生花妙筆中，還閃耀著作者的慧眼
特識！至於布局，先生將《《周易》與傳統文化》冠於書首，〈古今
人物評傳〉殿於其末，並於〈人物評傳〉中，又特別把〈憶吾師——
朱東潤、郭紹虞兩教授的生平〉，安排在〈評傳〉的最後。顯然含
有繼往聖，開來學，和尊師重道的微恉。在這個崇洋媚外，世風
腐敗的時刻，他這種意深文隱的作法，恰如一劑頂門之鍼，不僅
可以藥學界游談無根的歪風，更可以收正心勵俗的效果。

　　九三年八月，「中國古代文學理論學術研討會」在內蒙首府
呼碩浩特舉行，我有幸獲邀，始與蔣凡先生結識，晤談之下，甚
為歡快。會後我們一同參加旅遊活動，晚宿赴鄂爾多斯草原途中
的一個小鎮。因為飲食不慎，腸胃失調，中夜嘔吐不停。當時戶
外秋雨潺潺，朔風似刀；同行知交關心病情者咸來探詢，獨先生
與二三好友之熟悉當地情形者，不避滿塗泥濘，邊村苦寒，到處
尋醫購藥，此事雖時隔數載，但先生樂於助人的熱誠，至今尚歷
歷在目也。

　　先生之於學術研究，有師承、有根柢，又有自甘寂寞的耐
性。其才氣、學養、膽識，皆非常人所可及。故能厚積薄發，足
以著書立說，為自己的深造有得，綻放出永世不凋的奇葩！但讀
其書，不可不知其為人，所以在其大作即將在台灣發行面世之
際，特略記以往過從瑣細，用彰先生愛人以德的風骨，並擇要說
明其好古敏求的成就，奉獻於同道先進。是為序。

顧序

顧易生

　　蔣凡兄者，余之師弟也。余與之先後師事朱東潤先生為研究
生，而蔣兄又曾任郭紹虞先生助手多年，蓋能兼承兩位學界前輩
之傳而復自力以致奔軼絕塵者。

　　二十餘年來，蔣兄與余協作從事教材建設，並聯合指導先秦
兩漢文學史與中國文學批評史碩士生、博士生。在郭紹虞先生主
編四卷本《中國歷代文論選》中，共同負責其第二卷即隋唐五代宋
金元文論之編選注釋。在王運熙先生與余合作主編七卷本《中國
文學批評通史》之第一卷《先秦兩漢文學批評史》中，余執筆先秦
文學批評部分，而蔣兄執筆兩漢文學批評部分；在其第四卷《宋
金元文學批評史》中，余撰寫北宋詩文批評及宋代詞論，蔣兄撰
寫南宋詩文批評、宋詩話及小說理論批評。我二人在上述工作過
程中，既同尚實事求是，又皆好為無端崖之辭；故合撰百萬餘
言，其間固有相互切磋、補正者，而更多場合則所見略同。每逢
議論縱橫而適相契合，不覺相視撫掌而笑也。

　　然蔣凡兄於擔任劇繁之集體研究任務之同時，不斷努力開拓
其治學境界，辛勤耕耘，歷年出版個人專著多種，又發表大量論
文。近以其所輯學術論集示余索序，令人殊感其詞章之氾濫停蓄
而為深博無涯涘也。其集中諸文，上溯先秦，中涉漢魏六朝與唐
宋，下及明清以至近現代，上下古今，貫通無礙。艮以蔣兄於文
字訓詁考證之學有深厚功力，又融會新理論、新方法，故其健筆

馳騁，觸處生春，在材料與觀點兩方面皆有自己創獲。其關於
《周易》、古代文論與文學以及韓愈、柳宗元之論說考辨，多有深
獲吾心而爲余力之所未逮者，頗得啓益焉。

　　憶昔朱師東潤先生之敎導曰：治文史當成「一條龍」；郭紹
虞先生則自名其論文集曰「照隅」。今讀蔣兄之文，時見其宏觀
與微觀辯證結合，想兩位前輩回眸，亦當欣然嘉許爲後起有人
矣。余忝爲學長，又長期共事，故謹爲之序而不敢辭。

　　　　　　二千年秋日於復旦大學玖園之聽蕉齋

第一部分

《周易》與傳統文化

《周易演說》自序

　　《〈周易〉演說》（下稱《演說》）一書，終於在1998年元月10日殺青。並非自感滿意，而是因為出版社在催促，而我校一位研究生剛巧正要回鄉過年，蒙其熱心，託她帶到長沙交出版社，總比郵寄來得可靠一些。只是數十萬字的書稿甚為沈重，成了小姐的包袱，心裡總有些不安。

　　此書原擬題目《周易研究》。「研究」一詞，是一個大家熟悉的常用詞，在學術界具有較高的等級分，何樂而不為？但是，思前想後，終感不妥。這倒不是出於謙遜之美德，而是因為隔行如隔山。如若使用《周易研究》為題，就不能不對古代哲學及傳統思想體系進行深入的探索研究。而我的本職工作，是大學裡一個教授中國古典文學與古代文論的教師，無論是一級學科或二級學科，都和高深哲學相距甚遠，你何德何能，敢於越俎代庖，闖此玄妙之境？為此，去其奢望「雄心」，恢復平常心態，還是實事求是為好，不必用「研究」二字來為自己臉上貼金，如若所貼之金一旦不慎剝落，何顏以對江東父老？反而是平時隨順自然，不遮不掩，臉上有瘡疤雖然不美，但是人們看多了，習慣成自然，也就可能在議論紛紛中有所宥諒。以此，我就據實稱之為《演說》。

　　《演說》一書的創設，原是給中文系的大學生、特別是研究生上課時所準備的講稿。平日，我在講授古典文學或古代文論時，總感到當前的學生，傳統文化根基甚為薄弱。為了幫助學生打好

堅實的治學基礎，我時常回想起先師郭紹虞、朱東潤教授的教誨。二師認為，中文系學生的專業不可分得過細，或是單科獨進，而應學習古人，文史哲不分家，具有通才本領，這樣打下雄厚的傳統基礎以後，就能左右逢源，無所不達，從而獲得了暢遊學海的自由。先師雖早作古，但庭訓猶在耳邊回響，薪盡火傳，其精神經得起時間的考驗。因此，我對自己所教的學生，特別是博士生，要求他們在學期間，必須經、史、子、集各有選擇地精讀一部，然後上下貫通，左右橫串，以便讓學生對於傳統思想文化，有一個比較具體生動的印象。多年的實踐，證明這一教學行之有效。經部之中，由於《周易》對傳統思想文化的巨大影響，古往今來，無論是學術文化、政治經濟、教育衛生、文學藝術，甚或軍事思想，各家各派無不或多或少蒙其影響沾溉，其間產生了錯綜複雜的種種聯繫。加以《周易》卦畫的特殊形式及其巫風彌漫的神祕性，使之成為既誘人又讀來艱難的古代典籍。因此，學生大都要求教師給予一定的輔導講解。就是由於這一緣故，作為教師的我，終於被「逼上梁山」，勉為其難，對自己所不熟悉的《周易》領域進行新的摸索，以便和同學們教學相長。韓愈《師說》稱引孔子「三人行，則必有我師」之訓，進一步發揮說：「是故弟子不必不如師，師不必賢於弟子。」我在課堂討論時，經常聽到意氣風發之莘莘學子的侃侃而談，不僅讓我明白了學生缺什麼、要什麼，而且進一步給我以有益的啟發。這樣，從1987年起始至今，在和一屆又一屆的同學們的教學研討中，我的備課筆記不斷修改，日漸充實，終於增強了自信心，感到自己似乎也有所提高，對於《周易》領域也不再陌生，作為一個愛好者，進一步又深深地愛上了一門新學問。於是，憑著一個古典文學教師的興趣和審美感受，在新領域中自由地閒蕩，既領略享受那「異域」風光之美，同時又盡情地汲取中華古人的智慧瓊漿。

在我們師生共同學習《周易》的過程中，弟子們的問題千奇百怪，激發了教師的深入思考。他們從《周易》的陰陽虛實出發，要求教師講授《周易》，不僅要有虛的理論抽象，而且要求具體落實到六十四卦，把每一卦每一爻，以及卦與卦、爻與爻、卦與爻之間那千變萬化的複雜關係，理出個頭緒來。他們運用《易》學術語，戲稱這就是虛實相生之術，並以此來考驗導師。作爲人師，面對這批思維活潑的學生，旣感到驕傲和幸福，同時又深感壓力和艱難。要上好一門課並非易事。有關《周易》課程一旦開設，就要對學生負責，面對紛至沓來的疑問和要求，自己只能邊教邊學。這就使自己如「履虎尾」（《履》卦辭）而求平安一樣，明知最終道路亨通，但仍然是戰戰兢兢，不敢稍有閃失，以免誤人子弟。教授《周易》，談虛不易，落實尤難。這就逼著我必須把六十四卦，一卦卦，一爻爻，逐一梳理清楚，最後由實入虛，通過具體卦畫的講解，來檢驗「虛」的理論概括是否合乎實際。如此這般地「虛實相生」，雖然折騰閙人，但是學生對於《周易》，卻也不再視爲畏途，而是愈來愈感興致勃勃。這就是我編撰六十四卦《演說》的緣起。

從「虛」的方面說。時下《易》學大潮波翻浪湧，研究著作成百上千，日新月異，其中不乏有分量的學術力作。但其中也摻雜了若干水分很多的江湖之說，阿世媚俗，譁衆取寵，視《周易》爲迷信的老祖宗，他們的所見所聞，僅是其占筮問卜功能而不及其他，並且美其名曰爲「《周易》預測學」——把算命迷信當作科學來騙人。如此「研究」，實是自欺欺人，誤人誤世。在古代，《周易》的確有其占筮功能。但如《易·繫辭傳》指出：「《易》有聖人之道四焉：以言者尚其辭，以動者尚其變，以制器者尚其象，以卜筮者尚其占。」筮占算命，只是《周易》的四大功能之一端。《周易》中寓有中華古人許多先進的文化觀念：「以言者尚其

辭」，後代的語言修辭及文學美學受其沾溉；「以制器者尚其象」，啓發後世生產工具及科學技術的創造與發展；「以動者尚其變」，陰陽變化，矛盾運動，表現了古人的深邃哲學思考，包含了豐富的辯證法因素。這些智慧結晶和優良傳統，爲什麼不去努力學習並積極發揚，卻偏要食糟粕而棄精華呢？中華古人的《易》卦占筮，的確含有迷信的巫術成分，在科學落後的上古時代，是完全可以理解的。但在科學昌明的今天，人們卻變本加厲地發揮《易》卦算命的迷信功能，實在令人大惑不解。的確，《周易》卦爻的運動變化之中，具有某種預測吉凶悔吝的科學成分，但是，這和算命迷信是性質根本不同的兩碼事。故意混淆二者，居心何在？可以斷言，搞《易》卦算命的某些人，是在和自然及社會的激烈競爭中，喪失信心，無法把握自我命運的一種可悲表現。如此「研究」，其理論之「虛」，非但無益，實是有害。在給學生上課時，一定要態度鮮明地加以指出並予以批判，以免青年上當受騙而誤入歧途。力圖較爲全面而科學地闡述《周易》的性質、精神及其功能，在努力恢復其歷史原貌的同時，加以批判繼承，以資借鑒。求科學，反迷信，這是我們師生教學討論中明確的堅定方向。

而從「實」的角度言。有的專家教授，常是不忌「虛」卻怕「實」。爲什麼？因爲事情一旦落實，就不可能敷衍了事。落實到具體描繪六十四卦，以及卦與卦、爻與爻、卦與爻之間那錯綜複雜的關係網聯絡圖，就是對於教師最嚴峻的考試。如是著書立說，一時說不清道不明的地方，盡可避開不提，讀者也無可奈何。但教師面對活生生的學生，卻是無計相迴避。你耍小聰明胡謅一卦一爻，當屬可能；但下一卦下一爻又將如何自圓其說呢？學生善於思考，問題接踵而至，令人喘不過氣來。開始我總是引用孔夫子「知之爲知之，不知爲不知，是知也」（《論語·爲

政》）之言來對付，但面對學生誠摯的目光，你忍心永遠搪塞過去嗎？學生的熱切求知欲望，啓發了教師的職業良心，對我是個有力的鞭策。我和學生一起學習《周易》，力求盡快縮短從不知到知的距離。於是老老實實坐了下來，參閱了四庫全書中的《易》類叢書及今人著作，認眞地思索和整理。這樣，從1990年始，一卦一爻一爻地寫來，直到1998年元月10日畫上最後一個句號，《演說》終於告竣。《演說》可說是在日積月累的歲月流逝中被逼出來的。被「逼」的日子是難挨的，但被「逼」出以後，破涕爲笑，卻也是內心洋溢著歡樂和幸福。在我的諸多著作中，此書或許不能帶來什麼榮譽，但我卻將特別珍惜它，這不僅是因爲我爲之長期耗費心力，老老實實地一步一個腳印地走過來；更重要的還是因爲它同時凝聚了眾多學生和師友的智慧和心血。

在撰寫《演說》時，我時常考慮它應有自己的特點。先師朱東潤教授曾告誡我們，學術著述要有自己的見解，而不要炒冷飯。稱引別人的意見和成果，要老實地注明。這些話我牢記在心並力求付之實踐。時下《周易》譯注之作如林，如果沒有自己的特點，寫它作甚？講《周易》不可能完全撇開哲學，但我們師生不是哲學家，從本體、本源或是認識論的方面來構設其理論體系，非己所長。不過，我是中文系古典文學教師，中國古代學術，常是文史哲不分家，因此，中文系的教授多爲「雜家」：專攻精深哲學雖有欠缺；但是旁搜博採，或能自成一家。另外，古典文學是古代社會人生的形象描繪，其反映面相當廣闊。爲了揭示古典文學那隱藏在作家作品及其語言文字背後的精神實質，我們不能不尋幽探微，鈎深致遠，廣泛涉獵。韓愈《進學解》云：「玉札丹砂，赤箭青芝，牛溲馬勃，敗鼓之皮，俱收並蓄，待用無遺者，醫生之良也。」良醫如此，文學家何獨不然？上自天文地理，下至雞毛蒜皮，只要有用，都是採取了魯迅先生所說的「拿來主義」，爲

我所用。因此，從文學的角度來讀《易》，必然不同於哲學家。我們講《周易》，雖然無法繞開其思想哲學，但力避其艱深的哲學術語，而盡量代之以古今歷史生活中的生動故事，或是二十五史，或是詩詞文章，甚或筆記小說，取精用宏，博採約取，化生為熟，無所不用。總之，力求嚴肅的學術性和生動的通俗性的完美結合，讓高深玄妙的《周易》，從人類高層的文化沙龍，逐漸進入尋常百姓人家，是我們的美好願望。至於這一願望能否真正化虛為實，還有待時間的考驗，願與廣大讀者共勉。

閱讀和研究古代文化典籍，我們師生商訂了共同遵守的三原則：首先弄清楚「是什麼」，這就是在力求還原歷史的基礎上，窺其真實面貌；其次是明白「為什麼」，也就是進一步追究作者為什麼如此著筆，弄清作者言外之意及用心所在，以深挖其豐富內涵；最後是面對歷史，立腳現在，確定今人該「怎麼想」，這就意味著在弄清事實、明白用心的基礎上，疏理其內在規律，重新給予理性評判，並對其理論意義和借鑒價值，進行深刻的現代思考。我們有關《周易》卦爻的教學及探索，也同樣遵循了上述三原則。但在具體的寫作過程中，卻常被意不稱物、文不逮意所窘，如陸機《文賦序》所說：「蓋非知之難，能之難也。」因此，本書在多大程度上實現了上述三原則，同樣有待廣大讀者的檢驗。

另外，在數千年的《易》學發展史上，百花齊放，流派紛呈。儘管各家各派多有對立，相互批判，但是我們堅信，傳世的各家各派，雖然各有其視角盲區，甚至是有其弊端，但只要還在流傳，就說明了它們各有其合理存在的理由。因此，本書對於歷史上的各家各派，不問是漢象數派、或是魏晉以後的義理派、或是唐宋以後出現的歷史學派、甚至是近代的新思維派，我們盡量擷取其精華，並在新的綜合過程中，闡發我們的新思考。博採眾

長，自抒己見，以饗讀者，並希望能夠有所助益。

在撰寫《演說》的十年中，得到了眾多師友的熱心關懷，在此一併致謝。現藉此書的出版，奉獻給三位親人和摯友：

奉獻給我那八七高齡的老母吳淑儀，她雖看不懂《演說》，但卻經常燒香許願，爲兒祈求平安，一顆偉大的慈母之心，永遠震撼著萬里遊子的赤誠靈魂；

奉獻給結髮之妻湯娟，在任何風雨困苦之中，相濡以沫，安危與共，作爲記者的賢妻，不忘提供許多新鮮的信息，無論是學術切磋，抑或文藝論爭，都從不同的角度，給我啟發和力量，此所謂雖不言《易》而暗合於《易》；

奉獻給摯友李龍羽先生賢伉儷。龍羽兄早年是日本早稻田大學高材生，現在是學有成就的經濟學家，他同樣對《周易》有濃厚的興趣。每當我們相聚，龍羽兄喜歡切磋學問，時常出人意外地從一個全新視角來談《易》，其如珠妙語，畫龍點睛，震聾發聵，令人解頤，對我啟迪至多。並且，在我寫作最困難的時期，是龍羽兄鼓勵我堅持到勝利。

滴水之恩，當湧泉以報。但一介書生，別無產業，而只能藉書奉獻心馨一瓣，以表誠孚。

最後，應該說明一下。《演說》曾多方借鑒古今人的成果，其中佳作，如黃壽祺張善文二位先生的《周易譯注》，借鑒尤多，引用時加以注明，以示不敢掠美。

（見湖南文藝出版社1998年版《周易演說》）

《易》卦、算命與預測學

　　時下中外掀起《易經》崇拜，達到了焚香頂禮的程度。這　種「回歸東方」的文化現象，是憂，還是喜？據統計，至今研究《易經》的專著已出版三千餘種，其中不乏佳構傑作，啓人思維，當然是喜。但也有許多「驚人」之論，有的說「《易經》是一部殷周奴婢起義史」，或稱「《易經》是記錄天外來客所遺留下來的科學知識的形式推理書」，只要提出證據，也是一家之言，可惜至今查無實據；更多的人視《易經》爲迷信算命的老祖宗。據最近報載經某省工商管理局批准，某市「經緯周易預測部」於今年8月7日正式掛牌算命營業，生意興隆，每次收費最低價一百元，單位收五百元。算卦內容從個人生老病死、婚姻前途，直至企業興衰、選址用人諸項，五花八門，無所不能。這種文化現象出現在二十世紀末年中國的今天，是時代的進步，還是歷史的倒退？《易》有算卦功能，這話不假，但史上證明並非靈驗。如《晉書》載，郭璞以精通《易》卦陰陽占筮之術聞名於世。他曾任大將軍王敦的記室參軍。王敦謀反，郭璞以《易》卦占筮進諫，被殺。後來傳說他尸解登仙，這是道士之流的胡謅，並不符合歷史事實。如果他的《易》筮眞的那麼靈驗，爲什麼不先替自己算個命，以便逢凶化吉，至少是能躲過這場殺身之禍呢？史上著名《易》卦大師尚且救不了自己的命，今天的江湖術士又豈能以《易》卦算命來濟蒼生！

　　中華古人的《易》卦占筮，含有唯心迷信成分，在科學落後的

時代，是可以理解的。但在科學昌明的今天，人們變本加厲地發揮《易》卦算命功能，令人大惑不解，這是某些人在與自然及社會激烈競爭中，失去信心、無法把握自己命運的一種可悲表現。

古代《易》有四大功能，《易・繫辭傳》云：「《易》有聖人之道四焉：以言者尚其辭，以動者尚其變，以制器者尚其象，以卜筮者尚其占。」筮占算命，不過是《易經》四大功能之一。《易》中寓有中華古人許多先進的文化觀念：「以言者尚其辭」，後代的語言修辭及文學受其影響；「以制器者尚其象」，啓發後世生產工具的創造與發明；「以動者尚其變」，陰陽變化，矛盾運動，表現了古人的深邃哲學思考，包含了豐富的辯證法因素。這些智慧結晶和優良傳統很多，爲什麼不去努力學習積極發揚，卻偏要食糟粕而棄精華呢？而且，即專就《周易》的算卦占筮功能而言，只要了解歷史，自會明白它和今天算命狂熱的情況也有所不同。首先，古代的巫術崇拜，大大地提高了巫師和史官的地位。上古夏、商、周三代，「學在王官」，所稱「王官」，主要指巫、史一類的人物。後世巫、史，性質犁然有別，但在上古時代則不然。如漢・司馬遷所說：「文史星曆，近乎卜祝之間。」其所稱巫、史，用我們今天的話來形容，相當於國家的文化部長或宣傳部長，甚至是更高的國家決策層的領導人物。當時的學術文化，主要薈萃於巫史王官。古代社會，帝王專制，「朕即國家」，誰人能制？但是帝王又自稱「天子」，因此，也只有「天」才能對帝王的行動有所約束。而巫史占筮，就是溝通天人、代天立言的職能，他們通過陰陽占筮之術，以「天」爲媒介，來影響帝王意志及國家重大事情的決策。《尚書》是我國最早的一批官方文件記錄，其中有一篇《洪範》，曾明確規定，當時參加國家政治生活的主要有四種力量，即代表王室之尊的天子，代表奴隸主貴族利益的卿士，民間一般的庶民（自由民），以及掌握文化宣傳大權的

巫史。在決策過程中，如果四種基本力量之間意見矛盾，則將何去何從？《洪範》稱：「汝（**按**：指天子）則從，龜從筮從，卿士逆，庶民逆，吉。卿士從，龜從筮從，汝則逆，庶民逆，吉。庶民從，龜從筮從，汝則逆，卿士逆，吉。」從，贊同；逆，反對。文件把決策過程中三種不同情況中四種不同力量的爭論和較量，描述得很清楚。所稱「龜筮」，就是掌握龜卜筮占之權的巫史。這一古代的官方文件說明，在國家決策中，龜筮（即巫史）與天子的發言一樣具有權威性，天子要否決卿士與庶民的聯合反對，就必須獲得龜卜《易》筮的支持，巫史的態度和意見極爲重要；相反，卿士與庶民的任何一方，只要爭取到巫史龜筮的支持，也可以否決天子的意見。因此，不管是天子，或是卿士和庶民，都必須拉攏巫史，爭取其支持。由此可見，掌握了龜卜《易》筮解釋權的巫史，其思想的進步與否，事關重大。古代巫史解釋《易》卦，靈活運用了「《易》無達占」的方法原則，思想反動者多爲無道帝王的獨裁統治推波助瀾；而思想較爲開明進步的則可協助明君改革，或是藉「天」來發展民意，限制君權，防止獨裁，以推行「民主」政治。歷史上正直士人藉解釋《易》卦《易》理來推行自己的進步政治主張的事例很多。就拿郭璞來說，東晉倉皇南渡，晉元帝在江南建立東晉王朝之初，當時刑獄混亂，殺戮過重，刑市之上，「血逆流長摽」，不利於團結江南土著士族及吏民。但是，如果缺乏江南人民的支持，東晉王朝根本難以立足，國家何有生機？針對時局危機，郭璞以《易》卦占筮，得《解》（☳）卦之《既濟》（☲）卦，加以自己的解釋，然後上疏晉元帝說：「《坎》爲法象，刑獄所麗，變《坎》加《離》，厥象不燭。以義推之，皆爲刑獄殷繁，理有壅濫。……案《解》卦辭云：『君子以赦過有罪。』《既濟》云：『思患而豫防之。』臣愚以爲宜發哀矜之詔，引在予之責，蕩除瑕釁，贊陽布惠，使幽蟄之人應蒼生以悅

育，否滯之氣隨谷風而紓散。此亦寄時事以制用，藉開塞而曲成者也。」（疏載《晉書·郭璞傳》）這樣具體解釋《易》卦是否準確，這是另一問題。但是郭璞藉「天」之威，行古代巫史之智，嚴厲批評了東晉政權的嚴酷刑殺，其真正用心，耿如天日！又如清朝康熙年間，大學士明珠柄政，結黨營私，貪污納賄，政治腐敗。當時，天下大旱，民情洶洶，侍讀學士德格勒藉給皇帝講課機會，為皇帝講《易》經行《易》筮，占到《夬》卦（☰）康熙帝問何時普降甘霖以濟蒼生？德格勒乘機進諫，云：「澤上於天，將降矣！而卦義五陽決一陰，小人居鼎鉉，故天屯其膏。決去之，即雨。」上愕然，曰：「安有是？」德格勒遂以明珠對（事載《清史稿》卷二八二《德格勒傳》）。從現代氣象科學角度看，天旱與下雨，和大學士明珠個人沒有什麼關係，德格勒所釋《易》卦之理，不合事實，沒有什麼科學根據。但是，從政治角度看，德格勒假借「天」意來解釋《易》卦，貌似荒唐，但卻用心良苦，是為了反對腐敗，革除弊政。於此可見，只要古代的巫史屬於進步力量，則《易》卦占筮的迷信形式之中，也可以寓有一定的積極因素。

其次，《周易》之中，的確具有預測學的科學成分，但是，它和算命迷信是性質根本不同的兩碼事。古代《易》筮占斷陰陽吉凶，並非純是迷信胡說。《周易》六十四卦，由八卦兩兩相疊而成，象徵了六十四種基本事物或範疇，用以概括世界萬物的運動變化。《繫辭傳》說：「吉凶悔吝者，生乎動者也。」用現代科學術語來表達，天地乾坤，高低定位，具有物理力學之勢能，世界萬物，包括人在內，因其地位不同而各自具有一定的潛在能量。只是因其處於靜止狀態而相對穩定，巨大潛能包裹其中而常被人所忽視。而事物一旦改變了所處地位，打破了平衡靜止狀態，於是衝突運行，神明變化，則化勢能為動能，從而產生了對應事物

的關係變化，各種力量相互碰撞和轉化，因而運動之中就有吉凶
悔吝的產生。人生社會也兼顧靜態位勢與運動變化兩方面，不動
則已，一旦運動起來，則吉凶悔吝生矣。動與靜的運動變化之
中，吉凶之道歷歷可見，是有一定的發展規律存在的。所以聰明
人能見幾知微，避凶趨吉，以順應潮流。舉個例子，比如東漢末
年，漢安帝聽說周燮很有學問，就下令徵辟。在一般人看來，被
皇帝看中，徵辟為官，利益多多，不僅是個人，連家人宗族也臉
上有光。這不是大吉大利是什麼？但是周燮不這麼想，「宗族勸
焉」，他卻不為所動，他分析了漢末亂世的形勢變化，有針對性
地說：「夫修道者度時而動，動而不時，焉得享乎？」（《後漢
書》卷五二《周燮傳》）所謂「度時而動」，就是根據客觀形勢的
發展，審時度勢，順應歷史潮流而動則吉；反之，只知做官有利
可圖是吉，不顧形勢而盲目出山，則吉化為凶。周燮之言，深悟
《易》卦動靜吉凶之理。吉凶之道的客觀存在，它不僅在於「天」
即自然，同時也在於人和社會。如後漢末年諸葛亮《隆中對》所
說：「非唯天時，抑亦人謀也。」國運興衰和人生前途，決定於
人和自然兩方面。自然的客觀環境和條件當然很重要，但是天
時、地利還要有人和，才能取得最後的勝利。人的主觀能動因素
也在一定程度上決定了運動態勢，同時相應地改變了吉與凶的命
運。三國時曹魏的勝利，除了天時地利以外，人和也是重要因
素。曹操雄才大略，幾次下令求賢，打破世族門閥用人唯親的傳
統，改為用人唯賢，人盡其才，士為國用。相反，當孫劉聯合取
得赤壁大戰的勝利之後，劉備私其二弟關羽。派他鎮守荊州重
鎮，「然羽剛而自矜」，士不為用，反目為仇，劉備用人不當，
關羽鎮荊，位置一定，勢能自成，雖然尚未開戰，但敗勢已露。
故陳壽評劉備之用關羽云：「以短取敗，理數之常也。」（《三
國志》卷三十六《蜀書・關張馬黃趙傳》）所稱「理數之常」，就

是說吉凶之道有一定的規律可尋，這也是一種宏觀的預測。人們積極遵循自然規律辦事，化險爲夷，避凶趨吉；反之，則咎由自取，所以《左傳》稱「陰陽之事，……吉凶由人」（僖公十六年）。可見古代的《易》卦吉凶之間，在迷信的外衣之下，也包含了某種科學的預測成分。不過，它是積累並掌握了大量事實之後，加以歸納演繹、分析研究，努力遵循客觀發展規律，才能對事物的吉凶作預測和判斷的。這與後世算命先生的江湖騙術，性質根本對立，讀者不可不辨。

（原載上海《文匯報》1993年12月18日第4版，文字略有改動）

關於《周易》的傳統能源觀及
其占筮功能的現代思考

一、上古時代的一座神祕文化殿堂

　　《周易》是我國上古時期一部最富神祕色彩的經典著作，在傳統儒家莊嚴肅穆的《十三經》中，它高踞羣經之首，可見它在我國傳統文化中的崇高地位。可是細讀之後，才知道這部閃爍著神祕靈光的傳統經典，原來只是當時的巫史，用來作爲占筮問卜時判斷吉凶的根據或參考的一種特殊記錄而已。不過奇怪的是，它自誕生之後，很快就超越了占筮問卜的濃重原始宗教範圍，在其神祕的大幕之下，包裹著無盡的知識寶藏，讓炎黃子孫、甚至是全人類在千秋萬代之後，仍然享用不盡。如果《周易》的內容和價值，僅僅限於用來占筮算命或宣揚迷信的話，那麼應該說它只是一部極其淺薄庸俗的「神籤」記錄而已，可是這麼一代又一代的人，偏偏是那麼喜歡讀、喜歡說又喜歡用。不僅一般的老百姓喜歡陰陽八卦以及由此推衍出種種生動故事，就連飽含睿智的儒家開山祖師孔子，不也讀《易》「韋編三絕」、對它必恭必敬嗎？請注意，「韋編」是皮做的繩子，看書時結實牢固的皮繩翻斷了，連換了三根皮繩，可見老先生讀《周易》是何等地用心！所以他自信地說：「假我數年，若是，我於《易》則彬彬矣。」意思是說，我的年紀大了，如果老天還能讓我多活幾年來繼續鑽研《周易》，

那麼我的心得體會就會更加豐富深刻而彬彬有成了。這事不是胡編，而是明白記載在司馬遷《史記‧孔子世家》中的。此後，歷朝歷代研究《周易》的著作，就像雨後春筍，不勝枚舉。根據今人在1993年的不完全統計，古今中外的《易》學專著已出版了三千多部，這還沒有把《中國哲學史》或《中國思想史》之類學術著作的專章論述算進去。作為一個客觀的歷史事實和特殊的文化現象，其中必有奧祕。這當然不會是只有固執或迷狂，而是在中華民族的傳統基因中孕育著一種執著追求、深入探索和開拓視野的理性思考。只要我們把《周易》及有關的《易》學論著，放到縱向的歷史大舞台和橫向的世界大環境中，作實事求是的科學考察，並能站在二十世紀、甚至是未來的二十一世紀的時代高度，重新作出理性判斷和現代思考，那麼我們堅信，《周易》神祕殿堂的沈重大門是不難叩開的，它的特殊價值及其無數的知識寶藏，將會從自我封閉中推向世界，為人類文明進步作出自己的貢獻。

二、世界「回歸東方」及《周易》的能源觀念

今天，《易》學大潮聲勢浩大，不僅是赤縣神州，就連西洋東洋也波翻浪湧，於是乎出現了「回歸東方」的文化現象。所謂「回歸東方」，當然內容很多，金髮碧眼的洋人推崇的有《老》、《莊》之道、佛禪機鋒，以及新儒家的治國安邦之理等等，但其中主要的是嚮往專講陰陽八卦的《周易》，並對之頂禮膜拜。據說，日本的松下幸之助先生因為妙悟《易》理，並用之商場大戰，結果創立了松下「帝國」，把松下公司的產品推向了全世界，把人的生命活力推向了輝煌的頂點。侯荔江先生推衍《易》卦之理以總結其經驗，寫了《商易通》一書（四川人民出版社1993年版），可資佐證。連洋人也高呼「回歸東方」的口號。洋人喜歡《周易》，其

具體內容是什麼？其中一個重要方面就是《周易》的能源觀念。

能源是人類文化賴以產生和發展的基礎，也可稱是世界的生命之本。人的生存和社會結構方式，必然隨著能源環境（即能源的開發和運用）的變化而變化。因此，能源觀念的確立，影響了文明的發展和進步。《周易》，它所確立的是陰陽平衡、上下通氣、春生夏長、秋收冬藏、循環往復而生生不息的能源觀念。古往今來的世界能源，可劃分為再生能源和非再生能源兩大類。再生能源可在較短時期中重新培養獲得，而非再生能源則基本上是消耗性的，用掉一點就少一點，最後消耗淨盡，難以彌補。中國古代的能源，重要的來源是山草、木材和木炭等，均屬於可以再生的能源範圍，燒飯取火用它，冶礦煉鋼也用它。《周易》六十四卦中有「復」（䷗）卦，卦辭有「反復其道」之言，意思是說，在下的陽氣初生，回復生機自有規律。從卦象看，其下卦為震（☳），象徵雷動；上卦為坤（☷），象徵大地，有雷隱地中之象。所以《象傳》解釋說：「雷在地中，復。先王以至日閉關，商旅不行，后（君王）不省方。」「至日」指的是冬至這一節氣，古代中國是農業社會，「至日閉關」，是說冬天保護山林，禁止濫砍濫伐，以便草木休養生息，保存其一線生機。待到來年開春，驚蟄雷響，萬物復蘇，於是草木欣欣向榮，一片蓬蓬勃勃的景象。春夏之後草木繁茂，然後開禁，准許人民進山林割草伐木，作為維持生計的燃料能源，直到秋收之後，積貯不息。而當冬天「至日」一到，又重新閉關，禁止斧斤入山林。這樣一年四季，春夏秋冬，周而復始，循環不已，以保證能源供應的生生不息。於此可見，《周易》的能源觀，是圍繞著再生能源的轉化而發展起來的文化觀念，它把世界看成是一個不停轉換的四季，春生、夏長、秋收、冬藏的再生循環模式，是陰和陽、生和死的對立轉換。它提醒人們去認識世界是如何發展的。這基本上是依靠

自然力量輔以人力、畜力的再生能源觀念，在上古時期的奴隸社
會，以及後來幾千年的封建社會，在能源需求不算太大的歷史環
境中，和古代中國農業社會結構相適應，指導了幾千年的中國古
代經濟文化的發展，並曾取得了輝煌的成就，站在了世界文明古
國的前列，成為當時的世界文化中心之一。因此，《周易》順應自
然、依賴人力畜力而生生不息的能源觀念，在古代曾是一個先進
的文化觀念，指導了中國的發展。但是，十六、七世紀後，當世
界進入了資本主義萌芽發展的時期，如果固守《周易》能源觀念，
僅僅是依賴自然，或是依靠人力來植樹割草、砍柴燒炭，能獲取
發展資本主義文明所需的大量能源嗎？機器怎麼造？火車怎麼
跑？輪船軍艦怎麼鼓浪遠航？飛機火箭又將如何上天呢？這一切
都需要大量的能源，以打破封閉社會的固有框框。這一連串的重
大困惑，促使人們進一步考慮再生能源以外的驚人能量的來源。
人類不再是等待自然的賜予，而是進一步思考向自然索取甚至是
掠奪，而不問人與自然關係是否和諧。這時，「人定勝天」的口
號響亮，為了創造新文明，人類主動向自然宣戰。因此，資本主
義時期必然更新能源觀念，人們把埋藏在地裡的新能源，如煤
炭、石油、甚至是核材料，加以開採使用。煤、石油、核材料
等，是太陽能積澱了千百萬年的能量才得以形成的，其巨大能量
的釋放，非柴草木炭可比擬。只有這一非再生的新能源釋放了史
無前例的能量以後，於是造出了蒸汽機、柴油機、電動機。而與
西方相比，在需要發展資本主義的同一歷史時段，如清朝乾嘉號
稱盛世，在世界的橫向比較中，能源觀念卻是明顯落後的。因為
大清帝國，閉關自守，仍然固守三千多年前的《周易》再生能源觀
念，並沒有變革以追求新能源的自覺意識。就以造船業為例，宋
時中國海船已頗具規模，明初鄭和下西洋船艦龐大，領先世界。
但它們基本上是木結構，依靠風帆、潮流並輔助以人力（如划槳

等），來提高航速。這一情況，發展到乾隆嘉慶時代，歷經了幾
百年而沒有什麼根本變化。據梁章鉅寫於道光年間的《浪跡叢談》
卷一《紅船》記載：

> 今大江來往之船，以芸臺師巡撫江西時所製紅船爲最穩最
> 速。嘉慶十八（1813年）、九年間始創於滕王閣下，後各
> 處皆仿造，人以爲利。今湖北、安徽以迄大江南北，吾師
> 所製之船隨在而有。……數十年來利濟行人，快如奔馬，
> 開物成務之功偉矣。吾師嘗爲余述在江右時，偶以事遣家
> 丁回揚州，恰值風水順利，朝發南昌，暮抵瓜州。若非紅
> 船，斷不能如此快速也。因製一聯懸於舟中，云：「揚子
> 江頭萬里浪，滕王閣下一風帆。」

當時，阮元（字芸臺）以「三朝閣老，九省疆臣」的重望，
集資創設「紅船」，時人引以爲造船業的驕傲。他的學生梁章鉅
引《周易》「開物成務」之說，以爲利在國民，其功偉大。但是細
加考察，「紅船」之速雖居中國船隻之首，但論其基本，仍是木
結構，只是在船體形狀、風帆張力，以及人力輔助方面，稍加改
變而已。有「變」之心當然可喜，但其「變」卻缺乏文化哲學方
面自覺意識的指導。也就是說，外貌稍有化妝，而內心卻依然故
我，從文化觀念的根源上看，基本上仍保持了《周易》以來依靠自
然天賜、輔以人力的再生能源觀念。因此，在核心的動力方面，
毫無進展。相反，當時的西方列強如英、法等國，使用煤炭爲燃
料，以蒸汽機爲動力，引發了資本主義的第一次工業革命，生產
力的發展有了新的飛躍，於是製造了輪船和鐵甲艦，橫行全球海
洋的每一個角落。相比之下，中國的「紅船」卻因動力及其木結
構等方面的困擾，只能株守江海一隅，閉關自守尚猶不足，更何

況是開關遠航呢？「紅船」不僅無法對抗大洋的自然風浪，就是
碰到西方列強突突冒煙的鐵甲艦，又將何以自保？天朝大國的
「紅船」，曾使人們沈醉，自吹爲「最穩最速」，但是，文化觀
念不從根本上改變，卻早在乾嘉盛世之中就埋下了嚴重危機的定
時炸彈。不久，1840年鴉片戰爭爆發，以風帆木結構組建的中國
水師，一旦與西方列強以堅甲利炮武裝的鐵甲艦相遭遇，便一觸
即潰，粉身碎骨。事實說明，從有關能源觀念看，在《周易》時代
曾是先進的文化觀念，指導了幾千年的發展；但在世界跨入資本
主義的時代，如若再株守《周易》固有的傳統觀念，依賴自然天賜
的再生能源，則將落後於人，被動挨打。

　　這樣說來，是不是《周易》的文化觀念，昔日曾稱進步，而今
日已落伍，已是毫無價值了呢？恐怕不盡如此，而應具體分析。
就上述的例子來說，《周易》的能源觀念，在古代稱先進，在近代
卻落伍，可是它對於未來呢？中華古人的文化觀念，在處理人和
自然的關係時，多以爲天人交相感應，所謂陰陽平衡，上下氣
通，強調的是人與自然的和諧關係。人對自然，不是無限制地索
取和掠奪，更不應該是搗亂和破壞，而應該是順應自然，取自自
然，回報自然，造福人類。所以《象傳》所稱「先王以至日閉關，
商旅不行，后不省方」，就是強調人對自然的公正回報，人類要
向大自然索取再生能源，但是取之的同時，「必固與之」，必須
「生之畜之」，讓世界萬物自由自在地生長和繁殖（參見《老
子》）。所以人們要有一個保護環境生生不息的觀念。這樣，中
華古人在再生能源觀念的基礎上，強調人與自然的和諧，保持天
人的「和平共處」，有利於保護生態環境。這正是今天的資本主
義文明所缺少的能源觀念。今天，保護環境，保護生態平衡，已
成當務之急，對一切有關能源問題的考慮，不論是理論建設，或
是工程技術，都不能忽視環境保護。這在資本主義高度發展的西

方世界，已有人注意到了。但在更多的情況下，資本主義生產由
於無限制地追求金錢和財富，毫無節制地掠奪自然能源，破壞了
天人之間和諧共處的生態環境。「人定勝天」的口號，在一定的
歷史條件下曾促進了人類文明的發展。但在資本主義盲目生產的
環境中，卻有人藉口「人定勝天」來掠奪自然、破壞環境，大大
超前地消耗並浪費了大量不可再生的能源。因此，人類文明若要
生存和發展，就可以從《周易》的再生能源觀念獲得有益的啓迪，
以其宏遠的未來眼光看世界，與自然環境保持長期「和平共
處」，在天人和諧中譜寫文明的新篇章。從這一角度看，西方有
識之士提出文化「回歸東方」口號，具有一定的合理性，證明了
《周易》生生不息的能源觀念具有一定的超前意識，符合人類文明
發展的長期需要。遺憾的是，現實中人與自然的關係卻日益惡
化。有些人似乎不把所有的森林草地變爲農田，不把每座山岳砸
成碎片榨出石油，便不會善罷干休。爲了盲目追求財富和價值，
他們瘋狂地燒山伐林，墾荒種田。地球的每一角落的原始森林成
片地被濫砍濫伐，已經所剩無幾，結果造成了嚴重的水土流失，
洪水氾濫，四處成災，這不是人所共知的事實嗎？現在，天空時
降酸雨，地球的大氣層受到嚴重的污染和破壞，人只要一息尚
存，誰能不呼吸空氣？誰能不喝水？誰能不吃五穀蔬菜？人類濫
用文明，必遭「天譴」——自然將會給予無情的報復。有關這一
方面，西方有識之士已經開始覺醒，美國學者提醒我們：「只有
有意識地尊重我們稱之爲地球的這個封閉系統的資源極限，我們
才能作出對於人類的繼續生存具有重大意義的調整。我們的生
存，以及所有的其他形式的生命的存在，都取決於我們與自然和
解、與生態系統和平相處的決心了。」①學習《周易》，「回歸東
方」，正是針對目前西方資本主義世界仍在嚴重掠奪自然、破壞
自然的文化觀念而發，是對症下藥。由此可見，學點《易經》，大

有好處，可以正確理解東、西方文化觀念的交流、碰撞和融會互補的關係。《周易》的文化觀念，其先進及超前意識，永遠造福人類子孫萬代。

①傑里米‧里夫金和特德‧霍德華《熵：一種新的世界觀》第61頁，上海譯文出版社，1987年版。

（原載《上海大學學報》社科版1995年第1期，
原題《周易精義緒論》，略有刪節）

《周易》卦筮探源

一、巫風、占筮和《周易》

　　上古時期巫風流行。當時的中華古人，在生產鬥爭和社會鬥爭中，有許多解不開的謎，因而探索宇宙自然奧祕，解開社會人生癥結，是人們的共同心願。但在生產落後的上古夏商周三代，我們祖先的美好願望難以寄託在堅實的科學之上，因而只能轉向「天」和祖宗鬼神尋求幫助和指導。即使是受過良好教育的帝王，也同樣視「天」為主宰一切的上帝。如周滅殷商，殷紂王在臨死前仍狂妄宣稱：「我生不有命在天乎？」意思是說，我是天命在身的天子，誰奈我何！其愚蠢加速了殷商王朝的覆滅（《史記‧殷本紀》）。當時古人大都相信巫術能溝通人鬼，達意於天，極其靈驗。這種人類童年的智慧形態，正和當時的社會發展相適應，占筮問卜之風應運而生，廣泛流傳。《史記‧日者列傳》就說：「自古受命而王，王者之興，何嘗不以卜筮決於天命哉！」所以，無論是國家的祭禮儀典，征戰營邑，或人民的射獵稼穡，飲食男女，生老婚嫁，都通過龜卜《易》筮之類的高級巫術形式，來祈福消災，決策定計，以作為行動的指南。古人對巫術占筮充滿了虔誠之心。不過，古時的巫術崇拜及其預測吉凶的方法很多。《周禮‧春官‧宗伯下》云：「大卜……掌三易之法，一曰《連山》，二曰《歸藏》，三曰《周易》。其經卦皆八，其別卦皆六

十有四。」唐・孔穎達疏稱引漢・鄭玄《易贊》及《易論》，以爲夏朝占筮的經典稱《連山》，殷朝占筮的經典叫《歸藏》，而周人占筮的經典名《周易》。《連山》《歸藏》《周易》，雖然誕生的朝代有別，名稱有異，各有妙用，但論其性質、作用及其形態卻非常相似，都是用來占筮陰陽，判斷吉凶，其基本成分是八卦，然後再由八卦重疊組成六十四卦。但唐・孔穎達《周禮正義序》又引鄭玄的解釋說：「《連山》者，象山之出雲，連連不絕；《歸藏》者，萬物莫不歸藏於其中；《周易》者，言《易》道周普，無所不備。」此說《連山》《歸藏》《周易》是各以其象徵事物來命名取義的。

其實，《連山》《歸藏》是《周易》之前的古筮書名。傳說《連山》六十四卦以純《艮》（☶）開始，而八卦艮（☳）象徵山，故名。因爲原始古人曾經巢居穴處階段，與山林密切相關，後世雖遷居平原，但眺望羣山，雲遮霧繞，總以爲世界萬物薈萃於山，無限的生命之謎肇源於此，猶如出岫之雲，綿綿不絕，所以當時人們就把巫術智慧結晶稱爲《連山》。《連山》之書早佚。後來清・馬國翰《玉函山房輯佚書》輯有《連山》一卷，恐怕和今傳《古三墳書》中的〈《連山》〉一樣，均爲後人僞作。而《歸藏》之作，其六十四卦，傳說是以純陰卦《坤》（☷）開篇，而八卦之坤（☷）象徵大地，古人認爲地德厚載，「萬物莫不歸藏於其中」，故名。也就是說，隨著時代的發展，人們更注意到大地母親的寬厚仁慈之德，以爲這是人類智慧乳汁的源泉。《歸藏》早佚，今《古三墳書》中之《歸藏》是明顯僞作；而馬國翰輯佚《歸藏》一卷，晉・郭璞曾加稱引，雖僞而所出時代較早。至於《周易》之「周」，除上述指「《易》道周普」之外，更重要的應指周人周朝所用之書。

事實可能是，上古「三易」・《周易》最晚，說明其書誕生並非憑空而降，而是有其淵源所自，它是在《連山》《歸藏》等前人筮書的基礎上，加以繼承、改造和發展而成。《周易》是上古「三

易」的最後總結。《周易》盛行而《連山》《歸藏》亡佚，從這一歷史
事實推測，《周易》本身的內容是在不斷豐富發展的，它把夏、商
二代古《易》的智慧精華，大都囊括其中了。所以，和人類童年認
識水平和特殊心態相適應，《周易》是我國上古時期以巫術文化這
種特殊形態來表達人類智慧的一次總結。《周易》之「周」，義如
上述；其「易」內容更廣。如《周易乾鑿度》云：「『易』一名而含
三義：所謂易也，變易也，不易也。」可見《周易》之「易」有三
重義：一是簡易，說明人類認識事物是由紛繁至簡約，揭示了世
界事物的簡易性；一是變易，說明世界萬物處在時空轉移的運動
變化之中，變易性是其特點；一是不易，說明事物之所以為事
物，人之所以為人，總有其遵循的發展規律或真理，而真理放之
四海而皆準，具有一定的穩定性和不變性。試想，人類認識自
然、改造社會，又有誰能對「簡易」、「變易」和「不易」三原
則避而不談呢？這說明《易》之稱名，思深旨遠。當然，三種含義
中，「變易」一義最重要，它是核心，其餘二義都圍繞著「變
易」而生發。據《說文解字》，易，篆字作易，象形字，本義是蜥
蜴，即壁虎一類的爬行動物。古時傳說蜥蜴能在十二時辰中變幻
其保護色，以便避危求安。所以「易」由此引出「變易」之義。
孔穎達《周易正義序》云：「夫『易』者，變化之總名，改換之殊
稱。自天地開闢，陰陽運行，寒暑迭來，日月更出，孚萌庶類，
亭毒羣品，新新不停，生生相續，莫非資變化之力、換代之功。
然變化運行，在陰陽二氣，故聖人初畫八卦，設剛柔兩畫，象二
氣也；布以三位，象三才也。謂之為『易』，取變化之義。」今天
我們說，運動就是生命，變化為萬物之本，實是受到《周易》變易
之義的啟迪。至於簡易和不易二義：原先事物頭緒紛繁，為便於
認識，則約其繁瑣以入簡易，故簡易實從運動變化中生；而不易
則是事物運動變化時所形成的相對穩定狀態。可見簡易和不易二

義，其形成的關鍵仍然在於變易。如果事物缺乏變易性，喪失其
運動變化的本性，則其物僵化，行將就木，哪裡還談得到什麼簡
易性和不易性呢？由此可見，孔穎達斷言《周易》之「易」，變易
之義是其核心，意思確然無誤。

二、陰陽、八卦和六十四卦

《周易》之稱，早已有之。《左傳》莊公二十二年（前672
年），就有「周史有以《周易》見陳侯者」之言。《周易》簡稱
《易》，也見諸先秦文獻典籍，如《論語‧述而》：「子曰：假我數
年，五十以學《易》，可以無大過矣。」又如《左傳》昭公十二年子
服惠伯有「且夫《易》不可以占險」之言。今本《周易》又稱《易
經》，分爲經、傳兩大部分：經是先行誕生的原始文本；傳則後
出，是用來解釋和發揮經義的部分。後世漢儒尊經，匯合經、傳
兩大部分於一編，於是統稱之爲《易經》，此後源遠流長，影響巨
大，成爲中國傳統文化的重要思想淵藪。

經的部分，指《易》卦經文，包括八卦和六十四卦的卦形卦
象，及其卦爻辭。它大約產生於殷末周初時代，是我國現存最古
老的典籍之一。後來先秦諸子百家思想，以及後世封建士大夫的
文化觀念的形成，無不受其思想的沾溉滋潤。無可諱言，《周易》
是有卜筮功能，但在上古時代，「學在王官」，巫史掌管文化典
儀，雖然《周易》所言是「卜筮之事」，實際卻運用了許多民風民
俗、民間歌謠和生活知識，作爲判斷吉凶的根據，因而它已廣泛
涉及天道自然和社會人生，通於百科文化知識。可以這樣說，
《周易》是上古時代的一部小型百科全書，於此可見其思想內容涵
蓋面的廣泛性和深遠性。

傳的部分，指的是後人所稱的「十翼」：《文言》、《象傳》

上、下，《象傳》上、下，《繫辭傳》上、下，《說卦傳》、《序卦傳》、《雜卦傳》，共七種十篇。傳原是爲輔翼經而出現的，故又稱《易傳》或《易大傳》，雖然傳爲注經而「援經立說」，但是卻具有了不同時代的學術面貌，並自有其獨特的建樹和價值，它們實際上透過筮卜的帷幕，企求揭開天人之際的奧祕，而去作深入的哲理思考，從而成爲我國古代又一個千古不竭的思想淵藪。

現在讓我們來展現《易》卦的具體構成。首先介紹的是組成八卦和六十四卦的基礎──陰和陽二個卦畫。古人以一畫的符號─象徵陽，以二斷的符號--象徵陰。雖然在經的部分並沒有留下文辭直接談到「陰陽」二字，但實際上，古人通過陰--和陽—的卦面符號系統，明白無誤地確定了陰陽矛盾變化的文化觀念，並使它成爲構成了《周易》思想體系的核心，其他的一切思想觀念，都是圍繞著陰陽矛盾對立統一的範疇來展開的。所以後來《繫辭傳》發揮說：「一陰一陽之謂道」，這是有根據的綱領性的論述。由陰--和陽—的任何三爻，可以組成八卦。如三陽爻組成乾（☰），三陰爻組成坤（☷），一陽二陰可組成震（☳）、艮（☶）、坎（☵），一陰二陽可組成兌（☱）、巽（☴）、離（☲）。很明顯，組成八卦的基本卦畫是陰--和陽—兩爻。而通過八卦重疊，又可組成六十四卦，如純陽卦《乾》（䷀），純陰卦《坤》（䷁）。又如陰陽二爻相交的《屯》卦（䷂），由下震（☳）上坎（☵）兩個八卦重疊組成，論其根本，仍然是建立在陰和陽二爻的對立統一基礎之上的。所以，在《周易》神殿中，陰陽觀念的影響及其形成的特殊氛圍，雖然無形無跡，但卻無所不在。如果沒有陰和陽矛盾觀念對立統一的運動變化，就不可能有八卦概念的出現和六十四卦的存在，當然也就不可能有《周易》及其思想理論體系的誕生。

何謂八卦？在《周易》中，八卦也稱「經卦」。如上所述，它

是由陰和陽二爻變化組成，每卦各三爻，具體組成是：乾
（☰）、坤（☷）、震（☳）、巽（☴）、坎（☵）、離
（☲）、艮（☶）、兌（☱）。爲便記誦，朱熹《周易本義》曾編
寫了一首《八卦取象歌》，現抄錄如下：「乾三連（☰），坤六斷
（☷）。震仰盂（☳），艮覆盌（☶）。離中虛（☲），坎中滿
（☵）。兌上缺（☱），巽下斷（☴）。」八卦起源於原始宗教
的巫術占筮，但是其中卻寓有構成宇宙自然的八個基本的物質元
素的樸素唯物思想，乾象徵天，坤象徵地，震爲雷，巽爲風，坎
爲水，離爲火，艮爲山，兌爲澤。據《繫辭傳》下云：「八卦成
列，象在其中矣。……古時包犧氏之王天下也，仰則觀象於天，
俯則觀法於地，觀鳥獸之文，與地之宜，近取諸身，遠取諸物，
於是始作八卦，以通神明之德，以類萬物之情」。關於伏犧氏作
八卦之說，具體可以商榷。但是指出八卦之作，是觀物取象的結
果，八卦是《周易》用來象徵世界萬事萬物的最爲基本的卦形，則
合乎實際，其中，乾和坤二經卦尤爲重要，它們是天地鴻濛初
開、人類生命誕生的種種現象的最初根源。而八卦乾、坤各自重
疊，則組成六十四列卦中開篇的純陽《乾》（䷀）和純陰《坤》
（䷁）二卦。《彖傳》嘆美《乾》卦云：「大哉乾元！萬物資始，乃
統天。」又謳歌《坤》卦說：「至哉坤元！萬物資生，乃順承
天。」意思是說，天地德性，至善至美，萬物資之以生，生命資
之以養，它們的功績太偉大了！近人熊十力據此發揚光大，寫成
《乾坤衍》一書（今收入《十家論易》，嶽麓書社1993年版）。熊先
生以爲不能機械割裂乾坤的生與成的作用，正是乾與坤兩種力量
相互作用的運動變化，才創造了世界，孕育了生命。但是乾與坤
作爲萬物之本，它的本身卻是蘊藏在萬物之中。作爲本原，乾坤
是至高無上的天地實體；而作爲表象，乾坤則化爲萬物。於此可
見象徵天的乾卦，與象徵地的坤卦，在人們心目中的崇高地位。

其實，何止是乾坤二卦，八卦中的任何一卦，都是象徵某一類最
爲基本的自然事物，世界的存在、生命的變幻、社會的興衰、人
類的生死，一樣也離不開它們。《說卦傳》根據八卦各自象徵物
天、地、雷、風、水、火、山、澤，又賦予八卦以不同的事物德
性或象徵意義，按乾、坤、震、巽、坎、離、艮、兌的順序，其
卦性依次爲健、順、動、入、陷、麗（附著）、止、悅。後來，
八卦的象徵物按其德性依類推衍，愈來愈多，以便隨時說明世
界，如「乾爲馬，坤爲牛，震爲龍，巽爲雞，坎爲豕，離爲雉，
艮爲狗，兌爲羊」，「乾爲首，坤爲腹，震爲足，巽爲股，坎爲
耳，離爲目，艮爲手，兌爲口」，又乾爲父，坤爲母，震爲長
男，巽爲長女，坎爲中男，離爲中女，艮爲少男，兌爲少女；
……可詳參《說卦傳》。雖然名目繁多，但其卦的德性及其象徵意
義，則基本穩定。只不過是根據八卦的象徵物的具體變化而靈活
運用而已。熟悉八卦的象徵意義而巧加運用，對於解開六十四卦
之謎大有好處。如果說陰陽觀念是建造《周易》神殿的基礎的話，
那麼八卦則是建構六十四卦體系的基本材料，又是進入《周易》殿
堂門戶的一把鑰匙。

　　什麼是六十四卦及卦爻辭？《周禮》稱六十四卦爲「別卦」，
是相對於八個經卦而言，它由三畫的八卦兩兩相疊，經過重新排
列組合，八和八相乘，就化爲每卦由六畫組成的六十四卦。八卦
各自重疊的八個純卦，其卦名依舊的有：乾（☰）、坤（☷）、
震（☳）、巽（☴）、坎（☵）、離（☲）、艮（☶）、兌
（☱）。而八卦當中的兩個不同卦任意重疊，又組成了其餘的五
十六卦。六十四卦各有其象徵的事物，其具體說法很多，這裡不
作深入的學術論爭，而只介紹一般認可的見解。黃壽祺、張善文
《周易譯注》（**按**：以下簡稱《譯注》）中有《讀易要例》一文，說：
「六十四卦卦形，以特殊的象徵形象，分別喻示六十四種事物、

現象的特定情態，反映了作者對自然界、人類社會的種種認識。
如《泰》（☷☰）天在下、地在上，猶如上下心志交通，象徵社會
『通泰』興盛；《既濟》（☵☲）卦火在下、水在上，猶如煮成食物，
象徵萬事皆成。他卦均倣此。而卦中六爻之間陰陽交互變化，又
顯示出各種事理的發展規律。於是，六十四卦的出現，形成了
《周易》以陰陽爻象爲核心，以八卦物象爲基礎的完整象徵體
系。」（上海古籍出版社1989年版）六十四卦是古人作八卦「觀
物取象」原理的推衍擴展；所觀察的事物，當然是指作卦時據以
構思成形的自然物或社會事；而所取立的卦象，又各具有一定的
特殊象徵事物和特定意義。六十四卦分別象徵宇宙自然和社會人
生中六十四種最爲基本的事物或範疇，中華古人企圖以此涵蓋當
時生活中所見所聞的世界萬物。六十四卦所象徵的六十四種基本
事物或範疇，是否能恰當概括當時生活中的一切？當然還可討
論。但是古人的意圖是明顯的，從自然的天地乾坤，水火風雷，
社會人事的征戰刑訟和民風民俗，到人類情感世界中的共鳴感應
和悲喜愛惡，從物質世界到精神現象，無所不及。就中華古人所
展現的智慧看，已自覺不自覺地超越了巫術占筮的範圍，從而構
成了上古時代碩果僅存的一部以特殊結構形式展現的小型百科知
識全書。我們如尋根究源，追溯孔子及先秦諸子百家爲什麼思想
理論能有如此傑出的造詣？就以儒家爲例，《論語》的博大精深，
《孟子》的新思銳見，《荀子》的淵博學識，它們的思想成就，並非
從天而降，而是有所繼承和發展，和《周易》六十四卦結下了不解
之緣。

　　讀者還應看到，《周易》思想重在變易。所以，古人並不把六
十四卦看成是彼此孤立的現象，相反，六十四卦所象徵的六十四
種基本事物或範疇，是環環相扣，彼此關聯，相生相剋，在矛盾
運動中組成了一張有機統一的宇宙人生網絡。就以上下卦反轉顛

倒的對卦爲例，如《泰》（䷊）和《否》（䷋）互爲對卦，唐・李鼎
祚《周易集解》注《泰》引三國吳人虞翻曰：「陽息坤，反《否》
也。」注《否》又稱虞翻曰：「陰消乾，又反《泰》也。」虞翻所說
的「反」，就是矛盾對立、相反相生的意思。在對卦之間，並不
是彼此之間絕對排斥的關係，而是相互之間具有相生相剋的內在
聯繫。從卦形卦象來分析，《泰》卦下乾（☰）爲天，上坤（☷）
爲地，卦象是地在天上，似乎有悖常識。但《易》重矛盾運動，地
氣陰濁而下沈，天氣陽剛輕清而上升，這樣陰陽二氣，上下相
通，交匯和合，陰陽和諧，象徵風調雨順，國泰民安。而《否》的
卦形則與《泰》相反。《否》卦是下坤爲地，上乾爲天。也就是說，
《否》的上乾是由《泰》卦下乾上升形成，其下坤則是從《泰》卦上坤
下降轉化。這樣上下卦一反轉，就由《泰》變爲《否》了。《否》
（䷋）上乾下坤，天上地下，照理合乎生活實際，但卻不合《易》
理。因爲在上的天的陽氣又繼續上升，在下大地的陰濁之氣持續
下降，陰陽二氣上下乖悖不通，顯示了氣候反常，必生災異，對
人類生活不利，此其所以爲《否》。否，病也，否塞不通也。相
反，《否》的上下卦一反轉來，又由《否》變《泰》。《否》象徵否塞之
弊，該是人生凶途；但事物發展不會永遠否塞不通，而是在運動
變化中向《泰》的方向轉化，只要條件成熟，時機一到，上下卦形
一反，不就否極泰來、大吉大利了嗎？反之，《泰》是吉卦，但是
人們一旦驕傲自滿，故步自封，就會在運動中走向反面，其上下
卦反轉而成《否》，就會產生樂極生悲、泰極否來的悲劇。六十四
卦中，對卦很多，如《觀》（䷓）與《臨》（䷒），《晉》（䷢）與
《明夷》（䷣），都是一對又一對的矛盾，相反相成，辯證統一。
按虞翻《易》學條例，還有「旁通」之說，指卦體中陰陽爻位的運
動變化，所以《文言傳》說是「六爻發揮，旁通情也」。**按**，明・
來知德發明的「綜卦」、「錯卦」之說，揭示了六十四卦之間錯

綜複雜的矛盾的辯證統一關係，人稱「絕學」。其實，來氏所稱
「綜卦」，即虞翻的「反卦」（反對卦），其所謂「錯卦」，即
虞翻的「旁通」。另外，《左傳》《國語》筮例，及漢儒象數《易》
學，還有「之卦」、「互卦」諸多名目，以釋一卦之內或不同卦
之間的關係及其變化。又如舊題西漢焦贛《易林》，六十四卦各有
六十四變，共產生4096卦，每卦繫以四言詩一首，稱爲《林辭》，
共4096首詩，以極盡卦、爻之間錯綜複雜的關係。類似諸多卦變
爻變之稱，雖是後人爲釋卦而設，但論其來源，則是對於《周易》
作者良苦用心的推測，同時也是對於六十四卦之間運動變化規律
的概括。

　　其實，六十四卦中不僅卦與卦之間產生了錯綜複雜的種種關
係，即在一卦之內，也因爻象爻位的運動變化，六爻分別代表了
卦象所顯示的特定事物處在一定時間、環境的發展階段中的活
動，六爻的上下變化的活動，就保證了六十四卦中的每一卦都富
有強大的生命活力，而非呆板僵死。這樣，六十四卦中的某一
卦，可與其他的任何一卦發生種種關係；而一卦之中，又同時有
六爻的運動變化。如果依照數學運算，64×64×6＝24576。也就
是說，六十四卦中，不管是從縱向或是橫向觀察，至少能夠出現
數萬種的活動變化的關係。在上古三代，巫史或其他占筮者，當
然可以根據六十四卦這張具有二萬餘種活動關係的聯絡圖，按圖
索驥，尋蹤覓影，再加上自我認識與理解，來對《易》卦占筮作出
靈活的解釋。因此，六十四卦是一張複雜的宇宙自然和社會人生
網絡，是《周易》神殿的主體構造，它的內容豐富多采，閃爍著誘
人的神祕的聖火之光。

　　至於有關爻象爻位及卦爻辭，《譯注》卷首前言有通俗明白的
說明，非敢掠美，附錄如下：

六十四卦每卦各有六爻，分處六個高低不同的等次，象徵
事物發展過程中所處的或上或下、或貴或賤的地位、條
件、身分等。六爻分處的六級等次，稱「爻位」。六級爻
位由下至上依次遞進，名曰：初、二、三、四、五、上。
這種自下而上的排列，《周易乾鑿度》釋云：「《易》氣從下
生。」即表明事物的生長變化規律，往往體現著從低級向
高級的漸次進展。六級爻位的基本特點，約可概括爲：初
位象徵事物發端萌芽，主於潛藏勿用；二位象徵事物嶄露
頭角，主於適當進取；三位象徵事物功業小成，主於慎行
防凶；四位象徵事物新進高層，主於警懼審時；五位象徵
事物圓滿成功，主於處盛戒盈；上位象徵事物發展終盡，
主於窮極必反。當然，這只是括其大要，在各卦各爻的具
體環境中，由於種種因素的作用，諸爻又有錯綜複雜的變
化。

關於卦爻辭，六十四卦各有卦辭，以展現全卦所象徵的一卦大
義，全書共有卦辭六十四則；每爻各有爻辭一則，以展現該爻在
特定地位和時段中的含義，六十四卦每卦六爻，共有爻辭三百八
十四則；又因《乾》卦多「用九」、《坤》卦多「用六」兩則文辭，
故或稱爻辭三百八十六則。總的說來，「卦爻辭敍說哲理，多用
『假象寓意』的譬喻方式，使隱含在『卦形』背後的《周易》文理較爲
具體、生動地顯示出來。如果說六十四卦卦形的暗示，是《周易》
的符號象徵；那麼卦爻辭的描述，則是《周易》的語言文字象徵：
兩者相互依存，融會貫通，共同表達了《周易》的內在意義。於
是，當卦爻撰成之後，一部兼具卦形和文辭兩大要素的獨特的古
代哲學專著——《周易》，終於以完整的面目、嚴密的體系出現於
世，流傳不衰，並產生了深遠、廣泛的影響。」（同前）總之，

卦爻辭的任務有二：一是解釋卦名卦象爻位爻象及其運動變化的意義；一是還要針對占筮者的具體提問給予適當的回答，以作爲其行動的指南或重要參考。

三、《易》卦經文誕生的文化背景

這是一個爭論了幾千年而迄無定論的學術問題。本文只能刪繁就簡，述其普遍認可的大概。《周易》分經、傳兩大部分，分別誕生於不同年代，其文化背景有異。而經的部分，又因有陰陽、八卦、六十四卦及卦爻辭的不同，它們的誕生和發展，可能經歷了從原始公社到奴隸社會昌盛的漫長年代，是在幾千年中出現、形成並逐漸走向成熟而終於定型的。《周易》之經，終於以獨特的符號象徵體系，向後代的人類子孫，描述了中華古人對於宇宙奧祕和生命密碼的獨特而深刻的認識。

八卦中的陰--與陽—兩爻及陰陽矛盾對立的文化觀念是怎樣起源的？衆說紛云，影響較大的有以下幾種說法：

一是源於「上古結繩而治」說。如陳道生《重論八卦的起源》（台灣《孔孟學報》1996年十二期），以爲上古人民結繩記事，以有結和無結區分陰陽。劉正《中國易學預測學》（紅旗出版社1991年版）意思相近。王振復《周易的文化智慧》（浙江古籍出版社1990年版）從古代的「八索之占」考察，介紹前人之說，「認爲陰爻、陽爻起於結繩記事時代」，「古人以陽爻—代表結繩的一大結；以陰爻--代表結繩的兩小結」，「八索後來發展爲八卦」。

二是源於占筮工具說。或出於龜卜兆紋的演化。如李大用《周易新探》（北京大學出版社1992年版）從近代出土的西周甲骨中保存著五塊較爲完整有卜兆和甲骨文的龜甲和卜骨，發現其卜

兆的一致性：「㈠甲骨灼裂紋，基本上有—、--兩種形式。㈡甲骨卜兆多以三條裂紋為一組。㈢卜兆均為—、--兩種裂紋的單獨重疊、或爾者錯雜，井然有序。歸納起來有六種排列形態：☰、☷、☵、☲、☳、☶。」以此推斷八卦、六爻乃至六十四卦，均起源於龜卜裂紋。或出於泥製筮具表面的凹與凸（見王振復《周易的文化智慧》稱引）。又如高亨《周易雜論》，以為是占筮時的「竹棍」（即筮草）一節的象徵陽—，二節的象徵陰--。

三是源於古代觀測天文（如晷景觀測）。如烏恩溥《周易——中國古代的世界圖示》說：「《易》卦的基本成分『—』陽爻和『--』陰爻也應該是來源於日、月、五星的星象。這就是說，『—』陽爻淵源於日象；『--』陰爻淵源於月象。原始氏族社會的人們，觀察到太陽呈圓形，將它畫成◉形，這就是後來演化而成的『日』字。原始氏族的人們，還觀察到月亮呈☽形，後來演化成『月』字。古代的人們將◉象的圓圈展平拉直，就構成了『—』陽爻；將☽象的兩畫平列連畫起來，就構成了『--』陰爻。」

四是源於中華古人的生殖崇拜說。如郭沫若《周易時代的社會生活》，其《發端》稱：「八卦的根柢我們很鮮明地可以看出是古代生殖崇拜的孑遺。畫—以象男根，分而為--以象女陰。」（見《十家論易》，嶽麓書社1993年版。聞一多《說魚》的觀點相似，見《聞一多全集》卷一。）

上述諸家，各執一端，莫衷一是。依我之見，似乎應予「模糊」處理，「擘肌分理，唯務折中」（劉勰《文心雕龍·序志》）。諸家之說，各自從某一角度，提出自己的創見，啓人思維，都具有一定的合理因素，都有存在的價值。但是，又由於某一固定視角的限制，未能窺其全貌。如能對各種起源之說取精汰蕪，折衷羣言，則不難窺其全豹。《繫辭傳》所稱陰陽八卦之作，是聖人「仰則觀象於天，俯則觀法於地，……近取諸身，遠取諸

物」，如果去其神化色彩，則似可涵蓋上述諸說。比如觀測天文說和結繩說，當然是仰觀天象、俯察大地的具體發揮；即使是被今人批評的生殖器崇拜說和占筮工具說，不也就是「近取諸身，遠取諸物」的具象化嗎？從文字訓詁的本義看，「陰陽」一詞原指太陽光照的向背。如《說文通訓定聲》云：「仌（陰）者見雲不見日，昜（陽）者雲開而見日。」原始人一旦呱呱落地，一張眼就看到了太陽。是太陽的運動，決定了地球的運行及人類社會的誕生。太陽是地球一切能源的根本來源。所以，從太陽光照的向背，人們就會進一步看到世界萬事萬物的陰陽二氣的對立流轉，地球因此也就富有了勃勃的生機和活力。人們從觀察自然現象入手，於是由遠而近，逐漸理解到世界存在著一對對具有陰陽二氣矛盾對立的事物，自然現象如天地、日月、晝夜、炎涼、晦明、雨晴，社會事物如君臣、男女、夫妻、勝敗等，抽象概念如虛實、動靜、善惡、美醜等。諸多的陰陽現象，矛盾對立的事物，給中華古人以刺激和啟迪，最終由紛繁趨簡約，終於把直覺的感性體驗和印象，概括為陰陽二氣對立流轉的觀念，並進一步「易之以書契」，化為具體的卦畫，成為陰--與陽─兩爻，以構成八卦和六十四卦的基礎。據此可以斷言，八卦中陰陽二爻及其文化觀念，肯定不是一朝一夕之間某個「聖人」的發明創造，而是從原始社會到文明社會之間千萬年中，數不清的中華先民經過長期實踐思考的智慧結晶。

至於有關八卦、六十四卦及卦爻辭的作者和時代，說法更多。關於卦畫之作，古有伏犧畫卦說，神農畫卦說，大禹畫卦說，文王畫卦諸說，參孔穎達《周易正義序》。但較流行的是伏犧作八卦、文王重卦（即六十四卦）、文王作卦爻辭，或文王作卦辭、周公作爻辭諸說。但從考古發現及現代科學角度考察，則致人疑竇，問題頗多。我們認為在並無確證的情況下，也應予「模

糊」處理。關於八卦，自《繫辭傳》提出「古者包犧氏（即伏犧）之王天下也，……始作八卦」之說，古人懷疑的不多，但近人郭沫若等，則以為是一種不實的神話。這就要看如何理解伏犧氏其人其事了。伏犧氏傳說是人首蛇身，外貌奇怪駭人，當然是一個遠古社會中的神話人物。但是，如果不是把他作為一個鬼神附身的帝王或「上上聖人」，而是作為一個我國遠古時期原始先民集體智慧的化身，應該說還是有一定合理性的。

　　關於六十四卦。根據現代考古發現，在殷周卜骨及青銅器銘文中就已有了六十四卦卦象中的半數左右，當時古人就以奇偶數方式組成數字卦，如六八一一五一表示《大壯》（䷡），五一一六八一表示《無妄》（䷘）。在距今七千多年前的缽上發現了六爻的卦象如《復》卦、《隨》卦、《蠱》卦等十幾個卦的卦象，其出土地點從台灣到美洲印第安人部落中，以及國內部分地區（參見劉正《中國易學預測學・八卦的形成》）。因此，清・顧炎武說「重卦不始於文王」）（《日知錄・重卦不始于文王》）是正確的。據此，周代以前的《連山》《歸藏》諸易，可能早有類似六十四卦的形式出現。但是，殷末周初的周民族，把它重新加工整理為《周易》中的六十四卦，並在占筮活動中加以廣泛推廣運用。故《繫辭傳》稱「《易》之興也，其當殷之末世，周之盛德邪？當文王與紂之事邪」，「作《易》者其有憂患乎」等說法，如果用以指八卦和重卦，並非正確；但如指卦爻辭之作，則有一定的合理性。因為關於卦爻辭，古人一般以為是文王或周公所作，少有疑問；但近人郭沫若、顧頡剛等則大膽懷疑，另立新說。其說是否正確，尚待學界論證。一般的學者目前多沿古說而加以現代視角的辯證發揮。如果我們把卦爻辭的具體內容稍加整理歸納，就會發現以下三種情況：一是所載為殷商王朝的歷史舊事，如《既濟》九三爻辭「高宗伐鬼方，三年克之」等，說明是周人繼承古《易》而作；一

是與周文王同時之事，如《明夷》六五爻辭「箕子之明夷」，箕子為殷紂王的宗室重臣，與文王同時；一是與周公同時之事，如《晉》卦辭：「康侯用錫馬蕃庶，晝接三日。」康侯，即衛康叔姬封，周武王弟，與周公為兄弟，也就是彝器銘文和《尚書·梓材》中的康叔，如《康侯鼎》「康侯𤰶作寶尊」，這是文王身後之事。可見以為卦爻辭為周文王一人所作，是站不住腳的。而《左傳》昭公二年晉國韓宣子聘魯，「觀書於太史氏，見《易象》與《魯春秋》，曰：『周禮盡在魯矣，吾乃今知周公之德與周之所以王也。』」韓宣子（韓起）年代與周公相距不算太遠，他以為《易象》（包括卦爻辭）為周公所作，想必有其根據。至少，周公是其重要作者之一。今人李大用《周易新探》明確斷言：「周公、召公編寫《周易》卦爻辭。」進一步又論其性質云：「《周易》卦爻辭是周文王、武王、周公、成王與周滅商的歷史進程及其成敗的記錄。」李大用完全排除了《周易》的「筮辭」及其迷信成分，所言太過絕對，不合史實；但斷言《周易》卦爻辭之作在殷末周初，則又基本合理。

總之，關於《周易》卦形及卦爻辭的作者及其時代，歷時很長，作者非一，應該說是一部經歷了漫長時期歷史積澱的集體著作，是中華古人的集體智慧結晶。其正式編訂成書，則大致是在西元前十一世紀的殷末周初時期，主要是出自周族人的記錄。如《隨》卦上六爻辭及《升》卦六四爻辭均有「王用享於岐山」，岐山為周部族昌盛發源之地，故部族國家有大事，周王就到岐山舉行祭典儀式，以示慶賀祈福，或求天示兆，以便決策行動。又如《歸妹》六五爻辭「帝乙歸妹」，妹，少女。講的是商王嫁女的故事。這與周部族有什麼關係呢？近人顧頡剛據《詩經·大明》加以考證，以為講的是殷商帝乙因西部周族日漸強大，不得不以王女下嫁周文王：「商日受周的壓迫，不得不用和親之策以為緩和之

計，像漢之與匈奴一般。所以王季的妻就從殷商嫁來，雖不是商
的王族，也是商畿內的諸侯之女。至帝乙歸妹，《詩》稱『俔天之
妹』，當是王族之女了。」所說見其《周易卦爻辭中的故事》，收
入《古史辨》第三冊。所論鑿鑿，令人折服。可見爻辭「帝乙歸
妹」所述，仍然是周邦新興過程中的事情。今人靳極蒼所論更爲
明確：「卦辭是周民族生活經驗的積累」，「是周民族處於部落
時代的作品；爻辭是周民族爲天下共主時代的作品。」（《我與
周易卦爻辭詳解》，見《文史知識》1993年第11期）雖然因古籍散
佚，文獻失徵，我們無法拿它和殷商以前古《易》內容相比較；但
從宏觀考察及微觀細辨，仍可窺見《周易》卦形卦象及其卦爻辭，
明顯具有周族由弱而強、最後終於取代了殷商而成爲「天下共
主」的時代內容及民族特色。

四、從殷商龜卜到《周易》著筮

從殷商龜卜到《周易》用著草占筮，不能簡單理解僅是筮卜工
具的變化，而是表現了所象徵的內容、觀念及其邏輯思考的發展
與進步。

從現存文獻及考古發現來看，殷商時代只有龜灼和骨卜，大
量刻有卜辭的甲骨就是明證。據考證，數字卦的發現應上推殷商
時代。不過這一問題在學術界尚未完全達成共識。當時雖然有以
奇偶陰陽組成八卦及六十四卦，但可以肯定這仍然是處於萌芽狀
態的初級階段。殷人尚鬼，迷信觀念濃厚，他們多依靠灼炙龜甲
或獸骨所顯現的裂紋來作爲卜兆，並用來代表鬼神天意，判斷吉
凶。而灼燒龜甲或獸骨時的裂紋形態及其排列，偶然性因素很
大，這正是鬼神幽微、天意難測、而爲人所難以掌握的象徵。後
來人們發現龜卜之兆常與統治者的意志時有相左，該做的事做不

成，而不想做的事，卻因龜卜示吉，常是事與願違。爲此，殷商巫史就在龜甲獸骨上或鑽洞、或鑿槽，以求灼燒龜甲獸骨時能依人們的主觀意志來顯現卜兆裂紋。事實上，鑽洞鑿槽的舉動，在一定程度上表現了人的主觀能動性，企望龜卜暗中依人主的意志示兆。但是由於物質材料的限制，灼燒時的偶然性太大，裂紋的不規則性是很難完全依人的意志來控制的。這樣發展到殷末，就採用「卜用三骨」的三卜制，每次占卜往往利用三骨反覆進行。所稱「三卜」：「謂之元卜、右卜和左卜。」今人宋鎮豪指出：「殷人的三卜，恐怕一則在於努力使人事符合上帝的意志；二則盡量使事情的可行性能與人君的意願相結合。因此每卜用三骨，有時還不足作最後判斷，又有重複再貞。」（《殷代「習卜」和有關占卜制度的研究》，見《中國史研究》1987年第4期）

殷人在甲骨占卜過程中，開始運用了奇偶數值觀念，並且企圖寓有一定的人的意念，但是爲時已晚，狂妄殘暴的殷紂王自稱「有命在天」，倒行逆施，葬送了天下。因此，殷人「三卜制」中人的觀念進步有限，這一歷史任務，只能留待周人來完成，故《周易》以著草占筮的新法應運而生。

殷末年代的周族，生活在今陝西一帶，處在殷商西邊。當時周人的巫術占卜活動，既有甲骨之卜，更有《易》卦著筮。《詩經·衛風·氓》有「爾卜爾筮，體無咎言」之句，卜指龜甲卜卦，筮指用著草占卦。又《周禮·春官·宗伯》云：「大卜掌三兆之法：一曰玉兆，二曰瓦兆，三曰原兆。」鄭玄注：「兆者，灼龜發於火，其形可占者，其象似玉、瓦、原之罊罅，是用名之焉。」據杜子春注，玉兆是帝顓頊之兆，瓦兆是帝堯之兆，而原兆是有周之兆，似周之原田。故《詩經·大雅·綿》云：「周原膴膴，堇荼如飴。爰始爰謀，爰契我龜。曰止曰時，築室於此。」營造周原邑室的時間地點，先要請示龜卜。李大用《周易新探》解

釋說：「周人不僅繼承了殷人龜卜，而且為了興周滅商，周文王、周公等統治者還針對殷人迷信龜卜的傳統，利用龜卜，製造輿論，以麻痹殷人、統治周人。所以，龜卜到了周人手裡，經過統治者和卜人的長期摸索、總結，已整理出一套『合陰陽』（用 --、一兩種基本符號）、『掌三兆』（卜用三兆）、『圖八卦』、『附六爻』（八卦重疊）、『自演為六十四』的龜卜方式了。」作者認為《易》筮的陰陽八卦及六十四卦完全來自龜卜，雖然言過其實；但如用來說明周人《易》筮對於殷商龜卜的淵源承繼關係，則言之有理。因為周在陝西，處在遠離海洋的內陸，故龜甲物產極其匱乏；而殷在中原，又是「天下共主」，征服東夷（今山東齊魯之地），江海縱橫，盛產龜甲。由於環境差異，物產有別，占卜的具體物質材料不能不有所變化。《史記・龜策列傳》云：「龜千歲乃游蓮葉之上，著百莖共一根，又其所生，獸無虎狼，草無毒螫。江傍家人常畜龜飲食之，以為能導引致氣，有益於助衰養老。」這樣看來，因龜長壽，具導引致氣的藥補之用，故殷人以為吉祥，因其盛產而取以為卜灼工具。而周處西土，水源無多，龜甲不足，於是彌足珍貴；加以龜貝是古代的貨幣，涉及經濟實利，所以雖然周承殷禮而有龜卜之事，但運用不能太多，只能是特別重大的事情或隆重典禮才使用。即使是一隻龜甲，也因龜板左右紋路平分為六方，於是在每方下卜一次，刻一辭，重複使用，以便物盡其用。在西土龜甲資源不足的條件下，於是周人不得不轉移視線，發現了著草叢生，一本百莖，生條便直，遍地可尋。據說著草百年而神，全草俱可入藥，去毒驅邪，功效與龜甲相似，因而周人取之以代，成為新的占筮工具。褚少孫曾稱引《太史公之傳》云：「三王不同龜，四夷各異卜，然各以決吉凶。」占卜方法及其工具，不能不因時代和環境的不同而有所變化。

　　隨著占卜方法及工具的變化，很快引發了一場占卜觀念的進化。《左傳》僖公十五年載韓簡的話：「龜，象；筮，數。象而後有滋，滋而後有數。」龜卜燒灼之兆以斷吉凶，偶然性大；而改爲著草《易》筮，則重在事物滋生之後事物之間「數」的關係，又因「數」而由量變到質變，然後根據質變而言性質斷吉凶。這就由龜卜灼兆的偶然性（最多也只能稱爲微弱奇偶數觀念的萌芽），改變爲同時運用數理觀念來推斷吉凶的思維方式，而在其數理推算的演變中，自有規則可循，顯現出人的理念日漸加強的必然趨勢。如果說殷人龜卜與其「尚鬼」觀念相一致，則周人《易》筮與其重「人」的觀念同步。《尚書・泰誓》周武王伐殷誓詞：「天視自我民視，天聽自我民聽。」承認「唯人萬物之靈」。可見周初因觀念進步，「人」或「民」的地位逐漸提高。言外之意，不能盲目相信天命鬼神。可見「人」的觀念在日漸強化，而鬼神天命觀念則趨淡化。與觀念的進步相應，周人《易》筮，正在逐漸開拓由天鬼向人事方面轉化的一片新天地。雖然就《易》筮的基本性質而言，它仍然不脫巫術活動範圍，依然存在了溝通天人、模糊人鬼的問題。但透過現象看本質，也可從它的占筮迷信活動的背後，隱約發現了人類智慧的閃光，在《易》卦的數理推測運算中，人的意志正在逐步加強並日漸凸現。

（原載《楚雄師專學報》1999年1月號）

《易》學流派概述

如前所述,《周易》可喻爲上古時期的一部小型百科全書,它所涉及的方面非常廣泛,後代《易》學家常因視角不同,方法迥異,對於《周易》的內容各取所需,然後詳加推衍論述。於是在《易》學的漫長歷史發展中,逐漸形成了許多《易》學流派,出現了衆多的《易》學著作,讓廣大的讀者,在讀《易》入門之初,感到頭緒紛繁而望洋興嘆。本章的學術流派簡介,並不是研究《易》學史本身,這應該是專家學者的任務;本書作爲入門初階,只是在讀者面對入門之初的困惑時,希望藉此幫助他們能夠有所思考和選擇。

一、象數派

《易》學研究,濫觴於先秦,《左傳》《國語》及其他先秦著作,多有記載;但與《易傳》相比,則是零星而不成系統。不過後來《易傳》七種十篇被漢人移入經後,經、傳合併,尊爲《易經》,《易傳》本身又成爲《易》學家研究的一種重要的文本和對象。因此,眞正形成《易》學流派,當從漢代說起。

漢代《易》學,主要是象數派。「象數」之稱,始見於《左傳》僖公十五年韓簡之言:「龜,象也;筮,數也。物生而後有象,象而後有滋,滋而後有數。」從古人的原始思維來看,「物生而後有象」,這是一種直觀的樸素認識的基礎;而物「滋而後有

數」，則是認識的進一步發展，已包含推理演變的成分在內。後來《繫辭傳》據此發揮，於是有了「觀物取象」以成卦，「參伍其變，錯綜其數」之說。其筮卦釋義，即立腳於象數，如云：「《乾》之策（**按**：指老陽爻）二百一十有六，《坤》之策（**按**：指老陰爻）百四十有四，凡三百六十，當期（周年）之日。二篇之策，萬有一千五百二十，當萬物之數也。」古人認爲，聖人觀物取象以成卦，先有卦象爻象；但是有「象」以後，世界萬事萬物衆多，滋生繁衍，因而同時就有了「數」，比如推算出《乾》策和《坤》策三百六十之數，象徵了每年的三百六十日。這說明了世界事物的運動變化，總是離不開構成時間和空間的物象和物數，這是一個自然發展的規律。漢代《易》家的所謂「象數」，主要是指卦象、爻象及六十四卦諸爻之間的陰陽奇偶變化，並以此作爲筮卦釋義的主要根據。

漢代數百年間，是象數《易》學繁榮昌盛的大發展時代。秦時焚書坑儒，典籍幾盡，但如《漢書·儒林傳》所說，因「《易》爲筮卜之書，獨不禁，故傳受者不絕」。從今文《易》學而言，「漢興，田何……授東武王同子中，洛陽周王孫、丁寬、齊服生，皆著《易傳》數篇。……要言《易》者本之田何。」後來丁寬傳田王孫，田王孫又授施讎、孟喜、梁丘賀，於是「《易》有施、孟、梁丘之學」。除孟喜多言陰陽災異外，西漢象數《易》學「皆祖田何、楊叔元（何）丁將軍（寬），大誼略同」，「訓詁舉大誼而已」。也就是說，西漢初年的象數《易》家，多本之先秦時期《左傳》《國語》筮例及遵循《易傳》，基本保存象數古義，發揮互體、之卦、變爻諸說，並不拘泥於一般的文字訓詁章句之學。這一派的《易》學，除孟喜因改「師法」而不立於學官外，大都立博士官，或與官學關係密切。又西漢費直字長翁，雖然所傳授的是古文《易》，不立於學官，其所據文本字句與上述施、孟、梁丘三家

略有出入，是古文《易》學中費氏學的開創者。他長於卦筮，不撰章句，以《易傳》解釋《易》卦經文上下篇。費直師承，傳無明言，但純以《易傳》說明六十四卦，則與田何、丁寬、田王孫、施讎、梁丘賀輩相去不遠，皆守先秦占筮古義而加以發揮。費直傳王璜（一作橫）。在西漢時影響不大，但到東漢時，由於儒學中今、古文學派門戶鬥爭加劇，費氏古文《易》學於是乘機而起。因而東漢《易》費氏學傳人甚衆，如馬融、二鄭（衆、玄）、荀爽輩，皆明習費氏古文《易》。

西漢象數《易》學，其著作大都亡佚，不必說是田何、丁寬之作，就是施讎、孟喜、梁丘賀三家《易》學之著，也只能由散落在古書中的片言隻語窺其一斑。後來淸・惠棟《易漢學》中，輯有孟喜《易》二卷，京房《易》二卷。

在西漢，象數《易》學中，京房《易》別爲一派，專以陰陽災異釋《易》。京房（前77～前37年），頓丘（今河南淸豐）人，字君明（**按**：西漢《易》家楊何弟子京房，別是一人），西漢今文《易》京氏學的開創者。曾師事焦延壽，擅長用六十四卦分值四季節氣，以解釋陰陽災異，占驗吉凶。漢元帝時立博士官。京房屢屢上疏皇帝，以「卦氣」之說評議時政，把陰陽災異與政治鬥爭相聯繫，明顯具有天人感應的思想傾向。但在帝王專制之時，藉天變來抨擊時弊，企望帝王改弦易轍，也不失其正義之心。後被擅政宦官石顯以「誹謗政治」罪下獄處死。《漢書・儒林傳》云：「至成帝時，劉向校書，考《易》說，以爲諸《易》家皆祖田何、楊叔元、丁將軍、大誼略同，唯京氏爲異，黨（儻）焦延壽獨得隱士之說，託之孟氏，不相與同。」今人吳承仕先生《經典釋文序錄疏證》也說：「自京氏長於占候，《易》家世應、飛伏、六位、十甲、五星、四氣、六親、九族、福德、刑殺之法，皆以京氏爲本。……漢今文《易》四家，唯京氏遺說傳世稍遠。」今存《京氏

易傳》三卷，打亂了古代《易》卦次序，而按八宮卦次序重新安排六十四卦，每宮以一純卦統領七變卦，敍其世應、飛伏、游魂、歸魂諸例，宋・晁公武《郡齋讀書志》對它評價很低，認爲是「星行氣候之學，非章句也」，是後世金錢卜等算命法的老祖宗。這種評價並不全面。誠然，《京氏易傳》的迷信成分應予批判。但是，其爻變、互體諸說，當是出自先秦古義，並非無本之論。京房尤重自然和人事的聯繫，雖然勉強牽合之處不少，但現代科學卻證明了某種天人同構的現象，京房是否有超前意識？其陰陽爻變之說，具有一定的辯證觀念。至於其八宮卦序，與今考古發掘的馬王堆《帛書周易》卦序近似，所據似爲另一系統的文本，雖然少作義理發揮，但卦序錯綜變化，秩序井然，說明了物「滋而後有數」的道理，顯現出很強的數理推斷的觀念進步。因此，在漢象數《易》學中，京房《易傳》雖爲別派，但不可一筆抹煞。《京氏易傳》仍有一定的參考價值。

又如漢代《焦氏易林》一書，《四庫總目提要》稱：「蓋《易》於象數之中，別爲占候一派。」但在占筮釋卦之時，據象釋義，所載逸象如對象、大象、半象、覆象等等，多存先秦古義，時有可取之處。今人尚秉和作《焦氏易詁》十一卷、附錄一卷、《焦氏易林注》十六卷，「使前漢之《易》說，晦而復明」（王樹枏《焦氏易詁序》），其功不可沒。

另外，《焦氏易林》不論其作者是誰，但作爲一部全面描繪生活各個方面的特殊四言詩集，應該說是具有很高的文學價值。聞一多先生論詩與《易》的美學聯繫，就把《易林》作爲重要的突破口。他敏銳地指出：「西漢焦延壽（按：余嘉錫等以爲是西漢末年的崔篆）作《易林》一書，經過考察研究，我認爲這位作家在文學史上應當占重要地位，要像《史記》作者司馬遷一樣受到重視。《易林》本來的作用只在占卜，用的是詩句形式，好像後世觀音籤

一類的東西。可是它的句法往往近於唐宋詩句的，後人書寫對
聯，常被引用。晚明鍾（敬伯）譚（友夏）編選的《古詩歸》也曾
選錄過它。我特選抄了一份《易林瓊枝》，作爲中國文學史發現的
新材料。」又說：「西方文學之能深沈而又飛揚，莫不與宗敎有
關，可惜中國文學同《易》的關係愈來愈遠，少有人像焦氏這樣運
用《易》作爲創作資料，因此我國文學終不能像西方文學那樣富於
浪漫色彩。」（鄭臨川述評《聞一多論古典文學》，第32～33頁，
重慶出版社1984年版）

　　發展到東漢時代，由於讖緯神學的思想統治，迷信之風大
熾，今文象數《易》學受其衝擊影響，常被扭曲變形而總體呈衰微
之勢。但其中孟喜《易》、京房《易》等「別傳」，則經虞翻等而擴
大其影響。而古文學派的費直《易》，則受讖緯影響較小，經由馬
融傳鄭玄，又有荀爽作傳而發揚光大。所以，東漢象數《易》學影
響較大的主要有鄭玄、荀爽和虞翻三家。

　　**鄭玄（127～200年），字康成，北海高密（今屬山東）
人。**東漢著名經學大師。據《後漢書》卷三五《張曹鄭列傳》載，玄
年輕時曾入太學受業，師事京兆第五元先，始通《京氏易》，後西
入關師事扶風馬融，學成辭歸，馬融嘆曰：「鄭生今去，吾道東
矣！」馬融於《易》，傳西漢古文費氏《易》。所以從師承方面看，
鄭玄《易》學，有折衷羣言、揉合今古文於一爐的趨勢。撰《周易
論》九卷（一說十卷），亡佚，今存王應麟輯《周易鄭康成說》一
卷，惠棟補充得更爲詳盡。據《三國志・魏書・高貴鄉公傳》，
「鄭玄合《象》《彖》於經者，欲使學者尋省易了也」，則《易》經、
傳合併之舉，始於鄭玄。玄之注《易》，繼承西漢《易》家，有「互
卦」、「消息」諸稱：如承《京房易》而有「互卦」（或稱「互
體」）之稱，即六畫卦中，第二、三、四爻和第三、四、五爻，
交互組成兩個三畫卦，用以解釋卦中爻變的種種錯綜複雜關係；

據孟喜《卦氣圖》而說十二闢卦，以象徵一年中十二個月的陰陽變化的消息。一個卦體中，陽爻去而陰爻來爲「消」，陰爻去而陽爻來稱「息」，所稱「消息」，實即在時間的運行中，大自然的陰陽消長變化。但鄭玄《易》學的主要特點，則在提倡「爻辰」之說，以《乾》《坤》二卦十二爻當十二辰，又以此十二辰分主十二月，用以論說《易》之經傳旨義。如《乾》初九，爻位當「子」爲十一月；九二爻位當「寅」爲正月；九三爻位當「辰」爲三月；九四爻位當「午」爲五月；九五爻位當「申」爲七月；上九爻位當「戌」爲九月。《坤》之初六爻位「未」爲六月；六二爻位當「酉」爲八月；六三爻位當「亥」爲十月；六四爻位當「丑」爲十二月；六五爻位當「卯」爲二月；上六爻位當「巳」爲四月。如劉大鈞《周易概論》所稱：「用此十二辰、二十八星宿及四方五行、卦氣、十二屬象等相值，解釋卦爻辭的由來。」也就是說，用「爻辰」與天文星象相結合，以筮卦釋義，是鄭氏《易》學的特點。後儒說《易》，多重人事的倫理道德，而鄭玄則能從天文星象出發，對《易》作出接近自然科學的發揮，應說是他的一種貢獻了。

　　荀爽（128～190年），字慈明，又名諝。東漢穎川穎陰（今河南許昌市）人。年幼好學，早通經術。當時荀家八兄弟皆賢，而爽尤突出，所以時人有「荀氏八龍，慈明無雙」之語，見《後漢書》卷六二本傳。其於《易》學，治古文費氏《易》，以《易傳》的體例及理論闡說經卦意旨。其《易》注十卷唐時尚存，後亡佚，清·馬國翰《玉函山房輯佚書》輯有《周易荀氏注》三卷，惠棟《易漢學》、張惠言《周易荀氏九家》等也有輯錄。其注《易》特點在於創設「《乾》《坤》升降」之說，以天地自然陰陽二氣的交通升降來解釋《易》之經傳。如釋《泰》卦（䷊）的天在下、地在上的卦象云：「坤氣上升以成天道，乾氣下降以成地道。天地二氣若不交

則閉塞。今既相交乃通泰。」以爲大地陰氣重濁下降，和輕清上升的陽剛之天氣相互交通感應，陰陽和合，所以爲通泰。他以爲象徵陽剛的《乾》和象徵陰順的《坤》，是天地萬物之所以生成的根本。如釋《解》（䷧）卦上震下坎的卦象云：「《乾》《坤》交通而成《解》卦，坎下震上故雷雨作也。」（引文均見《周易集解》）其說頗有影響。後來王弼注《易》雖重義理而力排漢代象數之學，但於荀爽陰陽升降之說，頗有吸取。

　　虞翻（164～233年），字仲翔。**三國時吳國會稽餘姚（今屬浙江）人。**少時好學，文武全才。曾任騎都尉，爲孫權籌畫軍事。性鯁直，數犯顏直諫，觸怒孫權，貶流交州而講學不輟。尤長《易》學，而否定神仙之說，曰：「彼皆死人，而語神仙，世豈有仙人邪！」（見《三國志》卷五七《吳書》本傳）他對前人（如馬融、鄭玄、荀爽、宋忠）解《易》之學有不滿，認爲「不可不正」，於是「依《易》設象，以占吉凶」（見《三國志》本傳裴注引《翻別傳》），另創虞氏《易》。其《易》學繼承家傳的孟喜《易》，但其「納甲」之說，則源自魏伯陽《周易參同契》。所著《周易論》十卷已佚，今存清・孫堂、黃奭等的輯佚本。又張惠言治虞氏《易》至詳密，著有《周易虞氏易》、《周易虞氏消息》、《虞氏易言》諸書，可參閱。虞翻《易》學體例繁多，有納甲、卦言、卦變、旁通、互體、半象、權象及爻位消息諸目。今略舉數端。

　　「納甲」之說，即以月之晦朔盈虧，納之天干，來象徵八卦。其說可能起源很早。《周易》中的《蠱》卦早有「先甲三日，後甲三日」的卦辭，以示時序終而復始之義。如虞氏注《坎》卦所說，是「不失其時，如同行天」。納甲的具體內容，如劉大均《周易概論》所說：「此法係以十干分納於八卦，而舉十干之首『甲』以概其餘，故名『納甲』。根據以上虞氏注文，『八卦』符號爲：震示初三月象，兌示初八上弦。乾示十五滿月，巽示十七日

月由圓而缺，艮示二十三日下弦，坤示三十日月晦。以此顯示八卦的陰陽『消』『息』。」

「卦氣」又稱「卦候」，其說起於孟喜及京房《易》說，虞氏《易》詳加發揮，以六十四卦中的《坎》主冬，《震》主春，《離》主夏，《兌》主秋，象徵一年四季。然後以此四卦二十四爻分主二十四節氣，一個節氣十五天，如《坎》初六主冬至，九二主小寒，六三主大寒，六四主立春，九五主雨水，上六主驚蟄。……而每個節氣又分三候；初候、次候、末候。共七十二候，每候五天。又以其餘六十卦分主一年三百六十五又四分之一日，每卦實主六又八十分之七日，此即古人談卦氣所謂「六日七分」之說的來歷。「卦氣」之說，與當時俗儒的圖讖神學是性質對立的學說，東漢時張衡曾上疏批判圖讖之學，云：「此皆欺世罔俗，以昧世位，情僞較然，莫之糾禁。且律曆、卦候、九宮、風角，數有徵效，世莫肯學，而競稱不占之書。」（見《後漢書・張衡傳》）

總之，「納甲」和「卦氣」頗合自然科學知識，如劉大均先生所說：「納甲說以其豐富的天文知識，對後人產生過重大影響。」「卦氣說……詳細記述了自然界中一些生物和其他自然現象，隨著節氣發生的變化，……七十二候詳細記錄了古人隨著節氣變化，對各種自然現象的認識。如『蟄家始振』……『草木有動』……。節氣的變化，又基於地球的遠日點和近日點，……其實質無非是以古人樸素的太陽曆學，亦即以日學知識以解《易》了。」（《周易概論》）

虞翻的「卦變」，指六畫卦中的一爻或數爻的陰陽對轉，變成另一卦，也可稱為「變卦」，它肇自《左傳》「之卦」、京房「爻變」和荀爽的「乾坤升降」諸說。其「卦變」條例比起前人更加詳密，對後世影響更大。主要有以下幾方面的內容：一是「《乾》《坤》變《坎》《離》」。如李鼎祚《周易集解》引虞翻對《繫辭

上》「是故剛柔相摩，八卦相盪」一語的解釋，云：「《乾》以二、五摩《坤》，成震、坎、艮；《坤》以二、五摩《乾》成巽、離、兌。故『剛柔相摩，八卦相盪』也。」意思是說，《乾》卦（☰）九二、九五跑到《坤》（☷）卦，取代其六二、六五之位，則化爲《坎》卦（☵），而《坎》卦除了上、下卦爲坎（☵）外，其下體互卦爲震（☳），上體互卦爲艮（☶），所以說是「《乾》以二、五摩《坤》，成震、坎、艮；而《坤》之六二、六五跑到《乾》卦，取替其九二、九五之位，則化爲《離》卦（☲），《離》卦除上、下卦爲《離》（☲）外，下互爲巽（☴），上互爲兌（☱），所以說是「《坤》以二、五摩《乾》，成巽、離、兌。」其「《乾》《坤》變《坎》《離》」的卦變，不僅指變爲《坎》《離》二卦，而是包含了八卦陰陽摩擊振盪的微妙變化的廣泛內容。二是「之正」說，所謂「之」，指陰陽變化所之；「正」，指六畫卦中陰陽爻的當位，如陽爻居奇位（指初、三、五爻位），陰爻處偶位（二、四、上爻位），稱陽爻居陽位，陰爻處陰位爲正爲當位。凡爻位不正之爻，都應變而之正。據此卦變之例，初、三、五爲陽位，二、四、上爲陰位，爻位陰陽之正，爻位乃定，成《既濟》卦（䷾），所以「之正」說又稱「成《既濟》定」，如《未濟》卦（䷿）六五爻辭，「貞吉，無悔。君子之光，有孚吉。」《周易集解》引虞翻注云：「之正則吉」。又云：「動之乾、離爲光，故君子之光也。」意思是說，《未濟》六五陰據陽位失正，變而之陽，則陽據陽位得正，其《易》例一般以位正爲吉，所以稱「之正則吉」。又上卦爲離（☲），象徵火，雖有光而附麗於下，非大之象，而一旦其六五化陰爲陽，據位得正，上卦化乾（☰），乾象徵日，有光明普照天下之象，以之喻「君子之光」，沾漑萬民。三是「爻位消息推卦所來」。虞翻以《復》（䷗）卦一陽在初，象徵陽氣由下漸生的十一月；《臨》卦（䷒）象徵十二月；《泰》卦（䷊）象徵

正月；《大壯》卦（☳）象徵二月；《夬》卦（☱）象徵三月；《乾》卦（☰）象徵陽氣最盛的四月；《姤》卦（☴）象徵陰氣自下而生，象徵五月；《遯》卦（☶）象徵六月；《否》卦（☷）象徵七月；《觀》卦（☴）象徵八月；《剝》卦（☶）象徵九月；《坤》卦（☷）則象徵陰氣最盛的十月。如此而陰陽消長，反覆不息，稱為十二消息卦，或稱十二月卦。虞翻以為其餘五十二卦，都是由十二消息卦變化而成。其他如「旁通」諸說，前已述及，此略。總之，和馬融、鄭玄和荀爽學費直古文《易》不同，虞翻學西漢孟喜、京房今文《易》。西漢象數《易》學多已亡佚，但從虞氏《易》可窺其一斑，因此其影響日漸擴大，成為後人研究漢代象數《易》學的重要資料依據。不過，虞翻作為漢象數《易》學的殿軍，閃現了夕陽的斜暉光彩。由於漢象數《易》學受圖讖神學等欽定思想的影響，牽強比附，枝葉繁瑣，弊端日滋，因此逐漸走向了背離科學人文精神的泥潭，所以又必然遭受批判而被義理《易》學所代替。

　　魏晉南北朝後，義理派的《易》學日興，而漢代象數《易》學日趨衰微，以致傳注相繼亡佚。幸而唐時李鼎祚著《周易集解》十七卷，其序稱：「臣少慕玄風，游心墳籍，歷觀炎漢迄今巨唐，采羣賢之遺言，議三聖之幽賾，集虞翻、荀爽三十餘家，刊輔嗣之野文，補康成之逸象，各列名義，共契玄宗。」此書重在採擇象數之說以釋《易》之經傳，同時漢代象數《易》學賴此而保存了許多寶貴的資料。但是，獨木難支大廈，在王弼《易》注及孔穎達疏的掃蕩下，自唐至明的一千多年，雖然偶有一、二回音，如南宋朱震《漢上易集傳》十一卷等，《宋史》卷四三五《儒林傳》評其《易》學云：「震經學深醇，有《漢上易解》，⋯⋯蓋其學以王弼盡去舊說，雜以莊、老，專向文辭為非是，故其於象數加詳焉。」又如明・黃道周著《易象正》十六卷，繼漢象數《易》，重在闡述《易》的「之卦」，「專就動爻以明之」（見其《易象正・自序》）。但總

的說來，漢象數《易》是嗣響難聞，聲音愈來愈微弱。直到淸代，才因淸儒的大力提倡而復興。如淸初黃宗羲《易學象數論》六卷，前三卷專論「象」，以爲《易》卦本義有八卦、六爻、象形、爻位、反對、方位、互體七象，以此批判後儒的納甲、卦變、動爻、先天「僞」四象，後三卷則專論「數」。其持論皆能有所依據，非據性理而空談者可比。但淸代象數《易》學的功臣當推惠棟和張惠言。

惠棟（1697～1758年），字定宇，號松崖，吳縣（今屬江蘇）人。其《易》學著作甚多，如《周易述》二十三卷，專取漢象數《易》的學說，加以融會貫通，大力發揮，以訓釋經傳。《四庫全書總目提要》評云：「要其引據古義，具有根抵，視空談說經者則相去遠矣。」其《易漢學》八卷，則專述漢象數《易》學，採摭遺聞，鈎稽考證，論其《易》卦條例。其中有「孟喜《易》二卷，虞翻《易》一卷，京房《易》二卷（干寶附見），鄭玄《易》一卷，荀爽《易》一卷，末卷附有自己的發揮，並辨明河圖洛書、先天後天之學。使人略知漢儒象數《易》學的門徑。

張惠言（1761～1802年），字皋文，武進（今屬江蘇）人。《淸史稿》卷四八一《儒林》有傳。著《周易虞氏義》九卷，於漢象數《易》，求其條貫，明其統例，釋其疑滯，而通其旨義。又《周易虞氏消息》二卷，以爲「消息」之論是虞翻《易》學的精華所在，所以用「消息」名書，就虞翻《易》例條分縷析，也頗有參考價值。他以爲虞翻的陰陽消息，六爻發揮、旁通升降，最後歸於乾元用九而天下治，其說雖然瑣碎，但終「遂於大道」，最能代表漢儒的成就。他據此而猛烈抨擊《易》學中的義理玄學，以爲「自魏王弼以虛空之言解《易》，唐立之學官，而漢世諸儒之說微」，是不正常的現象，故以復興漢象數《易》學爲己任。

至於據傳肇自宋代道士陳摶的圖、書之學，在象數《易》學中

當屬變種別傳。河圖洛書之說，上古時代或者已有傳說，所以
《論語・子罕》載孔子之嘆：「鳳鳥不至，河不出圖，吾已矣
夫！」《繫辭傳》也有「河出圖，洛出書，聖人則之」之言。漢代
如《淮南子》《論衡》等書雖也言及，但是河圖洛書究竟為何物，則
漢代《易》家均無具體描述。只有漢末鄭玄注《繫辭》，說有《河圖》
九篇，《洛書》六篇，則可能不僅有圖，應該也有文字。但其具體
內容，也是語焉不詳。此後唐前諸儒均無言及。為什麼宋代陳摶
突然一清二楚呢？這就啟人疑惑。今人大都認為，現存河圖洛書
之說，係北宋道士陳摶據《易傳》《易緯》及其他文物文獻（**按**：如
1977年在阜陽雙古堆西漢汝陰侯墓中出土的太乙九宮占盤之類）
的有關記載，發揮想像而作偽。但是，其圖並非一無價值可言。
陳摶以道為主而兼綜儒、釋，實博學而多能，他試用圖象來解釋
哲理，有其獨到之處。道教理論把人身視為一個小周天，外究天
地萬物生成之源，用來比附人的生命現象。因此，其《無極圖》、
《太極圖》雖然原是在論證道教內丹修鍊的全過程，但同樣利於探
明人的生命本源，實際上涉及了宇宙萬物生成演化的圖式。讀者
自當明辨其內在價值，而不可全然抹煞。河圖洛書之學，自有師
傳系統：陳摶──种放──李溉──許堅──范諤昌──劉牧，
劉牧據河圖洛書撰《易數鉤隱圖》三卷，附遺論九事一卷，於是其
圖公之於世。但是，後來朱熹《周易本義》首附九圖，卻把劉牧的
河圖作洛書，洛書作河圖。其中變異之故，不得而知。至於先天
太極圖，則由陳摶──种放──穆修，穆修──傳李之才──邵
雍，邵雍據此著《皇極經世》；周敦頤又據穆修《太極圖》作《太極
圖說》。後朱熹《周易本義》附有九圖，即：河圖，洛書，伏羲八
卦次序圖，伏羲八卦方位圖，伏羲六十四卦次序，伏羲六十四卦
方位，文王八卦次序，文王八卦方位，文王六十四卦卦變。後世
科舉，重程朱理學，因圖書《易》學，收入朱熹《本義》，功名所

在，趨之若鶩，愈演愈烈，難以收拾。要之，作為象數《易》等變異別傳的圖、書之學，雖源於道士陳摶作偽，但卻經宋代大儒邵雍、周敦頤、朱熹等而盛行於世。現附朱熹《本義》河圖、洛書如下：

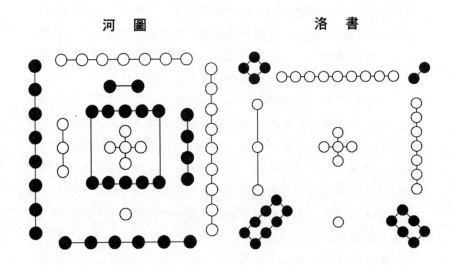

朱熹於圖後有言：「古《易》之圖九，有天地自然之《易》，有伏羲之《易》，有文王周公之《易》，有孔子之《易》。自伏羲以上皆無文字，只有圖書，最宜深玩，可見作《易》本原精微之意。文王以下方有文字，即今之《周易》，然讀者亦宜各就本文消息，不可便以孔子之說為文王之說也。」在這裡，我們對圖、書之說有以下幾點認識：

一是北宋初年陳摶作偽之圖，後儒繼之，巧加附會發揮，其理論「精微」，早已超越作《易》之上古時代的認識水平，所以並不符合作《易》者之「本原」旨義。

一是在《易》學史上，象數派與義理派相互對立，攻訐不息。

但是，朱熹身爲義理派《易》學大師，卻同時宣揚圖、書之學。從這一現象可以看出，他是通過圖、書之學，溝通了義理和象數二派的消息，可見義理派也暗中有取於象數以說《易》。

一是《易》學圖、書，如洛書之數學方陣：

4	9	2
3	5	7
8	1	6

無論縱、橫及對角線，三數之和，均爲十五，表現出古人在自然科學方面數理知識的進步。西方研《易》學者，面對洛書的數學模式，驚嘆爲中華最古的「魔術方塊」（Magic Square），認爲是中華文明的一個奇蹟。至於朱熹《本義》中的「文王六十四卦卦變圖」，以抽象的圖式，來說明卦形卦象及爻形爻位的變化，概括了六十四卦之間的錯綜複雜的對立統一的關係，不僅表明了古人所具有數理推求的高度抽象思維的能力，而且大都具有自然辯證法因素，說明了古人認識的進步。可惜的是，這種對於自然《易》理的抽象而精微的本原探索，卻常被斥爲荒誕無稽的羽流術數小技而不予重視。中國後來自然科學的落後，原因很多。但重倫理而輕自然之《易》，也是原因之一。

二、義理派

漢代象數《易》學，其發展流變日趨繁瑣，其中不免有近於羽流術士之說的成分，如皮錫瑞《經學歷史》所指責：「如幹分枝，枝叉分枝，枝葉繁滋，浸失其本。」因而引起人們不滿，而且釋卦之繁，也不便於占筮中的實際操作。所以在魏晉之後，王弼《周易注》出，立刻掀起了一股掃蕩象數《易》學之風，影響甚巨，

風從者眾。

魏晉之時，玄風日暢，因以談玄說《易》，運老莊之義以釋卦，成了一種時代風尚。比如和王弼時代相近的裴楷，據《世說新語・言語》篇云：「晉武帝始登阼，探策得一，王者世數繫此多少。帝既不說（悅），羣臣失色。侍中裴楷進曰：『臣聞天得一以清，地得一以寧，侯王得一以為天下貞（正）。』帝說，羣臣嘆服。」按《易》例，晉武帝司馬炎筮得《乾》之初九，《乾》在六十四卦中序列第一，其初九爻為第一爻，故稱「探策得一」。司馬炎求筮的是自己的帝位江山能傳幾世？一世而斬，太可悲了！所以很不高興。但裴楷則藉象數之「一」來說義理，偷換概念和命題，洋洋灑灑，於是朝廷羣臣轉危為安。王弼的《周易注》就是在這種時代思潮中誕生。

王弼（226～249年），字輔嗣，三國時魏之山陽（今河南焦作）人。精通《老》《莊》及玄理。著《周易注》六卷（一說十卷），《周易略例》一卷，今存。又撰《周易大衍論》，今亡佚。王弼《易》注，原也傳費直《易》，但他青出於藍，登岸捨筏，又猛烈批判了漢象數《易》學，矯正廓清，獨樹偉績，開義理派《易》學之先河，其功不可沒。其說《易》立有「承乘比應」、「卦以存時」、「案爻明體」諸例，為後儒沿用至今。又倡「得意忘象」、「得象忘言」之旨，援老莊以入《易》說，暢其玄風，入於義理，開一代新潮流。後來王注流行而鄭（玄）注幾廢，江南諸儒，復藉王弼《易》注而弘佛理，如余嘉錫所言：「輔嗣清言，有契佛理，故（顏）延之稱其《易注》，極人心之數。」（《四庫提要辨證》）入唐以後，又被孔穎達等用作《周易正義》之本，借官方欽定之勢，日漸擴大其影響，於是象數《易》學日益寖微。故南宋趙師秀《秋夜偶成》詩有「輔嗣《易》行無漢學」之句（見《清苑齋詩集》）。對於王注義理《易》學源流功過，清《四庫總目提要》

云：「弼之說《易》，源出費直。直《易》今不可見，然荀爽即費氏學，……大抵究爻位之上下，辨卦德之剛柔，已與弼注略近。但弼全廢象數，又變本加厲耳。平心而論，闡明義理，使《易》不雜於術數者，弼與康伯深為有功。祖尚虛無，使《易》入於老莊者，弼與康伯亦不能無過。瑕瑜不掩，是其定評。諸儒偏好偏惡，皆門戶之見，不足據也。」王弼《易》闕《繫辭》以下不注，東晉韓康伯（**按**：名伯，以字行）曾為之補注，原韓注附王弼注本並行，孔穎達為之疏，同樣影響至大。

孔穎達(574～648年)，字沖遠（又作仲達），**唐初冀州衡水（今屬河北）人**。曾任國子祭酒，唐太宗令其主修《五經正義》作為科舉取士的標準文本，其中《周易正義》十卷，即用王弼、韓康伯注，並且詳為之疏。此書作為義理《易》學的重要著作，同時又因科舉的關係，影響十分深遠。《四庫總目提要》以為《正義》奉詔出而王注專行，而今人余嘉錫《四庫提要辨證》（中華書局1980年版）不以為然，批評說：「鄭學行而眾說廢，王學盛而鄭氏又微，自東晉以後，僅此二家相為起伏，馬融王肅且不能與之為敵，何論其餘？至陳隋之際，而王氏定於一尊。逮及貞觀時，穎達作疏，眾說之廢已三百年。鄭學之微，亦數十年。今顧以諸家之廢絕，盡歸咎於《正義》之行，此特侈口而談，聊以快意，而未考史實之言也。」《四庫總目提要》的作者出於復興漢象數《易》學的門戶偏見，攻擊《正義》「論釋文句，多用空言」，而不及古義。實際上，孔疏於王注，詳而加密，多所發明。又站在當時國家立場，全面兼取前人之說，而以義理發揮為主，此後王注正式成為欽定一尊的《易》學，孔氏實是王弼功臣。又《正義》前附《周易正義卷首》八題：第一論《易》之三名，第二論重卦之人，第三論三代《易》名，第四論卦辭爻辭誰作？第五論分上、下二篇，第六論夫子《十翼》，第七論傳《易》之人，第八論誰加「經」字？文

章簡明扼要，可說是唐以前的《易》學概論，便於讀者思考發問。
又稱「《易》理備包有無，而《易》象唯在於有者，蓋以聖人作
《易》，本以垂教，教之所備，本備於有。故《繫辭》云：『形而上
者謂之道』，道即無也。『形而下者謂之器』，器即有也。」所論
是否合乎《繫辭》本旨，尚可商榷。但他發揮老莊及玄學「虛無」
大旨以入《易》，則是明顯的方向。另外，以爲《易》理兼「有
無」，包孕《易》象之「有」，這種提法，也從理論思維上啓發了
宋儒中的義理派。程頤《易傳》即據此發揮。

　　入宋以後，北宋程頤、南宋朱熹等一代大儒，又把義理派的
《易》學發揚光大，形成了一個新高潮。程頤（1033～1101年），
字正叔。河洛（今屬河南）人。與兄顥並師從周敦頤，合稱「二
程」。但其言《易》，則多師本於胡瑗，胡氏《周易口義》可稱爲宋
儒義理《易》學的萌芽。程氏學說後來被朱熹加以繼承發展，後世
稱爲「程朱理學」，成爲明清時代科舉八股所遵循的正統儒學。
著《伊川易傳》（又稱《周易程氏傳》，簡稱《程傳》）四卷。程頤著
《易傳》，未及成書而卒，今本是其弟子楊時整理校正而成。北宋
大儒邵雍以「數」言《易》，重在天道自然之探索；程頤則以
「理」言《易》，重在社會人事倫理道德之昇華。二說思路歧異，
但又盡抒所見，各明一義，實則相反相成。程氏《伊川易傳序》
云：「《易》，變易也，隨時變易以從道也。其爲書也，廣大悉
備，將以順性命之理，通幽明之故，盡事物之情，而示開物成務
之道也。……至微者理也，至著者象也。體用一源，顯微無間。
……由辭以得其意，則在乎人焉。」其注《繫辭》又云：「事有
理，物有形也，……有理而後有象。」於此可見程氏把言《易》作
爲闡說儒家性命之「理」的思想工具，「理」先天而存在，高於
一切，概括了天地之道。所以，是先有《易》理而後有《易》象，
「象」自「理」生。「理」是精神本體，而「象」只是具體的有

形之用。《伊川易傳》是義理《易》學的重要著作，如宋・鄭汝諧
《易翼傳》二卷，即取羽翼《程傳》的意思，其自序以爲程頤「始屏
諸家艱深之說，而析以明白簡易之理，一時學者知所師承」。可
見其影響之大。

朱熹（1130～1200年），字元晦（一字仲晦），號晦菴，
徽州婺源（今屬江西）人。僑居福建建陽。二程的四傳弟子。著
《周易本義》十二卷，《易學啓蒙》（屬稿於弟子蔡元定）四卷。
《周易本義》爲宋儒義理《易》學的代表作。朱熹說《易》雖本之於
《程傳》，以發揮義理爲主，言簡意賅，說理精深，常是切中要
害，所以對後世影響很大，但朱子言《易》又與程氏有所不同：一
是《程傳》大力排斥象數之《易》；而朱子《本義》則是「以象占其本
義」（吳革《原本周易本義序》），經常有取於象數之說以闡說義
理，其於象數之學，取拿來主義，態度並不偏激。如宋・王應麟
《困學紀聞》所說：「程子言《易》，謂得其義，則象數在其中。朱
子以爲先見象數，方得說理，不然事無實證。則虛理易差。」
（見卷一《易》類）二是《本義》雖主《程傳》之言人事，但觀其卷首
所附九張《易》圖及圖後說明，可證朱子並不廢棄陳摶、邵雍等圖
書《易》學，而是有所借鑒，於天道自然之理有所發明，如注《象
辭傳》「一陰一陽之謂道」云：「陰陽送運者，氣也，其理則所
謂道」。其孫朱鑒編《朱文公易說》卷十稱引他對弟子的解釋說：
「一陰一陽，此是天地之理，……是說天地生成萬物之意，不是
說人事。」這與《程傳》專主人事的精神相比，變化甚大。三是
「朱熹在訓釋經文字義時，往往不拘泥一解」，「不明白的就說
不明白……有疑問的就提出自己的疑問」。如《明夷》卦六四爻
辭：「入於左腹，獲明夷之心，於出門庭。」《本義》注云：「此
爻之義未詳。」而《程傳》則牽強比附其義，云：「人之手足皆以
在右爲用，……是左者，隱僻之所也。」（以上引文參劉大均

《周易概論》）一加比較，明顯程頤是爲了說「理」而强辭奪理，而朱熹則表現了一個學者應有的實事求是的治學態度。他要求發揮義理須有實證，這一方法值得肯定和借鑒。

在義理《易》學的歷史發展中，王、孔和程、朱，是其四大支柱，對後世影響極大，在明清時，更因科舉關係，成了正統《易》學。不過發展到清代，義理《易》學在歷史的反思中受到清儒復興象數漢學的嚴重挑戰。另外，在義理《易》學的歷史發展中，變異在所不免。如與程氏《易》學的唯心之「理」不同，宋人張載《易說》，提出了「天惟運動一氣，鼓萬物而生，無心以恤物」的唯物之「理」（見《繫辭》注）。唯心和唯物，思想傾向已有不同。援佛說《易》，較早的有南宋王宗傳、楊簡開其端。王宗傳著《童溪易傳》三十卷，「惟憑心語，力斥象數之弊」（《四庫總目提要》）。又楊簡爲陸九淵的學生，故援禪入《易》，專明心性之「理」，著《楊氏易傳》二十卷。發展到明代，因受到佛教禪學影響，援禪入《易》以發揮義理者大有人在。如釋智旭《周易禪解》十卷，當爲義理《易》之別派，今人黃壽祺《易學羣書平議》云：「援引禪理，間雖不免傅會，然亦頗有可取者。」總之，《易》道廣大，其理至寬，不可拘於一種說「理」模式，援禪入《易》，雖爲義理別派，要之自有心得，未可悉非。

三、歷史派

《周易》是一部以卜筮面貌出現的上古時期的小型百科全書。它由巫史掌握。古時巫、史不分。在立象設卦的過程中，必然激盪著史官歷史興衰意識。後來，由於巫、史分離，歷史意識在解卦時逐漸被人淡忘了。但發展到唐宋以後，士人提倡以史爲鑒，因此又在《易》學中重新激活了歷史意識。歷史《易》學是從義理派

中派生出來的，他們以爲《易》理專言人事，人事又以歷史爲主。因此，多引古代的歷史事實來解釋《易》卦旨意。如南宋初年李光（1078～1159年），字泰發，上虞（今屬浙江）人。崇寧五年（1106年）進士。師事劉安世。著《讀易詳說》十卷。《四庫總目提要》評云：「紹興庚申，以論和議忤秦檜，謫嶺南，自號讀易老人，因據其所得，以作是書。故於當世之治亂，一身之進退，觀象玩辭，恆三致意。……解《蠱》之初六云：『天下蠱壞，非得善繼之子堪任大事，曷足以振起之？（周）宣王承厲王后，修車馬，備器械，復會諸侯於東都，率成中興之功，可謂有子矣！』……其因事抒忠，依經立義，大旨往往類此。」以史證今，古爲今用，雖不免間有牽合比附之失，但論其總體精神，則針對現實而發，其感慨極爲深沈，啓迪後世，功不可沒。故其書與楊萬里《誠齋易傳》並爲歷史《易》學之中堅。

楊萬里（1124～1206年），字廷秀，號誠齋，南宋吉州吉水（今屬江西）人。著《誠齋易傳》二十卷，「自草創至脫稿，閱十有七年而後成」（其子長孺進狀所言），可見其用心艮苦，是「引史證《易》」的重要代表作。誠齋之《易》，原本《程傳》，曾與《程傳》並行，稱「程楊易傳」。不過誠齋因程氏之「理」虛的成分太多，因而多引古代史事以證經義，以便切合實際，爲後人提供有關治亂救弊的歷史借鑒。所以和李光《讀易詳說》一樣，都是有爲而發，以古證今之作，很有現實的針對性。清·錢大昕《跋誠齋先生易傳》云：「其說長於以史證經，譚（談）古今治亂安危賢奸消長之故，反復寓意，有慨乎言之。開首第一條論《乾》卦云：『君德惟剛，則明於見善，決於改過。主善必堅，去邪必決，聲色不能惑，小人不能移，陰柔不能奸。故亡漢不以成、哀，而以孝、元；亡唐不以穆、敬，而以文宗。皆不剛健之故也。』」其引漢、唐興衰史事等歷史經驗教訓，以作爲宋室南渡

之借鑒，感人至深，啓迪後世。

歷史《易》學在南宋流播甚廣，如李杞字子才，著《用易詳解》，原二十卷，今存十六卷。其《自序》稱：「經必以史證，後世歧而爲二，尊經太過，反入於虛無之域，無以見經爲萬世有用之學。故取《文中子》之言，以『用易』名編。」其書大旨，與李光《讀易詳說》、楊萬里《誠齋易傳》一脈相承，廣泛徵引歷史故事以證經卦之義。總之，「以史證《易》」的方法，南宋之後已被廣泛運用，影響至今。如明代葉山《八白易傳》十六卷，其《自序》明言深受楊萬里《易傳》影響，廣採歷代史事以明《易》義。如《四庫全書總目提要》所說：「其書專釋六十四卦爻辭，而於《象》、《象》、《文言》十翼皆不之及。大旨以《誠齋易傳》爲主，出入子史，佐以博辨。蓋藉《易》以言人事，不必盡爲經義之所有。然其所言亦往往可以昭法戒者也。」又如今人胡樸安《周易古史觀·自序二》所稱：「古來以史證《易》者，除楊誠齋外，如清·章世臣之《周易人事疏證》、查彬之《湘軨漫錄》、易順豫之《易釋》，然皆不以《易》之本身即史也。」因爲前清以前，士人多藉史事發揮義理，其落腳點在於「理」而不在「史」。發展至於近代，特別是「五四」運動前後，革新思潮風起雲湧，新說迭見，觀念爲之一變。如章太炎《歷史之重要》稱：「至於《周易》，人皆謂是研究哲理之書，似與歷史無關，不知《周易》實歷史之結晶，今所稱『社會學』是也。」但太炎先生只是簡單言及「自《屯》至《否》社會變遷之情狀」，所述粗略，語焉不詳，但可作爲歷史派《易》學觀念轉化之先兆。而眞正提倡「《周易》即史」全新觀念並加以實際運作的是今人顧頡剛、胡樸安二位先生。顧頡剛（1893～1980年），江蘇蘇州人。我國二十年代出現的古史辨學派的創始人之一。他的《周易卦爻辭中的故事》長文，1929年發表於《燕京學報》第六期，後收入《古史辨》第三册及嶽麓書社1993年版《十家論易》

之中。在文章中，顧頡剛先生借助近代學術研究的新成果和考古新發現，通過《周易》卦爻辭所載的若干歷史故事（如「王亥喪牛於有易的故事」、「高宗伐鬼方的故事」、「帝乙歸妹的故事」、「箕子明夷的故事」、「康侯用錫馬蕃庶的故事」等），推翻了諸如有關三皇五帝、堯舜禪讓等流傳已久的歷史傳說。作者宣稱：「很不幸的，古史失傳得太多了，這書裡引用的故事只寫出人名地名的我們還可以尋求它的意義；至於錄事隱約的則直無從猜測了。……我只想從這些故事裡推出一點它的著作時代的古史觀念；借了這一星的引路的微光，更把它和後來人加上的一套故事比較，來看明白後人的古史觀念。」（見《十家論易》第96頁）顧先生那實事求是科學實證方法和具體內容，異於前人之「以史證《易》」，在歷史派《易》學中從程朱義理化出而脫鈎，轉而提倡《周易》經卦本身包括了某些古史片斷的內容，這實是歷史《易》學在觀念上的一場革新。惜其所論僅為片斷，系統研究則有待於胡樸安先生的《周易古史觀》來完成。

　　胡樸安（1878～1947年），字蘊玉，安徽丹溪人。其《易》學著作主要有《周易古史觀》及《周易人生觀》各上下二卷。原收入胡家自印《樸學齋叢書》中。其《周易古史觀》，上海古籍出版社於1986年正式出版。胡先生在《周易人生觀》中說：「六十四卦皆言人事也」，「人是動物，應付險難之環境，必奮鬥始可以生存。原始世界如是，現在世界亦如是，未來世界亦如是。但必有計畫的奮鬥，其奮鬥始能成功。……『天造草昧，宜建侯而不寧。』『建侯而不寧』者，侯當努力以寧不寧之社會，而自身無一刻之寧也。」可見作者研《易》之旨，重在社會人事，並有以己之「不寧」奮鬥，奉獻於人類之意。據此，胡先生的《周易古史觀》，完成於1942年4月，並有詩稱「羲經說史古今無」。該書系統地描繪了《周易》六十四卦的歷史內涵，說明其所反映的是特定歷史

階段的人生經驗總結。其《自序》一再明白宣稱,《周易古史觀》是「本《序卦》之說,於古史立場而解說之」。「《乾》《坤》兩卦是結論。《既濟》、《未濟》兩卦是餘論。自《屯》卦至《離》卦,爲草昧時代至殷末之史。自《咸》卦至《小過》卦,爲周初文、武、成時代之史。本卦辭、爻辭、彖辭、象辭,字解而句說之,確然知其不可易也」。其《自序》二又說:「樸安嘗根據《詩經・周南》、《召南》,考見古時之家庭,而皆與《周易・咸》、《恆》、《家人》、《睽》等卦合。《六經》皆史,章實齋尚是一句空言,必如是實實在在證佐出來,與人共見,始得與人共信也。」有關《周易古史觀》的具體史實論證,當然還可以進一步討論商榷;但在古今歷史《易》學中,當以胡先生的論著最爲系統而成熟。

另外,如邵孔亮《易史吟草》(民國9年石印本),取證史實,吟詠爻義,每爻詠七絕一首,成詩三百八十四首。雖然如呂調元《序》所稱,是「熔鑄經史,深切著明」,使每爻之詞了然於胸,但是究竟不能作爲常例,而只能稱爲史外別傳之《易》。

四、折衷派

魏晉名士阮籍《通易論》有云:「《易》之爲也,覆燾天地之道,囊括萬物之情。」(見《阮步兵集》)所以《四庫》館臣有「《易》道廣大」之嘆。正因如此,所以歷代《易》家常有「斷章取義」之舉,或重象數,或主義理,門分漢、宋,各執一端,而相攻訐。這就引起《易》學界的紛爭。學術上的自由論爭,原是爲了追求眞理,但是,末學不肖,失其探索眞理的精神,門戶林立,黨同伐異,這就阻礙了《易》學的健康發展。有鑒於此,那廣收博採並取調和姿態的折衷派《易》學應運而生。所謂「折衷」,並不是泯滅是非的和稀泥,而是於諸家衆說,不立門戶,擇優汰蕪,

博取衆長，以作爲自己發明新意的營養和根據。其實，史上眞正
學識深厚的《易》學大師，大都有折衷羣言以集其大成的長處。如
漢末鄭玄，他是漢末象數《易》學大師。但是，漢學中有今、古文
《易》之別。他雖然主要是師從馬融學費直古文《易》，但卻不廢今
文《易》學，他年輕時曾師事第五元先學今文學派的《京房易》就是
一例。可見在象數漢《易》之中，他是折衷羣言，熔今、古文《易》
於一爐。後來，王弼注出，鄭注幾廢。但有識之士則仍取折衷立
場與之相抗。如《南史・陸澄傳》載傳主與王儉書云：「王弼注
《易》，玄學之所宗；今若弘儒，鄭注不可廢。」這種態度，導折
衷派之先河。又如南宋朱熹，他是宋代義理派《易》學大師。其
《周易本義》主要繼承程頤《易傳》而加以發揮，但又不廢先天象數
之學，推本象占以闡義理，方法靈活而取折衷之態，並不完全固
守一端之見。他在《易學啓蒙・序》中明言：「近世學者，喜談
《易》，……其專於文義者既支離散漫而無所根著，其涉於象數者
又牽合傅會而或以爲出於聖人心思智慮之所爲也。若是者，予竊
病焉。」所論針對當時《易》學界義理、象數二派之弊端而發，態
度折衷，並不黨同伐異。可見，無論是漢象數《易》學或宋義理
《易》學大師，並不視「象數」與「義理」爲根本對立而絕對排
斥。其實，就在宋學「義理」統領《易》學界時，南宋的折衷派
《易》學也處在萌芽騷動的階段。如鄭剛中《周易窺餘》十五卷，其
態度明顯與《程傳》異，其《自序》云：「《伊川易傳》、《漢上易傳》
二書，頗彌縫於象、義之間。但《易》道廣大，有可窺之餘，吾則
窺之。」對於程頤之義理，和朱震之象數，調和折衷，兼通理
數，參互稽考，不主一家，而間出新意，有所發明。又如趙彥
肅，字子欽，他是陸象山的私淑弟子，其於《易》學，立說與朱熹
頗有異同，著《復齋易說》六卷。其書旨意，是藉象數以求義理，
折衷於象數、義理之間，擇優而從，而不像一般的義理派那樣全

盤否定象數《易》學。再如魏了翁，曾師從朱熹，著《周易要義》十卷。據元方回《桐江集》中的《周易集義跋》載魏氏嘗言：「辭變象占，《易》之綱領，而繇象象爻之辭，畫爻虛位之別，互反飛伏之說，乘承比應之例，一有不知，則義理闕焉。」所以《四庫總目提要》說：「其大旨主於以象數求義理，折衷於漢學、宋學之間。故是編所錄，雖主於注疏釋文，而採掇謹嚴，別裁精審，可謂翦除支蔓，獨擷精華。」可證魏氏之《易》，折衷之態，尤為明顯。

宋代以後，程、朱義理之《易》因科舉之故，成為士林正宗之學，因而折衷派未成其大氣候。不過元、明以來，調和漢宋，折衷理數者時有人在。如元・黃濟《易學濫觴》一卷，即折衷於象數、義理之間而見精切持平之論。如《四庫總目提要》所評：「其說《易》以明象為主，……大旨謂王弼之廢象數，遁於玄虛；漢儒之用象數，亦失於繁瑣，故折中以酌其平。」並譽之為「說《易》之圭臬」。又如董真卿《周易會通》十四卷，《四庫總目提要》云：「其後定名『會通』者，則以……（先儒）或主義理，或主象占，本旨復殊。先儒諸說，亦復見智見仁，各明一義。斷斷為門戶之爭。真卿以為諸家之《易》，途雖殊而歸則同，故兼搜博採，不主一說，務持象數、義理二家之平，即蘇軾、朱震、林栗之書為朱子所不取者，亦并錄焉。」故其研《易》視角日漸拓寬，會通之時心有所悟，因而新見迭呈，時有發明，非僅抄輯前人之成說也。所以明・楊士奇稱之為「集大成之書」（見《宋元學案》稱引）。

入清之後，由於漢學復興，猛掃宋學；但程朱義理《易》學仍然為科舉士子所宗，當然難以廢除。在此新的學術形勢之下，清代統治者調整學術思想，取折衷派態度。順治年間，敕命傅以漸等撰《周易通注》九卷，取「熔鑄眾說，薈萃微言」之態，已表明清統治者要求折衷之意。但該書影響不大。所以在康熙年間，李

光地等奉詔編撰《御纂周易折中》二十二卷。該書曾宗程朱，但不廢象數。作者在《周易折中凡例》中明言：「今案溺於象數而枝離無根者，固可棄矣；然《易》之為書，實根於象數而作，非他書專言義理者比也。」對於當時的儒者「鄙象數為不足言」，表明了批評的態度。《凡例》又云：「近代解經者，猶多拾術數之緒餘以矜其奇僻，而不知其非數之真也；陳事理之糟粕而入於迂淺，而不知其失理之妙也。」據此，作者先取朱程之注，同時又廣採漢魏以來眾家之說為之折衷，「所得有淺深，所言有粹駁，並採其有益於經者，又係朱程之後；其或所言與朱程判然不合，而亦可以備一說廣多聞者，別標為附錄以終之，稽異闕疑，用俟後之君子。」此書一出，幾乎集折衷派《易》學之大成，影響迅速擴大。如《四庫總目提要》所稱：「蓋數百年分朋立異之見，至是而盡融；數千年畫卦繫辭之旨，乃至是而大彰矣！」雖不免溢美之辭，但有一定事實依據。比《折中》稍早誕生的有陳夢雷《周易淺述》，其《凡例》表明：《易》之義蘊雖多，大抵理、數、象、占四者：「有是理乃有是數，有是數即有是理。……數不可顯，理不可窮，故但寄之於象，……知象則理在其中。」折衷的思路，和《折中》如出一轍，可見是共同的時代學術思潮，其影響直至今日而不衰。不過比較而言，今人之折衷，集思廣益，標新立異，範圍之廣，內容之深，又遠遠超越古人。如杭辛齋（1869～1923年），原名慎修，以字行，別字一葦。浙江海寧人。曾入清同文館學習天算理化等「經世致用」之學，故於自然科學頗為熟悉。其《易》學著作有《易楔》六卷、《學易筆談初集》四卷、《二集》四卷等，張善文先生稱：「其治《易》特點，是貫串新知舊學於一體，將《易》理與古今中外的文化現象互為參較，蔚為一家之言。秦錫圭《易楔題辭》稱其：『發揮剛柔變動奧，該括聲光化電精。青出於藍冰寒水，新說舊學疇抗衡。』」又胡樸安《周易古史觀·自序

一〉云：「民國七、八年，辛齋集合國會同人，講《易》於廣州，……君主之災，爲《同人》象；民主立憲，爲《大有》象；日光七色，見象於《賁》；微生蟲變化物質，見象於《蠱》，乾位南方，《乾》爲冰，是早知有南冰洋；化學之分劑，與象數合：此等之說，在辛齋《易》書中，時時見之。余素有好奇之心，爲此等奇怪之說所刺激，於是又引起我之讀《易》。」杭氏講《易》，具體聲光化電等內容，尚可商榷或進一步研究。但其折衷於古今中外、陶冶自然與人事於一爐，則不僅視爲折衷派《易》學，同時也是舊時代之《易》學轉入近代的新思維《易》學的自然過渡。

又如蘇淵雷《易通》上下篇，原名《易學會通》，於民國24年由世界書局出版，重訂後於民國33年由四川黃中出版社出版。其說一反舊時門戶派別黨同伐異之見，博採老莊、佛禪、近儒、西人之說，融匯古今，貫通中西，抒寫新見以參合《易》理，非以《易》論《易》格局之書可限也。

五、近代新思維派

所稱近代新思維派《易》學，雖實出自近代西學東漸之後，但論科學《易》之濫觴，則古人已隱約有言。如東漢末年的鄭玄，在自然科學方面，可稱是專家。比如他注《考工記·弓人》，就在物理學上有所發明。今錢臨照等學部委員及老亮教授有論斷說：「東漢鄭玄早於胡克約一千五百年即已發現彈性定律（胡克定律）。」因此建議科學界正式改稱之爲「鄭玄——胡克定律」。此事記載於上海《文匯報》1993年3月22日。鄭玄的「爻辰」諸說與天文星象暗合，對《易》卦之理作出了接近於自然科學的闡釋。又如《易》與醫學的關係，在漢以前，在《黃帝內經》所建立的醫、《易》相通的中醫哲學思想的基礎上，魏伯陽的《周易參同契》又從

煉丹、導引、吐納（**按**：今稱氣功）等方面，開始了對人體生氣
運作的研究，對中醫以預防為主的養生保健醫學的發展有很大的
促進。如《黃帝內經》卷一《上古天眞論》云：「上古之人，其知道
者，法於陰陽，和於求數，食飲有節，起居有常，故能形與神俱
而盡其天年，度百歲乃去。今時之人不然也，以酒爲漿，以妄爲
常，醉以入房，以欲竭其精以耗其眞，……故半百而衰也。」卷
二《陰陽別論》云：「陰陽者天地之道也，萬物之綱紀，變化之父
母，生殺之本始，神明之府也。治病必求於本。故陽積爲天，陰
積爲地，陰靜陽躁，陽生陰長，陽殺陰藏，陽化氣，陰成形，寒
極生熱，熱極生寒……。」可見在《周易》陰陽矛盾辯證觀念的影
響下，《內經》對人體生命的自然奧祕進行了探索。所以古人有
「不知《易》不足以言太醫」之言。明‧張景岳《醫易義》說得明
白：「《易》者，易也，具陰陽之妙。醫者，意也，合陰陽消長之
機。雖陰陽已首備於《內經》，變化莫大乎《周易》。故曰：天人一
理者，一此陰陽也；醫、《易》同原者，同此變化也。」但是，類
似從自然科學角度來研究《周易》的零章斷簡，難成系統。因此，
企望從自然科學的最高哲學及認識論、方法論的角度去建立科學
新思維的《易》學體系，應該說是發生在近代的事。如前述杭辛齋
等在清末民初講《易》，已有建立「該括聲光化電精」的科學《易》
的自覺意識。又如侯荔江《商易通》（四川人民出版社1993年版）
強調《易》對商業活動的影響。王振復《周易的美學智慧》（湖南出
版社1971年版），和蔣凡、張小平《周易對古典美學和文論批評
的影響》（見復旦大學編《中國語言文學的現代思考》），則要求
從美學和文學的角度來發掘《易》的價值和影響。但是，最能反映
近代學者在《易》學研究方面的新思維、新方法和新開拓的，當以
科學《易》爲代表。今人胡道靜先生《十家論易‧前言》已有精彩的
概括說明，非敢掠美，現轉錄以饗讀者：

中國古代自然科學包括天文、曆法、算術、醫藥等的發展
都與《易經》多少有著關係。……十七世紀末，德國數學家
萊布尼茨發現《易經》六十四卦，每卦都是用二進制表示的
一個自然數，從此《易經》與現代計算數學又發生了密切關
係。二十世紀以後，《易經》與現代天文、物理、化學、生
物、計算機學等多種學科都陸續掛上了鈎。英國科學家李
約瑟認爲《易經》的太極圖表現了宇宙力場正極和負極的作
用。美國物理學家Ｆ・卡普拉認爲八卦同强子的八重態對
應。化學家蔡福商認爲八卦與化學元素周期律對應，並從
八卦研究中發現許多新元素的線索。易學專家潘雨庭等認
爲八卦與生物遺傳密碼也有對應關係，等等。從此，《易》
與自然科學關係的研究蔚然成風，並形成了一個名之爲
「科學易」的新學派。

在《前言》中，胡先生還說：「中國最早運用現代數理科學原理系
統探討《易經》者，當推無錫易學專家薛學潛。薛氏曾在三十至四
十年代出版過《易與物質波量子力學》（1937年，中國科學公司）
與《超相對論》（1946年）兩書，書中推衍易卦方陣衍變規律，引
證愛因斯坦相對論、狄拉克方陣算學、希魯訂格方程式，證明易
方陣精微廣大，奧祕無窮，舉凡物質波，量子力學諸定律都能與
易方陣規律相契合。」又說：「劉子華博士的《八卦宇宙論與現
代天文》是『科學易』學派論著的另一重大成就。」「在《易經》學
術討論中，亦有人認爲『科學易』多係以現代科學的成果解釋《易
經》，實屬『非歷史主義的牽强附會』，並認爲『如此探討《易經》奧
祕，《易經》將成爲永遠不解之謎』。但是科學易學派作爲易學討
論中百家爭鳴之一家，仍有其存在價值。這種爭鳴有利於《易經》
研究的發展。時代既是不斷向前，《易經》研究即不可避免地要趨

向現代化、科學化，這是無法阻擋的。這種發展總比千百年來的卜筮迷信和千篇一律的經解疏證好得多。」薛學潛《易與物質波量子力學》二十八章，及劉子華《八卦宇宙論與現代天文》四章，二書因傳本甚少，今皆收入《十家論易》之中，可資參閱。此後「科學易」作爲近代新思維《易》學派的中堅，風起雲湧，著述頗多，如鄭衍通《周易探原》（日本株式會社中國教育出版社1976年版），該書從古代天文曆數方面闡發《易經》，體系獨具，頗富特色。又如蕭冬然《易經繫辭傳新解》（台北易學出版社1984年版）附《易經與現代科學》一文，力圖從自然科學角度闡述《易經》內容。再如唐明邦等編《周易縱橫》（湖北人民出版社1986年版）就收入了不少論《周易》與古今自然科學關係的論文；還有黃壽祺、張善文編《周易研究論文集》第四輯（北京師大出版社1990年版），所收論文，側重以新觀點研究《周易》之作。總之，近代新思維《易》學派，作爲一個新道路新方法，對今後《易》學研究，啓迪良多，必將日漸擴大其視野和影響。

綜上所述，象數派、義理派、歷史派、折衷派和近代新思維派，是我國《易》學發展中的五大流派，在今後的百家爭鳴中，必將在學術探索中相互啓發，齊頭並進，從而促進《易》學研究走向世界的健康發展。

（見《中國文化經典要義全書》，光明日報出版社1996年版）

義理新流玄家《易》

──兼論與玄《易》對立的不同流派

　　《世說新語》記載了許多有關《周易》的有趣故事，生動而形象地展現了我國古代《易》學發展的一個重要歷程，即從漢儒經學的象數《易》、占術《易》，逐漸向魏晉玄學清談的義理《易》過渡轉化的階段。當時士人熱中於談天說《易》，已成爲一種時髦的社會新風。有關魏晉玄家《易》學的內容、意義，及其在中國傳統思想發展中的地位和影響，這是哲學家和思想史的任務。本文僅就《世說》及劉孝標注所及，來談這股說《易》新風的出現和形成，爲魏晉的玄理清談推波助瀾，進一步促進了當時抽象的理性思維的發展。

一、談天說《易》成新潮

　　《周易》原是儒家的必修經典，它又是怎樣玄學化的？爲什麼《周易》變成了魏晉玄學清談的「三玄」（《老》《莊》《易》）之一呢？從《世說》的有關故事，可隱約窺其奧祕。漢儒經學雖有今、古文之分，但其解《易》，大都重在象數，故稱象數《易》；又有重在占候筮算的，不少是以迷信的算命術來附會《易》卦，可稱占術《易》。他們的說《易》方法極其繁瑣，講究卦氣、卦變、互體、飛納、乾坤升降、陰陽五行等，其中如京房《易傳》的所謂宮卦，焦氏《易林》的詩讖謎語①，尤其複雜，不要說是一般的古代士人，

就是今天高等學府及研究院的哲學系師生，也是讀來似懂非懂，
極其頭痛。在魏晉這個社會大動盪、思想重變的時代，漢儒之
《易》，特別是以讖緯爲核心的今文《易》學，迷信色彩更是濃厚，
當然很快就不能適應時代變化的要求。這一現象的嚴重性，不僅
爲當時魏晉玄家所發現，就是漢末儒家陣營內部，如馬融、鄭
玄、王肅爲代表的古文學派，也多少表示了自己的不滿，並曾努
力爲舊象數《易》塗上一層新鮮的義理油彩，以便力爭趨時適勢，
能爲時代觀衆所接受。於此可見，即在漢儒內部，也有人認爲不
管是象數《易》或占術《易》，面對社會的新問題，時代的新思潮，
有諸多疑問難以回答，顯得軟弱無能，因此必須予以適當的改
造。《世說・言語》第一九則載：

> 晉武帝始登阼，探策得一。王者世數，繫此多少。帝既不
> 說（悅），羣臣失色，莫有能言者。侍中裴楷進曰：「臣
> 聞天得一以清，地得一以寧，侯王得一以爲天下貞。」帝
> 說，羣臣嘆伏。

古人迷信，萬事求神問卜。其中，以《易》卦來筮占是其高級的精
神形式。這則故事雖然簡短，但是文字頗爲生動，形象栩栩如
畫，特別是人物內在的心理活動，和盤托出。古時新朝皇帝登基
的開國大典，是何等隆重的慶典，所以要用《易》筮來占問吉凶，
以明天命所授。但是，古人用五十根筮草反覆抽數推算數十次，
方才算出一爻一卦，而蓍草的抽數，每次又都具有很大的偶然
性，筮問對象並非善人一定得吉爻吉卦，而惡人必然是得凶卦惡
兆。晉武帝纂魏登基之後，爲了把皇位和江山作爲私家財物傳與
自己的子孫萬代，所以筮卜問《易》以求內心的自我滿足。不過在
具體的《易》筮推演過程中，卻是「探策得一」。據《漢書・律曆

志》云：「天之數始於一。」按漢儒象數學的解釋，在《周易》六十四卦中，《乾》卦位列第一，象徵天卦，龍卦，帝卦。而《乾》卦六爻，初九爻第一。據此，晉武帝「探策得一」，算出來是《乾》卦初九。《乾》（☰）卦辭云：「乾，元亨利貞。」《易傳·文言》釋云：「乾元者，始而亨者也；利貞者，性情也。乾始能以美利利天下，不言所利，大矣哉，大哉乾乎！」這樣理解，《乾》是一個盡善盡美的吉卦。但如針對筮求者的具體問題，則又六爻周流，隨情況變幻而另有其吉與凶。《易》卦體分上、下，共六爻，象徵事物的運動變化，不同爻位展現了不同的發展階段，因此，並非是簡單的一個「吉」或「凶」字能夠涵蓋的。晉武帝所問，是江山皇位能否傳之子孫萬代？《易》筮得「一」，即《乾》卦初九，其爻辭云：「潛龍勿用。」武帝已公開篡位登上皇帝寶座，應是飛龍在天的「九五」之尊，而《易》筮爻辭卻明言他是條「潛龍」，不應公然飛行於天地之間，這不是諷刺的誡辭又是什麼？而且，他所問的是國阼世數，得「一」者，不是象徵一年，就是一代而絕之意，祖宗費盡心機，殺了多少望族名士，方才賺騙到手的江山社稷，轉眼又要拱手讓人，這不是太不幸了嗎？因此，當時晉武帝勃然變色，也在情理之中。從漢儒象數《易》以「一」為數字實體的解釋出發，晉武帝判斷其「探策得一」為凶兆。古代封建獨裁，君權至上，君要臣死，臣不敢不死。所以一旦龍顏震怒，後果嚴重，甚至可能會動加屠戮，人頭落地，因而滿朝文武，人人自危。面對類似的危機，漢儒象數《易》家束手無策，不能適應形勢的發展變化，在維護封建統治者的精神新需求方面，難以自圓其說，表現了自己的理論缺陷和無能。面對這一新的歷史需求，必須在思想和理論上對《周易》作出新的闡釋。以此，**魏晉玄家**的義理新《易》學就應運而生，而不再被漢儒固有的傳統《易》學束縛住手腳。就在龍顏震赫，羣臣失色的關鍵時刻，玄家

裴楷的一席絕妙好辭，引古證今，以《老》解《易》，判「一」為大
吉之兆，以此龍顏大悅而化險為夷，不知不覺之中，已消解了一
場可能爆發的災禍。裴楷之言，出於急智，雖不免諂媚之嫌，但
也有其理論根據。《世說》劉注引王弼《老子注》以說明裴楷新論的
淵源所自，云：「一者，數之始，物之極也。各是一物，所以為
主也。各以其一，致此清寧貞。」以《老》釋《易》，是魏晉玄家清
談的新風氣新特點。裴楷是徽之子，裴徽雖年長於王弼，但卻曾
向這一年輕的天才玄學家請教關於「有」與「無」的本體問題，
見《世說‧文學》第八則。裴氏父子皆為玄家，對王弼玄著，頗為
熟悉。只有平時了然於心胸，才能在廟堂困迫之時衝口而出以應
急。王弼是正始玄風宗師，他以《老》解《易》，批判象數而主義
理，終於創始新的玄家義理《易》學。據史稱，裴楷也以精通《老》
《易》著名於世。玉、裴共同援老釋《易》，言趣相似，思理如一，
自是當時玄學新潮之結晶。裴楷釋「一」，運用的是當時玄家義
理的新觀念，主要來自於王弼。玄家和漢儒不同，並不拘泥於具
體的象徵物象和數字。其所稱「一」，並非數字實體，它本身不
是實數，而是一個全新的哲學概念，相當於《老》《莊》的「道」、
「無」或「太極」。玄家之「一」是非數之數，其虛無的理論精
神，超越了一切具體數字之上，並且駕馭了一系列數字實體的具
體操作和推演。如王弼《老子指略》云：

> 夫欲定物之本者，則雖近而必自遠以證其始。夫欲明物之
> 所由者，則雖顯而必自幽以敘其本。故取天地之外，以明
> 形骸之內。明侯王孤寡之義，而從道一以宣其始。

「道一」並稱，「道」即「一」，也就是萬物之本原的「無」，
故稱「由無乃一，一可謂無」②。「一」是隱藏在具體數字和物

象之外的世界本原。據此說「一」，其理論涵蓋面極其廣泛，其內涵相當豐富，可從許多不同的角度來加以闡釋，思維反映相當靈活，故其應對能無往而不達。在這方面，非漢儒象數《易》學之可比擬。

總之，兩種說《易》體系態度各異，效果不同。晉武帝與裴楷同解《乾》卦之「一」，前者從漢儒象數《易》學出發，後者則立腳於玄家義理，看問題的視角不同，因此其吉凶判斷絕然相反，可說各有各的根據和道理。晉武帝不顧一切地弒君奪位，同樣也懼怕別人仿效而奪其江山，其微妙心理昭然若揭。昔日秦始皇，非以德立國，不以民爲本，一面施暴政焚書坑儒，一方面又企望一世、二世至子孫「萬代而爲君」。結果呢？秦僅二世而亡③。前車之鑒，令晉武帝惶惶然。故其於《乾》卦之「一」心懷恐懼，作出了「凶」的判斷。「一」作爲數字實體的象數體現，當然不是一年就是一代而絕之意，其凶兆是明顯的。但是，晉武帝並沒有從中汲取歷史教訓，故其身死不久，即八王亂起，繼而五胡亂華，中原板蕩，西晉王朝很快趨於滅亡。其占筮得「一」，不幸而言中。而從裴楷等頭腦較爲清醒的士人看來，則希望藉此勸戒新皇帝汲取足夠的歷史經驗教訓，在統一天下的同時，持守「貞正」之道，清明政治，一以貫之，創造一個和平安定的良好社會環境，以利於國家和民族的健康發展，這就是他所說「侯王得一以爲天下貞」之意。可惜晉武帝並沒理解裴楷等玄家義理的眞正意義，而是陶醉於表層逢凶化吉的說法，以爲這樣就可以爲所欲爲了，於是把正在走向統一的大好形勢，又重新推向了四分五裂的民族劫難之中，悲哉！

現在，再以漢儒用《易》之例作比較。《世說・文學》第一則云：

鄭玄在馬融門下，三年不得相見，高足弟子傳授而已。嘗
算渾天不合，諸弟子莫能解。或言玄能者，融召令算，一
轉便決，衆咸駭服。及玄業成辭歸，既而融有「禮樂皆
東」之嘆，恐玄擅名而心忌焉。玄亦疑有追，乃坐橋下，
在水上據屐。融果轉式逐之，告左右曰：「玄在土下水上
而據木，此必死矣。」遂罷追，玄竟以得免。

馬、鄭師生二人，均爲漢末古文學派的經學大師。但是，爲了適
應漢末的形勢變化，他們也曾努力匯今、古文於一爐，推動了漢
儒象數及占候之《易》，開始了向義理方向接近的嘗試。故經古文
家《易》學，也多少講些義理，其成果並已暗中爲魏晉玄家的義理
新《易》所吸收和繼承。不過，由於傳統舊學的存在根深蒂固，經
古文《易》於義理明而未融，未免露出了象數占候的尾巴。馬融追
逐鄭玄，即取「轉式」之法。據徐震鍔《世說新語校箋》引李詳
曰：「郝懿行《晉宋書故》：古來占《易》有轉式之法。式即栻也，
占者所用之盤。《史記・日者傳》：『旋式正棋（綦）。』《索隱》
曰，『式，即栻也；旋，轉也。栻之形，上圓象天，下方法地。
用之則轉天綱加地之辰，故云旋栻。』觀《索隱》所言，《世說》馬
季長轉式逐康成，即用此法。」很清楚，「轉式」是一種弄神弄
鬼的《易》占之術。鄭玄師馬融，素知其德行，故對其轉式《易》占
之術瞭如指掌。他可能眞是躲藏在橋洞之下以避害，而後人卻附
會成故事。古時橋多土石塡砌而成，故稱土下；而木者，則可有
棺木之象。玄坐橋下而據木屐，則爲水上據木之象。據《易》象顯
示，「土下水上而據木」，即棺木沈埋於水土之中的兆象，非死
而何？這一故事之眞僞，人或有議論，劉孝標即以爲是「委巷之
言」，不足爲信。但不管怎麼樣，這一故事也透露了某種信息，
即馬融、鄭玄二位經古文家，熟悉並曾傳授象數占候之《易》，故

時而露其眞容。其附會人事的天人感應之法，怎能眞正說明《易》
理以適應時代的新要求呢？不合形勢，則必然落伍而被淘汰。上
述兩個故事，魏晉玄家的義理《易》，和漢儒象數、占術《易》作比
較，二者之精粗優劣，不難明辨。當然，馬融轉式逐鄭玄的故
事，並不能代表對於整個漢儒象數占候之《易》的評價，在《周易》
哲學史上，漢《易》是一個重要的發展階段，有其重大貢獻。但這
故事的確也透露了漢《易》正在走向衰落的黯淡前景。這又從反面
說明了魏晉玄家義理《易》的崛起並流布新潮，是一種思想運動發
展的必然。義理《易》並非盡善盡美，它在理論上竭力排斥象與數
的解釋，本身就帶有片面性。因爲原始之《易》（**按**：主要指卦象
爻象及卦爻辭），占筮是其四大功能之一④，《易》卦占筮離不開
其所象徵的具體物象和數量變化。象數《易》和義理《易》，各有其
根據和道理，但又各具一定的片面性，合之則雙美，離之即兩
傷。故魏晉以後產生了熔象數與義理於一爐的新趨勢。但這是後
話，在魏晉時，卻是矯枉過正，針對漢儒傳統《易》學那故步自封
的保守性，盡黜象數而淋漓盡致地發揮義理，也是一種時代的風
氣。因此，談天說《易》，揮灑義理，在玄家清談中流行而漸成新
潮。魏晉玄家義理《易》學，給予了封建統治的合法性和合理性等
以新的解釋，是一種新的精緻的統治思想。但應注意的是，其思
想意義和理論價值遠遠不止於此，在哲學本體論及認識論方法論
等方面，它早已超越了維護封建統治的局限，而具有借鑒的理論
意義，從而成爲了人類寶貴的文化財富。

其實，就在漢末三國年間，以義理釋《易》的趨勢已悄然出
現。三國時流行於南方的荊州學派，如劉表、宋衷的《易》注，雖
仍不脫象數窠臼，但是輕視今文章句之學，已漸呈明理新姿。此
風鼓動了時人。如《世說・言語》第六則云：

> 潁川太守髡陳仲弓（寔）。客有問元方（**按：寔子**）：
> 「府君何如？」元方曰：「高明之君也。」「足下家君何
> 如？」曰：「忠臣孝子也。」客曰：「《易》稱：『二人同
> 心，其利斷金；同心之言，其臭如蘭。』何有高明之君而
> 刑忠臣孝子乎者？」……

客之問難，即引用《易傳・繫辭》之言以明理。故劉注又引東晉初
王廙注《繫辭》曰：「金，至堅矣，同心者，其利無不入。蘭，芳
物也，無不樂者，言其同心者，物無不樂也。」王廙是王導的從
弟，其注《易》明顯屬義理派。故事發生在漢末，客取《易傳》觀點
來闡明事理，已有置漢《易》象數之學於不顧的苗頭，走的正是漢
末馬融等古文經學派開始注重義理之路。這條學術之道，後來由
魏之正始玄家王弼加以開拓而愈走愈寬。王廙注《易》，據注文
看，也走王弼之路，都是藉說《易》的機會，結合社會現實，以發
揮其人生義理。其實，正始名士不僅是王弼以玄說《易》，如何
晏，《世說・文學》第六則云：「何晏為吏部尚書，有位望，時談
客盈坐。」劉注於句下引《文章敍錄》曰：「晏能清言，而當時權
勢，天下談士，多宗尚之。」又引《魏氏春秋》曰：「晏少有異
才，善談《易》《老》。」當時士人清談，多宗何晏言《老》說《易》之
玄理。據《三國志・魏書》卷二九《方伎・管輅傳》裴松之注引《輅
別傳》，玄學家裴徽任冀州刺史時，舉薦精於《易》卦占筮的管輅
上京應秀才試，云：「輅辭裴使君，使君言：『何（晏）、鄧
（颺）二尚書有經國才略，於物理無不精也。何尚書神明精微，
言皆巧妙，巧妙之志，殆破秋毫，君當慎之！自言不解《易》九
事，必當以相問。比至洛，宣善精其理也。』」在何晏被殺後，
精於《老》《易》之學的裴徽仍然堅持說：「吾數與平叔（晏字）共
說《老》《莊》及《易》，常覺其辭妙於理，不能折之。又時人吸習，

皆歸服之焉，益令不了。」可見何晏說《易》談玄在當時的影響之大。又平原太守劉邠對管輅言：「數與何平叔論《易》及老、莊之道，至於精神遐流，與化周旋，清若金水，鬱若山林。」又可見何晏說《易》玄理之精微入心。裴徽所說「益令不了」，是說時人受其影響，以玄說《易》已成為一股勢難阻遏的新風。何晏年長於王弼，為弼之《周易注》作鋪墊，掃除障礙。至於王弼稍後的向秀，人們大都只知其注《莊》而名動一時，如《世說·文學》第一七則云：「初，注《莊子》者數十家，莫能究其旨要。向秀於舊注外為解義，妙析奇致，大暢玄風。」卻大都不知其曾注《易》。劉孝標注引《秀別傳》曰：「（秀）後注《周易》（**按**：指注《莊》之後），大義可觀，而與漢世諸儒互有彼此。」又陸德明《經典釋文》錄載晉·張璠《周易集解序》，列魏晉二十二位釋《易》名家姓氏，云：「向秀字子期，河內人，晉散騎常侍，為《易義》。」向秀之注《易》，不僅是事實，而且明顯與漢儒象數、占候之《易》「互有彼此」，各異旨趣而走不同的學術之路。其注《易》在注《莊》之後，推測其特點，可能援《莊》以入《易》，以構建其新玄之論。惜其書亡佚，難以詳考。

兩晉之士，繼續鼓吹正始玄風，義理新《易》成為時髦。如晉初，王濟為清談名士，據《晉書》卷四二本傳，他「善《易》及《莊》《老》，文詞俊茂，……與姐夫和嶠及裴楷齊名。」又《三國志》卷二八《鍾會傳》裴注引何劭《王弼傳》云：「太原王濟好談，病《老》《莊》，常云：見弼《易注》，所悟者多。」可見其所受王弼玄《易》的影響。王濟也是張璠《周易集解序》所列魏晉釋《易》二十二名家之一，是當時清談玄《易》的代表人物。但其叔王湛，說《易》更佳，而令狂妄的王濟嘆服。王湛曾長期家居，平時為濟所輕。但湛之一席《易》理，讓濟根本改變了印象。《世說·賞譽》第一七則云：

王汝南（湛）既除所生服，遂停墓所。兄子濟每來拜墓，略不過叔，叔亦不候。濟脫時過，止寒溫而已。後聊試問近事，答對甚有音辭，出濟意外，濟極惋愕。仍與語，轉造清微。濟先略無子姪之敬，既聞其言，不覺懍然，心形俱肅。遂留共語，彌日累夜。濟雖俊爽，自視缺然，乃喟然嘆曰：「家有名士，三十年而不知！」

湛、濟叔姪，彌日累夜的精微之談究竟是什麼內容呢？劉注引鄧粲《晉紀》有具體的說明：

王湛字處沖，太原人。隱德，人莫之知，雖兄弟宗族，亦以為癡，唯父昶異焉。昶喪，居墓次。兄子濟往省湛，見牀頭有《周易》，謂湛曰：「叔父用此何為？頗曾看不？」湛笑曰：「體中佳時，脫復看耳。今日當與汝言。」因共談《易》，剖析入微，妙言奇趣，濟所未聞，嘆不能測。

王濟出自太原王氏，世家子弟，高門貴胄；又是皇帝女婿，皇親國戚。身分很高，故性極清狂，幾乎是目中無人。他又是當時以《易》名家的清談之士，非常自負。而王湛默默似癡，所以王濟素輕慢之，「略無子姪之敬」。但王湛說《易》，卻能讓濟折服驚嘆，可見其學術修養之深。王湛說《易》，同樣受正始玄風的薰染，是玄轉精微而妙趣橫生的義理新《易》。經過這次徹夜長談的《易》理交鋒之後，王濟猛然醒悟到自己的淺薄無知。當時，連晉武帝也聽說王湛之「癡」。因此，每見王濟，常以「卿家癡叔死未」相調侃，弄得王濟既難堪又無言以對。但自叔姪談《易》以後，當晉武帝又如前發問時，王濟大膽抗辯說：「臣叔不癡。」稱其才華實美，水平在「山濤以下，魏舒以上」（見《世說‧賞

譽》第一七則）。可見魏晉時人直接把是否懂得玄家義理新
《易》，作爲衡量一個人的學識修養和文化水平的一把標尺。能說
《老》《易》，則受時人敬重。這與漢儒通經而仕途利祿路開，形式
不一，而性質相似，都是立腳於上流貴族社會的一個重要條件。
西晉如此，東晉亦然。《世說・賞譽》第八六則劉注引《中興書》
云：「浩能言理，談論精微，長於《老》《易》，故風流者皆宗歸
之。」浩指殷浩，是東晉著名玄家清談名士，其所說即是玄家義
理新《易》，「風流者皆宗歸之」，可見說《易》之風已成一股新的
時代潮流。又《世說・文學》第七四則云：「江左殷太常（融）父
子並能言理，亦有辯訥之異。揚州（**按**：指殷浩）口談至劇，太
常輒云：『汝更思吾論。』」「父子」二人，指的是殷融與浩叔
侄。余嘉錫《世說新語箋疏》引孫志祖《讀書脞錄》卷六云：「古人
稱叔侄亦曰父子，……晉以後則罕見矣。」並以《漢書・疏廣
傳》、《後漢書・蔡邕傳》、《晉書・謝安傳》所稱「父子」皆爲叔
侄的事例爲證。二殷叔侄，雖然在口舌論爭時的表達方面，有辯
訥之分，口說是浩勝；但如著作理論，則融爲長。二殷所論之內
容，《易》理是其重要方面。劉注引《中興書》曰：

> 殷融字洪遠，陳郡人。桓彝有人倫鑒，見融甚嘆美之。著
> 《象不盡意》、《大賢須易論》，理義精微，談者稱焉。兄子
> 浩亦能清言，每與浩談，有時而屈，退而著論，融更居
> 長。

西晉初的二王（湛、濟）叔侄，與東晉初的二殷（融、洪）叔
侄，其倡言玄家義理《易》，情況相似。所不同的是，殷融因長於
著述而留下了論《易》篇名，殷浩又在與孫盛論戰時留下論《易》殘
篇，殷融論文《象不盡意》，顧名思義，討論的是《易》卦中的言、

象、意之間的關係。《易‧繫辭傳》有「聖人立象以盡意，設卦以
盡情偽，繫辭焉以盡其言」之詞，漢儒據此而推演其象數《易》
學，以為聖人立象而盡其意。魏正始間，荀粲就已尖銳地批評了
這一說法。王弼《周易略例》更專立《明象》一章，他雖然並不否認
言與象的重要，但他認為言、象、意三者之間，意（義理）是根
本，是矛盾的主導方面，「言生於象」而「象生於意」。因此，
得出了「得象而忘言」，進一步是「得意而忘象」的結論。這就
引起了當時儒家《易》說的攻訐非難。而據《象不盡意》題目所示，
殷融明顯是為捍衛並發揚王弼玄《易》的理論體系而努力。而其
《大賢須易論》，則可能更從理論上說明了義理《易》學對於改變人
們文化觀念和理論思維的重要性，以及援玄入《易》在解釋天道自
然及社會人生方面的意義。總之，其所強調的是，統治階級用以
經天緯地、治國安邦的理論根據，是一種屬於規律性的理論抽
象，其批判矛頭指向了漢儒象數《易》學。

　　兩晉時談天說《易》，似乎已成生活之必需，士人習以為常。
如《世說‧文學》第二九則云：「宣武（**按**：指桓溫）集諸名勝講
《易》，日說一卦。簡文欲聽，聞此便還，曰：『義自當有難易，
其以一卦為限邪？』」簡文帝司馬昱，據《晉書》卷九紀稱其「清
虛寡欲，尤善玄言」。他雖貴為帝王，同時也是一個清談玄家，
而不是有「濟世大略」的政治家，所以當時支道林批評他是「有
遠體而無遠神」。日以一卦為限的說《易》之法，當然有缺陷，因
為理有難有易，有時為了一卦一爻之理，必須反覆辯難，如以每
日一卦為限，不就要放棄爭論半途而廢了嗎？故簡文言之有理。
但不管怎麼說，桓溫能夠聚集當時說《易》諸名家在一起，逐日研
討講論，應該說是一件學術史上的盛事。如此討論，何止桓溫一
處！當時名家勝流，各盡其說而暢其理義，對於不同學術流派的
交流，是頗有助益的。魏晉說《易》新風之盛，於此可見一斑。

　　新風蕩漾，士人薰香，故時人藉《易》明理，以卦迹義之事，相當普遍。《世說·賞譽》第三六則注引王隱《晉書》，記載晉永嘉時，隱逸之士董養預測天下將亂，嘆為「天人之理既滅，大亂斯起」，於是對好友謝鯤、阮孚說：「《易》稱：『知幾其神乎！』君等可深藏矣。」乃與妻荷擔入蜀，莫知其所終。《易傳》之言，成為人們的行動指南。又《世說·文學》第六一則云：「殷荊州（仲堪）曾問遠公：『《易》以何為體？』答曰：『《易》以感為體。』殷曰：『銅山西崩，靈鐘東應，便是《易》耶？』遠公笑而不答。」遠公所稱「《易》以感為體」，「體」是指本體存在或萬物根據。其言本於《易》之《咸》卦。「感」，卦辭稱為「咸」，「咸」者為無心之感，也就是一種自然而至的共鳴感應現象。《咸·象傳》釋曰：「咸，感也；柔上而剛下，二氣感應以相與。……天地感而萬物化生，聖人感人心而天下和平：觀其所感，而天地萬物之情可見矣！」魏晉玄家即據此而發揮玄理，認為陰陽感應，剛柔互動，矛盾變化，是世界萬物得以生成、存在和發展的依據。王弼《周易注》更進一步應用於社會人事，云：「以虛受人，物乃感應。」也就是說，只要人們空虛其懷，受納於物，就能引起人們的共鳴感應和支持擁護，所以說是「聖人感人心而天下和平」。至於殷仲堪，也是「能清言，善屬文」（《晉書》本傳）的玄家，所說山崩鐘應的現象，曾見載於《史記》，可能是因地震山崩，地震波激烈振盪擴散而引起鐘鳴鼓應現象。以此天變災異來附會陰陽感應及社會人事，原是漢儒今文學讖緯《易》學的一套說法，為魏晉玄家所不屑，殷仲堪不過藉此以戲難遠公，並非當真，故遠公笑而不答。遠公是佛家，但其說《易》同樣受到時代玄家義理《易》學的影響。殷仲堪曾任謝玄長史，致玄書以說《易》感之理，云：「胡亡之後，中原子女鬻於江東者不可勝數，骨肉星散，荼毒終年，怨苦之氣，感傷和理，誠喪亂之常，足以懲戒，……禽

獸猶不可離，況於人乎！……雖曰戎狄，其無情乎！苟感之有
物，非難化也。必使邊界無貪小利，強弱不得相陵，德音一發，
必聲振沙漠，二寇之黨，將靡然向風，何憂黃河之不濟，函谷之
不開哉！」（見《晉書》卷四八《殷仲堪傳》）反對抄掠人口爲奴，
要求施以《易・咸》卦自然感應之理，而行其愛育蒼生之意。以此
感人，誰人不應？天下自然會逐漸走向和平與統一。於此可見，
魏晉人說《易》，受王弼注及其《略例》影響很深。如《世說・言語》
第三八則「朱博翰音，實愧於懷」二句，劉注除了引《漢書・五
行志》外，又引《易・中孚》卦上九爻辭曰：「上九，翰音登於
天，貞凶。」繼而又稱引王弼《周易注》云：「翰，高飛也。飛
者，音飛而實不從也。」余嘉錫《箋疏》則以爲王弼「其注似未可
解《漢書》」，並引侯果之言曰：「巽爲雞，雞曰翰音，虛音登
天，何可久也。」以此和《漢書・五行志》相發明。不過余氏之論
也有不周之處，劉孝標是南朝人，受王弼義理《易》學的薰陶，排
斥漢儒象數和占候《易》，這與魏晉六朝學風有關。用「巽爲雞」
等象數《易》學的說法來批評王弼注，魏晉人大都不能接受。因爲
時代《易》學體系不同，晉人奉王、何爲玄家之宗。如《世說・言
語》第九九則云：

> 王中郎甚愛張天錫，問之曰：「卿觀過江諸人，經緯江
> 左，軌轍有何偉異？後來之彥，復何如中原？」張曰：
> 「研求幽邃，自王（弼）何（晏）以還；因時修制，荀、
> 樂之風。」王曰：「卿知見有餘，何故爲苻堅所制？」答
> 曰：「陰陽消息，故天步屯蹇，否剝成象，豈足多譏？」

張天錫世據涼州，爲苻堅所敗而降。淝水之戰時，堅敗，天錫歸
晉。他認爲研究奧妙無窮的深邃玄理，當以王、何爲典範。他自

己同樣精於《易》理，運用具體的卦理分析，來回答王坦之（曾任北中郎將）的問題。「屯」指《屯》卦，「蹇」指《蹇》卦。「否」指《否》卦，「剝」指《剝》卦。《屯》（䷂），下震（☳）上坎（☵），《象傳》釋曰：「剛柔始交而難生，動乎險中。」下卦坎性陷，上卦震性動，以上下卦性的矛盾運動推之，動在險中，故《屯》卦象徵世界事物初生之艱難。《蹇》（䷦），下艮（☶）上坎（☵），《象傳》釋曰：「蹇，難也，險在前也；見險而能止，知矣哉！」以坎性險陷而艮性知止來解釋卦義，所以《蹇》卦象徵舉動維艱。「天步屯蹇」，就是說大至天地自然，其運動發展也有艱難的時期，而何況是人呢？又《否》（䷋），下坤（☷）上乾（☰），上乾是陽剛之氣輕清而上升，下坤是陰柔之氣重濁而下沈，陰陽二氣的運動方向，彼此乖離而不相交，陰陽不相感應，事物何能有成？所以《否》卦象徵否塞不通之時。至於《剝》（䷖），下坤（☷）上艮（☶），全卦五陰共蝕一陽，所以象徵萬物凋殘剝落。不管是天道自然，抑或社會人事，都同樣是有盛必有衰，如果沒有衰歇，就不可能強盛，因爲陰陽盛衰是一對矛盾，互相依存，故「否剝成象」，說的是人處艱難困苦的衰落時期，不必灰心喪氣，冬天過後，春天還會遠嗎？有恆心堅守正道，自會逐步走出困境，通往新的勝利之路。張天錫闡釋《易》理，排象數而取卦德卦性的推衍，正是沿著王弼所開拓的義理《易》學的道路前進。張天錫北人，由北入南，代表了當時北方士人的一種普遍認識。東晉南渡，但玄風北吹，遍於中原隴北。有生命活力的學術思想並不爲高山大河的地域所限。

二、陰陽消息紛爭多

魏晉玄家的義理《易》學，雖然成了時代的新潮，並爲當時的

封建階級所接受。但是，這一新的精緻思想並沒有通過行政措施來強制推行，而是在不同的學術論爭中，據理力爭，並逐漸占據了矛盾鬥爭的主導地位。當時的《易》學流派，並非只有玄家義理一家而別無分店，而是派別林立，紛爭激烈。事實說明，有玄家義理《易》學新潮的流布，同時也出現了批判玄《易》的不同思想學術流派。因爲思想學術的發展進步，總是在思想爭鳴的矛盾運動中呈現的。在《易》學的發展史上，當時爭論最激烈的仍是儒、玄二家，也就是史家所稱的鄭（玄）王（弼）之爭。魏晉之時，漢儒《易》學並未斷絕，而是時有復出之象。如《晉書》卷七五《荀崧傳》載，東晉元帝開國不久，「方修學校，簡省博士，置《周易》王氏、《尚書》鄭氏……各一，凡九人」；太常荀崧以爲不可，上疏建言「宜爲鄭《易》置博士一人」。當時下朝廷公議，「議者多請從崧所奏」，後因適逢王敦叛亂而不及施行。從這一事實也可看出，在與玄家王弼《易》注的論爭中，漢儒鄭玄《易》注仍有相當的影響。《四庫全書總目提要》卷一云：「《易》本卜筮之書，故末派寖流於讖緯。王弼乘其極敝而攻之，遂能排擊漢儒，自標新學。然《隋書·經籍志》載，晉揚州刺史顧夷等有《周易難王輔嗣義》一卷。《册府元龜》又載顧悅之（**按：悅文即顧夷之字**）難王弼義四十餘條。京口閔康之又申王難顧。是在當日，已有異同，……此揚彼抑，互詰不休。」魏晉儒、玄《易》論之爭，大致可分爲**魏末晉初**及**東晉**兩個階段。今僅據《世說》所及，加以歸納議論。

先談**魏末晉初**階段，當時曾發生了幾次交鋒。據《世說》所載，比較重要的一次是占術《易》家管輅與玄理《易》家何晏、鄧颺的爭論。《規箴》第六則記載管輅進洛京後：

何晏、鄧颺令管輅作卦，云：「不知位至三公不？」卦

成，輅稱引古義，深以戒之。颺曰：「此老生之常談。」
晏曰：「知幾其神乎！古人以爲難。交疏吐誠，今人以爲
難。今君一面盡二難之道，可謂『明德惟馨』。《詩》不云
乎：『中心藏之，何日忘之！』」

劉注更稱引《管輅別傳》詳盡加以描繪：

輅字公明，平原人也。明《周易》，聲發徐州。冀州刺史裴
徽舉秀才，謂曰：「何、鄧二尚書有經國才略，於物理無
不精也。何尚書神明清澈，殆破秋毫，君當慎之。自言不
解《易》中九事，必當相問。比至洛，宜善精其理。」輅
曰：「若九事皆至義，不足勞思。若陰陽者，精之久
矣。」輅至洛陽，果爲何尚書問，九事皆明。何曰：「君
論陰陽，此世無雙也。」時鄧尚書在，曰：「此君善
《易》，而語初不論《易》中辭義，何邪？」輅答曰：「夫善
《易》者，不論《易》也。」何尚書含笑讚之曰：「可謂要言
不煩也。」因謂輅曰：「聞君非徒善《易》，至於分著思
爻，亦爲神妙，試爲作一卦，知位當至三公不？又頃夢青
蠅數十來鼻頭上，驅之不去，有何意故？」輅曰：「鴟
鴞，天下賤鳥也。及其在林食桑椹，則懷我好音。況輅心
過草木，注情葵藿，敢不盡忠？唯察之爾。昔元、凱之相
重華，宣茲惠和，仁義之至也。周公之翼成王，坐以待
旦，敬慎之至也。故能流光六合，萬國咸寧，然後據鼎足
而登金鉉，調陰陽而濟兆民，此履道之休應，非卜筮之所
明也。今君侯位重山岳，勢若雷霆，望雲赴景，萬里馳
風。而懷德者少，畏威者衆，殆非小心翼翼，多福之士。
又鼻者，《艮》也，此天中之山，高而不危，所以長守貴

也。今青蠅臭惡之物，而集之焉。位峻者巔，輕豪者亡，
必至之分也。夫變化雖相生，極則有害。虛滿雖相受，溢
則有竭。聖人見陰陽之性，明存亡之理，損益以爲衰，抑
進以爲退。是故山在地中曰《謙》，雷在天上曰《大壯》。
《謙》則哀多益寡，《大壯》則非禮不履。伏願君侯上尋文王
六爻之旨，下思尼父《彖》《象》之義，則三公可決，青蠅可
驅。」鄧曰：「此老生之常談。」輅曰：「夫老生者見不
生，常談者見不談也。」

管輅論《易》，令何晏折服，以爲天下無雙，這可能是小說家誇大
之辭。史稱何氏善《老》《易》，其論《易》唯嘆服於年輕的天才哲人
王弼，管輅論《易》並非天下無雙；而王弼《易》學的思想體系，相
當嚴密，是當時玄家義理《易》學的支柱，怎麼可能被一個術士三
言兩語就輕易地擊得粉碎呢？何晏注《易》之著雖已亡佚，但據唐
李鼎祚《周易集解》稱引的何注片斷來看，他拋開了漢儒象數《易》
學，更不用提占術之類不入流的《易》學了。何注明顯屬玄家義理
《易》學，與王弼相互發明。王、何《易》說，重在發揮玄家義理，
而基本上排斥象數，如漢儒所稱互體、卦氣、卦變、納甲、乾坤
升降諸說，概在掃除之列。現在管輅對何晏問，其說《易》正取漢
儒象數而巧加附會占筮之術。在重義理，還是取象數占候這一原
則問題上，王、何與管輅明顯是對立的。管輅以天人感應來附會
政治人事，而對王、何提倡的玄家義理《易》學新潮，極盡嘲諷批
判之能事。管輅推卦說《易》，主要是繼承並發展了西漢司馬季主
的占筮之術。司馬季主曾擺攤設卦，爲人占筮吉凶。當日賈誼和
宋忠曾批評說：「夫卜者，多言誇嚴，以得人情；虛高人祿命，
以說人志；擅言禍災，以傷人心；矯言鬼神，以盡人財；厚求拜
謝，以私於己。」斥之爲學者不齒的騙術，見載於《史記·日者

列傳》。但管輅曾自比於司馬季主，欲使占術家的《易》卦卜筮之說沈渣泛起。其論《易》起卦，多不及《易》之卦義及卦爻辭，而與其他形式的占術如仰觀、風角、占、相之道相通。他曾對琅邪太守單子春坦白供認：「始讀《詩》、《論》、《易》本，學問微淺，未能上引聖人之道，陳秦漢之事，但欲論金木水火土鬼神之情耳。」另外又說：「夫風以時動，爻以象應，時者神之驅使，象者時之形表。」（見《三國志・方伎・管輅傳》裴注引《輅別傳》）故其說《易》解卦多道鬼神迷信之事，主要是占術而非學術。但是，管氏占術《易》在當時部分士大夫的支持下，卻也造成了一定的聲浪和影響。這是什麼原因呢？大概因爲當時漢儒象數《易》，在與魏晉玄家義理《易》的論爭過程中，缺乏新鮮思想的創造，難有作爲，處境不利，故不得不借助占術《易》作盟友，來造成反攻過去的聲勢。因爲如管輅諸人的占術《易》，宏觀方面，好言儒家仁義道德禮法名敎；微觀方面，則多引證漢儒象數讖緯以釋卦。今文讖緯之《易》，原與占術相近。何晏夢靑蠅集鼻，揮之不去。管輅即爲之起卦，以《易》的《艮》卦、《大壯》卦及《謙》卦的象數加以推演決算。如「鼻者，《艮》也，此天中之山」一段，即取漢儒象數以釋《艮》卦。《艮》卦（☶）上艮（☳）下艮（☳），據《說卦傳》，八卦之艮（☳）爲山，故云六十四卦之《艮》爲兩山重疊，有高峻之極、直上靑雲之象。又鼻在人臉上，部位突出如山，故《艮》又有鼻象。靑蠅爲臭惡之物而集鼻，揮之不去，則必被捕殺。他以此喩何晏等，官吏部尙書，權高勢重，以小人之資而據高位，如靑蠅之集鼻，必有危亡，故稱「位峻者巓，輕豪者亡，必至之分也」。管輅以筮卦爲名，行政治批判之實，諷刺何、鄧等貪佞而不知《艮》卦止義，最後必致喪滅。據《三國志》本傳稱，管輅《易》占卜起卦有通天神明，所測無不應驗。果然，十餘天後，「晏、颺皆誅」。這可能是司馬懿族誅何晏等後人們的

附會之言。

管輅詆訛何晏、鄧颺等的言論，不一而足。如《管輅別傳》又云：

> 舅夏大夫問輅：「前見何、鄧之日，爲已有凶氣未也？」輅言：「與禍人共會，然後知神明交錯；與吉人相近，又知聖賢求精之妙。夫鄧之行步，則筋不束骨，脈不制肉，起立傾倚，若無手足，謂之鬼躁。何之視候，則魂不守宅，血不華色，精爽煙浮，容若槁木，謂之鬼幽。故鬼躁者爲風所收，鬼幽者爲火所燒，自然之符，不可以蔽也。」輅後因得休，裴使君問：「何平叔一代才名，其實何如？」輅曰：「其才若盆盎之水，所見者清，所不見者濁。神在廣博，志不務學，弗能成才。欲以盆盎之水，求一山之形，形不可得，則智由此惑。故說老莊則巧而多華，說《易》生義則美而多僞；華則道浮，僞則神虛；得上才則淺而流絕，得中才則游精而獨出，輅以爲少功之才也。」

其巧華美僞之譏，把魏正始名士之玄理，攻擊得幾無完膚，可說是全面的批判和否定。但事實說明，儘管遭受詛咒，但魏晉玄學思潮並不因此而止波息浪，而是仍然滾滾滔滔，席捲了整個魏晉南北朝。王、何義理玄《易》，如果真是一無是處，能造成如此浩大的聲勢，歷時數百年而不衰歇嗎？其實，《管輅別傳》是其弟管辰所作，溢美乃兄，又露出了自相矛盾的馬腳。如云：「裴冀州，何、鄧二尚書，及鄉里劉太常潁川兄弟，……輅自言與此五君共語，使人精神清發，昏不暇寐。自此而下，殆自曰欲寢矣。」⑤管輅在交遊討論中最欽佩的五人中，劉氏寔、智兄弟

「並以儒學爲名」⑥，而何、鄧及裴徽等三人，則以玄家清言著稱。又據《三國志》本傳，管輅所交之人，三教九流，各家各派，均有接觸。這更符合其浪跡江湖筮之士的身分。所以，這段記載雖與前述自相矛盾，但眞實性更大。在占術《易》和義理《易》的學術論爭中，儘管思想理論各異旨趣，但管輅仍然不能不對何晏等玄家的學術造詣表示了一定的敬意。現把管輅所代表的魏正始間占術《易》的觀點和方法概括如下：

一是片面發揮漢儒天人感應及讖緯迷信成分，多言災異福瑞，卜人生死吉凶。其言多非關於性理學問，而爲江湖術士之算，是一種迎合人心的謀生手段，而非科學之預測。

二是推斷《易》之性質，是陰陽神化之綱紀。《管輅別傳》稱引其對淸河令徐季龍言：「夫天地者則《乾》《坤》之卦，蓍龜者則卜筮之數，日月者《離》《坎》之象，變化者陰陽之爻，杳冥者神化之源，未然者則幽冥之先，此皆《周易》之紀綱。」對於《易‧繫辭傳》上所謂「一陰一陽之謂道」，「《易》有聖人之道四焉」⑦，重在其「以卜筮者尚其占」之句。在《周易》四大功能中：「以言者尚其辭」，後代的語言修辭及文學創作受其沾漑；「以制器者尚其象」，啓發後世生產工具及科學技術的創造發明；「以動者尚其變」，講的是陰陽變化和矛盾運動，表現了中華古人的深邃哲理思考，蘊含了豐富的辯證法；而「以卜筮者尚其占」，則較多地保存了古代的原始巫術迷信成分。在這裡，管輅論《易》基本上拋棄了前面較先進的三大功能，而把巫術迷信的占筮功能變本加厲，成爲新算命術。如果《周易》性質只是重在鬼神迷信之道，則有何價値而能流傳千古呢？

三是解卦借重象與數，而力排玄家義理。攻擊王、何等正始義理玄家引《莊》《老》以說《易》，是「巧而多華」、「美而多僞」，不值一哂。

四是根本否定了王、何等注《易》的必要性及其意義，從而企圖阻止玄家義理《易》學的發展。他曾批評平原太守劉邠注《易》就是旁證。如《管輅別傳》云：「故郡將劉邠字令元，清和有思理，好《易》而不能精。與輅相見，意甚喜歡，自說注《易》向訖也。輅言：……輅以為注《易》之急，急於水火；水火之難，登時之驗，《易》之清濁，延於萬代，不可不先定其神而後垂明思也。自且（按：指周公）至今，聽採聖論，未有《易》之一分，《易》安可注也！輅不解古之聖人，何以處乾位於西北，坤位於西南？夫乾坤者天地之象，然天地至大，為神明君父，覆載萬物，生長無首，何以安處二位與六卦同列？《乾》之《象》、《象》曰：大哉乾元，萬物資始，乃統天。夫統者，屬也，尊莫大焉，何由有別位也？……夫《乾》《坤》者，《易》之祖宗，變化之根源。今明府論清濁者有疑，疑則無神，恐非注《易》之符也。」在《易》哲學史上，提出懷疑和問題，本可促進思考與進步。但管輅卻因周公等古聖人言所未及，而斷言今人注《易》之非，則是借古非今，荒謬之極。其實，管輅矛頭，並非對準無名小卒劉邠，而是意在言外，否定王、何等玄家注《易》，斷言其毫無意義和必要。

在這場有關《易》學發展道路的論辯中，玄家義理《易》學乘漢儒象數《易》學之衰弊而迅速崛起並壯大，而象數《易》不甘退出思想舞台，於是又聯合了占術《易》進行反擊。因為漢代自京房《易傳》之後，結合陰陽五行和讖緯之學，占術《易》頗有市場。因此，在魏正始年間玄《易》初創階段，這場公開論戰，實質是有關玄家引《莊》《老》以入《易》是否合理、能否繼續存在和發展的大問題。事實說明，玄家義理《易》學並不因王、何之死而銷聲匿跡，相反，奉王、何為宗師的清談玄家陣營日趨興旺發達，並發展成為魏晉學術主潮。這樣說並不是一筆抹煞漢儒象數《易》學的貢獻；甚至是管輅占術《易》，也非一無可取。在術家中，管輅還算

是多少具有一定理論意識而求自圓其說之人。《三國志》輅本傳載，鄧颺批評管輅說《易》是「老生之常談」，輅答云：「夫老生者見不生，常談者見不談。」學術史證明，有許多人們原以為老生常談的舊問題，一旦視角改變，觀念變化，重新探討，就經常會發現許多新鮮的東西。比如談天說地，自戰國諸子鄒衍之後，一直成為老生常談。但是到中唐時代，韓愈和柳宗元、劉禹錫卻又翻新出奇，展開了一場有關《天論》《天說》的新論戰，從天人交相勝、人定勝天，談到人對自然的破壞，強調人要順天而行，保護自然環境的問題。這類「老生常談」，就是推陳出新，近乎管輅所說的「老生見不生」、「常談見不談」，實際是言人之所未言，提倡一種學術創新精神。又如鄧颺批評管輅說《易》是「語初不及《易》中辭義」，輅尋聲回答說：「夫善《易》者不論《易》也。」這樣的回答並非盡是詭辯，而是有一定的道理。談《易》玄妙，不僅在於具體解釋卦爻辭，如果過分拘泥於《易》的卦象辭句，而不看其語言文字背後所隱藏的精神實質，則很可能只是掇其皮毛而已。故漢初董仲舒《春秋繁露・精華》篇提出了一個新原則：「所聞《詩》無達詁，《易》無達占，《春秋》無達辭。」董氏是經今文家，善於發揮微言大義。其「《易》無達占」之說，很可能也曾受到《莊子・天道》「意……不可以言傳」的無形影響，並借用於說《易》，故作如是說。學術現象非常複雜有趣，儒者痛詆道家，卻又不知不覺承襲其言而用其法。《易經》作者及卦爻辭之意，其精微奧妙處常是語言文字所難以表達的，高明的作家和思想家，就因勢利導，布下「空白」，並不把話講盡說絕，而是讓廣大讀者有進一步深入思考、發揮想像的迴旋餘地。因此，理解文字簡約深奧的古代經典，就必須超越一般的單純訓詁文字的領域，透過現象去把握那隱祕的精神實質。如此解《易》，思維靈動。故管氏所稱「善《易》者不論《易》」，如能正確理解，則並非

真是言不及《易》，而是運用董仲舒「《易》無達占」的方法來釋《易》。占，原有觀察之意，指根據《易》之卦象及卦爻辭去尋幽探微、闡釋《易》理。《易》六十四卦，雖然數目有定限，而卦與卦、爻與爻之間，卻關係複雜，變化萬千，流轉不居，運動不息，故其象徵的事理可達無限之境。據此，《易》家占筮或解卦時，就應頭腦清醒靈活，善於根據各極情態的世界萬物，有的放矢，具體分析，才能真正闡釋《易》道。這怎能僅是依據卦爻辭、泥於表面文字而死於句下呢？管輅所言，具體發揮是否正確另當別論，但其方法卻與高明《易》家的「《易》無達占」之說有相通的一面，在論戰中刺激和啓發了論敵。後來玄家論《易》，發揮義理，也常依此道。這就表現了學術鬥爭中那相互批判的同時，又出現了相互吸收和融合的另一傾向。論辯的雙方並非勢不兩立，而是我中有你，你中有我。即使是學人不齒、視爲等而下之的占術《易》，也要因人因事具體分析對待。在這方面，何晏的態度比鄧颺要好，故《世說・規箴》第六則載，何氏引《詩》「明德惟馨」之語以譽管輅，並非純然出自小說家之虛構。魏晉玄家有時爲其政治需要，也曾藉占術《易》以助聲勢。後來兩晉之際，王導重玄家清談，王廙注《易》重義理。而郭璞之學，則明顯屬於繼承並發展了京房、管輅一派的占術《易》。但二王卻對郭璞《易》筮頂禮膜拜，如《晉書》卷七六《王廙傳》云：

> 又驃騎將軍導向臣説晉陵有金鐸之瑞，郭璞云必致中興。璞之爻筮，雖京房、管輅不過也。明天之曆數在陛下矣。

當時王廙奏《中興賦》上疏勸進，實際上是受其從兄導的影響。兄弟二人共同稱美郭璞《易》筮，作爲勸元帝登基開國的精神根據之一。於此可見，直到東晉時代，以郭璞爲代表的占術《易》，仍然

具有相當的影響。雖然東晉玄家清談已成主流，執政者又多爲玄
家，或是同情及傾向玄學之人，但在與占術《易》的理論紛爭中，
玄家並未採取任何行政措施予以壓制。相反，如王導、王廙兄
弟，反而在朝廷之上，時加稱頌。這說明了郭璞的占術《易》也是
舊貌換新顏，有所發展變化，以努力適應新形勢下的新要求，在
政治上對東晉統治者的合理性和合法性作出了自己的新解釋，從
而爲當時上流士人社會所接納。故上自帝王將相，下至士庶百
姓，視郭璞《易》卦占筮猶如神明。

郭璞，字景純。河東聞喜人。父瑗，建平太守。在兩晉之
交，郭璞是當時著名的文學家與學者。《晉書》卷七二《郭璞傳》
云：「璞好經術，博學有高才，而訥於言論，詞賦爲中興之冠。
好古人奇字、妙於陰陽算曆。有郭公者，客居河東，精於卜筮，
璞從之受業。公以《青囊中書》九卷與之，由是遂洞五行、天文、
卜筮之術，攘災轉禍，通致無方，雖京房、管輅不能過也。」在
文學方面，郭璞天才奇發，文藻粲麗，有《遊仙詩》等盛行於世。
又《世說·文學》第七六則稱引其《幽思篇》「林無靜樹，川無停
流」之句，於時阮孚稱美其詩，有「神超形越」之譽。流行一時
的許詢、孫綽之輩的玄言詩，其是非功過另作探討，但其蒙受郭
詩沾漑則無疑。《世說·文學》第八五則劉注引《續晉陽秋》云：

> 正始中，王弼、何晏好《莊》、《老》玄勝之談，而世遂貴
> 焉。至過江，佛理尤盛。故郭璞五言，始會合道家之言而
> 韻之，詢及太原孫綽轉相祖尚。

從郭詩可窺，其思想又曾深受道家玄理影響，故其占術《易》，也
因時適勢，自然融匯玄理，靈活解卦，以求合於新時代的需要。
故其爲玄家所接納，而呈現出一種玄理與占術合流的新動向。

《世說·術解》第七則劉注引《郭璞別傳》，稱「璞少好經術，明解卜筮」，經術與卜筮並列，又可見其《易》筮與漢象數《易》之間還有一定的淵源關係。當然，作爲占術《易》宗師的郭璞起卦，一樣也難免披上一件弄神弄鬼的迷信外衣。如《世說·術解》第八則云：

> 王丞相（導）令郭璞試作一卦，卦成，郭意色甚惡，云：「公有震厄！」王問：「有可消伏理不？」郭曰：「令駕西出數里，得一柏樹，截斷如公長，置牀上常寢處，災可消矣。」王從其語。數日中，果震柏粉碎，子弟皆稱慶。大將軍（敦）云：「君乃復委罪於樹木。」

劉注引王隱《晉書》曰：「璞消災轉禍，扶厄擇勝，時人咸言京（房）管（輅）不及。」連王導這樣深明玄理的大政治家，對璞之《易》筮信服如神，可見其流行及影響非同一般。《周易》原本是中華古人的占筮記錄，的確具有占筮自算命的功能。上古三代，巫術崇拜流行，其時「學在王官」，王官指巫、史一類的人物。上古社會，帝王專制統治，「朕即國家」，誰人能制？但是，帝王又自稱「天子」，其統治受命於天，所以也只有「天」才能對帝王貴族等最高統治者的行動有所制約。而巫史以《易》卦占筮，就是一種溝通天人、代天立言的職能，他們通過陰陽占筮之術，以「天」爲媒介，來參預國家政治，並企圖以此來影響統治者的意志及國家的大事決策。這一古已有之的《易》筮固有功能，儘管有其唯心的迷信成分，但仍然因其不同的解卦之法，有的通向爲帝王獨裁統治推波助瀾的反動倒退之路；有的協助君主推行變革以清明政治，從而顯示了走向進步之路的區別。思想較爲進步開明的古代巫史及後代的《易》筮權威，就常通過推演《易》卦的筮算

過程，靈活運用了「《易》無達占」的原則來作解釋發揮，代「天」立言，借題發揮，故其卦筮莫非是個通「天」之具，其說《易》則針對具體的人和事而發，常是一語中的，有利於防止獨裁和推行某種古代的「民主」政治。現以郭璞占術《易》例以明之。《晉書》璞本傳云：

> 璞既過江，……王導深重之，引參己軍事。……時元帝初鎮建鄴，導令璞筮之，遇《咸》之《井》，璞曰：「東北郡縣有『武』名者，當出鐸，以著受命之符。西南郡縣有『陽』名者，井當沸。」其後晉陵武進縣人於田中得銅鐸五枚，歷陽縣中井沸，經日乃止。及帝爲晉王，又使璞筮，遇《豫》之《睽》，璞曰：「會稽當出鐘，以告成功，上有勒銘，應在人家井泥中得之。爻辭所謂『先王以作樂崇德，殷薦之上帝』者也。……蓋王者之作，必有靈符，塞天人之心，與神物合契，然後可以言受命矣。觀五鐸啓號於晉陵，棧鐘告成於會稽，……鐸發其響，鐘徵其象，器以數臻，事以實應，天人之際不可不察。」帝甚重之。

上述郭璞《易》筮，如同兒戲，這與漢光武帝利用圖讖緯書的迷信活動，如出一轍，都是爲了某種政治目的而實行的一種思想「誘導」。這樣明顯的思想「欺騙」，是進步還是倒退，必須根據事情作具體分析。當時的形勢是，中原淪喪，君臣繫組，西晉滅亡；爲了中華民族的復興，必須在江南地區迅速重建國家朝廷，以便收拾民心，重整旗鼓，一面確保江南半壁江山，一面作恢復中原的嘗試與努力。但是江南地區，三國時是孫吳的地盤，西晉滅吳方才收入版圖不久，如果重新混亂，就難以有效地控制；加以當時實行門閥統治，中原士族歧視南人，因此造成了統治階層

中士族南北的派別對立。內部的不團結，必然引起江東之人的不
服。因此，司馬集團甫自南渡，圖謀復辟孫吳政權或南人自治的
地方叛亂，也時有發生。在此嚴峻形勢下，要重建國家就必須首
先收拾民心。而郭璞《易》筮，正是迎合東晉王朝重建時穩定時
局、收拾民心的政治需要。這實際是一種心理療法。因為江東之
人不服司馬氏的統治，認為晉室無能才導致淪亡；而郭璞解卦，
則重在說明司馬渡江重建東晉王朝，實是天命所授，天意是不可
違抗的。在科學不發達的古代，這種心理療法還有一定的效用。
這是在為司馬王朝重樹權威和重塑形象。郭璞此舉，史稱是王導
「令璞筮之」，因此，明顯是在王導等政治家的暗示、甚至是授
意下，配合東晉建國的一種巧妙的輿論宣傳。形式是落後的，但
目的是積極的，在當時具有一定的歷史進步性，而不可因其類似
迷信活動而全盤否定。郭璞之占術《易》，其起卦推演，有許多是
與政治形勢密切相關的。比如東晉重建之初，人心惶惶，江東民
心不穩，為了鎮壓，晉元帝推行法家重典，刑獄混亂，殺戮過
重，刑市之上，史稱「血逆流長標」，很不利於團結江南土著吏
民及其士族精英。如果缺乏江南人民的支持和擁護，東晉王朝則
難以立足，國家怎能恢復其勃勃生機？針對時局危機，郭璞以
《易》卦占筮，得卦《解》（☳）之《既濟》（☲），他因此上疏元帝
加以解釋發揮說：

> 《坎》（☵）為法象，刑獄所麗，變《坎》加《離》，厥象不
> 燭。以義推之，皆為刑獄殷繁，理有壅濫。……案《解》卦
> 爻云：「君子以赦過宥罪。」《既濟》云：「思患而豫防
> 之。」臣愚以為宜發哀矜之詔，引在予之責，蕩除瑕釁，
> 贊陽布惠，使幽斃之人應蒼生以悅育，否滯之氣隨谷風而
> 紓散。此亦寄時事以制用，藉開塞而曲成者也。」

（疏載《晉書》璞本傳）

這樣解類《易》卦，明顯受當時玄風薰染，有占術與義理合流的新
趨勢。郭璞藉「天」之威，來行古代巫史之智，嚴厲批評了東晉
王朝甫自建國，即濫施酷刑的鎮壓之政，他進一步要求皇帝下罪
己詔，「引在予之責」，自我批評，負起責任。郭璞官卑職微，
如不通過《易》筮，能有在朝廷之上說話的機會嗎？更不用說他把
矛頭直指皇帝了。如此《易》卦占筮，術通天人，實是藉「天」來
限制君權、防止獨裁，用心良苦，多少體現了一些古代的「民
主」意識。此其進步之所在。又郭璞晚年，任大將軍王敦的幕
僚。「王敦之謀逆也，溫嶠、庾亮使璞筮之，璞對不決。嶠、亮
復令占己之吉凶，璞曰：『大吉。』嶠等退，相謂曰：『璞對不了，
是不敢有言，或天奪敦魄。今吾等與國家共舉大事，而璞云大
吉，是為舉事必有成也。』於是勸帝討敦。……敦將舉兵，又使
璞筮，璞曰：『無成。』敦固疑璞之勸嶠、亮，又聞卦凶，乃問璞
曰：『卿更筮吾壽幾何？』答曰：『思向卦，明公起事，必禍不久。若
住武昌，壽不可測。』……敦怒，收璞，詣南岡斬之。」這是郭
璞以《易》筮進諫的又一例子。王敦叛亂，事關朝廷國家的廢興存
亡，為了維護國家的統一和民族的前途，郭璞起卦，一方面以
「吉」辭鼓勵溫嶠和庾亮勸元帝舉大事以討伐叛亂，雖然王敦軍
勢浩大，但終失民心，久後必敗，朝廷貴在堅持；另一方面，又
以「凶卦」來說明叛亂必然「無成」，力諫王敦放棄叛亂計畫，
改弦易轍，回頭是岸。因此而得罪王敦，被殺。這一歷史事件對
我有三點啓發：

一是郭璞以精通《易》卦陰陽占術聞名於世，是我國古代著名
的《易》筮大師。他作為王敦的記室參軍，藉《易》筮進諫，結果是
王敦惱怒，把他斬殺。如果其《易》卦算命能有未卜先知之靈驗的

話，眞有「消災轉禍，扶厄擇勝」的神通，那麼他從卦算中應早知王敦不僅不會接受其諷諫，同時還要殺他，《易》諫無用，爲什麼還要直言其叛亂「無成」以進諫呢？他爲什麼不替自己算個命，以便逢凶化吉，盡早擺脫王敦屠刀而躲過這場殺身之禍，以免無謂的犧牲呢？他能救王導於震厄，爲什麼卻不能救自己呢？又如《世說・雅量》第二六則注引《中興書》，寫桓溫殺庾冰子孫事，云：

> 〔庾〕希字始彥，司空冰長子。累遷徐、兗二州刺史。希兄弟貴盛，桓溫忌之，諷免希官，遂奔於暨陽。初，郭璞筮冰子孫必有大禍，唯固三陽可以有後。故希求鎮山陽，弟友爲東陽，希自家暨陽。及溫誅希弟柔、倩，聞希難（**按**：《晉書》作「希聞難」，是），逃於海陵。後還京口聚衆，事敗爲溫所誅。

郭璞《易》筮稱固三陽可以保子孫之卦，一樣不能逢凶化吉而免庾氏於劫難。這說明《易》筮作爲算命術中的重要項目，並非眞正靈驗，而是其中另有奧妙。

二是郭璞的《易》筮推演，其目的主要不是算命，而是借助算命這一傳統方法，來表達或宣傳自己的理論和主張，以期達到某種社會理想和人生目標。因郭璞本人思想傾向進步，故其《易》筮也就借助於舊的迷信外殼，來推行自己的進步主張，具有一定積極內涵。

三是看到了東晉的占術《易》並非一成不變，而是有所發展變化，至少在與玄家義理《易》學的關係方面，和前大不相同。魏正始間，漢儒象數《易》學，聯合了管輅之流的占術《易》，乘王、何玄家義理《易》學新生而立腳未穩之際，大加撻伐，企圖扼殺於搖

籃之中。這一聯合圍攻雖然不可能成功，但卻表明了，占術《易》
家在論爭中那批判與否定玄家義理《易》學的敵對態度。但發展到
東晉，以郭璞為代表的占術《易》，雖循京、管之路而以「術」為
主；但另一方面，卻不知不覺地加強了「學」的成分和因素。這
從他更靈活地運用古代「《易》無達占」原則以作義理發揮可以斷
言。如前述上元帝疏中有云：「京房《易傳》有消復之救，所以緣
咎而致慶，因異而邁政。……夫寅畏者所以饗福，怠傲者所以招
患，此自然之符應，不可不察也。」其認識頗富辯證思想因素。
又永昌元年（322年）皇孫生，璞又上疏云：

> 臣去春啓事，以圉圖充斥，陰陽不和，推之卦理，宜因郊
> 祀作赦，以蕩滌瑕穢。……頃者以來，役賦轉重，獄犴日
> 結，百姓困擾，甘亂者多，小人愚嶮，共相扇惑。雖勢無
> 所至，然不可不虞。……人憤怨則水湧溢，陰氣積則下代
> 上。此微理潛應已著於事實者也。假令臣遂不幸謬中，必
> 貽陛下側席之憂。
>
> （《晉書》璞本傳）

其分釋卦理，已悄然從漢象數《易》逐漸向玄家義理《易》傾斜。故
疏中有「無為而為之，不宰以宰之，固陛下之所體者也」之言，
勸其行道家「無為」之道。其釋卦與玄家義理暗中溝通。因此，
王導、王廙等玄家名士，不僅不批判郭璞，反而予以大力推薦。
可見此時義理《易》與占術《易》的原有對立關係，已變成了無形而
默契的新的聯合行動。從對抗之爭發展到彼此合流，這是思想學
術爭鳴中的有趣現象，值得人們深思與總結。

至於儒、玄《易》學之爭，魏晉年間，俯拾即是。如魏正始
間，曾發生了荀粲與其諸兄有關《易傳》的「言意之辯」。《世

說・文學》第九則注引《荀粲別傳》云：

> 粲字奉倩，潁川潁陰人。太尉彧少子也。粲諸兄儒術論議
> 各知名。粲能言玄遠，常以子貢稱『夫子之言性與天道，
> 不可得而聞也』，然則六籍雖存，固聖人之糠秕。能言者
> 不能屈。

據《三國志・魏書》卷十《荀彧傳》裴注引《晉陽秋》，粲爲人極富個
性，不肯隨人腳跟，縱是父兄在前，爲了追求眞理，議論並不避
讓。他曾「論父彧不如從兄攸。彧立德高整，軌儀以訓物；而攸
不治外形，愼密自居而已。粲以此言善攸。諸兄怒而不能回
也」。中國古代有「爲尊者諱」的傳統習慣。批評祖先父兄，即
使是事實，也會認爲是一種侮辱。因此，批評或貶損自己的父
親，可能被時人視爲忤逆不孝，罪名極重。但荀粲不理這一套，
這是對傳統禮法名教的挑戰，是受當時玄學思潮影響而思想趨向
解放的結果。粲父彧好儒術，曾在軍旅繁興戎馬倥傯之際，建議
曹操「集天下大才通儒，考論《六經》，……並隆禮學，漸敦敎
化」，事見裴注引《荀彧別傳》。但粲與諸兄不同，棄家學而思玄
遠，慕玄旨而重老莊，不惜與父兄公然立異。《晉陽秋》載荀家兄
弟論《易》之爭：

> 粲兄俣難曰：「《易》亦云聖人立象以盡意，繫辭焉以盡
> 言，則微言胡爲不可得而聞見哉？」粲答曰：「蓋理之微
> 者，非物象之所舉也。今稱立象以盡意，此非通於意外者
> 也；繫辭焉以盡言，此非言乎繫表者也。斯則象外之意，
> 繫表之言，固蘊而不出矣。」

荀粲認為，《六經》典籍，不過是「聖人之糠秕」，聖人之精義不可得而聞，何必花費諸多氣力去集聚諸儒來「考論《六經》」呢？還不如說些自己的心得見解為佳。這明顯與傳統儒家禮法名教立異，公然批評和否定了其父的建議。其諸兄為維護乃父所代表的禮教權威，於是稱引《易傳》所載孔子之言，加以非難。《繫辭傳》上云：「書不盡言，言不盡意。然則聖人之意其不可見乎？子曰：聖人立象以盡意，設卦以盡情偽，繫辭焉以盡其言，變而通之以盡利，鼓之舞之以盡神。」從可知論的角度來闡述言可盡意。據傳這是孔子的話，愈增其言論之權威性。可是年輕的荀粲不買帳，視聖人權威蔑如也。他站在當時玄家立場，援《老》《莊》以說《易》，反駁其兄俁的非難，並稱引《莊子・外物》篇「得意而忘言」之言，此說又見諸《莊子・天道》，云：「語之所貴者，意也。意有所隨。意之所隨者，不可以言傳也。」如輪扁斲輪、庖丁解牛，都是父兄不能傳之子弟，言語難以盡其意。故譏齊桓公讀書僅得聖人之糟粕。荀粲之言源於《莊子》，而非來自《易傳・繫辭》。所稱「象外之意，繫表之言」，正是魏晉玄家藉《老》《莊》以討論言、意關係的理論根據。故玄家義理《易》重在「理之微者」的探索，而非僅言《易》卦之辭表。如王弼《周易略例・明象》有「得象而忘言」、「得意而忘象」之論。王弼與荀粲之論如出一轍。荀、王同時，但論年歲，荀長於王。故王弼《易》注宏論，並非天才一人之力而憑空誕生，而是一種共同時代思潮的產物。王弼之論，受先賢啓迪又能自鑄偉詞，荀粲可能即是先驅之一。魏正始間，潁川荀氏家族中精於《易》者還有荀融。融父紹祖衍，衍是彧之三兄。則融為粲之從子，但二人年歲相若。《世說・文學》第六則注引何劭《王弼傳》，謂弼「初與王黎、荀融善，黎奪其黃門郎，於是恨黎，與融亦不終好」。看來，王弼到底太年輕，是個天才的思想家，卻缺乏政治經驗。《三國志・魏

書》荀彧本傳裴注引《荀氏家傳》云：「融字伯雅。與王弼、鍾會俱知名，爲洛陽令，參大將軍軍事。與弼、會論《易》《老》義，傳於世。」荀融《易》論之作已亡佚，但據《三國志》卷二八《鍾會傳》注引《王弼傳》云：「弼注《易》，潁川荀融難弼《大衍義》。」其論大約保持潁川荀家儒風而異於荀粲。據此推測，即在潁川荀氏家族論《易》爭辯中，荀粲玄遠之論還處於孤立的地位，這與玄《易》初萌屯難階段的實際學術動態基本相符。

魏正始前後荀家兄弟的言意之辯，後來迅速擴大其內容與範圍，於是西晉時有歐陽建著《言盡意論》，尖銳批判了王、何及荀粲等的言不盡意論。建字堅石，渤海人。曾任馮翊太守。雅有理想，才藻美瞻，居官甚得時譽。後被趙王倫及孫秀所害。其所論著，如《世說・文學》第二一則劉注云：「歐陽堅石《言盡意論》略曰：夫理得於心，非言不暢。物定於彼，非名不辨。名逐物而遷，言因理而變，不得相與爲二矣。苟無其二，言無不盡矣。」有關言意之辯的論爭，立刻引起廣泛的注意，並因此成爲魏晉玄家清談的重要命題之一，從而促進了中國哲學思想、特別是認識論的發展。有關言可盡意及言不盡意之爭及其評價，中國思想史、哲學史諸著言之已詳，此略。

東晉時期，有關的《易》學論爭，主要是在儒、玄二家之間展開，其中孫盛與殷浩、劉惔等的論爭是重要的一次，如《世說・文學》第五六則云：

> 殷中軍、孫安國、王、謝能言諸賢，悉在會稽王許。殷與孫共論《易象妙於見形》。孫語道合，意氣干雲。一坐咸不安孫理，而辭不能屈。會稽王慨然嘆曰：「使真長來，故應有以制彼。」既迎真長，孫意已不如。真長既至，先令孫自敍本理。孫粗說己語，亦覺殊不及向。劉便作二百許

語，辭難簡切，孫理遂屈。一座同時拊掌而笑，稱美良久。

殷指殷浩，孫是孫盛，會稽王則是後來即位的簡文帝司馬昱。但是，「王、謝」非指王羲之和謝安，據余嘉錫《箋疏》引程炎震之說，當指王濛和謝尚。劉注於「殷與孫共論《易象妙見於形》」句下注云：

> 其論略曰：聖人知觀器不足以達變，故表圓應於蓍龜。圓應不可爲典要，故寄妙跡於六爻。六爻周流，唯化所適。故雖一畫，而吉凶並彰。微一則失之矣。擬器託象，而慶咎交著，繫器則失之矣。故設八卦者，蓋緣化之影跡也。天下者，寄見之一形也。圓影備未備之象，一形兼未形之形。故盡二儀之道，不與《乾》、《坤》齊妙；風雨之變，不與《巽》、《坎》同體矣。

關於這段文章，其作者究竟是孫盛，抑或殷浩，由於《世說》所載含混，故歷來爭論紛紜。《晉書》斷爲孫盛之文，其卷七五《劉惔傳》云：「以惔雅善言理，簡文帝初作相，與王濛並爲談客，俱蒙上賓禮。時孫盛作《易象妙於見形論》，帝使殷浩難之，不能屈。帝……乃命迎惔。盛素敬服惔，及至，便與抗答，辭甚簡至，盛理遂屈。」今人湯用彤《魏晉玄學論稿》因之。但清嚴可均非之，以爲這段文章應是殷浩之論。今人朱伯崑《易學哲學史》（北京大學出版社1986年版）本之，並加具體論證。筆者以爲，言之有理，現略述朱說並談體會如下：

關於《易》象性質，是魏晉《易》學哲學的中心議題之一。從思想體系看，孫盛屬儒學系統；而殷浩、劉惔則是清談玄家，合

《易》《老》於一爐，是其論學特點。如《晉書》浩傳云：「浩識度清遠，弱冠有美名，尤善玄言，與叔父融，俱好《老》《易》。」恢傳云：「尤好《老》《莊》，任自然趣。」在當日的論辯中，除殷、劉明顯持玄理以論《易》象外，其餘如司馬昱及王（濛）謝（尚）諸人，亦均爲玄家而相繼非難孫盛之說。孫氏則不怕孤立而舌戰諸賢，意氣干雲而侃侃議論。於此可見當時自由爭鳴的學術風氣。但與昔日相比，論戰雙方，已是攻守易勢。過去是儒家圍攻玄士，今日則爲諸玄家合鬥儒者孤軍。可貴的是，孫盛並不因此而輕易放棄自己的意見。他是當時著名的儒家學者和歷史學家，著《魏氏春秋》和《晉陽秋》，還有《老聃非大聖論》和《老子疑問反訊》（見《廣弘明集》卷五），批判了王、何一派的玄學理論。在當時的清談活動中，成了玄家的主要論敵。《晉書·孫盛傳》云：「於時殷浩擅名一時，與抗論者，惟盛而已。」他亦精《周易》，著《易象妙於見形論》，堅決反對援《老》《莊》及玄理以論《易》。曾批評王弼派的《易》學，云：

> 《易》之爲書，窮神知化，非天下之至精，其孰能與此？世之注解，殆皆妄也。況弼以傅會之辨，而欲籠統玄旨者乎？故其敍浮義則麗辭溢目，造陰陽則妙頤無間。至於六爻變化，羣象所效，日時歲月，五氣相推，弼皆擯落，多所不關。雖有可觀者焉，恐將泥夫大道。（《三國志·魏書·鍾會傳》裴注稱引）

孫盛批判了王弼《易》注的「籠統玄旨」，認爲玄家排斥傳統的象數、卦氣諸說，是錯誤的。很明顯，他堅守的是漢儒象數《易》學的傳統，認爲「六爻變化，羣象所致」，事物的變化與卦爻象之變化是一致的。據此，其《易象妙於見形論》的宗旨是，事物及其

變化之道皆顯現於卦爻象及所取物象之中。「妙見於形」，顧名思義是說神妙變化表現在形象中，這是本於《說卦》「神也者，妙萬物而為言者也」之言。**按**：王弼派之《易》學，在東晉的代表論著是韓康伯注。王、韓區分形而上之道和形而下之器。故韓注以卦爻象為形而下的形器之物。孫盛則針鋒相對，認為《周易》所稱變化之道和陰陽不測之神，即存於卦爻象及其所取物象之中。卦爻象是有形的，窮神知化不能脫離有形之物，此即所稱「《易》象妙於見形」之真諦。其《老聃非大聖論》一文，亦有「觀象知器，籠吉凶，項籠去凶是以運形斯同，御治因應，對接羣方，終保元吉」之言，貴重有形之象器，可作其《易》論之參考。這篇文章，同時又參加了魏晉時的有無本末之爭。他既批評王弼的貴無論，又指斥了裴頠的崇有論，云：「彼二子者，不達圓化之道，各矜其一方耳。」不過文章並非各打五十板，而是重點批評玄家以虛無為至道，非是聖賢。這又與探討《易》道本體密切相關。總之，孫盛《易》學，繼承和發揮了漢儒象數《易》學，反對脫離具體的形器事跡去追求虛無抽象之道，進一步斷言陰陽變易之至道，即存在於卦爻象及其所取物象之中。不過，孫盛在繼承漢《易》的同時，又從純潔學術出發，嚴肅批判了占術《易》的迷信之風。他曾評論趙達知東南有王氣說，云：

> 昔聖王觀天地之文，以畫八卦之象，故亹亹成於著策，變化形乎六爻，是以三《易》雖殊，卦爻理一，安有回轉一策，可以鉤深測隱，意對逆占，而能遂知來物者乎？流俗好異，妄設神奇，不幸之中，仲尼所棄。是以君子志其大者，無所取諸。
>
> （見《三國志・吳書・趙達傳》裴注引孫盛之言）

孫盛認為，卦爻象來自於對天地萬物的模寫，事物的變化表現於六爻之中，觀察卦爻象，從總體變化去把握，即可知吉凶之理，而無需占筮，從而斥占術《易》為迷信與欺騙。朱伯崑氏概括其說云：「孫盛之《易》學，一方面反對《易》《老》合一，使《周易》的研究從老莊玄學中解脫出來；一方面又反對管輅一派的占術，這在魏晉時期的《易》學史上是有其意義的。」⑧

至於孫盛的論敵殷浩和劉惔，屬玄家義理《易》派。劉惔駁難孫言，作《易》論二百許語，言簡理切，一座嘆服稱美，該是一位很有理致的《易》家。可惜其言亡佚，難以考知。至於殷浩《易》論，則見於前述《世說》劉注「其論略曰」以下一段，清・嚴可均《全晉文》以為這是殷浩《易象論》的大旨，或者是他對孫盛《易象妙於見形論》的駁難之辭。朱伯崑據此具體發揮，並論列其理云：

其一，劉注置此論於「殷與孫共論《易象妙見於形》」下，未置下文「孫語道合，意氣干雲」句下，表明此論乃殷浩之言。「孫語道合」云云，乃是孫對殷難的抗辯。

其二，此論主旨，是不贊成取象說，以卦爻象為影跡，同玄家貴道賤器說相符。開頭四句是說，物象和形器不足以了解變化之道，故以龜蓍顯示變化的方向，但龜蓍的兆和數變化無常，難以掌握，所以又以六爻來寄託其微妙變化的形跡。意思是說，要了解事物的變化，觀器不如龜蓍之兆應，龜蓍兆應又不如卦象中的六爻變化。其中心意思是不贊成觀象知器以達變，並以卦爻象為變化之形跡。下文意味，爻象周流於六位，其吉凶意義，並非固定不變，或局限於一事一物，而是「唯化所適」。故同一爻象，既可有凶義，也能有吉義，此即「一畫而吉凶並彰」。如同為六二爻，《坤》六二爻辭「無不利」，《頤》六二爻辭則為「征凶」。因此，看不到一爻之象具有不同意義，就無法得到變化之

理，此即「微一則失之矣」。就卦象說，它只是用來表達禍福的形器，同一卦象，喜與恨交織，如同一《乾》卦，九五爻爲飛龍在天，上九爻則是亢龍有悔。因此，泥於一卦之象，同樣也不能了解變化之道，此即「繫器則失之矣」。總之，設爻立象，無非是用來顯示《易》道變化之影跡，如同治理天下，可寄託其妙跡於一事之中。因卦爻象乃變化之道和吉凶之理的影跡，唯變所適，故一卦之象，可備未備之象；一爻之形，可兼未有之形。……變化之道居於卦爻象之上。卦爻象只是表現義理的工具，或稱爲變化之道的影子。這同韓康伯所說「託象以明義」，「形而上者可以觀道」等尊道賤器說是一致的⑨。韓氏是殷浩外甥，其《易》說當與乃舅有直接的淵源關係。

　　總之，《世說》所載這場有關《易》象的論爭，可能與東晉初庾闡撰《著龜論》（見《藝文類聚》卷七五）有關。庾文稱「著者尋數之主，非神明之所存；龜者啓兆之質，非靈照之所生」。「是以象以求妙，妙得則象忘；著以求神，神窮而著廢」，直接發揮王弼《易》論。孫盛則針鋒相對，發揮漢象數《易》以立說，著《易象妙於見形論》，引起巨大的反響和攻難。玄家則有備而來，殷浩說《易象論》以非之。雙方爭論激烈，孫理不屈。在座王、謝諸賢雖不滿於孫論，卻又無以非之，最後又請玄家名士劉惔加入論辯，於是「孫理遂屈」。可見除孫盛外，諸賢多屬玄家，但其理論修養之深淺高低又自有不同。在論爭中，玄家人多勢衆，雖是學術主流，但並不以權位壓服，而仍然是以理服人。當時學術自由爭鳴。於此可見一斑。論戰儒玄雙方，孫氏以爲「觀象知器」，道在形器之中。而殷、劉諸玄則持貴道賤器之論，強調超越形器之道的唯變所適。儒玄同講《易》變，但其所以致變的理論思維，方向大不相同。具體有關道、器之爭，本末體用之辨，唯心唯物的評價，是哲學家的任務，非拙著可容納，故略。

　　從上述有關《易》學的多次論爭可以看出，當時的學術討論相
當普遍，思想爭鳴很受時人重視，認爲學術爭論是一種高雅之
舉，是士人沙龍清談中不可或缺的節目。當時，論辯相當自由，
以理服人，而不屈服於權高位重或人多勢衆，既不壓服，也不怕
得罪人。這種風氣是新鮮而有益於思想健康的。在《易》學發展史
上，魏晉玄學家義理《易》學，在百家爭鳴中脫穎而出，在說理推
演中發展壯大，並逐漸取得了主導的地位，成爲當時《周易》哲學
之主流，從而推動了超越形器的抽象理論思辨的進步，對後世思
想學術的健康發展具有借鑒和啓迪意義。

　　至於有關玄家義理《易》學的理論貢獻、意義和影響，可參閱
本書第四章《清談未必定誤國》最後一節，此略。

①關於《易林》作者，頗有疑難，古今多有爭論，難有定讞，今姑從
　舊，冠以「焦氏」以待考。
②見王弼《老子注》第四二章，四部叢刊本。
③參閱賈誼《過秦論》，見《漢書‧賈誼傳》。
④《易‧繫辭傳》上云：「《易》有聖人之道四焉：以言者尚其辭，以動
　者尚其變，以制器者尚其象，以卜筮者尚其占。」四大功能指此。
⑤裴冀州，裴徽；何，何晏；鄧，鄧颺；劉太常，劉寔；潁川兄弟，
　指寔及其弟劉智。
⑥見《三國志‧魏書》卷二九《方伎‧管輅傳》裴松之注案語。
⑦同注④。
⑧朱伯崑《易學哲學史》，第三二四頁，北京大學出版社1986年版，
　按：有關孫盛與殷浩等論《易》象之爭，朱說簡明，故加以徵引發
　揮。
⑨同注⑧，第三二五至三二六頁。

「《易》無達占」類例述評

　　今天，《易》學大潮聲勢浩大，不僅是赤縣神州，就連西方世界也波翻浪湧，面對《周易》的神祕靈光，於是乎出現了「回歸東方」的文化現象。據統計，古今中外研究《周易》的專著，已出版了三千多部。時下流行，不問是三敎九流，正宗邪門，奇門遁甲，醫道星曆，筮卜算命，哲學美學，語言修辭，自然科學，還有放眼未來的預測學，甚至是幽浮（UFO，不明飛行物）或天外來客①……，沿流溯源，皆稱與老祖宗《周易》的六十四卦密切相關。爲什麼《易》道如此廣大而法力無邊？這就涉及到古人作《易》與解《易》時所遵循的一個基本原則——即「《易》無達占」。

　　有關「《易》無達占」的古話，始見於漢初大儒董仲舒《春秋繁露・精華》篇：「所聞《詩》無達詁，《易》無達占，《春秋》無達辭。」董氏稱是「所聞」，說明這話早已有之，可能是先秦流傳下來的文化觀念。占，原有觀察之意，指據卦象或卦爻辭去尋幽探微、闡釋《易》理。所謂「《易》無達占」，並不是說《周易》六十四卦無法解釋；而是說《易》卦數目有定，但是卦與卦及爻與爻之間，關係複雜變化萬千，流動不居，因此，所象徵的事物無限，占筮或釋卦時應頭腦清醒靈活，根據各極情態的世界萬物，有的放矢，具體分析，才能眞正闡發《易》道。就像文學欣賞中的「《詩》無達詁」一樣，空靈而不拘泥字面，才能透過表象發現其內在的美學精神。「《易》無達占」也一樣，必須透過《易》卦表象，深入到象徵物及卦爻辭文字背後所隱藏的本質，從而傳達天

地之道的陰陽變化、生生不息的眞諦。因此,「《易》無達占」是讀《易》解卦時必須掌握的一個重要原則。如《易・繫辭傳上》的解釋,以爲《易》道廣大,意蘊豐富,「仁者見之謂之仁,智者見之謂之智」,見仁見智,各有其合理的一面。「《易》無達占」現象的形成,既有古人作卦時的內在原因,如觀物取象,假象喩義,渾沌朦朧,得意忘言等;又有後來釋卦者的外部原因,如因讀者各自生活歷閱造成觀察事物的視角及態勢有異,形成的接受聯想不同,從而對同一卦象,作出各不相同的解釋。所謂「《易》無達占」,有時一卦可有數解,甚至思維方向可以決然相反;但是有時卦象相反的對卦,卻從不同角度去說明一個共通的哲理;而從爻象爻辭看,同一爻辭,因其說明的爻位進退不同而吉凶判然有別……。故《繫辭上》云:「神無方而《易》無體。」《易》卦變化,妙萬物而爲言,絕不凝固於一體一式,所謂「陰陽不測」之論,充滿了生活的辯證法。妙哉,「《易》無達占」!現據古代文史資料的釋卦故事加以歸類並略作評述。

一、一卦數解例

如《隨》卦(☱☳),卦辭云:「隨,元亨利貞,無咎。」內卦震(☳)動以德,外卦兌(☱)悅其言,天下景慕而隨從之。一般認爲是吉卦。但也有例外。如《左傳》襄公九年載:「穆姜薨於東宮。始往而筮之,遇《艮》之八。史曰:『是謂《艮》之《隨》,隨其出也,君必速出。』姜曰:『亡(無),是於《周易》曰:隨,元亨利貞,無咎。元,體之長也;亨,嘉之會也;利,義之和也;貞,事之幹也。體仁足以長人,嘉德足以合禮,利物足以和義,貞固足以幹事。然故不可誣也,是以雖隨無咎。今我婦人而與於亂,固在下位而有不仁,不可謂元;不靖國家,不可謂亨;作而

害身，不可謂利；棄位而姣，不可謂貞。有四德者，隨而無咎。我皆無之，豈隨也哉！我則取惡，能無咎乎？必死於此，弗得出矣！」原來，穆姜是春秋時魯宣公夫人、魯成公之母，因私通叔孫僑，企圖廢掉魯成公並斥逐執政季孟，但政變很快失敗，因此被囚禁於東宮。於是她求助於《易》卦，希望早脫樊籠囚宮。筮得《隨》卦。史官作了逢迎所好的解釋，據《隨》卦的「元亨利貞」及「無咎」等表象，斷為吉卦，以為「君必速出」。這樣解《易》，方法合於一般《易》例。但是不看占筮問卜者的具體對象和問題，泥於字面，死於句下，實是占而不達。相反，穆姜雖是婦人，卻有自知之明，她據「《易》無達占」之理，結合自己所占筮的特殊問題和特殊環境，認為《隨》卦「無咎」之吉，前提是守持貞正的「元亨利貞」四德；而自己為滿足一己之私而廢君作亂，不靖國家，不仁不義，早失貞正之道，怎能化險為夷而獲「無咎」吉祥呢？她因此斷為凶卦，以為自己「必死於此」。事後證明，穆姜的解卦合於事實，她未能離開禁地一步而「薨於東宮」。同一《隨》卦，在不同對象及不同問題，可以作出吉凶決然相反的解釋。

又如《易》卦開篇的《乾》卦（☰），卦辭云：「乾，元亨利貞。」《文言》釋云：「乾元者，始而亨者也；利貞者，性情也。乾始能以美利利天下，不言所利，大矣哉，大哉乾乎！」一般說來，《乾》是盡善盡美的吉卦。但是晉武帝司馬炎並不這樣看。他篡魏登基之後，為將來把皇位江山傳之子孫萬代，故筮卜問《易》，以求心理的自我滿足。據《世說新說・言語》載：「晉武帝始登阼，探策得一，王者世數繫此多少。帝既不說（悅），羣臣失色。侍中裴楷進曰：『臣聞天得一以清，地得一以寧，侯王得一以為天下貞（正）。』帝說，羣臣嘆服。」晉武帝「探策得一」，據《漢書・律志》：「天之數始於一」。《乾》是六十四卦的

第一卦，是天卦、龍卦、帝卦，「《乾》之初九，陽氣伏於地下，始著爲一，萬物萌動。」按《易》例，晉武帝筮得《乾》之初九，故稱「一」。《乾》原是吉祥美卦。但是上下卦中六爻，由於象徵運動變化，不同爻位展現了不同的發展階段，因此並非一個「吉」字能夠涵蓋。初九爻辭云：「潛龍勿用。」武帝已登帝位，應是飛龍在天的「九五」之尊，「潛龍勿用」不是嘲諷的誡辭又是什麼？而且武帝所問是國祚世數，得「一」者，不是一年，就是一代而絕之意，祖宗費盡心機賺來的江山社稷，轉眼拱手讓人，不是太不幸了嗎？武帝勃然變色，也在情理之中，他因此而斷定《乾》之「一」爲凶兆。古時龍顏動怒，後果嚴重，甚至是動輒殺人，故朝中人人自危。幸虧在這一關鍵時刻，裴楷的一席絕妙好辭，引古證今，斷爲吉卦，因而龍顏大悅，化險爲夷。裴楷之言，出於急智，雖有諂媚之嫌，但也有一定根據。《世說新語》劉孝標注引王弼《老子注》云：「一者，數之始，物之極也。各是一物，所以爲主也。各以其一，致此清寧貞。」王弼、裴楷爲同時人。王爲三國正始玄風的代表作家，以注《易》和《老子》著名於時。裴楷也以精通《老》、《易》著稱。二人共同引《老》釋《易》，言趣相似，當是時代玄學思潮的反映。總之，晉武帝與裴楷同解《乾》「一」，從不同角度看問題，判斷吉凶相反，各有各的道理。晉武帝奪人江山，同樣懼怕別人奪其江山，其心理活動昭然若揭。之前如秦始皇，不以德立國，不以民爲本，一面焚書坑儒，一面企望一世、二世、三世、子孫「萬代而爲君」。結果秦二世以絕。前車之鑒，使晉武帝恐恐然。故於《乾》「一」，心懷恐懼，而作出「凶」的解釋。但他並沒有吸取歷史教訓，所以身死之後，八王亂起，繼而五胡亂華，中原板蕩，西晉王朝日趨式微而終於滅亡。其占爲「一」，又不幸言中。而從裴楷等較清醒的士人看來，則希望晉武帝能吸取教訓，持守「貞正」之道，一

統天下，政治清明，創造一個安定和平的良好環境，以利於國家
發展。他斷《乾》「一」為吉，正反映了亂後思治的時代呼聲，也
有一定說服力。可惜武帝並沒真正理解這層意義，而是把剛獲得
統一的國家，重新推向那四分五裂的災難之中，悲哉！

二、對卦理通例

《周易》六十四卦之間，有其內在的有機聯繫，其中較緊密的
是對卦。所謂「對卦」，即六爻陰陽互異或上下卦象顛倒。如
《既濟》（☵）與、《未濟》（☲），二卦上下六爻陰陽互異，人稱
正對卦。又如《損》卦（☶），下兌（☱）上艮（☶）；與《益》卦
（☴），下震（☳）上巽（☴），上下卦象顛倒，人稱反對卦。
但不問是正對或反對卦，其象徵事物雖然矛盾對立，但是相反相
生，卻常是從不同角度說明了同一事理或運動規律。

如《剝》（☶）《復》（☷）既是正對卦，又是反對卦，二者，
卦序相連，有其道理，《序卦》云：「物不可以終盡，剝窮上反
（返）下，故受之以《復》。」剝、復相繼，周而復始，生生不
息，自然至理。這一古老的說法，已為現代自然科學所證明。楊
振寧在獲得1957年度諾貝爾物理獎後發表體會說：「我懷疑德國
物理學家拿波特的奇偶性意見，這和我在四十年代在雲南昆明市
西南聯合大學做大學生時代念《易經》的心得有關。《易經》中既有
陰陽相對的道理，也有陰陽消長或陽盛陰衰、陰盛陽衰，剝久必
復、否極泰來的道理。」②《剝》卦象徵剝落。這是天道自然，任
何事物也無法抗拒。有生必有死，有少必有老。豆蔻年華，人皆
歆羨；但是春去秋來，年復一年，青春何在？即使貴為帝妃公
主，也一樣無法避免。紅顏永駐，長生不老，是方士的騙人鬼
話。因此，無論人或物，都有處「剝」的時候，關鍵在於順應自

然，處變不驚，正確對待。《剝》卦之義，並非消極待斃，恰恰相反，是指出剝極而復的新生機。如有核水果被食用，當然是「剝」；但食後吐核入地，生根發芽，不是又重現果樹的勃勃生機了嗎？以人事論，如三國劉備，雖稱「皇叔」，卻被各路軍閥逼得四處奔逃，形勢危急而消剝殆盡。但他處「剝」不驚，三顧茅廬，請出諸葛亮。諸葛亮一席《隆中對》，縱論天下形勢，使剝喪殆盡的劉皇叔堅定信心，重新決策頑強奮鬥，為蜀漢立國以三分天下創造了有利條件。相反，如果處「剝」喪氣，坐待時日，則必然被剝喪橫流所淹沒。如南宋末年，博士程元鳳曾對理宗「極論剝復之機及人主所當法天者」，要求遵循自然，順應民心而圖恢復，其「指陳時病尤激切」。但是朝廷昏暗，「當國者以為厲己」，把他貶謫流放，事見《宋史‧程元鳳傳》。這正是自毀長城、自息生機。「剝」與「復」是一對矛盾。《復》卦象徵生機回復。《剝》與《復》互為對卦，六爻陰陽及卦象均相反。二卦各自六爻，均只有一個陽爻代表生氣。從《剝》到《復》，上艮（☶）返下化震（☳），下坤（☷）則反為上坤。從卦形已可悟到剝、復相反相生的道理。《剝》僅上九一陽，剝喪之極而陽氣生機被驅逐；但一返《復》化為下震的初九一陽，則又由外之內，改變性質，逐漸向上發展，培育一線生機。從卦象看，《復》卦下震象徵雷、上坤象徵地，如《象傳》云：「雷在地中，復。先王以至日閉關，商旅不行，后（君王）不省方。」古人以為雷秉陽剛之氣，春雷一動，萬物復甦。因而《復》卦雖是五個陰爻在上，初九一陽在下，但卻是雷震根源所在，是潛藏生機的象徵。漢人解《易》有卦氣之說，六十四卦中有十二消息卦，《復》卦象徵陽氣由下漸生的十一月。季候雖屬仲冬，但下震一陽，潛伏生機雷動之胎息。待新春破土雷作，萬物競萌，生機勃發，此所以剝盡而復。《象傳》稱「先王以至日閉關」云云，是說古人悟到陽剛生機雖胎息

地中，力微勢弱，但必須加以保護，以圖來日發展。古代政府曾
有規定，冬天「土事毋作」以固閉地氣，「以助天地之閉藏」
③。這實是古代為保持自然生態平衡的一種環境保護法，反映了
中華古人生生不息的文化觀念。《孟子・梁惠王上》云：「斧斤以
時入山林，林木不可勝用也。」要求禁止濫伐山林，樹木「以
時」，就含有「閉藏」養生的意思，所以林木剝而後復，滋生蕃
茂，為人類的生存和發展，提供了良好的自然環境和物質保證。
故班固《白虎通義・誅伐篇》云：「冬至所以休兵，不舉事，閉
關，商旅不行，何？此日陽氣微弱，王者承天理物。故率天下
靜，不復行役，扶助陽氣，成萬物也。」遺憾的是後人逐漸忘卻
了《易》卦剝、復相繼的至理名言，無視平衡生態的環境保護，或
勞役征戰，或濫伐森林，斂索無冬春，導致中華民族的子孫受到
自然的嚴厲報復：綠色植被破壞，滔天洪水彌漫，空氣污染嚴
重，昔日沃野千里的關中，已化為今日黃土一片，剝復相繼之
理，怎可遺忘？只要人們改過圖新，則剝盡復來，春回人間，中
華大地又將呈現一派新的生機。因此，從表象看，《復》吉而《剝》
凶是可明言；但事實千變萬化，不可機械理解。《復》可化《剝》，
則吉中寓凶；《剝》盡《復》來，又逢凶化吉。二卦吉凶，關鍵在於
正確對待。二卦相反相成，共同說明了宇宙人生剝復相繼、生機
更發的真理。循天而行，則《剝》《復》皆吉；背悖自然，自息生
機，則《剝》《復》盡凶，能不慎乎？

又如《泰》、《否》互對，卦序相連。《雜卦傳》云：「《泰》《否》
反其類也。」《泰》卦（☷☰）下乾（☰）上坤（☷），《否》卦（☰☷）則
下坤（☷）上乾（☰），不僅卦形卦象顛倒，而且六爻陰陽變化
一一相反，展現了事物之間那「周流六虛」、互為因果的辯證關
係。《泰》象徵通泰，《否》象徵否塞。《泰》後有《否》，也是事出自
然，如《序卦傳》云：「物不可以終通，故受之以《否》。」人生之

路，漫長曲折，既有通暢路程，又有閉塞險阻。有通必有塞，有泰就有否，「泰」與「否」又是一對矛盾，意義相反相生。中國早有「否極泰來」的古話；但是樂極生悲，反過來就成了「泰極否來」了。如唐・劉禹錫《史公神道碑》：「侍中以帳下生變聞，泰極而否，當歌而哭。」又如古典小說《西遊記》第九十一回④，寫到唐僧師徒四人，西天取經，一路來到金平府。那天正是元宵佳節，就到金橋上觀燈遊玩，不想樂極生悲，唐僧被一陣妖風席捲而去。大徒弟孫悟空急忙駕雲四處追尋。忽見天神中的年、月、日、時四值功曹使者化爲牧羊人，趕著三隻羊兒，從西山坡下吆喝著過來，被孫悟空火眼金睛識破。下面是一段有趣的對話：

> 行者（孫悟空）道：「你不在暗中保佑吾師，都往哪裡去？」功曹道：「你師父寬了禪性，在於金平府慈雲寺貪歡，所以泰極生否，樂極成悲，今被妖邪捕獲。他身邊有護法伽藍保著哩。吾等知大聖連夜追尋，恐大聖不識山林，特來傳達。」行者道：「你既傳報，怎麼隱姓埋名，趕著三個羊兒，吆吆喝喝作甚？」功曹道：「設此三羊，以應開泰之言，喚做『三陽開泰』，破解你師父之否塞也。」

小說所言，頗合《易》理。原來，「羊」諧音爲「陽」。三隻羊兒象徵八卦之乾（☰）的「三陽」。《否》卦三陽爻在外卦（上卦），陽氣生機逐漸被驅逐，此所以爲閉塞。而《泰》卦正相反，《否》卦三陽已從外卦轉入內卦（下卦），陽氣生機自下而向上滋長；而下坤（☷）又翻轉爲上坤，下乾上坤，地在上而天在下，土之陰氣重濁下沈，與天之陽氣輕清上升，陰陽交感相應，此所

以爲泰。故俗稱「三羊（陽）開泰」，否極泰來，也即化險爲
夷，吉祥如意。從表象看，《泰》吉《否》凶；實際則頗複雜，解卦
者怎可迂執不化？唐僧觀燈「寬了禪性」，暫時忘卻西天取經的
目標，結果樂極生悲，「泰極生否」，則《泰》吉而化凶；而經孫
悟空頑強搏救，「否極泰來」，則《否》凶而生吉。《老子》云：
「禍兮，福之所倚；福兮，禍之所伏；孰知其極？」道家禍福轉
化的辯證觀念，明顯受《易》理影響。《泰》《否》二卦矛盾對立，又
在一定條件下相互轉化，殊途同歸，義理共通。

三、異卦辭同而義理有別例

如《坤》（䷁）卦辭云：「利西南得朋，東北喪朋。」《蹇》
（䷦）卦辭云：「利西南，不利東北。」《解》卦（䷧）卦辭云：
「利西南，無所往，其來復吉。」三卦辭均有「利西南」之言，
但辭同而義別。舊注據《說卦傳》，八卦中坤（☷）的方位屬西
南，艮（☶）屬東北。坤爲地，故西南引申指平地；艮爲山，故
東北引申指山麓。又坤可象徵衆庶。概言之，《坤》卦象徵柔順，
柔順者以得助爲吉。《坤》利西南，指其沿固有方向前進，大道平
坦，得朋多助，故有「安貞吉」兆。《蹇》卦象徵行進艱難，其卦
辭「利西南」，指利於在平坦大道大行進，艱險少而趨吉祥；相
反，如行經東北山丘，則險阻難行，故稱「不利」。而《解》卦象
徵艱險排除，其卦辭「利西南」，則因「西南」爲坤，坤有衆庶
之義，排難越險，必須萬衆一心，以得衆助爲「利」。三卦辭
「利西南」同而旨趣各異。

四、異卦之爻辭同義通例

如《夬》卦（☰）九四爻辭：「臀無膚，其行次且（趑趄），……聞言不信。」《姤》卦（☴）九三爻辭：「臀無膚，其行次且，厲，無大咎。」二卦爻辭均有「臀無膚，其行次且」之言。《夬》象徵決斷。《易》理重變，故《夬》九四若變陽爲陰，則上卦四、五、六合爲坎（☵），坎爲水險，據《說卦傳》，坎爲「下首」，下體元首爲臀，故又具臀象。而九四陽居陰位不正，且無下應，位危而不以中正處事，陽亢逼人，「聞言不信」，決而失衆，故有「臀無膚」之痛而行動維艱之態，此其所以爲厲。而《姤》象徵相遇，下卦爲巽（☴）象徵股，九三居巽之上，故有臀象。《姤》九三居位雖正，但過剛不中，與上無應，下又爲九二所阻而未遇初六之陰，上下陰陽不通，失衆無助，故其行「次且」而有「臀無膚」之病。由此觀之，《夬》九四與《姤》九三，二爻雖處不同卦中的不同爻位，但過剛不中，陽亢灼人，陰陽失和，其病痛險阻相似，故爻辭「臀無膚，其行次且」精神相通。

五、一爻數解例

一爻數解，有以下四種不同情況：一是同一爻辭的前言後語可因對象之異而作不同解釋。如《乾》（☰）九五爻辭：「九五，飛龍在天，利見大人。」九五陽剛中正，作爲一卦之主，盡善盡美，至爲吉祥。猶如巨龍，養精蓄銳，一飛沖天，翱翔太空，佔據了無限的活動空間，得以自由施展胸襟抱負。舊稱《乾》爲「君卦」，九五爲「君位」。古人稱帝王爲眞龍天子，帝位是「九五之尊」。但是，帝王用《易》占筮，因筮草幾番抽數的偶然性，並

不一定能得《乾》之九五；相反，百姓人數衆多，筮得《乾》之九五機率更高。對此，宋太祖趙匡胤與其儒臣王昭素的對話頗爲有趣。宋太祖問：一般臣民不是「龍」，怎麼也會筮得《乾》之九五「飛龍在天，利見大人」呢？言外之意，《乾》卦九五，至美至吉，當屬帝王專利；若臣民企望九五之位，非逆則篡，不誅待何？王昭素回答說：即使臣民筮得《乾》九五也沒關係，因爲帝王筮得該爻，前句「飛龍在天」指皇帝陛下；臣民占得該爻，則取後句「利見大人」，即利於臣民瞻仰聖君，作爲頂禮膜拜的楷模。王昭素雖是書生，但並不迂腐，他以「《易》無達占」精神來應對，巧妙地避過一場禍難，故朱熹對他稱頌備至，以爲「此說最好」⑤。

二是同一爻辭因視角變化而結論各異。如《乾》上九爻辭：「亢龍有悔。」亢，過高過甚。上九爻位，高踞《乾》卦之巔，陽剛發展到極限。物窮必反，同時潛伏著盛極而衰的危機，構成了矛盾朝相反方向轉化的關鍵。若不居高思危，防微杜漸，則後果嚴重。猶如巨龍激飛，洋洋自得，一味穿空而不知回頭，總有一天，會因超越限度而摔得粉身碎骨，帶來了令人悔恨的無窮災難，這就叫「亢龍有悔」。其實不僅居高位者，一般人或物也是如此。如噴氣式飛機等現代化交通工具，其爬高能力也有一定限度，超越設計的規定，也會栽地「有悔」。又如歌唱，再優秀的歌唱家，也不可能幾組八度高亢直上，不自量力，必然倒嗓，拗折金喉而令聽者轟笑。有陽無陰，只剛不柔，不知進退，必然帶來悔恨與災難，這是「亢龍有悔」的常解。但金庸《射雕英雄傳》十二章《亢龍有悔》另有其解。他寫道：丐幫主洪七公獨創一套拳法——降龍十八法，其中有「亢龍有悔」一路，取自《易》卦，授與新徒弟郭靖。郭剛練時，一味只知加強出拳的剛猛與力量，出拳擊樹，狠打猛攻，但見枝葉晃動，卻不見樹木摧折。七公批評

他不懂「亢龍有悔」的道理，於是爲他講解一通。郭靖重練，「練來後來，意與神會，發勁收勢，漸漸能運用自如，丹田中吸一口氣，猛力一掌，立即收勁，那松樹紋絲不動。郭靖大喜，第二掌照式發招，但力在掌緣，只聽得格格數聲，那棵小松樹被他擊得彎折了下來」。初入武林的郭靖，在武藝未精之時，常以「亢龍有悔」一路拳法抗高手禦強敵，其成功關鍵在於「亢」而知「悔」，剛柔相濟，蓄勢發力，無堅不摧。金庸所理解的「有悔」，「悔」者悔過，剛猛而知回頭，則不會帶來悔恨與災難。上述二解，各有道理，關鍵在於視角不同，各異其解。處在盛極將衰的《乾》卦上九，不知轉化，亢進不止，必致「有悔」之災；反之，「亢」而知「悔」，剛中有柔，懂得回頭，正確對待矛盾轉化，必無悔恨與災難。這是一個問題的正、反兩方面，論其精神實質，又自息息相通。

三是爻象爻辭無歧義，但因筮者不同，問題有異而吉凶判然有別。如《坤》六五：「黃裳，元吉。」六十四卦中，《坤》爲「后卦」。《坤》六五，陰處中位，古人以爲猶如皇后陰柔謙順侍帝伴駕，又能謙恭下士，臣民擁戴。據陰陽五行說，青赤黃白黑爲五色，黃土色，方位居中，故黃色是「中道」的又一象徵。而「裳」是下身裙服，象徵謙下。行中道而謙恭待下，當然無不至善元吉。《坤》六五爻辭「黃裳元吉」，該是至美吉兆。於此可見，陰陽五行學說雖興盛於戰國時代，但論其思想濫觴，於《易》卦已見其端倪。《坤》六五之義，古今並無歧義。但論吉凶，則當視具體對象而論。《左傳》成公十二年載，魯國費邑叛魯降齊，筮問吉凶，得《坤》六五，「以爲大吉」，遂加緊叛亂準備。邑宰南蒯解卦，從表面看，合《易》通例。但子服惠子堅決不同意而予以斥責，曰：「忠信之事則可，不然必敗。」因爲筮問叛亂投敵之事，違背作《易》本意，故「筮雖吉」而斷不可行。這是聰明的釋

卦與科學的預測，表現了合乎實際的進步思想傾向。《易》卦吉凶，先問敵我及正義與否，怎能不問具體對象而加妄斷？故清陳夢雷《周易淺述》分析《坤》六五，云：「六五以陰居尊，必中順之德充於內而見於外，乃得大善之吉，否則凶矣。……《易》之為占，皆因人立教。」

四是同卦異爻而辭同義別例。如《頤》（䷚），上艮（☶）為山，下震（☳）為雷，形似口中有齒而上下咀嚼，象徵頤養之道。《象傳》釋云：「山下有雷，頤，君子以慎言語節飲食。」意味言語養心養德，飲食養口養身，前者重精神食糧，後者重物質頤養。養必以正，如聞驚雷而知所止。《頤》六二云：「顛頤，拂經，于丘頤，征凶。」意味六二養不以正，顛倒下索，貪得無厭，背悖常理；於是轉向居高位者乞養；如此行為必犯凶險。《頤》六四云：「顛頤，吉，虎視眈眈，其欲逐逐，無咎。」六四同樣顛倒向下乞養，卻是吉祥如意，就像老虎專心覓食，必無咎害。二、四爻辭共有「顛頤」之言，一凶一吉，效果相反。為什麼？因為六二養不以正，刻剝下民，損人利己，故宋‧項安世《周易玩辭》評六二云：「得位得中，有可養之勢而不能自養，反由養於不中無位之爻，與常經相悖。」此其所以為凶。而六四情況不同。六四陰居陰位得正，下與初九陰陽相應，朱熹《本義》釋云：「柔居上而得正，所應又正，而賴其養以施於下，故雖顛而吉。」《象傳》亦云：「顛頤之吉，上施光也。」所謂「上施光」，就是在上者恩澤流布，萬民受益，陰陽相應，上下和諧，多少包含了取之於民而用之於民的意思，其「顛頤」之養合乎正道，故稱吉。

又《蹇》卦（䷦），上坎（☵）為水為險，下艮（☶）為山為止，山高水險，水積山上，山洪暴發，觀象可知其危，象徵行進艱難。其初六曰：「往蹇，來譽。」意味艱於跋涉，終於載譽歸

來。其六四曰：「往蹇，來連。」意味前進有難，歸來亦艱。
《蹇》之初、四兩陰爻，共有「往蹇」之辭，初有「來譽」之美，
四呈「來連」之險，吉凶判然有別。初九陰居陽位，位不正，又
上與六四無應，按通例該是凶，爲什麼有「來譽」之吉呢？這是
因爲《蹇》處行進艱難的特殊環境，初六自知卑微，缺乏犯難前行
資本，識時知止，故王弼注云：「處難之始，居止之初，獨見前
識，睹險而止，以待其時，知矣哉！故往則蹇，來則得譽。」即
爲進而退之意。今之「知止」，爲的是將來更快前進。六四則不
然，處上下卦之間，在矛盾重疊險地，缺乏自知之明，不作充分
準備，貿貿然犯難而行，如南宋宰相韓侂冑，未經準備，盲目北
伐，冒險征戰，一敗塗地，終於斷己頭以資敵。故王弼注云：
「往則無應，來則乘剛（**按**：指乘凌九三），往來皆難。」此其
所以致「來連」之難而凶象環生也。

六、一卦之中卦爻辭同而吉凶有別例

如《履》（䷉）卦辭曰：「履虎尾，不咥人，亨。」亨，亨
通，吉利之語。其六三爻辭云：「眇能視，跛能履，履虎尾，咥
人，凶。」咥，咬齧也。卦爻辭均有「履虎尾」，卦辭稱「不咥
人」而亨吉，而爻辭則「咥人」致凶，爲什麼？因卦辭體現的是
全卦的總體精神，而六三則因具體爻位態勢不同而自呈吉凶。
《履》象徵履行。下兌（☱）爲澤，上乾（☰）爲天，上天下澤，
態勢有別，說明人所履行，或有高低勢異，並非盡皆平坦大道，
也可能山高水深，險仄相連。如在這種路上行走，當是險難相
繼。所以用「履虎尾」爲喻，示人履行，小心謹愼，兢兢業業，
方能通往成功之路，故卦辭稱亨吉。《履》卦六爻，五陽一陰，僅
六三爲唯一陰爻，按《易》例是成卦之主。故卦辭「履虎尾」，當

指六三而言，代表整卦精神。孔穎達《正義》云：「《履》卦之義，以六三爲主。六三以陰柔履踐九二之剛，履危者也，猶如『履虎尾』，爲危之甚。『不咥人亨』者，以六三在兌體，兌爲和悅，而應乾剛，雖履其危而不見害，故得亨通，猶若履虎尾不見咥㤉於人。此假物之象以喻人事。」但如果從具體六三的爻位爻象分析，同有「履虎尾」之辭而義別。三陽位，六三以陰據陽位，居位不中不正，其「凶」則不言而喻，故《正義》又稱：「居履之時，當須謙退。今六三以陰居陽，而又失其位，以此視物，猶如眇目自爲能視，不足爲明也；以此履踐，猶如跛足自爲能履，不足與行也。『履虎尾凶』者以此。」與卦義倡小心履行相反，六三處上下卦矛盾轉化的微妙時刻，危不自知，以陰居陽，乘凌剛猛而强視强行，此所以爲「眇」爲「跛」。盲踩虎尾而行，怎不爲虎所傷？其爻必呈「咥人」之凶。同一卦的卦辭與爻辭，因其位異勢別而吉凶不同。

七、占知吉凶而不能變吉凶例

《左傳》僖十五年載，晉獻公筮嫁其女於秦，遇《歸妹》（☳）之《睽》（☲）。《睽》象徵離異、乖背，故史蘇斷爲不吉。但獻公不聽，爲秦晉政治聯盟大事，仍然嫁女於秦。後其子惠公繼位，與秦戰敗被俘，他感慨地回憶說：「先君若從史蘇之占，吾不及此夫！」時韓簡在旁，針鋒相對地反駁曰：「龜，象也；筮，數也。物生而後有象，象而後有滋，滋而後有數。先君之敗德，及可數乎？史蘇之占，勿從何益？」宋·林堯叟注：「天地絪縕，萬物化醇，故生而有形象可言。男女構精，萬物化生，故象而後滋生益衆，一生二，二生三，三生萬物，故滋而後有數。先君所行，常致喪敗之德，及今言之，可一二數之乎？占所以知吉凶，

不能變吉凶。故先君敗德，當主喪敗，非由筮數所生。從史蘇不能損益，勿從不能益禍。」於此可見，古代統治者，唯心迷信，常想依賴《易》筮來主宰命運。而對精通《易》理精華的進步知識分子，則反其道而行。「數」，原指《易》之象數，但象數原來自於事物運動變化，「效天下之動……故吉凶生而悔吝著也」（《繫辭傳下》）故「數」實與事物運動變化客觀規律相關。《易》筮吉凶，並非盡皆迷信，而可導向洞察規律的科學預測。「《易》無達占」，就看占筮解卦之權，由誰掌握。按規律辦事，體天道而任自然，則化險為夷；反之，則棄吉趨凶，自取滅亡。晉獻公父子，悖亂敗德，天怨人怒，必致喪亂之凶。陰陽變化之事，實際「吉凶由人」⑥。求神問《易》，相信命運，實是可憐。而把握「《易》無達占」的精神原則，則為神祕《易》卦打開了通往科學殿堂的光明之路。

「《易》無達占」原則，貌似荒唐，實含合理成分，自有其科學根據。

首先，從認識對象——客觀自然看，無論宇宙自然或社會人事，其運動規律既有清晰可見的一面，又有其渾沌模糊難以盡識的另一面。《莊子・應帝王》有一神話故事，說是中央之帝名渾沌，沒有五官七竅，他對南海之帝儵與北海之帝忽友善，為報答恩情，南海、北海二帝商量曰：「人皆有七竅，以為視聽食息；此獨無有，嘗試鑿之。」日鑿一竅，七日而渾沌死。說明破壞「渾沌」，取消模糊，違背自然至理，也會壞事的。王充《論衡・談天》云：「說《易》者曰：元氣未分，渾沌為一。」所稱「渾沌」，指的是天地形成前宇宙元氣未分、自然和合的狀態，它朦朧混一，無際無涯，大千世界，細沙遊塵，無不包含其中。其豐富內蘊，難以機械分割。作《易》卦者據此，觀物取象，假象喻義，象多渾沌，超然於語言文字之外，突破了言、意、物三者

的隔閡和局限，透露出「渾沌」象中無限豐富的內容，因而可作多層次多角度的分析。各種不同、甚至是對立的解釋，都可能是渾沌整體中的一部分，因而都有可能是合理的。世界事物，作規律運動，當然可以總結而獲清晰的解釋；但若處「渾沌」狀態而作不規則運動，則一時面貌模糊難辨。最近，物理學家正在探索一種特殊的「隨機」（random）現象，它由確定的初始狀態，逐步成爲無規則的、不可精確測定的運動，稱爲chaos。中國學者把chaos這一新興概念譯爲「渾沌」，就是認爲《莊子》中這名詞的性質與之相似⑦。「《易》無達占」，也正是《易》學研究中的一種「隨機」現象。八十年代，李政道在國內講學時說，西方自然科學重機械化，重分析與征服；東方則較重哲學化的總體精神把握，强調對自然的理解與和諧。他說：「古典物理學只是一種近似眞理而非眞理，牛頓力學應被量子力學所代替。在量子力學中有一條很根本的很重要的測不準定律，說明我們永遠測不準一切的。測準了一方面，就一定測不準另一方面。所以這些道理都和《易經》學說相近的。《周易‧繫辭》：『子曰：聖人立象以盡意。』這就指明白事物之理，並不是數字所能分能窮的。」⑧自然如此，社會亦然。故以《易》象設喩，正是對於客觀事物渾沌現象的一種合理概括，其所表達的豐富內容，非語言文字所能清晰表述。讀《易》解卦者，以清晰的語言，可能反而占而不達；而假象喩義，「《易》無達占」，卻似無理而實達，因其示人以「渾沌」之態，正是高屋建瓴，從整體意義上去把握事物的運動變化及其內在實質。

　　其次，從人的思維認識方面看。「《易》無達占」又來自人的模糊思維。所謂模糊，並非糊塗，而是人類認識世界的又一必要形式。《莊子‧秋水》有一段對話：

> 河伯曰：「世之議者皆曰：『至精無形，至大不可圍。』是
> 其信情乎？」北海若曰：「夫自細視大者不盡，自大視細
> 者不明，故異便。夫精，小之微也；垺，大之殷也。此勢
> 之有也。夫精粗者，期於有形者也；無形者，數之所不能
> 分也；不可圍者，數之所不能窮也。可以言論者，物之粗
> 也；可以意致者，物之精也；言之所不能論，意之所不能
> 察致者，不期精粗焉。」

世界事物，變化萬千，而人的認識有一定的局限，過大或過細的
事物，人有「不盡」、「不明」之嘆。而「不期精粗」的模糊認
識，卻常是直覺思維的頓悟閃光之點。是一種比明晰表述還要全
面的總體把握。這「不期精粗」的模糊思維，是「《易》無達占」
得以成立的又一根據。「模糊」之中，自有清晰。模糊哲學，模
糊數學，模糊邏輯，生活中不能缺少模糊。一杯水，一只瓜，一
車柴，所謂「一杯」是多少？「一只」有多重？「一車」是幾
噸？中等個子，高挑身材，具體是幾尺幾寸？難道人們隨身攜帶
計量工具一一衡量？這「一杯」、「一只」等，是不精確的模糊
語言，正反映了人類模糊思維的必然性與合理性。世界上既然有
「渾沌」這一無法精確表述的現象存在，於是自會產生與之相應
的「《詩》無達詁」、「《易》無達占」一類的模糊認識，它來源於
對事物的總體把握。如德·斯爾泰夫人所說：「人們心靈中真正
神聖的東西是無法表達的，即使有詞彙來表達某些特點，卻沒有
任何東西能表達它的整體。」⑨這精確語言所難以表達的「渾
沌」整體，作《易》者卻通過立象盡意的方式，以「《易》無達占」
的原則，給予合理的敘述與總結。

又次，從闡釋學及接受美學的角度看。《易》道廣大，解卦無
方，讀《易》者生活閱歷因人而異，不同的閱讀方式和體會感受，

受《易》象啓迪，可引起不同的接受聯想，人們用自己的經歷和想
像，來彌補作者有意或無意布下的思維空白。因此，讀《易》解
卦，因人、因事、因觀察視角不同，而各異其旨趣。清薛雪的
《一瓢詩話》曾分析杜甫詩歌：「兵家讀之爲兵，道家讀之爲道，
治天下者讀之爲政，無往不達。」讀詩如此，解《易》亦然。故
《四庫總目提要·易類序》稱《易》卦無所不包，旁及天文、地理、
樂律、兵法、韻學、算術，以逮方外爐火，處處聯想，易於「接
受」，同樣因爲合乎「《易》無達占」原則而無往不達。

---

①上海《文匯報》1990年12月18日第4版刊登《〈易經〉和天外來客》一文
　稱：「北京大學地理系教授陳傳康，……提出這樣的猜想：《易經》
　是記錄天外來客所遺留下來科學知識的形式推理書。」
②⑧何國森《近代科技中的易理之光——略論周易與近代科技》稱引，
　見上海書店1992年版《周易十日談》第111頁。
③見《禮記·月令》。
④回目爲《金平府元夜觀燈，玄英洞唐僧供狀》。
⑤事載《宋史·儒林·王昭素傳》及《朱子語類·易類》。
⑥見《左傳》僖公十六年載。
⑦參見顧易生、蔣凡《先秦兩漢文學批評史》，第217頁，上海古籍出
　版社1990年版。
⑨《萌芽》雜誌1985年第9期《比金牌更迷人的是什麼》稱引。

（見《復旦學報》社科版1993年第6期）

《周易》對古典美學和文論批評的影響

　　《周易》簡稱《易》，是我國最古的典籍之一。中華文化的眾多形式，絢麗光彩，搖曳生姿，但是沿流溯源，無不可以窺見其影響。《易》分《經》《傳》，《經》先有而《傳》後出。雖然《經》多記「筮卜之事」，《傳》則「援《經》立說」，但在上古時代，「學在王官」，巫史掌握文化，因而《經》言「筮卜之事」，實際卻廣泛涉及天道自然及社會人生，通於百科文化知識；《傳》雖「援《經》立說」，實際是透過筮卜帷幕而作深入的思考，從而形成了千古不竭的哲學淵藪。《經》《傳》匯合，源遠流長，水到之處，儒道佛理，詩文字畫，無不文理斐然，熠熠生輝。本文擬就古典美學與文論批評的角度，簡要介紹《周易》的影響。

一、陰陽之道

　　陰陽觀念是《周易》思想的核心，《繫辭》上：「一陰一陽之謂道」，反映了對自然社會中各種矛盾對立現象的概括認識。《序卦》：「有天地，然後有萬物；有萬物，然後有男女；有男女，然後有夫婦；有夫婦，然後有父子；有父子，然後有君臣；有君臣，然後有上下。」這是對陰陽矛盾現象的具體展示。「陰陽」學說把整個世界看成矛盾對立的統一體，在思維形式上啟發了後人以對立劃分的眼光去評析看待變化發展的事物。古典美學和文論批評中許多對立範疇，諸如美醜、情志、形神、虛實、文質、

悲喜、真幻、樂憂、動靜等等，它們的產生，無不發軔於此。

《周易》肯定陰陽矛盾的永恆存在，同時極力肯定「天尊地卑」、「剛柔相推」。物理學中，因地位不同而具有不同能量，稱爲勢能。一旦地位變化，運動不息，則勢能化爲動能。所以世界萬物，無論動靜，都有力量鬱積勃發其中。《象傳》描述乾卦的境界：「天行健，君子以自強不息。」《文言》：「大哉乾乎！剛健中正，純粹精也；六爻發揮，旁通情出；時乘六龍，以御天也；雲行雨施，天下平也。」《周易》對這種壯大境界的稱頌，一洗平庸萎靡、悲天憫人式的感知世界方式，顯得健康而充滿生氣。孔孟的進取精神，漢朝的鋪張大賦，魏晉的蒼涼風骨，盛唐的高揚氣象，宋元的慷慨之音，明清的浪漫洪流，無不折射出《周易》的燦爛光芒。而姚鼐以陰陽剛柔論文，曾國藩有「古文四象」之說，所受《易》理啟發更是不少。

世界萬物不只是陰陽對立的矛盾現象，而且是生生不息、運動變化的。《周易》認爲運動變化的原因就是陰陽矛盾的相互作用，《繫辭》上：「剛柔相推而生變化」。具體到自然現象，如「日月相推而明生焉」，「寒暑相推而歲成焉」。這種深入事物內部的辯證思考，爲古典美學和文論批評中求變化、重氣勢等藝術精神的發展，奠定了哲學基礎。古典詩歌講究動靜的辯證配合，自不待說；畫論也認爲：「山本靜，水流則動；石本頑，樹活則靈」（笪重光《畫鑒》）。表現於建築，如飛檐翹拱，鈎心鬥角，在靜中求得流動的氣勢。此外如情景交融，哀樂反寫，形神兼備，骨立風生等等，莫不可見《周易》陰陽剛柔辯證思想的投影。

《周易》對世界本源「道」的認識，也啟發了後人對文學本體的探索。《淮南子・原道訓》：「道者一立而萬物生焉。」一切文化學術都是從這一至高無上、無形不言的「道」中派生而出的。

揚雄也以「道」爲文學的最高原則，但他的文論，一方面強調文
以明道，一方面又強調至道無體，至神無方，故稱「鴻文無範」
（《太玄·至昆》），眞正有價值的「鴻文」是不被任何模式所框
住的。「道」彌綸天地，無所不包，而「道」以「文」明，
「文」「道」相通，「道」不朽，故「文」亦不朽。從這一意義
看，曹丕「蓋文章，經國之大業，不朽之盛事」（《典論·論
文》）的高論所自，同樣胎息於對「道」偉大力量的合理推衍。

二、觀物取象

　　《繫辭》下：「古者包犧氏之王天下也，仰則觀象於天，俯則
觀法於地，觀鳥獸之文與地之宜，近取諸身，遠取諸物，於是始
作八卦，以通神明之德，以類萬物之情。」這雖然是對《易》象起
源的說明，但「觀物取象」的認識過程，實際上啓發了後世對文
學創作規律法則的探索。「物」，指天文人文之物，包括自然與
社會中一切事物。「觀」，指遠近大小、上下宏微的觀察，既要
求具體又要求變化。「觀物」的啓發就是強調多側面、多層次地
面對現實、反映人生。「取象」，指通過「觀物」進行藝術創
作、表明意義。「象」之取捨，能夠表現對事物、對現實的情感
態度。

　　「觀物」理論是後世「物感」說產生發達的濫觴。《禮記·
樂記》敍述音樂的產生：「凡音之起，由人心生也。人心之動，
物使之然也。感於物而動，故形於聲。」劉勰《文心雕龍·物色》
寫詩歌產生於「感物」：「是以詩人感物，聯類不窮，流連萬象
之際，沈吟視聽之區；寫氣圖貌，既隨物以宛轉；屬采附聲，亦
與心而徘徊。」繪畫也源於「物象」：「畫者畫也，度物名勝而
取其眞」（荊浩《筆記法》）。「觀物」理論不僅影響於文學藝

術，同時對於導引騷人文士反映和批評現實事物都有深遠的意義。

《易》「象」是指卦象，《繫辭》上：「聖人有以見天下之賾，而擬諸其形容，象其物宜，是故謂之象。」但「象」之具體可感，變化複雜的特點，極大啓發了藝術思維的創作原則，即通過藝術形象來表情達意。孔穎達《正義》論《詩經》：「凡《易》者，象也，以物象而明人世，若《詩》之比喻也。」即以《易》象比況《詩》的比喻，認爲具有以形象寫人事的特點。《荀子·樂論》：「故人不能無樂，樂則不能無形」，音樂也必須有音樂形象，才能感人至切。《文心雕龍·神思》：「獨照之匠，窺意象而運斤」，把意象的創造作爲區別藝術優劣的標準。從「物象」到「意象」，已涉及到文學想像和形象思維的某些特性，這在理論上是一個昇華。後人沿此進一步作了理論開拓，如蘇軾說「詩中有畫」，強調的是詩的形象性和意境創造，故章學誠《文史通義·易教》斷言：「《易》象雖包六藝，與《詩》之比興，尤爲表裡」，明確肯定《易》象與文學的相通。

《周易》「立象」，並非以「觀物」爲其終極目的，而是爲了「盡意」，爲了內在《易》理及人之情志的深入展現。《繫辭》上：「觀其象而玩其辭」，要根據「象」的特徵來安排文辭。中國藝術中的「逼眞」美學觀，當淵源於此。逼眞既指形象的具體眞實，也指情志的不摻虛假，「象」「辭」必須和諧統一。「立象盡意」表現於藝術創作，就是排斥空洞抽象的寫理說教；而「立象」也並非簡單地圖示意志情感。詩歌創作中重視比興、典故的應用，以富於變化的形象表達曲折深婉的情感，反映了《周易》精神的演進。

三、通變入神

《繫辭》下：「《易》窮則變，變則通，通則久。」強調宇宙萬物都在運動變化。對於藝術的啓發就是反對故步自封、陳陳相因的模擬守舊，「通則變，遂成天下之文」（《繫辭》上），藝術的長久生命即在「通變」之中。「通」是規律的繼承，「變」是思維的日新。文學史上復古與反復古的鬥爭不斷，代代都有突破創新，漢賦、晉字、唐詩、宋詞、元曲等等，就是「通變」理論的具體實現。「變」有縱變，《繫辭》上：「日新之謂盛德，生生之謂易」；有橫變，《革》卦九五：「大人虎變」，上六：「君子豹變」，不同事物的變化各盡其妙。這些闡述爲後世美學和文論重視創新提供了哲學依據。《文心雕龍·通變》：「文辭氣力，通變則久。」限於框框，不求變化，藝術的生命就會窒息；相反，「變則其久，通則不乏」（《通變》），則能永葆生命活力。

《易傳》在論述「通變」的同時，還提出了「神」的概念。萬物的發展變化，不是機械簡單的過程，它自有其內在規律。《繫辭》上：「陰陽不測之謂神。」《說卦》：「神也者，妙萬物而爲言也。」也就是說，「神」是世界萬物發展變化的不易把握的微妙難言的客觀規律，它不同於原始宗教迷信中主宰萬物的鬼神上帝，所以《繫辭》上說：「知變化之道者，其知神之所爲乎？」《文心雕龍·時序》：「故知文變染乎世情，興廢繫乎時序，原始以要終，雖百世可知也。」劉勰對文學發展變化規律的探討，在思維形式上正同於《易》之因「神」而「知變化」。雖然「神」微妙莫測，但還是有機可尋的，《繫辭》下：「知幾，其神乎？」「幾者動之微，吉凶之先見者也。」通過對「幾」的觀察利用，就可以預見事物變化的發展和結果。

　　《周易》不是針對文藝創作而言「神」，但「神」之妙合萬物
與文藝創作中主客體妙合無垠的極致，精神息息相通。在藝術創
作中，「神」的反面就是亦步亦趨，循規蹈矩的機械模仿，是失
去活力的創作主體對豐富變化的世界萬物的簡單劃分。眞正的藝
術創作，不受約束自由主體常常「唯變所適」（《繫辭》下），在
不知不覺、「陰陽不測」中，與變化不居的萬物客體達到了自然
融合，從而創造出非程式格套化的「神品」。《滄浪詩話》：「詩
之極致有一，曰入神。詩而入神，至矣盡矣，蔑以加矣。」司空
圖提倡「神似」，直至王漁洋的「神韻」說，從中無不可以感受
到與《周易》「通變入神」一脈相承的氣息。

四、中和之美

　　《易》卦六爻所居位次：二爻當下卦中位，五爻當上卦中位，
兩者象徵事物守持中道，不偏不倚。陽爻居中，象徵「剛中」之
德；陰爻居中，象徵「柔中」之性。若陰爻處二位、陽爻處五位
（按《易》卦一、三、五爲陽位，二、四、六爲陰位），旣中且
正，稱爲「中正」。如《家人・象》：「男正位乎外，女正位乎
內」，《同人・象》：「文明以健，中正以應，君子正也。唯君子
爲能通天下之志」。兩卦六二、九五皆位居中正。在《易》中，
「中正」是吉亨爻位，是盡善盡美的象徵。《坤文言》：「君子黃
中通理，正位居體，美在其中，而暢於四支，發於事業；美之至
也！」說明中正之美，質在其內。《周易》對中正的強調，基於萬
物世界首先是以一種和諧統一的姿態呈現的；而和諧統一狀態的
形成，是因爲萬物各自「中正」其位。《易》以世界事物的和諧統
一作爲最高境界，由此而生發影響了後世「中和」的美學觀。

　　中和之美，在先秦樂論中就有了發揮，《尚書・堯典》：「八

音克諧，無相奪倫，神人以和。」《國語‧鄭語》：「和實生物，同則不繼。」孔子對《詩》三百的評價也體現了《易》的中和精神，所謂「思無邪」，也即歸於正。孔子要求抒寫情志「樂而不淫，哀而不傷」，在《禮記》即轉化爲「溫柔敦厚」的詩教，同樣體現了合於《易》理的「中和之美」。「中和」投影於儒學，形成的中庸之道，更是直接相關。

中和之美，有一定的中正要求，卻無板固的條框限制。《國語‧鄭語》：「聲一無聽，物一無文。」劉熙載《藝概‧文概》說：「《國語》言『物一無文』，後人更當知物無一則無文。」《繫辭》下：「物相雜，故曰文。」這也就是說，「中和」不是指情事物理的平均分布，相反它要求豐富多樣又能和諧統一。沒有一，就沒有矛盾；只有一，就沒有和諧。《睽象傳》：「睽，火動而上，澤動而下；二女同居，其志不同行。說而麗乎明，柔進而上行，得中而應乎剛，是以小事吉。天地睽而其事同也，男女睽而其志通也，萬物睽而其事類也：睽之時用大矣哉。」也就是說，乖背睽違，可以相反相成；陰陽交感，可以心志相通，這個道理是普遍廣大的。它啓發文藝創作應當通過矛盾對立的貫通和諧而達到完美的中和境界。後儒過分強調中和平正，忽視矛盾鬥爭，致使很少人投身於火熱現實，寫出揭露批判黑暗政治的作品，這不能不說是曲解《易》的「中和之美」，客觀上具有某種消極歧解的影響。

五、觀生觀民

《觀卦》九五：「觀我生，君子無咎。」《象傳》：「『觀我生』，觀民也。」《觀卦》上九：「觀其生，君子無咎。」《象傳》：「『觀其生』，志未平也。」兩爻除了強調君子修養美德以

化同天下，還表現了通過觀察民風以正君道的思想。這雖然是針
對君子道德而言，但也間接影響啓發了後代美學、文論家對文藝
創作進行新的規範，提出了「觀風」和「風化」的藝術原則：作
品應當反映現實人生，溝通上下。

《觀》卦闡發觀仰盛美善德可以化感人心的道理，表現於文
學，如《詩經·烝民》：「吉甫作誦，穆如清風。」就是稱頌其詩
猶如盛德和美化養萬物的清風，能使人受到感染。表現於音樂，
觀賞盡善盡美的樂舞，同樣可以化感人心，如《左傳》襄公二十九
年記吳國季札觀樂於魯，季札從至美的音樂中感受到的是周朝的
「盛德」，從另一側面說明了觀賞至美盛德事物可以化感人心的
道理。

「觀生觀民」的卦象卦義特徵繫於君民上下，影響於文學批
評也分別立論。《詩大序》：「上以風化下，下以風刺上」，首先
強調的是君上用盛德化感下民，「《關雎》，后妃之德也，風之始
也，所以風天下而正夫婦也」；其次才提倡下民風刺君上，「言
之者無罪，聞之者足以戒」，君上要從觀風中省察自己的行爲，
有則改之，必無咎害。如果說「觀生觀民」的卦象顯示的是君子
以積極主動的姿態德化萬民和察己正身，那麼影響於後代則是啓
發了文學家以積極主動的姿態，通過創作去諷諫社會政治，從而
形成了古典批判現實主義的優良傳統。《詩大序》：「至於王道
衰，禮義廢，政敎失，國異政，家異俗，而變風變雅作矣。」
「變風變雅」，正是對動盪的衰亂之世的反映和批判，作者期望
以此促進君上「觀我」，回歸於正。它雖然最終仍爲鞏固政權服
務，但已逐步加強了「觀風」理論的批判色彩。到漢武帝設置樂
府，採集歌謠，「觀生觀民」的「君子」風度，再一次呈放光
彩，如《漢書·藝文志》：「趙、代之謳，秦、楚之風，皆感於哀
樂，緣事而發。」所謂「感於哀樂，緣事而發」，就是鼓勵文學

家敢於面對慘澹人生，爲民請命。發展到唐代杜甫、白居易的新樂府運動，知識分子則以反映揭露社會黑暗爲己任，「觀生觀民」的原始理論，通過「觀風」、「風化」的途徑，終於在文學領域獲得了蓬勃的活力。

六、情見乎辭

《繫辭》下：「聖人之情見乎辭。」《周易》對「情」的認識主要見於《咸卦》（☶）。《咸》的卦象，上兌（☱）下艮（☶），象徵交感。卦辭：「亨，利貞，取女吉。」《彖傳》：「咸，感也。柔上而剛下，二氣感應以相與。」卦象的上兌爲澤，下艮爲山，澤水下流，滋潤山中草木萬物。山澤交感，所以《彖傳》說：「天地感而萬物化生，聖人感人心而天下和平：觀其所感，而天下萬物之情可見矣。」到後來，山澤之感發揮爲少男少女、夫婦人倫的自然無心之感。男女交感之「情」爲人倫之始，社會人生由此衍化而有種種情狀。這對後世封建文學，產生了巨大影響。

《咸》卦六爻以由下而上的人體感應設喻，以爲九四最具貞吉美德，爻辭說：「憧憧往來，朋從爾思」，心意持久，始終如一，友朋就會順從你的心念。前句寫守正，後句示吉象，意在強調「交感」須得「守正」，所以卦辭斷以「利貞」。就「感」止於「正」必吉的理論而言，它既啓發了男女夫婦的守正禮教，又影響了「《國風》好色而不淫」的「詩教」。《詩大序》所謂「發乎情，止乎禮義」，前者是對「情」的肯定，後者是對「情」的限制和規範，它以「禮義」爲正，恰合「利貞」之「情」必「吉」的《易》理。

《彖辭》由卦辭所指男女交感，侈論於天地感化萬物、聖人感化衆人，以爲觀察萬物交感，可見萬物之「情」。由男女之

「感」到含義廣泛之「情」，範圍外緣逐步擴大，從而啓發後人
在思維空間上進行開拓，對「情」在文藝天地中的根本地位開始
予以重視。《詩大序》以爲詩歌源於「情動於中」；《淮南子·繆
稱訓》：「以文滅情則失情」；至六朝，「情」更見看重，陸機
首倡「詩緣情而綺靡」（《文賦》），劉勰又說：「昔詩人篇什，
爲情而造文」（《情采》）；到白居易，發言更爲眞率：「感人心
者，莫先乎情」（《與元九書》）；此後以至明淸，都特別重視
「情」在文藝創作中的作用。在書法，如孫過庭也標舉「情
性」，「眞以點畫爲形質，使轉爲情性；草以點畫爲情性，使轉
爲形質」（《書譜》）。自《周易》後，對人「情」理論探討之深入
廣泛，由此可以管窺。此外，「情見乎辭」雖指卦爻辭，但也啓
發了後人講究語言如何與情理統一的藝術思考，如《文心雕龍·
哀弔》曰：「奢體爲辭，則雖麗不哀，必使情往會悲，文來引
泣，乃其貴耳。」

七、言意之辯

《繫辭》上還討論了書、言、意三者關係：「子曰：『書不盡
言，言不盡意』。然則聖人之意，其不可見乎？子曰：『聖人立象
以盡意，設卦以盡情僞，繫辭焉以盡其言，變而通之以盡利，鼓
之舞之以盡神』。」這裡首先指出言意表達的矛盾和聯繫，言不
盡意並不否定言可達意，但言可達意並不能盡意。這是符合創作
經驗的。雖然有此局限，「聖人之意」可因「立象」以盡。如何
以盡？因爲卦象涵羅萬物（設卦不同，其象徵亦不同），任何意
義可以「象」示，同時必須借助卦辭爻辭的引導提示，卦象、卦
辭皆可形之於書，但「立象盡意」還須借助精神思維的「變通鼓
舞」才能盡「象」之「意」。「言不盡意」的原因即在於此。形

之於書的語辭，不同於卦象之包括天地，它的物質特性限制了精神思維對「意」的自由探求，故而無法完全盡意。

受《周易》影響，《莊子》認為：「語有貴也，語之所貴者意也。意有所隨，意之所隨者，不可以言傳也」（《天道》）。《莊子》也肯定言不盡意，但同時又提出：「言者所以在意，得意而忘言」（《外物》），「君子所讀者，古人之糟粕」（《天道》）。《繫辭》與《莊子》論述角度不同，「言不盡意」是從表達而言，「得意忘言」是就接受立論，各有道理。他們對言意的探討，證明了「言不盡意」的客觀存在，譬之物理學領域內特殊的「隨機」（random）現象，它由確定的初始狀態而逐步成為無規則的、不可精確測定的運動，科學家們稱為chaos。物質語言不能精確完盡表達主觀之意，正相類同。

言意之辯對後代文學藝術產生了巨大影響，促進了這一問題的理論探索。《文賦》：「恆患意不稱物，文不逮意，蓋非知之難，能之難也。」劉勰也說：「方其搦翰，氣倍辭前，暨乎篇成，半折心始。何則？意翻空而易奇，言徵實而難巧也」（《神思》）。創作實踐的甘苦，顯示了達意的最好途徑是，既訴於言內又寄於言外，借助於讀者的聯想達到對言外之意的全面豐富的理解。這一審美趣味的發現獲得，影響於文學創作，形成了追求含蓄蘊藉、意出言外的風格長河。劉勰以「隱秀」表達言所不追的「思表纖旨、文外曲致」（《神思》）；鍾嶸則標舉「滋味」以求「指事造形，窮情寫物，最為詳切」（《詩品序》）；司空圖更是要求詩有「味外之旨」、「韻外之致」、「象外之象」、「景外之景」、「不著一字，盡得風流」，嚴羽以禪喻詩，要求「妙悟」；王士禎提倡「神韻」和「興會神到」，如此等等，言意之辯對於詩歌創作影響至深。此外，「弦外之音」的美學趣味，「雪中芭蕉」的時空興會，言意之辯對音樂繪畫等方面的啟發影

響也依稀可見。

八、言語樞機

《繫辭》上：「言行，君子之樞機。樞機之發，榮辱之主也；言行，君子之所以動天地也，可不慎乎？」言行並提，指出語言可以鼓動天地萬物，必須慎重對待。這種以嚴肅功利態度對語言使用進行強調，於現代語言發展方向的探討至今頗有意義。古人對言辭刻意修飾，出於心中誠正，所以《乾‧文言》說：「修辭立其誠」。修辭的過程，體現了某種審美選擇，這也就開啓了後代對語言的語法結構、修辭功能等方面進行具體分析的思維道路。如孟子反對「以辭害志」（《萬章》），人須「知言」，才能「詖辭知其所蔽，淫辭知其所陷，邪辭知其所離，遁辭知其所窮」（《公孫丑》）。王逸《離騷經序》則從譬喻角度高度評價了言語的作用：「依詩取興，引類譬喻，故善鳥香草以配忠貞，惡禽臭物以比讒佞，靈脩美人以媲於君，宓妃佚女以譬賢臣，虯龍鸞鳳以託君子，飄風雲霓以為小人。其詞溫而雅，其文皎而朗。」曹丕將修辭與文體結合立論，陸機、摰虞、劉勰等則從更多更廣的方面對語法、修辭、風格作了詳盡的闡述。

《周易》對語言的要求，還見於《家人‧象傳》：「君子以言有物而行有恆」，《艮卦》六五爻辭：「艮其輔，言有序，悔亡。」「言有物」是指言語要切合實際事物，要有誠正充實的內容，「同心之言，其臭如蘭」（《繫辭》下），即指心誠意通，沒有虛情矯飾。孔子主張「文質彬彬」（《雍也》），「質」就是「言有物」。墨子倡「三表」說，則是從另一角度闡述如何使言「有物」。「言有序」是說語言組織必須講求條理邏輯，語言紊亂無序勢將影響傳情達意。孔子說「辭達而已矣」（《衛靈公》），就

是追求暢達的語言秩序。後來蘇軾發揮說：「辭至於達，足矣，不可以有加矣」（《答王庠書》）。「言有序」的規範對諸子論辯也有啓發，孟子以「好辯」著稱，引人入彀，其中就很講究語言邏輯的條理順序。

　　《易經》的「言有物」和「言有序」，直接影響了淸桐城派所標舉的「古文義法」理論。方苞《又書貨殖傳後》：「義即《易》之所謂『言有物』也，法即《易》之所謂『言有序』也。義以爲經，而法緯之，然後爲成體之文。」桐城派結合兩者而闡述文章內容與形式的關係，比前代更完備更系統。

九、稱名取類

　　《繫辭》下：「夫《易》彰往而察來，而微顯闡幽。開而當名辨物，正言斷辭則備矣。其稱名也小，其取類也大，其旨遠，其辭文，其言曲而中，其事肆而隱。」「稱名取類」是《周易》比較突出的語言特點，對後世創作方法、文章風格諸問題的深入探討有著廣泛啓迪。藝術創作中常見的經驗是，「詩人感物、聯類不窮」。如何將無窮的有關聯的事物現象通過筆端有限的語言表達出來，這是客觀語言限制和主觀精神可能之間的創作矛盾，是至今猶待探索解決的藝術困惑。「名」，指事物的名稱；「類」，是事物的同異，藝術創作的目的就是以有限的語言文字（「名」）涵蓋無限的生活內容（「類」）。《詩經》中「比興」手段的運用，頗與《繫辭》所言契合。劉勰論《詩經》：「觀夫『興』之託諭，婉而成章，稱名也小，取類也大」（《比興》）。在《詩經》基礎上，《楚辭》將「比興」手法的運用推向了高峯。《史記·屈原賈生列傳》評《離騷》：「其文約，其辭微，……其稱文小而其指極大，舉類邇而見義遠。」《周易》「稱名取類」對創作的明

暗影響，由此可見。

「稱名取類」在藝術創作理論上的啓示，就是對於少與多的對立統一，個性與共性的相互依存，有限與無限的交融並匯等內在關係的深入探討。「以少總多」的創作意願，實際上已埋下了後世所謂「藝術典型」命題的潛在因子，它非少與多的任意排比羅列。《詩大序》論「風」是「以一國之事，繫一人之本」，已透現藝術概括的精闢眼光；陸機則用形象的語言論述了藝術概括的方法途徑：「或因枝以振葉，或沿波而探源，或本隱以之顯，或求易而得難」（《文賦》）；劉勰說：「文場筆苑，有術有門。」他拈出的「乘一總萬，舉要治繁」（《總術》）的方法，正與《繫辭》相通。他說：「以少總多，情貌無遺」（《物色》）。「以少總多」的具體內涵就是「酌事以取類」，「撮辭以舉要」，前者指根據內容需要對題材進行精鍊選取，典型深刻地反映生活，所以《事類》篇主張「取事貴約，校練務精，捃摭須核」；後者指以簡約的言辭表達深遠的旨意。然而正如葛洪所說：「屬家之筆，亦各有病：其深者，則患乎譬煩言冗，申誠廣喻，欲棄而惜，不覺成煩也；其淺者，則患乎妍而無據，證援不給，皮膚鮮澤而骨鯁迥弱也」（《抱朴子‧辭義》）。因此，劉勰主張「積學以儲寶，酌理以富才，研閱以窮照，馴致以繹辭」，「樞機方通，物無隱貌」（《神思》）。「稱名取類」對於創作的啓迪影響是非常巨大的。

十、賁飾尚素

《履》初九：「素履，往無咎。」胡炳文《周易本義通釋》謂：「《履》初言『素』，禮以質為本也。『賁』，文也，《賁》上言『白』，文之極反而質也。『白賁無咎』，其即『素履往無咎』與？」可見

《履》初九雖言禮事，與文飾也頗相通。《賁》上九：「白賁，無咎。」賁，指文飾。上九居《賁》卦之終，物極必反，所以文飾之道反歸於素白無華。「白」為事物本眞，事物以「白」為飾，則合於自然，所以「無咎」。古人喻禮以繪畫，也推崇樸素之美，《周禮·考工記》謂「畫繪之事，後素功」。《論語·八佾》「繪事後素」。就「素」為文飾本眞之色而言，畫繪後素與飾終反質的審美趣味是相通的。

賁飾尙素，是終極意義，是內在本眞，但它並不排斥外在文飾，而是否定極飾滅眞。《序卦》云：「賁者，飾也，致飾然後亨則盡矣。」韓康伯《周易注》：「極飾則實喪也。」可見「飾」「實」要求統一。從《賁》卦象意看，上艮下離，象喻山下有火，指山上草木花葉經陽光照耀後五彩繽紛的景象，「艮」是實，「離」是飾。《賁象傳》「柔來而文剛」，意為剛柔交錯，方能成文，表現了文飾與質素辯證統一的審美思想，直接影響了儒家文論，如「文質彬彬」之說（《論語·雍也》）。道家美學也深受影響，老子說「大巧若拙」，其深蘊哲理與《賁卦》爻辭足資相發，「大巧若拙」並不一概反對巧美，如同《賁卦》「尙素」並不一概排斥文飾。老子追求的是精工巧妙而又質樸自然的眞美境界，與「賁飾尙素」的對立統一理想正相呼應。

「賁飾尙素」和後世的「平淡」之美的追求，堪値比較。陶潛詩以「平淡」著稱，嚴羽謂陶詩「質而自然」（《滄浪詩話》），朱熹《朱子語類》云：「淵明詩平淡出於自然。」但是，平淡並非枯淡平庸，如同「賁飾尙素」不是推崇粗俗。葛立方《韻語陽秋》說：「欲造平淡，從組麗中來，落其紛華，然後可造平淡之境。」可見，「平淡」是一種「豪華落盡見眞淳」（元好問《論詩三十首》），是「皮膚脫落盡，惟有眞實在」（《苕溪漁隱叢話》引《正法眼藏》藥山禪師語）的「平淡」。梅堯臣曾感

嘆：「作詩無古今，惟造平淡難」（《讀邵不疑學士詩卷》）。歐陽修《六一詩話》記「聖兪平生苦於吟詠，以閑遠古淡爲意，故其構思極難」。平淡，難在能如食橄欖，頗耐咀嚼，回味無窮。蘇軾《評韓柳詩》：「所貴乎枯澹者，謂其外枯而中膏，似淡而實美」，可作爲「平淡」風格的形象寫照。

　　《周易》是中國文化的寶貴遺產，它深廣的意蘊猶如一顆璀璨的明珠，從對古典美學和文論批評的影響而言，上述例舉的十個方面，僅就微觀探討言之，與其說未能盡發其旨，不如說還只是它的幾道稜光；至於宏觀研究，如《易》理的系統性、層次性、時空轉換諸文化意識的影響，更是需要多層次多角度地加以審視探討，今後願與諸位共勉。

＊與張小平合作

（原載復旦大學出版社1991年版
《中國語言文學研究的現代思考》一書）

《周易》與中醫之道新說

　　傳統中華醫學，深受《周易》的影響。一般醫家，常以《周易》八卦文化爲基礎，在人體中尋找相對應的部位、腑臟、經絡，配合以陰陽五行學說的相生相剋之理，觀察人身的陰陽、表裡、寒熱、虛實種種生理運動，進一步用來診治疾病，富有動態的辯證思想因素。我非中醫，對有關醫學知識不敢妄言是非得失。不過，我讀《易》有年，受其啓發，以爲下述兩點應予提出。

　　一是現在醫家所稱之《易》卦及陰陽五行學說，多數來源於《易傳》、先天八卦圖、後天八卦圖及漢代象數之學等，並非直接來源於最早的《易經》。我們知道，今本《周易》分經、傳，「經」先有而「傳」後出。「經」指陰陽、八卦、六十四卦的卦形、卦象、爻象、爻位及卦爻辭。「經」的部分是在西周以前漫長的時期中形成的，表現了中華古人的文化智慧。而「傳」的部分，則由《文言》、《象傳》上下、《彖傳》上下、《繫辭傳》上下、《說卦傳》、《序卦傳》、《雜卦傳》七種十篇組成，故又稱「十翼」。「傳」援「經」以立說，是用來解釋「經」的，其性質與今天《周易》注釋述評相似，只是時代較古、產生於戰國時期。至於先天、後天八卦圖，雖然有伏羲氏及周文王演易作圖之說，實是後世封建士人的依託之作。如果要闡明《周易》對於中醫之道的影響，不僅要說「傳」，更應直接讀「經」，以便合乎歷史實際。《易傳》及先天、後天八卦圖當然寓藏了豐富的文化底蘊，但又摻雜了許多神祕恍惚的說法；而《易》之「經」這一部分，則更多透

露了中華古人的樸素辯證思想因素。

二是一般醫家讀《易傳》，多重治療人的生理疾病本身。但是，精神因素、心理殘疾，同樣是人類致病的重要原因。讀了《易經》之後，深入思考，自會明白治病治「心」的道理。這就進一步提出了預防、保健、養生醫學的重要意義。

一

中醫之道，講究陰陽平衡，要求進行綜合的全面的辯證施治。如《內經》云：「聖人之治病也，必先知天地陰陽，四時經紀」，「無伐天和」。又云：「陰陽四時者，萬物之終始也，死生之本也，逆之則災害生，從之則苛疾不起」。論其方法來源，當與《周易》八卦、六十四卦的陰陽矛盾觀念有關。《周易》以符號「--」象徵陽，「—」代表陰，陰陽矛盾對立，陽剛之氣與陰柔之氣交互運動發展，不斷組成新的和諧統一，宇宙萬物因而生生不息，富有生命活力。《周易》以陰「--」陽「—」三爻交互排列組成八卦：乾（☰）坤（☷）震（☳）巽（☴）坎（☵）離（☲）艮（☶）兌（☱）八卦各有自己的象徵物：乾為天，象徵義為健；坤為地，象徵義為順；震為雷，象徵義為動；巽為風，象徵義為入；坎為水，象徵義為陷；離為火，象徵義為麗（附著）；艮為山，象徵義為止；兌為澤，象徵義為說（悅）。以此類推，八卦還可以象徵其他相應的自然物及其相關意義。以《乾》《坤》二卦為例。除了代表天地以外，相關義還很多：乾為男，坤為女；乾為夫，坤為妻；乾為父，坤為母；乾為君，坤為臣；乾為上，坤為下；乾為晝，坤為夜；乾為日，坤為月；乾為暑，坤為寒……。天地、男女、夫妻、父母、君臣、上下、晝夜、日月、寒暑等等，組成了一對又一對陰陽對立統一的矛盾體系。

《繫辭傳》上發揮說：「一陰一陽之謂道」，概括了《易》卦的本質。循此而進，由八卦重疊，上下二卦陰陽六爻重新排列組合，推出了六十四卦。故《周易》實是殷周上古時代的一部變象的百科全書。六十四卦象徵六十四種最基本的事物或範疇的矛盾變化，反映了世界運動發展的客觀規律，象徵了古人對於宇宙自然及人生社會的基本認識。朱熹云：「天地之間無往而非陰陽，一動一靜，一語一默，皆是陰陽之理」①。天地自然與人一樣，陰陽失調，也會生「病」。反之，陰陽和諧，平衡發展，則自然風調雨順，社會安定和平，呈現勃勃生機。故《乾・文言》釋云：「大哉乾乎！剛健中正，純粹精也；六爻發揮，旁通情也（六爻的運動變化曲盡事物發展情態）；時乘六龍，以御天地；雲行雨施，天下平也。」所謂「天下平」，指的是陰陽和諧、上下通氣、中正平衡，獲得了吉祥兆象。相反，《乾》上九爻辭云：「亢龍有悔。」儘管飛龍秉陽剛之氣，直騰九霄，但是陽剛亢進，只知進而不知退，終於超越自己的能力，從天上摔了下來，悔之莫及。只陽不陰，不顧條件，不知矛盾轉化，同樣會帶來無窮的凶險與悔恨。自然如此，人也一樣。

中醫認為，自然是個大宇宙，人身則是一個小宇宙。人與自然，存在著同構的動態關係，因此，陰陽變化之理，原則一樣。人的生理及心理的健康與否，莫不與陰陽矛盾息息相關。明光宗朱常洛，因縱欲無度，腎精虧涸，陰虛陽亢，精力不支，加以庸醫之誤，投以亢陽大補之紅丸，遂致一命嗚呼！所以中醫治病，重在陰陽氣通。一個「通」字，蘊含著多少學問。宋代沈括《夢溪筆談》有一則調理慢性疾病的故事：

> 王文正太尉氣羸多病，真宗曾賜藥酒一注瓶，令空腹飲之，可以和氣血，辟外邪。文正飲之，大覺安健，因對稱

謝。上曰：「此蘇合香酒也。每一斗酒以蘇合香丸一兩同
煮，極能調五臟，卻腹中諸疾。每冒寒夙興則飲一杯。」
因各出數榼賜近臣。自此臣庶之家皆仿之，蘇合香丸盛行
於時。

宋眞宗之言頗合《易》理和醫道。治療心血管疾病，藥物的作用是
「入心以通竅，辟邪以開閉」。心絞痛病，「不通則痛」；藥到
病除，則是因爲「通則不痛」。所以蘇合香丸之類，至今仍是治
療心臟病的良藥。其實氣血流暢，循環道通，辟邪開閉，促進了
正常的新陳代謝，還具有養生防病的保健作用。中醫言「通」，
即自《周易》陰陽變化的矛盾觀念衍化而來。山東大學《易》學家劉
大均指出：「『中醫』不是『中國之醫』的簡稱，而是醫、《易》結合
的一個概念。以《易經》『中』的原理治病，恢復陰陽平衡，即是
『中醫』。」②原來，《易》六十四卦，每卦第二爻居下卦中位，第
五爻當上卦中位，二者象徵事物堅持中道，不偏不倚。陽爻居
中，象徵「剛中」之德；陰爻居中，象徵「柔中」之性。若陰爻
處二位、陽爻處五位（按：《易》例，一、三、五爲陽位，二、
四、六爲陰位），陰陽相應，既中且正，稱爲「中正」，是事物
盡善盡美的象徵，「中醫」之「中」，起源於此。故《坤·文言》
釋云：「君子黃中通理，正位居體，美在其中，而暢於四支
（肢），發於事業：美之至也！」其實何止中醫，受中華文化影
響較深的朝鮮醫學，也明顯可見《周易》的影響。最近，台灣《中
國時報》發表記者徐尙禮的專訪，說明朝醫之道，是李濟馬根據
「太極生兩儀，兩儀生四象」的哲學思想而創立的四象醫學。四
象醫學不僅解釋了人與自然、社會之間的辯證統一關係，又根據
人體臟局陰陽盛衰變化，把人分爲太陽、少陽、太陰、少陰四象
的人，通過獨特的生理、病理、藥物、臨牀的理論和療法，維持

了人體的正常生理活動。與中醫相比，具體治療方法有異，但論其講究陰陽矛盾辯證施治的醫學觀念，則共起源於《周易》。《繫辭傳》上敷演《易》理云：「故《易》有太極，是生兩儀，兩儀生四象，四象生八卦，八卦定吉凶」。這是從宏觀角度看《易》理在根本觀念上對於中醫之道的影響。

二

　　《周易》六十四卦中雖然沒有專設的醫卦，但許多卦的卦象爻義及卦爻辭，曾從醫學角度進行總結，體現了中華古人的文明智慧，給人以具體的啓迪。

　　對養生保健、預防疾病的高度重視。如《豫》卦（☷☵），上卦震（☳）爲雷，下卦坤（☷）爲地，大地雷動，人心振奮，象徵歡樂。保持歡樂心情有利於身心健康，是養生保健的重要內容。其六五爻辭云：「貞疾，恆不死」。貞，正也；疾，病也。意思是說，人們守持公道，內心愉悅，就能預防疾病，健康長壽而不會暴疾夭亡。這在一定程度上反映了古人的醫學認識。人爲什麼生病？《象傳》解釋云：「貞疾，乘剛也。」按照卦形爻位的動態分析，《豫》六五陰爻居尊位，居位不中不正，又乘凌於前爻九四陽爻之上。從醫學角度看，猶如爭利逞強，歡樂過度，陰邪之氣侵襲了陽剛正氣，破壞了人體正常的氣血運行，因陰陽失調而導致疾病。有鑒於此，作者呼籲人們提高警惕，持正防疾，事先預防，消解病患，從而促進健康。所以《象傳》又解釋說：「恆不死，中未亡也」。也就是說，人們應該努力鍛煉，事先培養體內的中正陽剛之氣，才能達到「恆不死」的目的。故《乾·象傳》云：「天行健，君子以自強不息」。浩然正氣，增強了機體抵抗陰邪之氣侵擾的能力，自會永保生命活力而康健長壽，這就是

《豫》六五爻辭所說「恆不死」的奧祕所在。這對後代的養生預防醫學很有啟發。

《周易》中的《頤》（䷚）卦，上卦艮（☶）象徵山，下卦震（☳）象徵雷，山有止義，雷有動義，山下雷鳴，下奮動而上知止，猶如口中上下牙齒咀嚼食物，所以象徵頤養之道。俗話說：「民以食為天」。誰能離卻頤養而侈言健康長壽？故卦辭云：「頤，貞吉。觀頤，自求口實。」意思是說，頤養之道，養之以正則吉祥如意。言外之意，不以其道而食之，如沈溺宴飲，夜以繼日，則傷身害命，有損健康。故《象傳》釋云：「頤，貞吉，養正則吉也。觀頤，觀其所養也；自求口實，觀其自養也。……頤之時義大矣哉！」就社會生活而言，所謂「頤養」，實際是擴大了的人類養生學。而頤養之道，又分為物質生活的頤養與精神生活的頤養兩大方面。如漢·魯匡云：「酒者天之美祿，帝王所以頤養天下，享祀祈福，扶衰養疾。」③「酒」為「酒食」之省稱，泛指美味佳肴，以之「扶衰養疾」，不正與後世的藥膳食補的養生之道相通嗎？這是物質頤養之例。又如漢·馬融《廣平頌》云：「夫樂而不荒，憂而不困，先王所以平和腑臟，頤養精神，致之無疆。」（見《後漢書·馬融傳》）這說的是精神心理方面的頤養之道。心平氣和，不過泰過甚，心理健全，精神愉快，有利於生理方面的平和腑臟，從積極方面為身心健康和長壽創造了有利條件。由此可見，養之以正，則精神化物質，兩種頤養一樣有利於養生保健。一般人以為，有吃有喝就是好，大量吸收高蛋白，一定有利於身體健康，但事實恰恰相反。漢·枚乘《七發》指出：

今夫貴人之子，必宮居而閨處，……飲食則溫淳甘膬（脆），胹（肥肉）醲肥厚，衣裳則雜遝（眾多貌）曼

煖，燀爍熱暑。……縱耳目之欲，恣支體之安者，傷血脈
之和。且夫出輿入輦，命曰蹷痿（麻痺瘋癱之症）之機；
洞房清宮，命曰寒熱之媒；皓齒蛾眉，命曰伐性之斧；甘
脆肥膿，命曰腐腸之藥。今太子膚色靡曼，四支委隨，筋
骨挺解，血脈淫濯，手足墮窳（懈怠萎弱）；越女侍前，
齊姬奉後；往來遊宴，縱恣於曲房隱間之中。此甘餐毒
藥，戲猛獸之爪牙也。所以來者至深遠，淹滯永久而不
廢，雖令扁鵲治內，巫咸治外，尚何及哉！

楚太子山珍海味，羊羔美酒，過泰過甚，吸收不了，反而破
壞身體的正常消化功能，有害健康，故稱「腐腸之藥」。窮奢極
欲，不僅不利於養生防病，而且化為促壽的毒藥。

《周易》中的《無妄》卦（☲），上卦乾（☰）為天，下卦震
（☳）為雷，天下雷動，聲威赫赫，誰敢妄行？所以象徵不妄
為。身不妄為，持之以正，心安理得，自然有利於身心健康。這
也合於養生防病之道。晉·葛洪《抱朴子·用刑》篇云：「明治病
之術者，杜未生之病」，提倡以預防為主的醫學。讀《無妄》卦，
明白身不妄為的重要意義，自然利於養生防病。在生活中胡作非
為、倒行逆施的人，雖然可能得逞於一時，但心理失卻平衡，長
期陰陽失調，怎能不得迷狂之症或其他疾病？因此，治病之先，
預防為主。故《無妄》九五爻辭云：「無妄之疾，勿藥有喜。」大
意是說，身不妄為而偶染微疾，不必服藥而有自癒之喜。《無妄》
九五之爻，為一卦之主，陽剛中正，下應陰柔之六二，陰陽呼
應，自然和諧，猶如身體素質強健，內在免疫力強，所以偶然生
點小病，無須吃藥而病自消失，此之謂「有喜」。這不是否定藥
物的治病作用。因為「勿藥有喜」是有條件的，前提是「無
妄」，即遵循生活的客觀規律而秉正以行，身心和諧。不過體內

的陰陽之氣永遠處在運動變化之中，在衝破暫時的平衡和更高一層的新的平衡到來之前，也會出現陰陽消長、暫時比例失調的現象，因而身體偶有不適的反饋，也屬正常範圍。只要加強鍛煉，增強體質，提高體內的抵抗力，自能克服，而無須服藥。故唐·孔穎達《正義》釋云：「若疾自己招，或寒暑飲食所致，當須治療；若其自然之疾，疾當自損（自行消失），勿須藥療而有喜也。」晚唐穆宗病癒，當時的蘇州太守劉禹錫稱《易》以賀，云：「勿藥有喜，如山永安。」④現在社會實行公費醫療及勞保制度，這原是一件社會保障的好事。但有少數人不自覺，鑽吃藥不要錢的空子，無病呻吟，小病大養，胡亂服用貴重補藥，結果，老實人一旦有病，卻因單位醫療費超支而難以得到很好的治療。這些「聰明人」自以為占了國家的便宜，實際卻是誤人害己。從無病→小病→大病→轉化為不治之病，成了殺害自己的真凶。這又從反面說明了（無妄）九五爻辭「無妄之疾，勿藥有喜」的正確，揭示了古代提倡養之以正預防醫學的意義。

《周易》中的《艮》卦（☶）上下卦都是艮（☶），艮為山為止，巍然止而不動，象徵抑止之義。抑止邪念惡習，同樣是身體健康的重要保證，因而構成了古代養生保健、預防醫學的重要內容。《象傳》發揮了《艮》卦義理云：「艮，止也。時止則止，時行則行，動靜不失其時，其道光明。」社會如此，身體亦然。人生塵寰，受世俗生活的影響，不可能絕對六根清淨，偶有邪念私欲惡性膨脹而養不以正的時候。在這種條件下，必須當機立斷，以《易》治心，如《艮》抑止，以正制邪，順應自然，以盡快恢復「動靜不失其時」的陰陽平衡，這樣疾患自退，「其道光明」。不過人生一世，也不可能保證永無病患。如前孔穎達所說：「若疾自己招，或寒暑飲食所致，當必治療」。說明《易》理又不諱疾忌醫，有病就要積極治療。

　　《蠱》卦（䷑）上艮（☶）為山，下巽（☴）為風，程頤《伊川易傳》釋云：「山下有風，風遇山而回，則物皆散亂，故為有事之象」。所謂「物皆散亂」，擬之人體，就是陰陽之氣嚴重失衡，如腑臟間的生成循環過程遭到破壞，導致機體的正常新陳代謝及生理機能的紊亂，從而失去抵抗力而引發疾病，所以《易》稱蠱疾。蠱，《說文》謂「腹中蟲」，即人體內的寄生蟲。李鼎祚《周易集解》引伏曼容云：「蠱，惑亂也」。從文字訓詁看，「蠱」字從蟲從皿，器皿為置食物之具，蟲在皿中，則為食物腐敗生蛆之象。以蠱食為頤養之物，人怎能不病？所以「蠱」有惑亂爛壞之義。但古時之「亂」又可引申為治亂，如《尚書・泰誓》中：「予有亂臣十人。」《爾雅・釋詁》訓「亂，治也」，所以「亂臣」指治理救亂之臣，而非叛亂之臣。由此而「蠱」為惑亂，又可引申為「治蠱」，即治理蠱疾。據《左傳》昭公元年載，晉平公縱欲無度，淫於同姓諸女致疾，日漸沈重。於是請秦國名醫和治疾。醫和說是「近女室，疾如蠱」，又說「淫則生內熱惑蠱之疾」，批評晉平公養不以正，只知一味追求感官刺激和性享受，而不知養生防病的重要，終因聲色過度而病入膏肓。如蘇軾《東坡易傳》所分析：「蠱之災非一日之故也」，「人久宴溺而疾生之」。蠱疾之起，由漸進而爆發，只要能及時懸崖勒馬，還是有救的。因此，有病就須盡早檢查、發現和治療，及時「治蠱」，才能迅速恢復健康。南宋末楊泰之曾對宋理宗說：「法天行健，奮發英斷，⋯⋯以救蠱弊，以治新功。」⑤大至天下，小至一身，道理是相同的。

三

　　讀《易》可以清心，是中醫界所承認的。

　　人的生活，分爲物質的和精神的兩方面。只有物質而缺乏精
神，則人將不人。《易》理非常重視防病治病中的精神心理因素。
如《兌》卦（☱），上下卦皆兌（☱），象徵歡欣愉悅。八卦之
中，兌爲澤，《兌》卦則上下皆澤，交互滋潤，即使處在困境之
中，也能夠相濡以沫。《象傳》就此發揮說：「麗澤，兌；君子以
朋友講習」。所謂「朋友講習」，是一種象徵說法，泛指有益的
精神頤養之道。漢・鄭衆注云：「樂耽於酒，則有沈酗之凶；志
累於樂，則有傷性之患，所以君子樂之美者，莫過於《尚書》、
《詩》，敦習道義，教之盛矣，樂在斯矣！」⑥漢人盛稱《詩》、
《書》能夠愉悅精神，利於身心健康，是經學時代的認識。今天人
們不必復古，但是領會精神，讀點情趣高尚、內容健康的書刊，
一樣有益於精神生活。由此可見，高層次的精神文化薰陶，直接
關係到身心健康。反之，只追求物質刺激，而不問精神文化，鼠
目寸光，則將悔之莫及。

　　又，《兌》九四爻辭云：「介疾有喜」。王弼注：「介，隔
也」。能夠隔斷、甚至是杜絕邪念惡習，改爲「朋友講習」的良
好風氣，自然消災彌難，不生疾病，而歡欣喜慶。這又說明精神
因素的積極治療作用。相反，整天精神不振，悶悶不樂，心理壓
抑，思想不通，由於中樞神經指揮系統失控，造成內分泌系統紊
亂，誘發種種疾病，也是事實。如《睽》卦（☲）象徵睽違，上卦
離（☲）爲火，下卦兌（☱）爲澤，如水火之不相容，陰陽之失
平衡，必然招災致病。如《豐》卦（☳）六二爻辭云：「豐其蔀，
日中見斗，往得疑疾。有孚發若，吉」。豐，豐碩，擴大。蔀遮
蔽光明之物，如草席之類。斗，北斗星座。疑疾，疑心病。孚，
誠信也。若，助詞，無實義。爻辭大意是，自我精神擴張，以草
席遮蔽太陽，於是產生了中午見到北斗星幽暗幻象，繼續想下去
就會得疑心病。只有發揮自我內心正直之誠信，才能疾癒而獲吉

祥。提出了以「正」治「疑」的心理治療法。又《睽》上九爻辭
云：「睽孤，見豕負塗，載鬼一車，先張之弧，後說（脫）之
弧，匪寇，婚媾，往遇雨則吉」。爻辭大意是說，與世睽背，孤
獨至極，精神壓抑，頓生幻想；眼前似有髒豬堵路，又見鬼怪一
車，疑其害己，於是彎弓欲射；但被甘雨（按：雨水象徵陰陽和
合）當頭澆淋，頓時清醒，定睛一看，才知實是結婚迎親的隊
伍，於是疑懼消失，急忙放脫弓箭而前往迎接。故《象傳》釋云：
「遇雨之吉，羣疑亡也」。生活的重壓超過一定的限度，精神負
荷超載運轉，就可能因極度的緊張心理情緒（如悲觀失望，失戀
痛苦、驚恐疑懼、噩夢囈語等）而產生虛有幻象，進一步就會心
理防線崩潰，導致精神殘疾。其病根就在一個「疑」字。因而預
防並進一步治療精神疾病，重要的在以至正至明之心而釋其
「疑」。疑雲消散，情緒恢復正常，則疾病自然消失。一旦發現
心理有不正常，就必須誘發理智，安定情緒，如《損》卦（䷨）六
四爻辭所說：「損其疾，使遄有喜，無咎」。也就是說，及時減
損思戀疑懼的痛苦，迅速跳出孤獨苦悶的個人小天地，投身於陰
陽和合的大自然懷抱或社會羣體之中，必無咎害。精神疾病患者
如果永遠禁錮在個人疑妄叢生的小圈子中，怎能不病上加病？若
是社會大家庭能夠及時伸出友愛之手，熱情關懷，患者疑妄冰
釋，則利於身心健康。「使遄有喜」，說明了社會羣體對於精神
疾病患者的共同愛心和責任，但是這與社會制度密切相關，有待
於世界的進步。

　　對於疑心過重，易致精神疾病患者，《節》卦所示，利於情緒
的疏導宣洩，有益心理健康。《節》卦（䷻）象徵節制疏導，上坎
（☵）為水，下兌（☱）為澤，水上加水，大澤四溢，則將有洪
水之患，怎可不加節制和預防？象徵意義非常深刻。為防水災，
築堤修閘之類，是早該預防之事。對於精神疾病患者，心理的堤

防和閘門也一樣起到了節制疏導的作用。不過節制疏導又自有其道，節不以正，超過限度，成爲強制的「苦節」，則效果適得其反。故《節》卦辭云：「苦節不可貞」。貞，正也。王弼注：「爲節過苦，傷於刻薄，物所不堪，不可復正。」七情六欲，人皆有之，其心理情緒，利於疏導而不利於壓抑。因此，即使是偏激憤怨之情，也必須爲它尋找一個突破口加以宣泄。方能恢復正常。相反，過分克制和壓抑，悶在心中而不與人通，則容易導致心理變態或其他精神殘疾。故卦辭云：「苦節不可貞」，實爲至理名言。二十世紀初流行於西方的佛洛伊德精神分析學說，以大量的病例事實，充分證明了壓抑與變態心理的必然聯繫。但是《周易》作者在幾千年前，早已斷言「苦節」（即壓抑）爲「凶」（見《節》卦上六爻辭），暗合今之科學精神。而「苦」與「甘」是一對矛盾，二者相反相成。如明末東林黨領袖左光斗云：「凡過心過形皆苦，去其太甚則甘」⑦。《周易》因勢利導，提倡順應自然的「甘節」。「甘」者，甜美之謂也。自覺自願地加以節制，而非強暴壓迫的節制，才有甘美可言。這是啓發自覺，提倡適當疏導，以便解放那被壓抑的情感和要求。故《節》九五爻辭云：「甘節，吉」。「甘節」與「苦節」這一對矛盾，一「吉」一「凶」，兩相比較，作者提倡什麼，否定什麼，一目了然。漢·淮南王劉安曾說：「樂作而喜，曲終而悲，悲喜轉而相生。」⑧又說：「且喜怒哀樂，有感而自然者也。故哭之聲發於口，涕之出於目，此皆憤於中而形於外也」⑨。感情不能強行壓制不使發作，而應啓發自覺，積極疏導，適當宣泄，以取得內在心理平衡。相反，封建統治者擺出一副「以禮樂自防」的虛僞面孔，主張苦節和禁欲，實是男盜女娼，造成了強烈的內心壓抑，導致了嚴重的情緒混亂和心理變態，形成了心理殘疾或精神病患。劉安一針見血地批判了這些僞君子，說：「出見富貴之樂而欲之，入

見先王之道又說（悅）之，兩者心戰」。於是勉强「迫性閉
欲」，故意「雕琢其性，矯拂其情，以與世交。故目雖欲之，禁
之以度；心雖樂之，節之以禮……外束其形，內總其德，鉗陰陽
之和，而迫性命之情，故終身爲悲人」⑩。劉安從正、反兩方
面，形象地描繪了《周易》提倡「甘節」，反對「苦節」的道理，
很有說服力。强制推行「苦節」的禁欲主義，壓抑情緒，「心
戰」於內，失衡於外，造成精神崩潰。尋根究源，社會精神病患
及心理疾病的大量增加，原因當然很多，但與禁欲、壓抑的「苦
節」直接有關。所論發人深省，爲防病治病者鑒。

四

　　注重精神心理因素，化消極爲積極，是《周易》涉及醫道的又
一重要內容。如《離》卦（☲），上下卦皆爲離（☲），離象徵
火，或曰上下皆離（☲），如「日月麗乎天」（《象傳》），象徵
附麗。《離》卦原是象徵附麗之事應該柔順守正以保持暢達亨通的
人生哲學。但是「附麗」並非奴隸式的依順，而應有自己的思
考。不僅對社會人事如此，即小到身體健康也一樣。面對人所依
附的客觀現實，同樣必須開動腦筋，以便爭取健康的生活。《離》
九三爻辭云：「日昃之離，不鼓缶而歌，則大耋之嗟，凶」。這
從反面告誡人們，應該如何進行積極的人生思考。離，附麗也。
缶，瓦器，原是用來盛酒食或飲水之類，古人也常用作打擊樂
器。這裡取後一義。大耋，極言人之年老。爻辭的大意是：黃昏
時刻，殘陽附著懸掛於西天，此時此刻，老年人如不敲著瓦盆歌
唱而自得其樂，鼓舞精神，就會面對如血殘陽，觸景生情，嘆老
嗟卑，興人生日暮之悲，那就會把人引入凶險的困境。爻辭以面
對「日昃之離」客觀情境的不同態度爲例，說明了老年人的生理

變化和心理需求。老年人的一般生理特點是，遠期記憶甚爲清
晰，而近期記憶近乎健忘，因此思想常是回憶過去多，思考未來
少，輿人生苦短之嘆。一旦面對殘照落暉，容易產生人生易老、
日暮途窮的悲觀心理。這種消極頹放情緒，又反過來促使人的生
理功能的衰退，從而加速生命的老化以至於死亡。《周易》作者認
識到這一道理，所以指出老年人應該積極「鼓缶而歌」，或做些
類似的有益身心健康的活動，以便保持昂揚開朗的樂觀心情，繼
續不斷地激發內在的生活熱情和生命活力，爲人類作出自己的貢
獻。反之，悲觀厭世、感傷嗟嘆、萎靡不振，從精神上早已把自
己擊垮了，這無疑是自息生命之火。現實清楚地說明了這一點。
有的人退休以後，六十來歲，家居無聊，無事可做，又不習慣於
看書，於是百無聊賴，整天對著天花板發呆，終於很快走完人生
旅程。相反，我所熟悉的幾位老教授，一直到了晚年，仍然手不
釋卷，著述不輟，因此活到九十幾歲高齡，表現了極其旺盛的生
命活力。《離》卦九三爻辭所謂「鼓缶而歌」，只是一種象徵性的
說法，並不一定要求老年放聲歌唱，任何力所能及、有益身心健
康的活動，都可稱爲「鼓缶而歌」。由此可見，「鼓缶而歌」，
精神樂觀，對於身心健康很重要。《易》理與醫道相通，提倡化消
極情緒爲積極人生，有益健康，益壽延年，至今仍然值得借鑒。
精神心理因素之於醫道是如此重要，所以《易·繫辭傳》上用「聖
人以此洗心」一語來作概括的解釋。「洗心」云者，就是思想情
緒的平和安定，精神心理的純潔淨化，這種內在靈魂的昇華，就
會轉化爲生理的健康長壽。

---

①《朱子語類·讀易綱領》。

②《中國醫學報》1990年12月7日。

③《漢書·食貨志》。

④《劉賓客文集・蘇州賀皇帝疾愈表》。

⑤《宋史・楊泰之傳》。

⑥王仁俊《玉函山房輯佚續編三種》引。

⑦馬其昶《重定周易費氏學》引。

⑧《淮南子・原道訓》。

⑨《淮南子・齊俗訓》。

⑩《淮南子・精神訓》。

（原載《復旦學報》社科版1992年第3期）

《周易》與古代科技及經濟生活

　　《易》道廣大，其百科知識中，當然也包含了對於古代科學技術及經濟生產活動方面的知識結晶。它的影響是巨大和深遠的，不僅是對中國古代的科技和經濟發展有影響，甚至也影響了世界的文明發展。中國是世界的四大文明古國之一。中國古代的科學技術和經濟發展，曾雄踞世界文明之巔。這一輝煌成就，就與《周易》的影響有關。前曾稱引《易·繫辭傳》，以爲《易》有四大功能，「以制器者尚其象」是其中之一。《易傳》作者認爲古代的「制器」活動，有來自《易》象《易》理啓發方面的原因。所謂「制器」，就是運用古代的科學技術智慧來發明生產技藝、創造文明工具，用以改造自然和促進經濟生產的發展。黃顯功《東方智慧的聖火》一文概括地說：

　　　　幾千年來，層出不窮的科技發明與創造，極大地促進了中國物質文明的發展。當我們縱觀先賢創造的科技成就時，就可以從中清楚看到《周易》所發出的智慧火花。《周易》與中國古代科技的關係主要表現在三個方面：一是《周易》本身就包含有關自然科學的內容；二是《周易》的思想內容直接影響了中國古代的科技理論與實踐；三是中國古代的學者們運用自然科學知識解釋和豐富了《周易》或用《周易》表達了有關科學問題。（見胡道靜、戚文等編著《周易十日談》92頁，上海書店1992年版。）

首先，介紹一下《周易》六十四卦本身所包含的有關自然科學和經濟活動方面的內容。有關天文氣象方面知識的記載，如《坤》初六爻辭：「履霜，堅冰至。」《周易集解》引干寶的解釋：「陰氣始動乎三泉之下，言陰氣動矣，則必至於履霜，履霜則必至於堅冰，言有漸也。」古時多以陽氣象徵從東南方向吹來的暖空氣，而以陰氣象徵從西北方向吹來的冷空氣。從《坤》初六所言之「霜」或「冰」，實是冷空氣漸積漸盛的結果，象徵了從初冬積寒而發展到嚴冰大寒的季節變化，說明了氣候轉換的漸變過程。

又如《小畜》卦辭：「密雲不雨，自我西郊。」《小過》六五爻辭：「密雲不雨，自我西郊。公弋取彼在穴。」這也是對於氣象觀察的概括，指出我國北方在從西北方吹來的冷空氣的控制下，濃雲密布，陰霾滿天，但因缺少東南方吹來暖空氣的交匯融合，陰陽失調，所以不會下雨。在這種冬天季節，野獸藏伏，蝟蛇冬眠，無雨晴天，對於人們尋找獸穴、弋射獵物的生產活動非常有利。古時周人地處今陝西一帶，所言氣候季節，相符若契。古代周民族雖重農業，但是狩獵乃是一種軍事訓練乃至是重要的生產活動。以射獵為生，古代西北方少數民族常有此習慣。

再如《復》卦辭云：「反復其道，七日來復。利有攸往。」《象辭》釋曰：「反復其道，七日來復，天行也。」所稱「天行」，指的是宇宙自然的客觀發展規律，順其自然，利於前進。這說明了古人對於「七日來復」的一種重要認識。「來復」就是往而復返、失而復得、周而復始、生生不息的意思。所以《解》卦辭有云「其來復吉」之語。那麼「來復」為什麼一定是「七日」，而不是六日或其他數目呢？因為《既濟》六二爻辭，《震》六二爻辭均有「七日得」之語。還有《易》之經卦，如《蠱》卦辭：「先甲三日，後甲三日。」《巽》九五爻辭：「先庚三日，後庚三日」。「甲」、「庚」分別是古時十個天干中的第一和第七，其

前後各三日之和爲六日，如再加上「甲」日或「庚」日，則爲七日，同樣合於「七日來復」之說。可見這不會是偶然的巧合，「七日來復」是古人的一種成說，是當時天文曆算知識的結晶。關於這一點，古代學者有許多不同的解釋。我們以爲今人黃壽祺、張善文《周易譯注》據王國維《生霸死霸考》一文所作的解釋，通俗易懂，比較合乎古代科技發展的實際情況：「我國出土的青銅器銘文中，保留有一種現存文獻失載的周初紀日法，即按月亮盈虧規律，分每月爲四期，每期七日（或因八小月有八日者），從月初至月末依序取名爲『初吉』、『既生霸』、『既望』、『既死霸』（見王國維《觀堂集林》卷一）。據此，『七日』正爲日序周期轉化之數。『七日來復』，當取此象徵『轉機迅速』之義，猶今語『一星期之間』。」（第204～205頁，上海古籍出版社1989年版）可見卦辭中的「七日來復」，暗合於現在的「星期」概念。

又《豐》六二爻辭：「豐其蔀，日中見斗，往得疑疾」。九三爻辭：「豐其沛，日中見沫；折其右肱，無咎。」所謂「日中見斗」，直譯爲日升中天之時，卻突然昏暗而見斗星；「日中見沫」，直譯爲中天之日而出現暮夜之星，同樣是昏暗蔽明之象。一片光明景象的中天之日突然消失，爲什麼呢？據黃顯功《東方智慧的聖火》一文說，這是古人有關天象觀測的反映。據研究，「《周易·豐卦》中的『日中見斗』和『日中見沫』，是迄今所知世界上最早的太陽黑子記錄，時間約在西元前800年左右。此外，《周易》還具有以星象來比附人事，用人事來潤色星象，使星象人格化的特點。」（《周易十日談》，第九四頁）古代有關天文星象及季節變化的知識，對農業、畜牧業及經商活動有重大的意義。因此，《易》之經卦，多取天文星象之事，可以理解。所以《賁》卦的《象》辭解釋說：「觀乎天文，以察時變。」《繫辭傳上》也說：「仰以觀於天文，俯以察於地理，是故知幽明之故。」《易》卦中

的天文地理、星象曆算知識，是古時的科技知識的一種形象概括，對後世頗有影響。「觀乎天文」影響後來的「天人感應」學說，甚至是自然哲學，成爲發展古代科技生產的一股思想指導力量。

有關生理衛生知識方面，《易》卦《易》理提倡的主要是以積極預防爲主的自我保健的養生醫學，前面《〈周易〉與中醫之道新說》」一文已有論述，可參閱。這裡略作補充。如《大過》卦（☱），從卦象看，上兌（☱）爲澤，下巽（☴）爲木，樹木爲深水所淹沒，怎能正常生長？這正是大爲過甚之時。而從卦形看，本卦四陽居中，兩陰處外，陽大盛而陰衰弱，以喻棟樑兩端柔弱不勝其壓而彎曲下折。處在這種反常狀態之時，就必須矯枉過正才能救其弊端。所以九二爻辭云：「枯楊生稊，老夫得其女妻，無不利。」稊，樹木新生嫩枝幼芽。枯木逢春再萌枝芽，和老夫娶得年輕嬌妻而重新激發生命活力意思相似，用以比喻九二陽處中位，下比陰柔之初六，以其陽剛之力而爲陰柔初六分擔重壓，剛柔相濟，各有收益。在自然界中，枯木逢春的現象並不少見。樹木之枯，是因「失其陰陽之性」所致（《淮南子·原道訓》）。男人之「老」，也常因「失其陰陽之性」而未老先衰。如能創造條件，致其陰陽相和相濟，則可激發其內在的生命活力，重新煥發青春。老夫少婦，如與年輕伉儷相比，似爲反常現象，表現出大爲過甚之態，一般輿論會持批評態度。但在上古時代以男人爲中心的社會中，則這一現象不在少數。就是今天現代社會的婚姻法，也並不禁止老夫娶少妻的行爲，只要雙方自願，就是合法婚姻。爲什麼？其中有生理衛生方面的科學根據。某國外醫學雜誌，曾就世界頂尖的名科學家作調查，發現其中許多人，是老夫少妻所生。爲什麼？他們認爲，女性二十五歲發育成熟，是最佳生育年齡，卵子最爲健壯；而男性則不然，四、五十歲時的

精子，不僅成熟，而且積澱著智慧的基因。而成長爲科學家的生理條件，大腦發達，善於思考的睿智，更甚於健壯的肌體。在上古時代，四、五十歲的男人，當然屬於「老夫」之列了。於此可見「枯楊生稊，老夫得其女妻」，激發其內在的青春活力，對於男人及其家族的子孫遺傳，的確是無往而不利之事，這可能和古代社會地廣人稀，而發展生產和從事戰爭都要繁殖衆多人口、提高民族素質有關。《管子》卷十八《入國篇》云：「所謂合獨者，凡國都皆有掌媒。丈夫無妻曰鰥，婦人無夫曰寡。取鰥寡而和合之，予田宅而家室之，三年然後事之，此之謂合獨。」《管子》一書，雖是戰國時人的作品，但是所記載的古代的事，想必有其根據。古時政府專門設立了媒官，採取行政措施，「強制」地進行「合獨」的工作，使鰥夫寡婦重建家室，若生活有困難，「予田宅而家室之」，政府還給予幫助。這種情況，在後來封建社會中是不可思議的荒唐之事，但在上古時代，卻是見諸文字記載的事實。鰥夫多爲老漢，老夫再婚娶妻，是受到政府鼓勵和法律保護的佳話。《管子》暗示，如果老夫因喪偶而矢志守鰥，則不僅不予支持，而且將受到政府律法的管制，強迫其行「合獨」之禮。這雖是發生在《易》卦時代之後的事情，但也可見《大過》九二爻辭「枯楊生稊，老夫得其女妻，無不利」的影響痕跡。不過，與《大過》九五爻辭「枯楊生華，老婦得其士夫，無咎無譽」之言相比，爲什麼同是「合獨」之事，同樣矯枉過正，九二老夫少妻無不利，而九五老婦少夫卻是「無咎無譽」、不甚光彩呢？其中，除了上古社會男尊女卑正統觀念的偏見外，是否還有男女生理衞生方面有所區別的原因呢？或許古人從老婦少夫遺傳子孫不蕃盛不壯健不聰明等方面的事實，看到了一些問題呢？《易》卦爻辭，啓人進一步去思考。

有關商旅經濟方面的思考。如《小畜》卦（☴）九五爻辭云：

「有孚攣如，富以其鄰。」孚，誠信也。攣如，相互牽繫之貌。
《小畜》卦象徵小畜聚，生活小康。九五爻位居中且正，率其他四
陽共扶一陰，彼此以誠相待。「富以其鄰」，指的正是陰陽共奔
致富之道，一家富不如大家富，這樣國家才能安定團結、繁榮昌
盛。又如《泰》卦（䷊）象徵著天地交泰，其六四爻辭：「翩翩不
富，以其鄰，不戒以孚。」按《易》例，陽「—」為實，陰「--」
為虛，虛為不殷實之象，所以稱「不富」，六四已從下卦轉升到
上卦，在天地交泰的環境中，已隱含居安思危的告誡，所以用
「不富」來加以形容。但是，六四與其鄰居六五、上六二爻，均
下應三陽，上下陰陽相和，彼此以誠信相交，所以雖然暫時生活
「不富」，但仍是安泰如素，致富有望。要想致富，就要先想到
「其鄰」，共同努力，才有富裕之日。據此，《謙》六五爻辭有
「不富，以其鄰利用侵伐，無不利」之言。即使是討伐驕逆以企
望改變其「不富」處境，也必須與「其鄰」共同商量，一致行
動，才有望達到目標。其次，與「其鄰」必須「以孚」相交，誠
信為本，也就是，致富必以正道，而不要做損人利己以牟取暴利
的壞事。這一「富以其鄰」，共同富裕；以誠為本、富而有道的
致富之路，對傳統的富國實家的傳統觀念，頗有影響。比如孔子
提出「富而無驕」，「富而好禮」（《論語‧學而》），又說：
「富與貴，是人之所欲也。不以其道得之，不處也。」（《論
語‧里仁》）這也是《易》卦致富以誠信為本這一基本精神的發
揚。又如《史記‧貨殖列傳》曰：「倉廩實而知禮節，衣食足而知
榮辱。……故君子富，好行其德。……人富而仁義附焉。」於此
可見《易》卦致富以正的思想影響。富以其道，誠正為本。如果真
正貫徹了這一精神，那麼就會獲得「其鄰」（象徵其他人，小至
個人，大至不同民族或國家）的支持和擁護，大家相互幫助，就
能由「不富」而致富裕。又如《損》六五爻辭所云：「或益之十朋

之龜，弗克違，元吉。」《益》六二爻辭：「或益之十朋之龜，弗
克違，永貞吉。」朋，古時的貨幣單位，崔林注《漢書‧食貨志》
云：「兩貝爲朋。」又云：「十朋之龜，猶言『百金之魚』耳。」
可見古時元龜具有極高的經濟價值，身價是「十朋」——即二十
大貝。「其鄰」爲什麼要再三再四地贈送「十朋之龜」這麼貴重
的禮物呢？因爲自己待鄰以誠孚之正，共奔富之道。鄰居富了，
自己也水漲船高，隨著富裕。《家人》卦六四爻辭因此而云:「富
家，大吉。」

　　《易》卦又顯示了商旅貿易是致富的重要門徑。如《大畜》(☳)卦
辭云：「利貞，不家食，吉，利涉大川。」在天下大有畜聚之
時，要防止人們及時享樂，不思進取，因爲坐吃山空，怎能永遠
保持大有畜聚的盛世？因此，要鼓勵人們外出經商致富，雖然商
旅中有涉水渡川之險，也在所不顧，這就是卦辭所稱「不家食，
吉」的意思。又如《旅》(☲)六二爻辭：「旅即次，懷其資，得
童僕，貞。」描繪的是上古時代身懷錢財、攜帶童僕、外出經商
的活動。貞，正也。說的仍然是經商致富不可以欺詐，而應守持
貞正，以誠爲本。但是，古時商旅途中，多有不測之事，並非盡
皆太平，所以《旅》九三爻辭云：「旅焚其次，喪其童僕，貞
厲。」經商旅途，災難甚多，「旅焚其次」，童僕逃走，僅是一
個象徵性的比喻，一切災難，如遭搶劫，或經商失敗，不僅無利
可圖，而且有虧蝕老本的危險，都可稱爲「旅焚其次」，猶如一
把火燒光了資本一樣。因此，外出經商旅次，一定要時刻警懼，
守持正道而慎防凶險。臨危不懼，在災難降臨時刻也不喪失信
心，持之以恆，則有可能逢凶化吉，轉敗爲勝。故《震》卦(☳)
六二爻辭云：「震來厲，億喪貝，躋於九陵，勿逐，七日得。」
在雷聲震天動地的災難降臨之時，六二處位中正，並不因突然喪
失大批貨貝資金而驚慌失措，他並沒有急著追回失貨，而是「躋

於九陵」，旣可避險，又能登高望遠，俯取全景，反思商旅活動
的全過程，以便衡量利害得失，重新決策行事。這樣，最後必然
是「七日得」——比喻商旅之中扭虧爲盈，逢凶化吉。經商活動
中的風險，被卦爻辭描繪得活靈活現。這也告誡人們，經商致富
道上，人們要有風險意識。以頑强毅力和有力措施去克服風險，
就有可能失而復得，獲取厚利。

　　而經商活動，重要的條件又是交通設施，所以《易》卦爻辭又
寫盡古代交通發展中的甜酸苦辣。如《大有》卦（☲）上離（☲）
爲火，下乾（☰）爲天，有光明普照天下之象，故《程傳》釋云：
「火高在天上，照見萬物之衆多，故爲『大有』。」其九二爻辭
云：「大車以載，有攸往，無咎。」在國阜物豐人民富足的時
代，外出經商，更易致富。因爲生產是爲了消費，消費者錢袋飽
滿，那麼通財貨之有無的商人不就更是有利可圖了嗎？因此，大
車滿載貨物，前往經商，無須疑懼，放心而行，必無咎害。古時
交通，依靠的是牛馬等畜力拉車，「大車」猶如今天的汽車、火
車，滿載貨物，周流天下，以通工商漁鹽之利。因此，改善交通
工具「大車」，對於商旅之事非常重要。反之，損壞或破壞交通
工具，則對經商活動造成巨大的困難。如《小畜》九三爻辭云：
「輿說輻。」說，「脫」的通假字。車輪輻條脫散，如何能承擔
載貨致遠的重擔呢？這是很現實的事。因此，商旅途中，也應視
交通工具及路途實際情況而或行或止，暫止以修理好脫散輻條的
車輪，其止正是爲繼續前行創造條件。故《大畜》九二爻辭云：
「輿說輹。」輹，車旁橫木，行則縛，止則脫，猶如現代汽車離
合器，用以調節車輛行止。車不能永遠行駛，總有休歇停止的時
候。比較一下《小畜》九三「輿說輻」，和《大畜》九二「輿說
輹」，前後情況大不相同。前者輻敗車翻、險象環生；後者汲引
教訓，改進交通工具，發明和安置了制動之器，大車的進止遵循

馭手的操縱,所以能逢凶化吉。故《大壯》卦(☳)九四爻辭有
「壯於大輿之輹」的譬喻。大車的輪輹堅固強盛,進止自如,當
然就能無往而不利,故爻辭有「貞吉、悔亡」之嘆美。又如《姤》
卦(☴)初六爻辭云:「繫於金柅,貞吉。」柅,是在車輪下面
的制動煞車器。於此可見古代對於「大車」這一重要交通工具的
內在結構,正精益求精而日趨完善。還有《大畜》九三爻辭:「良
馬逐,利艱貞;曰閑輿衛,利有攸往。」良馬的追奔徵逐,必須
保持正道,牢記艱難險阻,因為人生之路,「無平不陂,無往不
復」(《泰》九三爻辭);不斷地學習駕車馭馬的技術,達到熟練
自如的程度,就能達到雖出遠門而無往不利的境界。這裡講的是
商旅交通的經驗,但對於人生旅途,同樣大有況味。

第二,受《周易》思想內容直接影響的中國古代科技及經濟生
產的理論與實踐。如《易‧繫辭傳》,就是對於《周易》中經卦、別
卦的最早的研究著作之一。《繫辭傳上》在講述了「以制器者尚其
象」的話後,又說:「何以聚人?曰財。理財正辭,禁民為非曰
義。」在這裡,「財」不僅指具體的錢財,而且泛指古代的經濟
生產以積聚財富的活動,運用科技,用以發明或改進生產工具以
促進經濟發展,是其重要內容。國家若要安定繁榮,必先重視科
技及經濟發展,力求人民的生活富足。《易傳》所稱「禁民為非曰
義」,就是要求以法律規定配合道德輿論,來促進經濟發展,努
力行正道以生產致富。言外之意,敲剝民脂民膏以發橫財牟暴
利,損人利己以致富,是犯罪行為,應予禁止。這一指導思想,
對後世經濟生產的發展走上正軌,頗有借鑒意義。

關於觀象製器之說,《繫辭傳下》有許多具體的例證,如稱聖
人作卦,「近取諸身,遠取諸物,……以類萬物之情。作結繩而
為罔(网)罟,以佃以漁,蓋取諸《離》。包犧氏沒,神農氏作,
斲木為耜,揉木為耒,耒耨之利,以教天下,蓋取諸《益》。日中

爲市，致天下生民，聚天下之貨，交易而退，各得其所，蓋取諸
《噬嗑》。神農氏沒，黃帝、堯、舜氏作，通其變，使民不倦，神
而化之，使民宜之。《易》窮則變，變則通，通則久，是以『自天
祐之，吉無不利」。黃帝、堯、舜垂衣裳而天下治，蓋取諸《乾》
《坤》。刳木爲舟，剡木爲楫，舟楫之利以濟不通，致遠以利天
下，蓋取諸《渙》。服牛乘馬，引重致遠，以利天下，蓋取諸
《隨》。重門擊柝，以待暴客，蓋取諸《豫》。斷木爲杵，掘地爲
臼，臼杵之利，萬民以濟，蓋取諸《小過》。弦木爲弧，剡木爲
矢，弧矢之利，以威天下，蓋取諸《睽》。上古穴居而野處，後世
聖人易之以宮室，上棟下宇，以待風雨，蓋取諸《大壯》。古之葬
者，厚衣之以薪，葬之中野，不封不樹，喪期無數，後世聖人易
之以棺槨，蓋取諸《大過》。上古結繩而治，後世聖人易之以書
契，百官以治，萬民以察，蓋取諸《夬》。」這長長的一大段，舉
了十三個卦例，從無爲而治的政治，敍述到文字起源的文化生
活，都和《易》的具體卦象聯繫起來。其中，大部分的卦例都是講
「制器」、交通和生產的事情，和古代的科技文化和經濟發展密
切相關。據《易傳》作者推測，是因爲先受《易》象的啓發，然後創
造發明以「制器」。比如《離》卦（☲）是上離（☲）下離，《說
卦傳》稱離有目象，兩目相依相麗。古人受此啓發，製造了諸多
孔目相繫相麗的漁網，漁人們網舉目張，撒網捕魚，進行漁獵生
產活動。當然，眞正的事實可能並非如此，應是古人觀物造象，
是先有物象然後成卦，卦象不過是世界事物的象徵，是人類生產
活動和科技智慧的結晶。在這裡，《易》傳作者雖然顛倒了因果次
序，但指出了《易》象《易》理與科技文化和經濟生產的密切聯繫，
則又有其貢獻。又如《渙》卦（☴），下坎爲水，上巽爲木，古代
舟船材料是木材，所以《渙》卦有舟行水上之象。而上巽又通喻
風，順風順水，則船速大增，利於舟楫，以便行人往來，通財貨

之有無。此所謂「致遠以利天下」。舟船之利是否眞是受《渙》之卦象啓發而發明？並無文獻或考古文物證據。但後人受《渙》卦風行水上的啓迪，想法利用風力水勢，揚帆遠航，負載濟遠，則思理相通。《易》傳所稱「觀象制器」之說，也有一定的合理因素。

在商旅貿易的經濟活動中，《易傳》作者受《易》卦（如《噬嗑》）的啓發，記載了古代「日中爲市，致天下之民，聚天下之貨，交易而退，各得其所」的實際情況。這一思想資料非常寶貴。在傳統文化中，《易》居十三經之首，《易傳》受《易》卦啓發，如此重視工商貿易之利，歷歷在目。這一思想對後代的經濟發展起了積極的影響。班固《漢書・食貨志》曾引《易傳》「日中爲市」而貨通之說，云：「食足貨通，然後國實民富，而敎化成。」又引《易傳》「聚人曰財」之說，以爲「財」是養成羣生的「治國安民之本」。司馬遷《史記・貨殖列傳》以漢初大亂之後的經濟復蘇爲例，說明了工商貿易的重要，云：「漢興，海內爲一，開關梁弛山澤之禁，是以富商大賈，周流天下，交易之貨無不通，得其所欲。」他更引民謠來稱美通工商以致富之道：「夫用貧求富，農不如工，工不如商，刺繡文不如倚市門。」司馬遷對此嘆美道：「由是觀之，富無經業，則貨無常主，能者輻湊，不肖者瓦解。千金之家比一都之君，巨萬者乃與王者同業。豈所謂『素封』者邪？非也？」工商之事利國利民，司馬遷之精光卓識令人敬佩。

有關《周易》思想內容對於古代科技「制器」的具體影響，因作者並非科技專業人員，只能概括前人所說加以簡單介紹。在天文曆法方面，專家斷言：「中國古代天文學是在《周易》哲學思潮影響之下發展起來的。」①《易・繫辭傳下》在總結《易》卦《易》理時指出：「仰則觀象於天，俯則觀法於地，……於是始作八卦。」可見《易》的八卦乾、坤、震、巽、坎、離、艮、兌，它們

所象徵的天、地、雷、風、水、火、山、澤，正是來源於觀天象、法地理的結果。《繫辭傳上》則說得更明確：「《易》與天地準，故能彌綸天地之道。仰以觀於天文，俯以察於地理，是故知幽明之故。」上觀天文，下察地理，正是《周易》六十四卦成象顯理的科學來源。所謂「觀天文」，指的是對於日、月、星、辰變化規律及其運行周期的觀測和計算，而這樣做，正是古代天文曆算之學得以建立的自然基礎，據所觀測運算得來的古代曆法，反映了古人對於自然界的認識水平，直接用以指導農業生產，並影響了其他自然學科的發展。如《繫辭傳上》所說：「大衍之數五十」之說，唐僧一行據此《易》理制定了《大衍曆》，並聲明是以《周易》「大衍之數」作為制定曆法的基礎的。又如西漢末年劉歆同樣受《易》影響，改《太初曆》為《三統曆》，並撰《三統曆譜》，「它的內容有造曆的理論，有節氣、朔望、月食及五星的常數和運算推步方法，還有基本恆星的距離，是世界上最早的天文年曆的雛形。對於《三統曆》的某些天文學數，劉歆運用了《繫辭傳》來作解釋」。劉歆並且算出了一個月等於二十九又八十一分之四三日，與今天的農曆非常相近②。

在氣象學等實用基礎科學方面。《周易》的陰陽學說，給古人認識複雜的天氣變化及其對農業等生活的影響，提供了一個兼有歸納和推理的思維模式。比如，古人常有陰氣象徵冷空氣，陽氣代表暖空氣，冷暖空氣的南北交流，此進彼退，相互碰撞匯合，於是形成了我國南北地區的氣候及雨量分布的不同特點，即北方天寒少雨、南方高溫多雨。清代揭暄據《周易》陰陽學說來描述我國雨量分布，云：「雨本濕氣，陽蒸為雲，不遇冷氣，仍屬飄散；為陰氣所束，則聚而為雨，雨為陰氣所升，故秋冬雨少，春夏雨多。地近北，日冷雨少；地近南，日暖雨多。」③還有，後人據《易傳》而作《河圖》《洛書》。據今人研究，《河圖》《洛書》原是

立體圖，它們分別是我國古人的氣候圖和方位圖。如《河圖》的圖、點表示著天文、氣象、地理方面的知識。圈在天上表示陽光，在地上表示晴天與乾燥；點在地上表示陰天與降水量。據《河圖》所示，與我國氣象特徵基本相符④。

在古代化學方面。煉丹術，原與古代方士煉取延年益壽、長生不死藥相聯繫，這一工作，曾得到帝王貴族的支持，如秦始皇、漢武帝更是迷信方士，企望長生不死以登仙境。因此，煉丹目的有其荒唐的一面。但是，在具體操作的過程中，煉丹術從《易》卦《易》理獲得啓迪，不斷改進，因此大大促進了中國古代化學科學的發展。比如東漢魏伯陽據《易》卦陰陽之理而撰寫《周易參同契》，假爻象以論作丹之意，與漢代象數《易》學關係很深。魏氏所創「陰陽制伏」的煉丹理論，對古代的化學實驗很有指導意義。道士煉丹，分內丹和外丹，內丹指養生氣功等人類特異功能。今人研究指出，陰陽魚太極圖是記錄氣功師內景感受的世界上最早的腦見圖，如云：「這張圖就生動直觀地描述了小周天循環的功理功法。內修修煉講坎離交媾，陰陽魚太極圖成陰陽相含相抱形，黑中一點白，是坎卦；白中一點黑，是離卦，坎離二卦相抱正是道教內丹修煉說的坎離交媾。」⑤外丹則指具體的爐鼎煉丹。而煉丹即是一種很實際的化學實驗，使人們對物質的化學變化逐漸積累了知識，並掌握其規律。「反映在《周易參同契》中則有水銀容易蒸發，也容易與硫黃相結合；氧化鉛能被碳還原成鉛；幾種不同的金屬可以成合金；汞礦石可以製煉成紅色的硫化汞；黃金很不容易氧化；物質起作用時的比例很重要等認識。」⑥又如《黃帝九鼎神丹經訣‧明煉藥禁慎陰陽制伏》也明確指出，《易》的「一陰一陽之謂道」，是陶鑄萬品，延殖生靈之要旨，「神丹祕要，亦同此義」。後來中國古代的四大發明之一──火藥，就在長期的煉丹實際中積累了豐富的「伏火」經驗，成功地

控制了硫黃、硝石、炭的爆燃之後，才得以順利誕生，從而不僅促進了中國，而且推動了世界文明的發展。

在數學方面。今天研究《周易》之作，介紹很多，爲免繁複，這裡只是簡要提及。《易》卦之陽—和陰--，在二進制數學方面，陽爻—爲1，而陰爻--象徵0。這是很有意義的創設。到十八世紀初，德國數學家萊布尼茨在完成了二進制數表後，見到了法國傳教士鮑威特寄給他的《伏羲六十四卦次序圖》，萊布尼茨據此揭示了六十四卦所潛伏的二進制的事實。萊布尼茨爲現代計算機之父。說明《易》卦所含數學原理，在古代是雄踞於世界文明頂峯的。可惜中國傳統思想是重倫理教化而輕科技應用，沒有很好運用這一潛藏在《易》卦中先進的數學原理。

至於八卦、六十四卦，在古代行軍布陣及宮苑城市建築的布局方面，影響之巨，顯而易見。如明代京城與陰陽八卦思想之吻合，即是一例。此不贅述。

第三，是《周易》與近現代科技發展的關係。有關這一方面，請參閱嶽麓書社《十家論易》中《薛學潛論〈易經〉》和《劉子華論〈易經〉》二著。薛學潛《易與物質波量子力學》，如徐宏達序所稱：「先生深諳《易》之眞諦，又博精於現代數理，並至歐美考察，……其採用的『易方陣』，乃伏羲六十四卦與河、洛之結合，由此導出當時（1937）的原子科學著名公式、定律和理論，包括元素周期與巴利原則、易統計方程式、電子構造圖、光波與量子的連續與間斷內奧及其相互關係，以至相對論方程、太極與量子論等，無不與現代科學吻合而不違，相通而途殊；並對後人再深入之研究提供了寶貴啓迪。」⑦而劉子華《八卦宇宙論與現代天文》，以現代科學和自然現象爲據，自始至終以八卦理論與具體宇宙現象相結合研究太陽系宇宙，發現古代的《易》卦理論，與天體運行之事實相符合。而獲1957年諾貝爾獎物理獎殊榮的楊振

寧、李政道博士，他們對物理學中奇偶律或奇偶性不滅定律提出大膽懷疑，正是受《易》理啓發。楊振寧說：「我懷疑德國物理學家拿波特（Otte Laporte）的奇偶性意見，這和我在四十年代在雲南昆明市西南聯合大學做大學生時代念《易經》的心得有關。《易經》中旣有陰陽相對的道理，也有陰陽消長或陽盛陰衰、陰盛陽衰，剝久必復、否極泰來的道理。」⑧1964年美國《前鋒論壇報》載文讚美李政道、楊振寧，「並指出李政道仍和中國的歷史和哲學有著精神上的聯繫，又說楊振寧愛好中國的《易經》和哲學，才使他能夠有這種特殊的想像力。」⑨從李政道、楊振寧這兩位現代科學家身上，我們發現了《周易》智慧之火的照耀。這就啓迪後人，讀《易》之時，用心去對現代科學作進一步的深入探索，不管是原理定律的發現，或是科學理論的創設或突破。中華民族在建設現代化的新中國時，應該充分利用這筆祖先傳下的豐厚文化遺產。

----

①陳蓮娟《中國天文學史》第一卷，上海人民出版社1980年版。

②黃顯功《東方智慧的聖火》，見《周易十日談》，第九七、九九頁，上海書店1992年版。凡**按**：有關劉歆《三統曆譜》，其原文見於《漢書‧律曆志上》，可參閱。

③黃顯功《東方智慧的聖火》，見《周易十日談》，第九九頁，上海書店1992年版。

④韓永賢《對河圖洛書的探索》，見《內蒙古社會科學》1988年第3期。

⑤束景南《陰陽魚太極圖之謎》，見《新民晚報》1994年9月10日第10版。

⑥同注①，第一○五頁。

⑦蔡尚思主編《十家論易》，第一○三○頁，嶽麓書社1993年版。

⑧皆見於黃顯功《東方智慧的聖火》稱引，《周易十日談》，第111頁，

上海書店1992年版。

⑨同注②。

（見《中國文化經典要義全書》，光明日報出版社1996年版）

歷史足迹覓行蹤

　　《易》卦爻辭雖然表面上是卜筮之資，但並非盡是巫祝的白日囈語。上古時代是巫、史不分，《易》卦由巫、史掌握。因此，在立象設卦的過程中，必然激盪著史官那有關時代興衰的歷史意識。後來，由於巫、史分離，於是《易》卦爻辭中那潛在的史實資料和歷史意識，逐漸被人淡忘了。但發展到唐宋以後，士人提倡以史爲鑒，因此，又重新激活了《易》學中的歷史意識，從而日漸形成了《易》學研究中的歷史派，幾可與《易》學中的象數派和義理派鼎足而三。古時如宋・楊萬里《誠齋易傳》、李杞《用易詳解》，近現代如顧頡剛《周易卦爻辭中的故事》、胡樸安《周易古史觀》，是其代表。《易》卦爻辭中，的確隱約可見殷周古人遺留的歷史足迹。現舉例加以說明。

　　《易》卦爻辭中多有「利西南，不利東北」之語，見諸《坤》《蹇》《解》諸卦。如《蹇》卦（☵☶），上坎（☵）爲水，下艮（☶）爲山，山上有水，這時登山涉水，是難上加難，所以象徵遇到艱險。其卦辭云：「蹇：利西南，不利東北；利見大人，吉。」古今注家，於「東北」、「西南」諸說，多受《易傳》陰陽五行學說影響，以八卦方位爲解，謂艮位東北，東北多山而險峻。坤位西南，西南平地利於行走。但是，《蹇》卦體中有艮而無坤（☷），強爲之解，矛盾百出而難以自圓其說。實際上，後世《易》家所據《易傳》是戰國時代的作品，而卦爻辭誕生的年代是殷周之際，二者年代相隔遼遠，寫作意識大不一樣。殷周之際也即周民族建國前後，當時的周人只具陰陽矛盾觀念，而尚未產生有關陰陽五行

相生相剋的系統思想。因此，舊注家根據產生於戰國時代《易傳》的陰陽五行理論，來具體解釋卦爻辭中的「東北」、「西南」，顯然超越歷史，不合事實。今人胡樸安、靳極蒼先生早有懷疑，於是另立新解。勒極蒼先生有《周易卦辭詳極》一書，惜未見。但靳氏有《我與周易卦辭詳解》一文，見《文史知識》1993年第11期，其論《夬》卦，已經簡略談及「東北」、「西南」問題，現據以補充發揮。

考察《蹇》卦辭應注意三種不同地位的人：一是居西南者，一是在東北者，一是作爲坐標定位的《易》卦作者筮者。《周易》占筮者是周之巫史，當時周人居住在今陝西渭水流域一帶。其東北方向是當時地處中原的天下共主殷商王朝。其西南方向居住的是戎狄少數民族。三者當中，當時殷商王朝的文化經濟最發達，周民族次之，而戎狄則較周落後弱小。周民族早就處心積慮地實施其翦商計畫，努力向東北方向拓展，以便攫取中原的人口財富而自强自大。但戰爭初開，强弱勢分，周不敵商，多次敗仗，甚至是周文王被拘囚於羑里。故卦爻辭屢稱「不利東北」。從此，周民族不得不轉移其戰略視線，向比自己落後弱小的西南戎狄少數民族地區發展。戰事順利，兼併了諸多小國，壯大了周民族、從而逐漸形成了與中原共主殷商王朝一決雌雄的實力。這一史實，已爲史書及考古成果所證實。即在《易》卦爻辭中也多有旁證。如《泰》六五爻辭及《歸妹》六五爻辭，均有「帝乙歸妹」之言。帝乙，殷商末期國王，紂王之父，他在位時國勢日蹙，而周民族卻日漸崛起。歸，嫁。妹，指少女。舊注大都以爲是泛指尊貴的王姬下嫁之事。但顧頡剛《周易卦爻辭中的故事》，則斷言歷史上實有其事。帝乙及其子紂，和周文王同時。殷墟甲骨卜辭有「乙未，帚（歸）妹T+ 𣅀」之言，說明「歸妹」原是商代嫁女之稱（見《戩壽堂殷虛文字》）。在殷商王朝衰落，周民族日漸强大之

時，於是殷商王朝實行和親之策，帝乙下嫁王姬於周文王（按：文王當時稱諸侯）。顧氏引《詩經》中的《大明》爲證：「摯仲任氏，自彼殷商，來嫁於周，曰嬪於京，乃及王季，維德之行。太任有身，生此文王。」你看，王季之妻、文王之母太任，也是來自殷商之女。《大明》又云：「文王初載，天作之合，在洽之陽，在渭之涘。文王嘉止，大邦有子。大邦有子，俔天之妹。文定厥祥，親迎於渭。造舟爲梁，不（丕）顯其光。」俔，譬喻，好似。「大邦之子，俔天之妹」，是說這個來自天朝大國的美麗姑娘，猶如仙女下凡一般，其讚美欽羨之情，溢於言表。舊注以爲文王親迎於渭濱的「俔天之妹」，是指武王之母太姒。實際不然。因《大明》詩有「纘女維莘」之言。纘，繼也，指繼「大邦之子」以後的又一次婚姻。太姒是來自莘國之女。當時莘國不比周強，怎稱「大邦」？所謂「大邦」，當時實指殷商王朝。如《尚書·召誥》有「天旣遐終大邦殷之命」（上天旣然結束了大國殷商的大命），「改厥元子茲大國殷之命」（上天更改了大國殷商之命，不讓他繼續統治天下）。周滅殷後，尚稱殷爲「大邦」、「大國」，更何況殷國爲天下共主的時代？但帝乙爲何「歸妹」於周文王呢？顧氏云：「自從太王『居岐之陽，實始翦商』以來，商日受周的壓迫，不得不用和親之策以爲緩和之計，像漢之與匈奴一般。所以王季的妻就從殷商嫁來，雖不是商的王族，也是商畿內的諸侯之女。至於帝乙歸妹，《詩》稱『俔天之妹』，當是王族之女了。……周本是專與姜姓通婚的，而在這一段『翦商』期間，卻常娶東方民族的女子了。這在商是不得已的親善，而在周則以西夷高攀諸夏，正是他們民族沾沾自喜之事呢。」所言鑿鑿，從《易》卦中挖掘出殷周和親史實，可補正史之罅漏，並見出殷周此衰彼盛的民族發展的遺留足跡。

（原載上海《文匯讀書周報》1998年8月8日 第5版）

《易》卦導讀釋例二則

一、無心之感陰陽和
——《咸》卦第三十一

　　西方報刊曾記載了幾則有趣而引人思考的故事。有一次，一支部隊在行軍，將要通過一座堅固的小橋時，觀者如堵。為了顯現軍威，指揮官下令奏起那雄壯的軍樂，連隊邁著整齊的步伐，配合了進行曲的強烈節奏，煞是威風，頗為壯觀。但是好景不長，突然轟隆一聲巨響，小橋猛烈坍塌，慘劇的發生，出人意料，令觀眾一時驚呆了。究竟是為什麼？一時疑雲密布，猜測紛紛。但事後的調查結果證明，絕無人為破壞的因素，而是由於自然的感應——即共振現象在作祟。還有一則故事，說的是古代西方曾經專設了一座女子監獄。不久，獄中的女犯人相繼患了一種莫名其妙的躁動不安症，其病根何在？將如何治療？醫生束手無策，因為查不出病因。後來，出於偶然原因，有一支軍隊常在女牢的圍牆外操練，奇怪的是，天長日久，女犯人的怪病居然逐漸減輕，有的甚至不治自癒了。為什麼這樣？醫生也說不出所以然來。事後研究，這也是由於自然界的一種無形的感應現象在幫忙。原來，生理或心理機制，必須陽陰相應才能正常生活、健康成長。女犯人單獨囚禁於遠離男人世界的地方，長年重陰閉錮，陰陽違和，怎能不病？而女牢外面的軍隊，則是充滿了男性活力

的世界,陽氣旺盛,居然逾越了大牆,多少影響並促進了女犯人
體內陰陽相應,因此怪病日漸好轉。上面的故事說明,如果要預
測未來,避凶趨吉,就不能忽視對於感應或共振現象的研究。感
應是一種常見的自然現象,現代物理學稱爲共振、諧振或共鳴。
中國古代缺乏這一科學術語,就泛稱爲陰陽相應,或同類相動、
同聲相和與同氣相求(見漢・董仲舒《春秋繁露・同類相動》)。
如聲音以波的形式傳播,發聲的振動體在周期性變化的外力作用
下,當外力的頻率與發聲振動體固有的頻率相近或相同時,振幅
急遽加大,其振動所產生的聲音能量,也由分散而趨集中,形成
一股巨大的力量。而面對感應或共振現象,是否認眞對待,則效
果大不一樣。如果注重並運用得好,可以逢凶化吉,造福人類。
音樂中的弦樂器如提琴、二胡等,其琴筒、琴室就是通過共振而
增大音量以提高音樂效果的共鳴器。人們常在欣賞小提琴或二胡
獨奏時如醉如癡,這裡就有「感應先生」的一份功勞。反之,則
化吉爲凶,造成了巨大的破壞力量。大的不說,小如機器的設計
和安置,如果忽略其共振現象的測算,則常因其運轉產生共振而
毀壞機座。其實,不僅是自然界,人類生活中也存在形形色色的
感應或共鳴現象,人們常說的「心心相印」,也就是一種常有的
心靈感應;美學中的藝術共鳴,也是一種特殊形態的心靈感應。
人類的心靈感應一旦形成,將凝聚成爲一股推動或破壞社會歷史
發展的巨大力量。《易》經中的《咸》卦,主要就表現了中華古人對
於心靈感應的一種信念和認識。

在六十四卦中,《咸》卦序列第三十一,似乎沒有什麼特殊的
地方。其實不然。《周易》古經的篇章,分爲上下經。上經始《乾》
至《離》共三十卦;下經始《咸》至《未濟》,共三十四卦。從卦序
看,《咸》卦處於下經的首位,是上、下經之間過渡和轉變的關
鍵,關係重大。古代有人說,上經專明天道,下經專明人事。這

話不太準確，唐代的孔穎達就不同意這一說法。他以上經中的
《訟》卦爲例，說明飲食必爭，爭則訟起，訟必衆聚，認爲這是
「兼於人事，不專天道」。所論雖然有一定的道理，但卻過分機
械。如用模糊理論來分析，從總體格局看，上經雖兼人事，但多
言天道；下經則相反，雖論及天道，但重在人事，所論各有側
重，則古人所云大致不錯。上經以《乾》《坤》二卦開篇，從宇宙玄
黃、天地洪荒的本體根源開拓，言陰陽之道化生萬物；下經則從
《咸》卦始，由宇宙自然轉入社會人事，從青年男女的無心感應，
婚姻戀愛說起，敍述道德人倫社會秩序的發端。所以《序卦傳》發
揮說：「有天地然後有萬物，有萬物然後有男女，有男女然後有
夫婦，有夫婦然後有父子，有父子然後有君臣，有君臣然後有上
下，有上下然後禮義有所錯。」這就從青年男女、成年夫婦的無
心之感，深入一步討論了天地陰陽和世事人倫的自然和諧，不僅
富有深邃哲理，而且涉及了鞏固社會統治秩序的大問題。由此可
見，作爲下經之首唱的《咸》卦，在六十四卦中的特殊地位。這一
認識，不僅是儒家，連主張四大皆空，無欲無念的佛門理論家也
承認。據《世說新語‧文學》篇載：「殷荊州（仲堪）曾問遠公
（即釋慧遠）：『《易》以何爲體？』答曰：『《易》以感爲體。』殷
曰：『銅山西崩，靈鐘東應，便是《易》耶？』遠公笑而不答。」所
稱「笑而不答」，就是既首肯殷仲堪的陰陽相應之論，同時又認
爲具體事例不必過分拘泥。原來殷氏稱引的「銅山」「靈鐘」的
典故，來自《東方朔傳》的故事：「（漢）孝武皇帝時，未央宮前
殿鐘無故自鳴，三日三夜不止。詔問……東方朔，朔曰：『臣聞
銅者山之子，山者銅之母，以陰陽氣類言之，子母相感，山恐有
崩弛者，故鐘先鳴。』……居三日，南郡太守上書言山崩。」
（見《世談新語》劉注稱引）山崩鐘鳴，地震感應，古人認爲這是
陰陽之氣摩盪撞擊相互感應的結果。而具體是否稱銅爲子，山爲

母，謂子母相應，則不必拘泥。於此可見遠公的「笑而不答」，奧妙無窮。慧遠是東晉的高僧，糅合儒釋，精研《易》理，他以《咸》卦爲典型，說明《易》理主要是講感應變化的哲理的，《咸》卦在《易經》中的重要意義，非常明白。

　　《咸》的卦象爲䷞，下艮（☶）上兌（☱），象徵交感、通感或感應。爲什麼這樣說？從文字學上看，《咸》卦的「咸」有數義。首先，「咸」是「感」的通假字，是無心之感，也就是自然而然發生的通氣、共鳴和感應，而不是虛僞矯飾的人爲之酬唱。其次，《雜卦傳》說：「咸，速也。」這是說男女青年因爲產生了異性相吸的無心之感，有感就很快會有應，自然產生了「一見鍾情」的熱烈效應，所以有「速」的意思。再次，《說文》釋「咸」爲「皆也，悉也」，說明男女情愛的無心之感不是特殊的事例，而是因其自然而普遍存在的現象，雖然時而有形，時而無迹，但卻無所不在，因而更加值得研究。第四，據《詩經・小雅・常棣》序箋云：「周公弔二叔之不咸。」孔疏云：「咸，和也。」進一步說明男女無心之感是和諧的，是自然和諧與社會通泰的基礎。四層意思，層層深入，構成《咸》卦的深刻內蘊。而從卦象看，因象徵物不同，也就有了不同的兩種解釋：一，下卦爲艮，屬陽卦，艮爲止，爲少男，象徵男青年愛情誠摯，知有所止，謙恭有禮地向上追求女孩子；而上卦爲兌，屬陰卦，兌爲悅，爲少女，象徵少女在上，愛情專一，下順陽剛而感動喜悅。這是異性之間的「一見鍾情」，情投意合，相互戀愛，無須旁人說三道四，一切是那麼自然。二，下卦爲艮，艮象徵山，屬陽剛；上卦爲兌，兌象徵澤，屬陰柔，《正義》說：「澤性下流，能潤於下；山體上承，能受其潤，以山感澤，所以爲咸。」山輝水媚，相互滋潤，陰陽二氣上下交流，通感相應，共鳴和諧。這又進一步從社會人事擴大到天道自然，說明感應之道，無所不在。卦辭說：「咸，

亨，利貞，取女吉。」取，娶也。意思是說，《咸》卦象徵感應，由感應而亨通，利於貞正無邪，這時娶妻吉祥如意。這不過是藉男女婚姻爲例，以男女通感結合作爲人倫之首端，進一步又擴大到天道自然。所以《象傳》說：「咸，感也；柔上（上卦兌性陰柔）而剛下（下卦艮性陽剛），二氣感應以相與（親）。止而說，男下女，……天地感而萬物化生，聖人感人心而天下和平，觀其所感，而天地萬物之情可見矣！」由《咸》卦的共鳴感應，可以看到人特別是青年男女之情；而人體本身的構造，又有「小宇宙」之稱，與天地自然存在某種同構關係，因此又可以通過人的感應，在一定程度上來窺測「天地萬物之情」──也即宇宙自然的發生、發展的奧祕。

如果說卦象卦辭說明的是全卦在大環境中所處的特殊位置及其整體意義的話，那麼爻位爻辭則是效法陰陽變動來說明避凶趨吉的可能性與必要性，從通感這一特殊事物的各個側面來加深說明全卦的意義，這也是古人運用《周易》卜卦的實用目的之一。《咸》卦是一個效法陰陽而主動尚變的卦。爻位爻辭，不僅有陰陽之分，而且爻位變動有上下之別。宇宙萬物不是靜止的固定的，一旦通感就有變動，有變動就會有吉、凶、悔、吝的產生，這是自然而然的事。吉與凶是一對矛盾，相互否定，又辯證統一。從爻位的上下進退，人們可以窺見吉凶轉化的蛛絲馬迹。人們一旦及時地發現和把握這些時機，準確理解，正確處斷，那麼所謂「預知未來」、「逢凶化吉」也就不是什麼迷信，而是一種科學的預測。這是我們分析爻位爻辭所企望的，至於結果如何，當然有待實踐的檢驗了。

「初六，咸其拇。」拇，腳拇指。感應首先發生在腳拇指上。這在生理上似乎並非實事，而是一種譬喻，顯現事物發展由下而上，由初級向高級發展的開端，腳拇指沒有主動性，必須聽

人指揮，隨上而動。這是以異性青年男女追求、結合的生理和心理的過程來說明通感事物的初期發展階段。初六陽位，現爲陰爻所據，爻位不正，但陰柔而不躁進，所以雖有企圖向外卦發展的感動，以上應九四，但欲動未動，所感尚淺，未知吉凶。爻辭雖對吉凶不置一辭，但這也是一種認識與判斷。如方宗誠《讀易筆記》所言：「將動之始，善與惡尚未定也；故但曰『咸其拇』，使人存愼動謹幾之意。」朋友相交愼於始，很多人都有這一社會經驗，因爲相感相交之初，就有吉凶之幾潛伏其中。

「六二，咸其腓，凶；居吉。」腓，小腿肚。爻辭是說，感應已由腳拇指向上發展到小腿肚上，有凶險；但安靜居守，則可化凶爲吉。六二陰爻陰位，居中得正，又上應陽剛的九五，照理說該是大吉大利才是。但二與五應，中間爲九三、九四兩個陽爻所忌，障礙阻隔，安置陷阱。而小腿已非腳拇指，主動性增強，感乎物而躁於動，躁於動則事易敗，所以呈現「凶」象。爲此，作者勉勵人們隨順六二的陰柔之情，靜觀其變，等待時機，這就是所稱「居吉」的意思。弦外之音，鼓勵青年男女的感應結合，不應該光憑一時熱情的盲目衝動，而應該秉無邪正直之本性，防之以禮，隨順無害，則人倫完美，化險爲夷，吉祥如意。封建社會中比較正直的士大夫敎育子女，多有這種認識。

「九三，咸其股，執其隨，往吝。」股，大腿。隨，隨上卦而妄動。九三處下卦之終，下卦發展到了極限，因而力求向上卦轉化。九三陽位得正，又與上六陰爻相應，照理該是吉利之爻。但因下卦之艮的本性是靜止，缺乏主動進取精神；而九三之陽亢盛躁動，擺動雙腿，盲目隨人。一方面希望上應一陰，同時又產生了下隨二陰的強烈欲望，三心二意，見一個愛一個，而不管雙方是否都有感應的誠意，妄動躁進，當然情場失意，處處碰壁，所以說是「往吝」。凶爻之象的產生，是由於所追求的理想和標

準低下的必然結果。

「九四，貞吉，悔亡；憧憧往來，朋從爾思。」憧憧，意不定貌。爻辭是說，九四堅持貞正無邪品格以獲吉祥，悔恨就會消失得無影無蹤；九四憂心憧憧地來回奔波，最後說服了朋友，終於順隨了心願。九四的感應已由下卦的下體，逐步向上發展到了心。古時之所謂心，不是今天生理上主管血液循環的心臟，而是主思慮的心靈。這是由於科學水平所限。但古人所想像的心，已賦予了今天大腦的思維功能，則是千眞萬確的。九四爻位，已由下卦上升到上卦，處上卦之初，應下卦之始。心的位置，居於體中，在股之上，上下體始相交感，關鍵在於內在心靈對於愛情感應的認識。心靈守正無邪，當然愛情專一，所以「貞吉」而悔恨消失了。但心靈的認識隨事物的發展而變化，考慮到種種有利的和不利的因素，一波三折，一唱三嘆，所以有時憂心如焚，徹夜不眠。《詩經》開篇《關雎》說到男青年追求美麗少女時說：「關關雎鳩，在河之洲。窈窕淑女，君子好逑。……求之不得，寤寐思服。悠哉悠哉，輾轉反側。」這把戀愛過程中的心理變化，描繪得維妙維肖，形象地說明了九四「憧憧往來」的含義。最後由於心正意誠，終於如願以償，頑強不懈的追求和解釋，終於實現了美好的願望。所以「朋從爾思」，應該說是一個吉爻。爻辭實際上是古代婚姻禮制的簡單總結。也就是說，愛情的感應應當無邪持正，約之以禮，如古人所說《詩經》的「國風好色而不淫」，這樣才能愛情堅貞不渝，白頭偕老。

「九五，咸其脢，無悔。」脢，脊肥肉。脊肥肉在心之上，口之下。九五陽剛居中且正，處於尊位，下應下卦的六二，爻象原該是大獲吉祥的。但因感應發展早已超越心靈的敏感點，脊背肉反應遲鈍，性又孤僻，獨守一處，自我封閉，少與外通，雖然因而減少了矛盾糾葛，但終難以產生震撼人心的感應與共鳴，沒

有什麼發展，僅能獲得「無悔」的結果。所以《象傳》批評九五說：「志末也。」也就是說，缺乏隨心而動的感應，處於被動狀態，是由於理想不高、志氣低下的原因。在生活中，一些社會地位尊貴的人，婚姻並不一定美滿，夫妻生活未必和諧，原因很多，但本身內在的志氣不高、缺乏熱情，也是原因之一。他們雖然生活「無悔」，沒有什麼危險，但卻因缺少感情共鳴，無法激發出應有的生命活力。「無悔」之辭，已暗示了情感的風波。

「上六，咸其輔、頰、舌。」輔，上牙牀。牙牀、臉頰和舌頭，是人們說話的生理器官。爻辭是說，交感停留在口頭上。爻辭並沒有預示吉凶。吉凶之兆，要看言語與心的關係而言。漢·揚雄說：「言為心聲。」言語的感應如果表達了內心的專誠，就可由交感之速，轉入下一《恆》卦的持久不渝、百年偕老的境界。相反，如果「巧言令色」，心口不一，這就不是「無心之感」，而是充滿自私功利目的的「有心之感」，比如越劇《王魁負桂英》中的王魁，為了功名利祿，拋棄患難之交的結髮妻子，重新追求相府小姐，這種巧舌如簧的「交感」，是一種醜惡表演，最後必然不能持久，落得可恥下場。這就是去吉趨凶的自我毀滅。《象傳》說：「咸其輔頰舌，滕（騰）口說也。」只依靠騰揚言辭，花言巧語，騙取共鳴，這樣的感應是無法持久的。上六以陰爻居全卦之終，已處於轉化的臨界點，所以明·來知德《周易集注》說：「感極而反，其應徒在口頭言語而已。」《詩經·小雅·巧言》一章，曾形象地抨擊了專「滕」口舌的無恥之尤，曰：「蛇蛇（安舒貌）碩言，出自口矣，巧舌如簧，顏之厚矣。」「巧言令色」，小害個人，大禍國家，怎能不防呢？所以孔子曾予痛斥，並從實踐經驗中總結出揭穿言語感應騙局的辦法，他說：「始吾於人也，聽其言而信其行；今吾於人也，聽其言而觀其行。」（《論語·公冶長》）只要「聽其言而觀其行」，則口舌言

語是否眞誠，感應能否持久，一經實踐檢驗，自是昭然若揭，不辨自明。

對於《咸》卦，美國《易經》學會會長鍾啓祿先生曾從男女青年的生理和心理角度，作了精闢分析，他認爲，異性男女之間的感應，有形感、口感與心感的不同。《咸》卦從人的下體交感始，逐漸上升到上體，下體初六、六二、九三的交感在腳拇指、小腿肚和股部，從生理上說明男女交合的初步階段，這屬形感，也即肉體的接觸。在《咸》卦中，這不是主要的，因爲下艮是隨上兌而動的。上卦九四則是「憧憧往來，朋從爾思」，是心感，由誠摯貞一的心靈感應，指揮全部感應的過程。九五則爲曲折，感而難通，仍回到形感階段。上六則爲口感階段。口感包括了接吻與言語相悅的感應，這是吉凶未卜的轉化階段。這爲《咸》卦的感應尋找了生理與心理的科學根據。他據此總結說：「《易經》所處理的問題，多屬人際關係的。而《咸》卦，乃係人倫之卦，它的用意，則在指出少男少女，感應相與的正當途徑，指點如何去避凶就吉，過著快快樂樂的生活。」「少男求之專止，與少女說順的對應。像這樣的感應，不僅有雙方心弦之共鳴，且以兩人彼時存在的總體，交互投入。」在討論時，學生Y君也從青年學生的戀愛事實出發，指出學生戀愛，因爲初戀靦腆，開始是暗中在課桌下踢腳，故爻稱「咸其拇」，以後逐漸膽大，男女雙方拍腿拍股，終於陷入苦戀相思階段，如九四稱「憧憧往來，朋從爾思」，最後則相戀成功，擁抱狂吻。這是青年男女戀愛全過程的縮影，是生活經驗的總結。不敢掠美，錄以備考。

當然，人類當中，不僅青年男女有心靈感應，成年社會也到處存在，它深入到社會生活中的政治、經濟、文化和藝術各領域。如戰國時孟子就提出了「與民同樂」說，涉及了心靈感應社會效應的正面和負面。《孟子·梁惠王上》記載了一則故事：

　　孟子見梁惠王。王立於沼上，顧鴻雁麋鹿，曰：「賢者亦
樂此乎？」孟子對曰：「賢者而後樂此；不賢者雖有此，
不樂也。《詩》云：『經始靈台，經之營之，庶民攻之，不
日成之。經始勿亟，庶民子來。王在靈囿，麀鹿攸伏，麀
鹿濯濯，白鳥鶴鶴。王在靈沼，於牣魚躍。』文王以民力
爲台爲沼，而民歡樂之，謂其台曰靈台，謂其沼曰靈沼，
樂其有麀鹿魚鱉。古之人與民偕樂，故能樂也！《湯誓》
曰：『時日曷喪，予及汝偕亡。』民欲與之皆亡，雖有台池
鳥獸，豈能獨樂哉！」

　　孟子以周文王的「與民偕樂」，及殷紂王的暴虐獨樂爲例，說明
統治者與被統治者之間，如果心心相印，彼此感應，並化爲人民
羣衆的自覺行動，則上下和諧，國泰民安；反之，與民不相感
應，格格不入，視民爲寇仇，加以壓榨屠宰，則人民奮起反抗，
誅獨夫民賊，紂王身死國滅，萬世唾罵。社會心靈感應的正負面
如此明顯，能不愼哉！研讀《咸》卦，廣開思路，於國於民，大有
好處。

二、曙光在前新征途
——《未濟》卦第六十四

　　《未濟》卦（䷿）第六十四，是《周易》六十四卦的壓軸戲。它
緊跟在《既濟》卦之後，彼此既是綜卦，同時又爲錯卦，可見其矛
盾相互轉化的辯證關係。《序卦傳》說：「物不可窮也，故受之以
《未濟》終焉。」窮，窮盡、至極而到頂之意。《序卦傳》的意思是
說，事物的發展是無窮無盡的。《既濟》卦中所顯示的成功只是事
物發展告一段落的總結，但它同時意味著新的事業的開始，因

此,《既濟》卦中已隱含了「未濟」的因素,所以《未濟》卦就象徵
著事業尚未完全成功。正因爲事業尚未成功,所以如孫中山《總
理遺囑》所言:「革命尚未成功,同志仍須努力。」辛亥革命、
推翻滿清王朝,並不意味著革命的勝利終止,而是標誌了中國新
時代的開始,革命的志士仁人又重新走向了新的艱難征途。《易》
卦之理重在一個「變」字,一旦主事者以其成功爲至善至美,達
於窮盡之境而止步不前,拒絕發展和進步,這時就會使矛盾向相
反方向轉化,由「既濟」而重新陷入「未濟」的坎險之中。反
之,如果明白《易》理,知道《既濟》之中已含「未濟」之理,則將
繼續發展進步,永遠生機勃勃地騰躍向前。所以《未濟》卦預示了
新一輪艱難征途新紀元的開創。萬事開頭難,開創縱有千難萬
險,又何足畏哉!因爲開創中又充滿了對於光明未來的美好憧
憬,創新中自有無限的歡樂!《未濟》卦中有其致亨之理,故程頤
《伊川易傳》云:「未濟則未窮也,未窮則有生生之義。」天地乾
坤以始,而止於《既濟》《未濟》之卦,又重新鼓盪陰陽之氣而生生
不息。作《易》者的深心,於此可見。伊川之言,言簡而意賅,基
本符合了宇宙自然及社會人生的發展辯證法。

　　《未濟》的下卦爲坎(☵),上卦爲離(☲),其卦辭云:
「未濟:亨;小狐汔濟,濡其尾,無攸利。」汔,接近,庶幾。
卦辭大意是說,《未濟》卦象徵了事業尚未完全成功,但其中仍隱
伏了通往勝利的亨通之道,關鍵就在於是否能夠正確處理;如若
像小狐那樣勉強涉水過河,雖然已接近了河的對岸,但終因尾巴
被河水浸濕,負擔太重功虧一簣而未能成渡,這就會處於進退維
谷的不利境地之中了。所以《象傳》據上下卦形解釋說:「火在水
上,未濟;君子以愼辨物居方。」方,地方,處所。原來,《未
濟》與《既濟》上下卦形及六爻陰陽全部顛倒:《既濟》是「水在火
上」,以火燒水供人飲食,象徵事業的成功;但是《未濟》則反了

過來，上離象徵火，下坎象徵水，成了「火在水上」之象，火可
燃水煮物以濟人生活，則此火是文明與進步；反之，如像《未濟》
之「火在水上」，則水火未能相須而用，而是火自火，水自水，
陰陽不交而相背悖，火不燒水煮食以養人，則將由利趨害，由文
明進步轉而化爲禍源，因爲火性炎上，如果無水可燒，或乏水以
救，則火將上燒房屋、森林，成爲火災。所以「火在水上」，從
卦象就可看出事業未濟之艱難。水火於人，都是須臾不能離開的
有用之物，就看你如何驅御如何配合以交相爲用了。君子觀此卦
象，悟出了審慎辨識不同事物，以便讓它們各安其位以盡其用的
道理。因爲上體之離象徵火，火能燭照萬物而具文明之性，所以
人們藉火之明以洞見諸物，自能「慎辨物」而無礙；又下體坎象
徵水，古人居住之地必須有水才能生活，如無江河湖泊，則必定
掘井而飲，聚邑以居，因此，《象傳》所稱「居方」如水之聚人。
水火爲物雖異，但若能洞見其性，相須以用，則又如王弼注所
說：「辨物居方，令物各當其所也。」這就說明，未濟之時，雖
存既濟之亨，而有求濟之心，但戒濟者慎處而謹慎，則「未濟」
云者，非不濟也，而是慎處待機以濟其新功，用今天的話來說，
也就是醞釀開始新的長征。而《象傳》則更多從卦德卦性方面來分
析，云：「『未濟，亨』，柔得中也。『小狐汔濟』，未出中也；
『濡其尾，無攸利』，不續終也。位雖不當，剛柔應也。」爲什麼
「未濟」之時卻寓有亨通之道呢？如果說，前卦《既濟》之亨，指
的是已然之吉，是實現了的成功歡樂；而《未濟》之亨，則是指未
然之吉，是尚未實現而有待努力的美好未來，只是一種希望。處
在《未濟》的特殊情境中，六五以陰柔謙虛之德而居中位，能夠主
動容納上下、團結陽剛而和舟共濟，人們常說，「君子同心，其
利斷金」，只要萬眾一心，則何險而不可濟？故來知德《周易集
注》云：「言未濟終於必濟，故亨。」又曰：「亨者，言時至則

濟矣，特俟其時耳，故亨也。」這是從事物發展的總體方面來分析《未濟》卦性，只要謹慎求濟，則有致亨之道，與《象傳》所稱「慎辨物居方」同一精神。但從另一方面看，「小狐汔濟」，因其未能謹慎而正確地處理問題，所以《象》有「未出中也」之言。「未出中」指九二處下體坎險之中，有溺水之危而不知。按照程頤的解釋，「汔」作「仡」，「壯勇之狀」。程說於義亦通，因爲九二陽剛居中，失位非正，有勇銳之氣而果於行之狀，而二又爲下坎之中，是實在的險陷之地。據說老狐狸多疑，履冰而聽，懼其陷也。但小狐則缺乏生活經歷，不知坎險在前而謹慎以待，果勇於濟，終濡其尾而未成其濟。但是朱熹並不完全同意程子之說，而是更深一層，他說：「未出坎中，不獨是說九二爻，通一卦之體，皆是未出乎坎險，所以未濟。」比較而言，朱子之說更深刻更全面。這就指出了「未濟」之時的艱險，要求大家提高警惕，正確處理，方可有備以濟其功；反之，盲目而賈其匹夫之勇，則自陷坎險而溺於水中，這就自找苦吃了。所以《象》辭在「未出中也」之後，又有「濡其尾，無攸利，不續終也」之戒。但是，生活的教訓促使人們日漸成熟，銳進速退而未竟其濟之弊，讓人汲取教訓而猛省，反思之後，自會謹慎以處，「慎辨物居方」，則又終將濟其渡而竟新功。從爻位進退變化來看，六爻陰陽皆非當位而失正，此所以稱「未濟」；但《易》卦重變，《未濟》六爻陰陽剛柔相應以共濟，又是爲事物從「未濟」向「既濟」轉化提供了必要的條件。故《象》稱「雖不當位，剛柔應也」，正是不僅注重於現在的艱難，同時又看到了未來「既濟」的希望。故陳夢雷《周易淺述》云：「既濟物之窮，窮無不變易者，變易不窮，未濟則未窮也，未窮則生生不絕矣。」以下分析爻辭爻象。

「初六，濡其尾，吝。」爻辭是說，初六，就像小狐狸涉

河，被水濡濕其尾巴而無法成渡一樣，必然有所遺憾。初六陰居陽位失正，處「未濟」之初，居下坎陷之始，才弱力小，又急於上應九四陰陽之應，犯險而躁進，但九四同樣是居位失正過中，其力不足以援初以竟濟，故初六猶如小狐涉水，有尾濡不濟之象，此其所以有吝惜也。但是，爲什麼《既濟》初九同樣是小狐「濡其尾」，而有「無咎」之象，而《未濟》初六卻有吝惜遺憾呢？我認爲，這是因爲二卦所處的具體時間和環境不同所致。故如陳夢雷《周易淺述》所云：「《既濟》濡尾無咎，此則吝者：《既濟》陽剛得正，離明之體，當既濟之時，知緩急而不輕進，故無咎；此則才柔不正，坎險之下，又當未濟之時，冒險躁進，則至於濡尾而不能濟矣，故吝。然《象》言『無攸利』，而此但言『吝』，則以卦之初，失尚未遠也。」宋・楊萬里《誠齋易傳》舉史以明，云：「桓溫至洛陽而復敗，劉裕得關中而復失，初六之濡尾也。」東晉中後期的桓劉北伐，並非從國家民族利益出發，更未曾全面地具體分析敵我形勢，而是見其一面，不及其餘，以北伐來爲自己掌權篡位樹威，其新進喜事急於求濟，猶如小狐之躁進濡尾，反而不濟，其吝者以此。如太和四年（369年），桓溫率東晉主力伐燕，兵強馬壯，北燕朝野震駭，但其司徒左長史申胤卻神色自若，斷言溫之北伐必然無功而返，他說：「以溫今日聲勢，似能有爲，然在吾觀之，必無成功。何則？晉室衰弱，溫專制其國，晉之朝臣未必皆與之同心。故溫之得志，衆所不願也，必將乖阻以敗其事。又，溫驕而恃衆，怯於應變。大衆深入，值可乘之會，反更逍遙中流，不出赴利，欲望持久，坐取全勝；若糧廩愆懸，情見勢屈，必不戰自敗，此自然之數。」果然，不幸申胤言中，而溫有枋頭之敗，「焚舟，棄輜重、鎧仗，自陸道奔還。」事載《資治通鑑》卷一〇二。故《象傳》評初六曰：「濡其尾，亦不知其極也。」極，終極。如程頤《伊川易傳》所釋，「不

度其才力而進，至於濡尾，是不知之極也。」

「九二，曳其輪，貞吉。」爻辭是說，九二，拖扯車輪不使急進，若能堅守正道則吉。據《說卦傳》，下體之坎，不僅有「輪」象，而且「其於輿也為多眚」，九二之輪，處此災眚之地，能不惕然而懼乎？從好的方面看，九二以陽處陰，雖然非當其位，但卻居下卦中位，陽剛勁健而具濟渡之才，原可急進以上應六五陰陽之應，這是從其才能本質方面來看；但從另一角度視之，九二處下體坎中，遇到的是實實在在的險陷之地，而且又處「未濟」下體，時機不利，如若自恃陽剛之才而急進輕濟，必有覆舟之危。可喜的是，九二認識清醒，中正以行，守時俟機，絕不輕舉妄動，猶如「曳其輪」而防備禍患，這就有可能在適當的時機，脫險以濟，從下體坎險之中，奔向上體離卦的光明之路。故《象傳》云：「九二貞吉，中以行正也。」從全卦來看，「未濟」是事業尚未成功的艱難之時，六五以柔處中，雖為君主，力弱而待九二之拯助。不過，九二雖居大臣輔相之位，但在時地不利的坎陷之中，若恃剛急進以應，就可能事與願違，自溺於水又怎能援上？因此九二倒曳其輪，殺其勢而緩其進，審時度勢而相機以進，忍一時之屈而取終身之吉。如來知德《周易集注》所說：「坎為輪，曳其輪者，不遽然而進也。凡濟渡必識其才力，量其淺深，不遽於濟方可得濟。不然，必濡其尾矣！貞者得濟之正道也，吉者終得以濟也。」

「六三，未濟，征凶；利涉大川。」爻辭是說，六三，才力柔弱而未能成濟，前進必有凶險；但利於涉越大江大河。爻辭前後，似乎自相矛盾，既然前行「征凶」，為什麼又「利涉大川」呢？朱熹《周易本義》曾作一假設，云：「蓋行者可以水浮，而不可以陸走。」這與後世術士江湖占術相似。故《周易折中》嘆道：「此爻之義，最為難明。」朱子深思反省之後，於是又說：「或

疑『利』字上當有『不』字。」爻辭如作「不利涉大川」，則前後言語一致，應是最佳選擇。但是非常遺憾，至今未見版本根據，所以只能存以待考。目前，仍然只能按照舊注作解並譯爲白話。六三以其陰柔之質，而占據了陽剛之位，處位早已過其中。由此可見，六三的爻位爻象，已呈凶象，這是因爲六三雖處坎險之地，而其本質才力柔弱不足以脫險自救。此時缺乏自知之明，賈勇前行，必然遇險而陷溺其中，故爻稱「未濟，征凶」。但從另一視角來看，六三已處坎險之上，已近脫險之時，又可見未濟之中已隱伏了可濟之理，此時若能積極上應剛健之上九，和衷共濟，共同努力，則仍有出險以濟的機會和可能，故爻稱「利涉大川」。總之，六三處於將濟未濟之時，卻乏濟險之德之才，故有「征凶」之難。明·來知德《周易集注》則以爻變之象來解釋爻辭，云：「未濟者，言出坎險可以濟矣，然猶未濟也，故曰『未濟』。利涉大川者，正卦爲坎（☵），變卦爲巽（☴），木在水上（**按**：六三變陽則下體由坎化巽，巽象爲木，坎象爲水，木可爲舟而行於水上，故云），乘木有功，故利涉大川。征者行也。初『濡其尾』，行而未濟也；二『曳其輪』，不行也；坎至於三，則坎之極，水益深矣，故必賴木以渡之，方可濟也，若不賴木而直行，則濡其尾而凶矣。」

「九四，貞吉，悔亡。震用伐鬼方，三年有賞於大國。」此爻之「貞」，似應作動詞用，也即占筮之意。伐鬼方，殷高宗時史有實事，參見《既濟》九三爻辭注釋。爻辭是說，九四，占筮得此爻者有吉祥之兆，悔恨消亡。殷高宗時震赫其師，遠伐鬼方，以其成功，三年而賞賜將帥以大國諸侯之位。從爻位爻象看，九四已脫出下體坎險之地，而處上體離明之中。四爻變則二、三、四互卦爲震，震性爲動，與《既濟》之世利於靜不同，一樣取伐鬼方事，但《未濟》之世利於動，故震赫王師而致吉。但九四又以陽

居陰，秉剛健能濟之才，而行其謙柔謹慎之德，爲什麼？因爲四爲大臣近臣之位，居多懼之地，太剛而能則有逼主之嫌，故以剛行柔，竭忠輔上，以親比於六五之君。又上卦爲離，離有兵戈之象，震動兵戈，故爻以三年伐鬼方爲喻。大戰而至三年，方有賞賜，其戰爭之嚴酷慘烈可見一斑，君子能不懼乎？爻稱「三年」者，實是戒占者之詞，雖曰未濟之世利於動，但其動必須謹之慎之，然後有可濟而竟功之理。九四之「貞吉」，來之不易。楊萬里《誠齋易傳》云：「臨難而坐觀，履險而不欲濟，無志者也。有志矣，患無才；有才矣，患無位。有志而無才者，欲濟而不能濟；有才而無位者，能濟而不得濟。備斯三者，其惟《未濟》之九四乎！懷剛正之資，其志立矣；奮震動之威，其才果矣；居近君之地，其位親且重矣。是惟無動，動而用之，以伐遠夷，則有大功，受大賞必矣。宜其志之得行，吉而悔亡矣。」誠齋又以後來周宣王撥亂反正而獲中興的戰事爲例以說明之，如「吉甫伐玁狁、召虎伐淮夷、方叔伐蠻荊，《未濟》之九四以之」。

「六五，貞吉，無悔。君子之光，有孚吉。」爻辭是說，六五，占筮得此爻者吉祥如意，必無悔恨。猶如君子光輝照耀，因其內懷誠信而致吉祥一樣。從爻位爻象看，六五居上離之中，離象爲光明；又五爲君位，爲《未濟》一卦之主，是從未濟之世向既濟之世轉化的核心動力之所在，故爻以「君子之光」爲喻。六五早已從下體坎險之中脫出，處上離中，而自煥發其文明光輝，不僅自明其視，而且以其內在誠信，感格大衆，外發其光輝而普照天下，指明道路，以免重蹈覆轍而再陷坎險之中。六五之德，自濟濟人，充分顯示了《未濟》卦中有可濟致亨之理，此爻所以稱爲「貞吉無悔」也。六五虛中於上，用人無疑於下，光輝誠實而感動大衆，引發共鳴而大衆盡其心力，則何險而不可濟？所等待的，只是英明君子的一聲令下，故爻又以「有孚吉」爲喻。上下

交孚，必然建立在相互信任、團結一心的基礎上，故可於未濟將
濟之時，排除險難以共濟成功的彼岸。如楊萬里《誠齋易傳》云：
「蓋《未濟》之六五，其體離也，在天為日，在地為火，日與火雖
柔猶剛，雖弱猶強。故日之在夏，暍之益熱；火之在夜，宿之彌
壯。六五文明之至盛，而養之以晦；剛烈之至猛，而掩之以柔；
方且虛其中以臨照百官，正其身以一正天下，堅其誠以信任羣
才，……安得不一掃大難為無難之世，一變未濟為既濟之時乎？
備三吉之盛福，而無一毫之悔尤，又何疑焉！其湯、武、高帝之
創業，少康、宣王、光武之中興事耶？」誠齋之言，如若去其封
建君臣等級觀念，而取其舉國上下之民族團結，著眼誠信於民的
謙順英明之領導核心，則所論頗多啟迪。這是從正面立論。反
之，則如秦政之以暴治民，上下何「孚」之有？故秦政身死未及
三載，而秦王朝社稷丘墟，隨之覆滅。歷史的教訓，值得注意。

　　「上九，有孚於飲酒，無咎。濡其首，有孚失是。」濡其
首，朱熹以小狐渡河而濡沒其首作解；而楊萬里諸人，據《象傳》
「飲酒濡首，亦不知節也」之言，釋為逸樂放縱、埋頭飲酒為
解。二義皆通，但如不拘泥於六爻首尾以狐為喻的篇章之應，而
從卦義精神來看，則可據誠齋之說，作埋頭飲酒而縱樂解釋為
佳。是，此也，指代上述飲酒作樂之事。爻辭是說，上九，心懷
誠信，相互信任，自在地飲酒作樂，必無咎害。但是，如果過分
放縱逸樂，只知埋頭喝酒而沈湎其中，則喪失了上下之間彼此相
互信任的基礎。從爻位爻象看，上九以剛健之性，居離明之極，
處《未濟》之路，是即將轉化為既濟之世的大好時機，其前景之光
明，是因上九所居的有利時間和特殊環境所決定的。實際上，六
五之吉而又吉，已標誌了從未濟向既濟的轉化，上九不過是沿其
既定方向作慣性運動而已，因此，上九以其內在誠信，輔助六五
之君完成竟濟大業，彼此信任，致其成功，以此而飲酒歡慶，何

咎之有？故爻稱「有孚於飲酒，無咎」爲喻。在未濟時看到既濟
的光明，這是與《未濟》全卦的精神相一致的，是上九爻義的主要
方面。但《易》卦作者，深明變易的辯證法，如果像《象傳》所批評
的那樣，「飲酒濡首」而不知自我節制，則「無咎」祥雲將煙消
雲散而有大禍臨頭，已經出現的既濟曙光立刻逆轉熄滅，而重新
失陷於未濟的坎險黑暗之中。《周易折中》引丘富國曰：「旣言飲
酒之無咎，復言飲酒濡首之失，何也？蓋飲酒可也，耽飲而至於
濡首，則昔之有孚者，今失於是矣。」在日常生活中，朋友快樂
飲酒，喝上幾杯，暢敍人生，傾瀉胸懷，得其酒趣，是相互信任
的「有孚」表現。人生在世，有了信任，才有眞心的互助，這樣
生活，快樂無咎，可以共濟成功的彼岸。但飲酒之樂，也有個節
制，任何事物，超越分寸，則好事將變爲壞事。比如唐玄宗的初
期，與姚（崇）宋（璟）等賢相，上下交孚，共濟危難，因其成
功而飲酒慶祝，成其名垂靑史的開元之治；而其晚期天寶年間，
奸相李林甫、楊國忠當政，上下相忌，人人自危，又何孚之有？
但玄宗縱樂於上，猶如濡首飲酒而不知危難將至。因而一旦「漁
陽鼙鼓動地來」，驚慌失措，京城失陷於安史亂中，全國生民塗
炭。這一血的教訓，已載入史冊。又如《史記·殷本紀》載：
「（殷紂王）大冣樂戲於沙丘，以酒爲池，懸肉爲林，使男女
倮，相逐其間，爲長夜之飲。」殷紂王濡首酒池而爲長夜飲，何
節之有？無道淫樂，又何孚之有？人而無信，又何以爲人？人而
無節，又何以立國？無信無節，以此濟難，又何以成濟？因此，
紂王國滅身死，信其必然。但是，《旣濟》上六也有「濡其首，
厲」之言，與《未濟》上九之「濡其首」，有何異同？如楊萬里
《誠齋易傳》所說：「《旣濟》上六之濡首者，水也；《未濟》上九之
濡首者，非水也，酒也。水之溺人，溺其一身；酒之溺人，溺其
身以及其天下國家。故洚水之害，小於儀狄之酒，禹惡旨酒之

功，大於平洴水。」當然，爻辭中的「飲酒」濡首之稱，我們不能拘泥於酒，而作機械的理解，實際上，是以濡首飲酒泛指一切縱樂無節的荒唐行為，下至個人言行，上至治國齊邦，眼看成功在即而逸樂狂歡，則如《老子》所云：「禍兮福之所倚，福兮禍之所伏，孰知其極？」大難即將重新降臨，能無懼乎？爻中濡首飲酒之戒，是人類文明發展過程中的一陣沈重而響亮的警鐘。

綜觀全卦，處於「未濟」的特殊時間和環境之中，事業雖然尚未成功，但是曙光在前，只要同志努力，萬衆一心，又自有可濟之理，故卦辭有致「亨」之言。但「未濟」之中雖寓可濟之理，若因此而不知自節而輕濟以進，則不僅無所利，而且將有溺水自斃之災，故六爻之中，初六言稱「濡其尾」，而上九則「濡其首」，濡尾為愼戒其始，濡首則警懼其終，古人警懼之心，猶如警鐘長鳴，令人時時刻苦，日日振奮，不敢因從未濟轉為既濟而稍怠鬆懈。六爻首尾，愼始戒終，把卦辭致「亨」之旨的錯綜複雜內容，明白揭示。其餘二、三、四、五諸爻，則大抵下卦之爻，因所處時段問題，陷於坎險之中，準備濟渡之具尚未完備，所以爻位爻象顯示，是皆未可急於進用，九二「曳其輪」方保貞吉，已是萬幸，六三則直言急濟「征凶」，嚴重其戒。而上卦之爻，則已跳出坎險之外，而處該進以濟之時，故迅速行動而又不失時機，如九四「震用伐鬼方」，三年方才見功，經過頑強拚搏的重大犧牲，終於贏來了「有賞於大國」的貞吉之亨；六五則因其合於中道而發「君子之光」，故致「有孚」之吉。發展至此，六五已是居中應剛，成為一卦的文明之主（**按**：指居上離之中），實際上已從未濟困境中脫出，轉而屆臨既濟之界域，故爻稱「貞吉」之亨，也是時勢之必然。如《周易折中》引鄭汝諧云：「《既濟》初吉終亂，《未濟》則初亂終吉，以卦之體言之，《既濟》則出明而之險（**按**：指下離明而上坎險），《未濟》則出險而之明

（**按**：指下坎險而上離明）；以卦之義言之，濟於始者必亂於終，亂於始者必濟於終。天之道、物之理固然也。」而《易》重變化，若從卦變角度視之，則《泰》（☷☰）上下卦之中爻陰陽爻變爲《既濟》，而《否》（☰☷）上下卦之中爻陰陽爻變爲《未濟》，似乎顯示了《既濟》爲泰爲吉，《未濟》爲否爲凶。但是，《易》卦作者心中牢記禍福相倚的矛盾轉化之事，明白泰極否來而樂極生悲之理，所以又順其發展規律，清楚地揭示了《既濟》爻辭多凶，而《未濟》反而爻辭多吉的客觀現象。因爲《泰》《否》二卦揭示了事物治亂之理，而《既濟》《未濟》則又充分顯示了泰、否矛盾轉化之漸。不過，《未濟》之吉也是有條件有限制的，當其上九縱酒逸樂而坐享既濟成果之時，又會重新推入未濟的坎陷之中，故爻稱有「濡其首」之失。可見事物發展到《既濟》《未濟》，並非發展的終結，而只能說是事物發展告一段落的終結，但卻是新階段運動的開始。《易》之爲道，生生不息，於是在完成了「既濟」大功之後，又經「未濟」而重新走向了更高一層的新征途，這就是天道自然之理，合乎人類社會的生活辯證法，沾漑、啓迪了千秋萬代。

在讀《易》解《易》的歷史發展過程中，程頤《伊川易傳》和朱熹《周易本義》，作爲儒家的教科書，成爲科舉的敲門磚，在封建社會中因其功利所在，雖然讀者趨之若鶩，但不僅明其然，又能明其所以然者，寥寥無幾。實際上，朱熹尊重程頤，但並不亦步亦趨，其《本義》與伊川《易傳》，多有出入而另創新義。但是，朱熹《本義》因是講解儒家經典的簡明教科書，限於說教之體，不能不一以貫之，因此，個別地方也有附會勉強之弊。實際上，作爲一個眞正的嚴肅的學者，而非道貌岸然的經師，他很明白，讀《易》必須運用「《易》無達占」之法，靈活地解讀，方能更符合古代《易》理的實際，才有可能進一步揭示那隱藏於語言文字及卦畫符號表象背後的精神本質。因此，如果能夠參考其《朱子語類》中的

說《易》部分，則可見其會心微妙，非常人所能及。如云：「《易》
不是殺底物事，只可輕輕地說，若是確定一爻吉，一爻凶，便是
揚子云《太玄》了，《易》不恁地。兩卦（**按**：指《既濟》《未濟》）各
自說濡尾、濡首，不必拘說在此言首，在彼言尾。大概《既濟》是
那日中㫬晡時候，盛了，只是向衰去。《未濟》是五更初時，只是
向明去。聖人當初見這個爻裡有這個意思，便說出這一爻來。或
是從陰陽上說，或是從卦位上說。他這個說得散漫，不恁地逼拶
他。他這個說得疏，到他密時，盛水不漏；到他疏時，疏得無理
會。若只要名義上求他，便是今人說《易》了，大失他《易》底本
意。」（見《朱子語類》卷七十三）所論不僅具體有利於說明《既
濟》《未濟》二卦旨義，更重要的是他的讀《易》研《易》的獨特心得
體會，及其靈活以力求合乎《易》理實際的讀書方法。讀《朱子語
類》雖然繁而細，但我認為，可以更清楚地揭示一代宗師所走的
治學之路，因此對我們讀《易》解《易》，更有幫助和啟發。

雜話古今說爭鳴

　　古今中外，凡是廣開言路、解放思想、百家爭鳴的熱鬧時代，文學藝術就蓬勃發展；反之，推行「一家獨鳴」的文化專制主義，必然造成「萬馬齊喑」的可悲局面，文藝百花隨之凋謝枯萎。事實說明，文學藝術的進步與百家爭鳴密切相關，這是歷史的規律。

　　就拿唐代來說，當時的百家爭鳴促進了文學藝術的繁榮和發展。自由地批評與商榷，在當時是很正常的事情。如中唐時期古文運動的倡導者韓愈，他不僅勇於批評別人，而且有時也能正確對待別人的批評。他寫了一篇文章叫《師說》，公開招收學生，組織古文運動隊伍，以師授古文、傳道解惑爲己任，從而批判了士族大地主的文化專制主義。這篇文章在當時引起軒然大波，士族權貴把它批得一文不值。這一情況，當時柳宗元有形象的描繪：「世果羣怪聚罵，指目牽引，而增與爲言辭，愈以是得狂名。」（《答韋中立論師道書》）雖然被人罵爲「狂人」，但韓愈並沒有因此而鉗口結舌；相反，他繼續大講特講，大寫特寫，直到鬥爭的勝利。他這樣做，是不是沒有風險呢？不是的。當時他官卑職微，僅是個從七品的國子監四門學博士，觸犯權貴，對自己的「前途」很不利，因而有「事修而謗興，德高而毀來」（《原毀》）的慨嘆。但爲了追求眞理，他確是無所忌諱，這種頑強的鬥爭精神，是否有值得我們借鑑的地方？

　　韓愈又是怎樣對待別人的批評呢？他的《毛穎傳》是學習司馬

遷《史記·滑稽列傳》及先秦寓言、民間故事而創作的古文小說，藉爲毛筆立傳而諷刺封建統治者的刻薄「少恩」，同時又斥責昏憒無能、堵塞賢路的官僚。實際上這是一篇出色的政治諷刺小品，在古文運動中是很有意義的創舉。對於這類文章，當時非議很多，惡意的攻擊與善意的批評都有。如韓愈的老朋友裴度（曾幾度出任宰相），雖然在政治上彼此志同道合，但文藝觀點不同，同樣展開了爭鳴。裴度在《寄李翱書》中直截了當地批評韓是「以文爲戲」。對這種批評，韓愈早已熟悉。他並沒有因爲是來自上頭的「長官意志」就唯唯諾諾，反而繼續創作了大量作品，戲弄和嘲諷於筆端，用自己的創作實踐回答了批評。還有來自下面的批評，如他的得意門生張籍，早在貞元年間就接連寫了兩封信（《上韓昌黎書》、《上韓昌黎第二書》）給他，批評老師「以駁雜無實之說爲戲」，並且說他論戰時態度生硬，「商論之際，或不容人之短」。韓愈並沒因此就大動肝火，擺出師道尊嚴的架式，而是平心靜氣地連回兩封信（《答張籍書》、《重答張籍書》），反覆辯詰，明辨是非。他說：「若商論不能下氣，或似有之，當更思而悔之耳。」學生的批評有道理，不管自己怎麼有失「體面」，都應改正。但他接受又是有原則的：「若好勝者然，雖誠有之，抑非好己勝也，好己之道勝也。」既接受批評，又絕不動搖自己追求「道」——他心目中的真理的決心。特別是所謂「以駁雜無實之說爲戲」，這是原則問題，不能不辯，因此他聲明說：以小說筆調寫文章，「惡害於道哉？」這次師生爭鳴，使韓愈與張籍的關係不是疏遠了，而是更親密，彼此成了良師諍友。事後，韓愈不僅推薦張籍去考進士，而且寫了許多詩送他，如《病中贈張十八》：「龍文百斛鼎，筆力可獨扛」，可謂頌揚備至。事實證明，百家爭鳴促進了大家的相互了解，有利於文學藝術的發展。

　　再舉個朋友間熱烈爭鳴的例子來說。韓愈與柳宗元同是當時古文運動的領袖，關係密切。對韓的貢獻，柳曾給予很高的評價和積極的支持。但就是這對配合默契的戰友，有不同學術見解時，也自然產生面紅耳赤的爭論。柳宗元曾有《與韓愈論史官書》、《天說》等文，指名批評：「愈大謬矣！」即使是韓愈在《答劉秀才論史書》中說了一些牢騷話，柳也絕不放過。柳宗元批評的目的，不是打人棍子，相反，恰恰是鼓勵韓愈要勇於堅持原則，完成史官的職責。儘管柳宗元當時是個因「犯錯誤」而被貶斥邊州的小官，而韓愈的地位卻在逐漸上升，但韓也沒因此就翻臉不認人，或者和柳斷交。直到柳宗元死後，韓愈還主動寫了《柳子厚墓誌銘》，感情真摯，態度誠懇。這種態度，難道沒有值得借鑑的地方嗎？

　　「歷史的經驗值得注意」。唐代是個思想比較解放的時代，當時中外文化交流頻繁，國內各民族思想也互相影響，因此在學術文化方面形成了百家爭鳴的局面。不僅儒、道、佛三家鼎立，而且唯心、唯物並存，諸子百家也各有自己的思想影響。當時能夠積極爭鳴的又何止韓愈一個！唐代在文化藝術方面的燦爛成就，與當時學術界百家爭鳴的促進也有關係。韓愈本人的文學成就，並沒有因為人家的批評而降低，恰恰相反，人們從不同的角度相互批評、相互否定的同時，也就起到了相互啟發、取長補短的作用。裴度曾指出韓愈古文有「礫裂章句」的缺點。的確，韓文確實也偶有「怪怪奇奇」的文風，如《曹成王碑》等，令人難以卒讀。韓愈這類作品雖然不多，但無疑也是一種不良傾向，有損他的文學成就。裴度的這個批評，正是一劑良藥，啟發韓愈和後人的思考。由此可見，當時並沒有把學術上的論爭與政治鬥爭混淆起來。師生之間、朋友之間、上下級之間，都可以自由地爭鳴。

現在有些人有這樣一種看法：報刊上表揚的人，一定是眾口皆碑的「大好人」；反之，被報刊指名批評或商榷者，雖然大家也不認為是「反革命」，但總「有問題」吧！因而成了大家避之唯恐不及的「晦氣鬼」。至於指名批評別人，那更不能幹了。批評名人，有「狂妄自大」之譏；批評生人，有「多結冤仇」之害；批評上級，有「刁難領導」之罪；批評下級，有「藐視羣眾」之過；批評朋友，有「寡仁寡義」之名。總之，不同意見少發為妙。於是，人云亦云，異口而同聲。這種風氣是應該徹底澄清的時候了！

（原載上海《文匯報》1979年5月17日）

《話說太監》序

　　日人寺尾善雄先生的《宦官物語》（現譯爲《話說太監》）一書，值得人們一讀。在書中，作者不但娓娓動聽地講述了許多有關中國古代宦官的故事，有利於開拓讀者的視野，豐富人們的文化知識寶庫；而且以其深邃的目光，隱約窺測到發生在歷史表象後面的事情，把人們引入一個充滿了問號和驚嘆號的神祕王國。

　　「太監」原稱「宦官」。叫做「太監」，是明清以後的事。因爲明代的宦官機構分設十二監，每監各設一員太監統領，後來宦官勢力膨脹了，權勢一大，拍馬屁的人也就多了，於是一見到宦官，不論其大小，無不點頭哈腰，以尊其長官之例，稱之爲「太監」，沿習既久，於是成爲宦官的又一通稱。

　　「太監」或「宦官」這類詞兒一映入眼簾，人們常是下意識地感到一陣噁心，就像在食物中突然發現了蒼蠅一樣。爲什麼？從活生生的人來看，大概因爲太監都由被閹割過的男人擔任，不男不女，不陰不陽，喪失了生殖能力。生理上的殘廢，引起了心理上的扭曲和變態，性格怪僻，心胸狹隘。性功能的喪失，意味著對人性的摧殘。古人常說：「不孝有三，無後爲大。」一個堂堂正正的男子漢，如果不是因爲生活所迫或其他特殊原因，誰願意受人閹割？閹割原是一種刑罰，又稱宮刑或腐刑，古人視爲奇恥大辱。有時宮刑可以代替死刑，說明其「罪」之重，無以復加。司馬遷因李陵事件得罪了漢武帝，判處死刑，他因爲《史記》尚未完成，於是忍辱負詬，甘受宮刑以替死。被閹割後，他被武

帝任命爲宮廷宦官頭目——中書令,「尊寵任職」,可以參預國家的機密大事,地位比以前的太史令這一普通下級官職要高多了,但司馬遷卻在《報任安書》中痛心疾首地說:「悲莫痛於傷心……詬莫大於宮刑。刑餘之人,無所比數,非一世也,所從來遠矣……中材之人,事關宦豎,莫不傷氣,況忼慨之士乎!」說得聲淚俱下,悲憤欲絕。這話是有原因的。作爲宦官,一直爲封建士人所不齒,歧視他們,目爲佞幸小人。這種歧視,從人性角度看,原本是不應該的,這是封建士大夫的階級偏見及傳統文化心理所致。太監也是人。他們被閹割,多出於無奈。强行鏟除人「性」,是對人性的壓迫。身心受到嚴重摧殘的太監,原也有值得同情的一面。而且,宦官也不都是壞人。書中提到的造紙的蔡倫,率領遠航船隊下西洋的三寶太監鄭和,不都爲人類文明作出了歷史的貢獻了麼!還有我們上面提到的司馬遷,他更是刑殘而心不殘,對社會的壓迫憤起抗爭,終於寫出了千古不朽的《史記》,爲中華民族和世界文明作出了偉大的貢獻。受宮刑而當宦官,是人生一大悲劇。但有理想的志士仁人,卻能在悲劇的泥潭中掙扎奮鬥,終於噴薄而出,以生命的光和熱,爲人類照亮了新的征途。他們是人類文明的驕傲,有什麼理由要因其閹割刑殘而加以歧視呢?可說絕無此理。退一步說,就算是一般碌碌求生的太監,他們中的大多數來自下層勞動人民,或是邊遠地區的少數民族,出身貧困,爲謀衣食而淨身入宮,他們是帝王家的下賤奴隸,整天做牛做馬,受盡人間凌辱。他們的內心在滴血,痛苦的靈魂發出了慘怛的呼號,正義的人們有什麼理由不去同情他們,卻要加以歧視呢?固執傳統心理,損傷被侮辱被損害者的心靈,這是最不人道的行爲!

不過大太監則另當別論。宦官是帝王家奴,大太監也不例外。但奴才有時比主子還可惡。在主人面前,他們卑躬屈膝,媚

態百出；而一旦小人得志，又會狐假虎威，在人前耍盡威風，什麼缺德事都幹得出。他們一朝掌權，由於變態心理驅使，報復心理特重，再加以缺乏文化教育的知識和修養，有時就會比主子還陰險毒辣。由這些大太監組成的宦官集團，成了罪惡的淵藪，他們耍權術、玩錢財、抓軍隊、搶政權，無惡不作，成了中國古代最腐敗最黑暗的政治勢力之一。由於宦官集團的興風作浪，把國家與民族拖入了覆滅深淵，歷史上不乏其例。在統治階級中，宦官集團是奴才，又是鷹犬，更是惡魔，成了歷史的罪人。這批大太監，其中許多人也可能出身寒微，不過一旦爬了上去，早就背叛了生養自己的勞動人民。其面目之可憎、可恨，實在難以形容。人們為之齒冷，恥與宦官為伍，又是一種正氣的表現。而成千上萬的小太監，一旦被大太監所驅遣，為完成宦官集團的卑鄙政治目標而奔走時，人們自會化同情為批判，因為這是階級或集團的搏鬥，而不僅僅是個人生命價值的問題了。從社會歷史發展的宏觀角度看，視太監為小人，又有一定的道理。作為宦官個人，其中可能有值得人們同情與讚嘆者；但是一旦形成宦官集團，作為罪惡力量的代表，則應予堅決否定。同是太監，應該具體分析。

世界上其他國家如土耳其，歷史上也有過宦官。但形成宦官制度，左右政局，動盪社會，根深蒂固，影響深遠，則是中國古代歷史的怪胎。對於宦官，人們不能只是下意識地厭惡，而是應該深入進去，知其然又知其所以然，從產生宦官制度的特殊氣候和生活土壤去作科學分析，進一步看到發生在歷史表象後面的罪惡根源。只有鏟除根源，才能真正杜絕一切歷史的怪胎。

在中國封建社會的鬥爭中，宦官集團是一股特殊的力量。有人認為，這是因為君主的昏庸造成的。《新唐書・宦者傳》曾說：「小人之情，猥險無顧藉，又日夕侍天子，狎則無威，習則不

疑，故昏君蔽於所暱。」這僅是從個人心理因素方面找原因。其
實，這只是歷史的表象。秦二世胡亥因寵信宦官趙高而亡國，但
趙高是秦始皇派來侍奉胡亥並兼當教師的，禍根是一代雄主秦始
皇種下的。中唐時代號稱中興英主的憲宗，一方面銳意進取，用
兵平叛；一方面又寵信宦官，授予軍政大權，最後暴死太監之手
而不悟。事實說明，宦官制度與封建王朝的專制獨裁政治相始
終。所以，寺尾善雄評論宦官時說：「但是，這不是一個人的罪
惡，而是封建專制制度的罪惡。」封建君主專制制度是產生宦官
罪惡力量的肥沃土壤。在生活上，帝王依賴宦官，這是不言而喻
的。皇帝內宮，佳麗三千，宮女上萬，而真正成年男子只有皇帝
一人。如果以普通男人當差，穿堂過戶，進宮入室，難免不發生
醜聞，這叫皇帝怎麼放心得下？而使喚不男不女的太監，就沒有
這個苦惱。皇帝也是血肉之軀組成的人，在外廷接見百官萬民，
是一尊備受崇拜的神聖偶像；但一回到內宮，脫掉神聖偽裝，又
暴露了俗人的真面目，尋歡逐樂，荒淫無恥，醜態百出。這一切
的一切，太監們也是盡收眼底，一清二楚。因此，太監們表面極
盡「媚」態，奴性十足，似乎「赤誠」一片；骨子裡早就看透了
消息，認為大家彼此彼此，一樣卑劣。皇帝要維護尊嚴，宦官要
得到權勢，必然相互勾結，沆瀣一氣，哪來什麼「赤誠」之心？
而且，封建帝王為了維持其獨裁統治，同樣推行「任人唯親」政
策，內外有別，以內廷宦官來牽制外廷的將相。將相萌異心，皇
帝江山不保，這還了得！還是宦官可靠，家奴便於使喚，用他們
帶兵掌權，控制特務機構，便於自己的直接操縱利用。這樣更有
安全感。宦官集團也正是依附於封建君主獨裁統治的需要，應運
而生，從軍權、政權、財權，到處伸手，惡性膨脹，最後尾大不
掉，連唐文宗也發出了「受制家奴」的無可奈何的哀嘆。宦官制
度終於成為依附在封建國家身上的一顆毒瘤，神醫束手，無法割

除。這是歷史的懲罰。最後，是辛亥革命的槍聲，推翻了幾千年的封建統治，把君主專制連同宦官制度，一起埋葬掉。

歷史的經驗值得注意。讀了《宦官物語》一書，不能不令人深省反思、喟然興嘆！

1987年5月於復旦大學

（見寺尾善雄《話說太監》，上海文藝出版社1987年版）

《十大名相》前言

　　在封建文人的筆下，一部二十四史，全都記載了帝王將相的活動。不過，在眾多的帝王將相中，也有一些佼佼者，作為傑出的封建政治家，他們在歷史條件的許可下，也曾經站在時代的前列，有聲有色地演出了一幕幕動人的歷史劇，為中華民族的發展作出了一定的貢獻。而帝王將相當中，宰相的地位特殊，作為封建國家的行政首腦人物，實際上起了很大的作用。因此，通過介紹宰相當中傑出代表人物的活動，可以幫助我們從另一側面去觀察封建社會，了解古代歷史。我們希望通過編寫《十大名相》，能夠引起廣大讀者對於學習歷史的一些興趣。

　　一提到宰相，有的人自然會想起戲曲舞台中那「一人之下，萬人之上」、蟒袍玉帶、八面威風的形象。藝術的想像當然有一定的根據，但也不盡然。比如宰相出門，明代萬曆初宰相張居正在1578年回故鄉江陵時，坐的是三十二人抬的特製大轎，轎的前半部是起居室，後半部是寢室，兩廊一邊一個書僮焚香揮扇。沿路不僅有文武百官跪拜迎接，就是親王也要派人迎到界上，可說是夠氣派了吧。但漢初的蕭何，身為丞相，卻不得不乘牛車上朝。同是宰相，歷史時代不同，情況大不一樣，不能一概而論。

　　中國古代的宰相，原來並不是實際設置的官職，而是一種泛稱（遼代設有宰相一職，是個例外）。各個朝代，名目繁多，職責變化，一言難盡。比如秦漢時代稱丞相、相國或三公，唐宋時代的中書、門下、尚書三省長官及同平章事，明清時代的內閣大

學士等等，儘管名稱、職權已有變化，但卻同樣被人稱爲宰相。為什麼？因爲萬變不離其宗，作爲封建國家的最高行政長官，總攬政務，統領羣僚，以對皇帝負責，基本性質又是相同的。杜佑《通典》在解釋「宰相」時說它是「掌丞天子，助理萬機」。應劭注《史記‧秦本紀》時解釋「丞相」一詞也說：「丞，承也；相，助也。」也就是說，宰相是承「一人」之意而幫助行事的人。表面上看，宰相位居百官之首，威風得很。其實一旦拆穿，實在可憐得很，嚴格地說，只是給皇帝當總管的「僕役」頭子而已。主子與奴才的身分界限是無法混淆的。在封建社會中，皇帝與宰相的關係，對國家的治與亂起有一定的影響。但按照戰國時荀子的說法，國王對於宰相，是「當則可，不當則廢」，用現在的話說，也就是招之則來，揮之即去。秦漢以後，封建禮教更有「君要臣死，臣不得不死」的規定。宰相也是「臣」，所以有時不僅聲勢全失，而且可能連做人的資格都被取消了。以明代爲例，翻開一部《明史》，就會發現明代的內閣大學士、特別是其首輔，往往不是被斥就是被殺，少有倖免。當時人們爭當宰相，以爲當宰相就會光宗耀祖，無限榮光；但是一旦爬上了宰相的交椅，多數是感到如坐針氈，日子難過。封建時代的宰相，受到君權的制約，不遇明主，縱有萬般本事，也常有一事無成的慨嘆。這是歷史的局限。當然，在我國歷史上，君權與相權基本融洽一致，推動了社會發展，這種事例也是有的。像本書所提到的劉備與諸葛亮，苻堅與王猛，唐太宗與房玄齡，宋神宗與王安石，在君主的支持下，這些一代名相也曾幹出了一番轟轟烈烈的事業來，但更多的情況不是這樣。許多能幹的宰相，不得不在愈演愈烈的君權與相權的爭奪中曲折前進。名相之「名」，的確是來之不易。皇帝並不全是壞蛋，其中當然也有出色的人物，但爲數不多；一般是養在深宮之中，所受教育並不完善，加以缺乏實踐經驗，由這

號人來統治國家，當然要依靠宰相統率百官來實現了。但宰相一幹出成績，國家稍有點起色，似乎表明了相權無形擴大了，這又影響了「聖聰獨斷」，對至高無上的君權獨裁構成了「威脅」。這時，不管你有什麼功勞苦勞，全都拋到九霄雲外，憑皇帝的一句話，連「莫須有」的理由都不要，昔日聲勢顯赫的宰相，立刻罷官，甚至是殺頭，李斯可說是扶秦二世胡亥登上皇帝寶座的大功臣了吧？但曾幾何時，腰斬咸陽。漢高祖劉邦與丞相蕭何，是同鄉中的少年至交。漢朝開國，劉邦當眾承認蕭何是第一功臣。君、相之間，關係夠密切了吧？但事實不然。劉邦在外打仗，常派人暗中監視丞相的行動，蕭何的一舉手、一投足，都有人打小報告。一次朝廷議事，小事一樁，一言不合，立刻銀鐺入獄。號稱善於用人、頗有度量的劉邦尚且如此，更何況是氣量狹小的朱洪武！他對臣下是砍頭剝皮，無所不為。在這種情況下，由於「奴才」的性質所限，大多數的宰相是唯唯諾諾，誠惶誠恐，「如臨深淵，如履薄冰」，成為圓滑的官僚頭子。這是一般庸俗宰相的歷史悲劇。

但「名相」則不然。入選本書的十大名相，多數是「明知其不可為而為之」的人物，有的激昂慷慨，奮勇直前；有的力挽狂瀾，壯烈捐軀。像文天祥，明知拒不投降、堅持抗戰，必然失敗犧牲；但他全然不顧，高唱《正氣歌》，大義凜然地血灑刑場。這對中華兒女，是最動人的愛國主義教育。經過堅苦卓絕的奮鬥，或是絞盡心血的掙扎，這批中華民族的優秀兒女，終於成為不僅受時代陶熔，而且也陶熔了時代的人物。由此可見，名相之「名」，是拌和著多少汗水、淚水，甚至是血水啊！

入選本書的十大名相，並不都是英雄，如李斯其人，他的本性甚至有相當卑劣猥小的一面，令人不寒而慄，感到可怕。但不管怎樣，他們都曾以巨大的熱情和努力，在歷史上作出了自己的

貢獻。而由於時代變化及生活道路各不相同，因此他們的歷史貢獻，又各有自己的特點。如李斯在首次統一中國時的貢獻；蕭何的「無為而治」、與民休息；諸葛亮的睿智及鞠躬盡瘁的精神；王猛對少數民族政權的改造及在民族交會潮流中的作為；房玄齡忠實地貫徹和執行了「貞觀之治」的政治思想路線；陸贄敢犯人主之怒的頻頻進諫；王安石力抗潮流的銳意變法；耶律楚材作為我國少數民族知識分子的傑出代表，主張蒙古統治者學習先進的漢族文化，促進民族交流；文天祥不怕犧牲的愛國精神；張居正在晚明混亂中厲行改革，成為力挽狂瀾的歷史人物。他們的傳記故事，成了各個封建王朝盛衰興亡的歷史見證。我們在編寫的過程中，除作了某些細節描寫外，對基本史實則力求忠於歷史的真實，以便讀者借鑑。

但是，這本書是通俗的歷史人物傳記，是一種「兩棲類」的著作，它既是歷史，又涉及文學。因此，我們編寫時，力求歷史的真實性與文學的生動性相結合，希望這能成為本書的一個特點。從歷史的角度看，寫作應盡量地客觀，時間、地點、人物、故事的真實性都有一定的根據，只是限於篇幅和體例，不再注明出處。另外，還適當介紹一些古代的典章文物制度等有關的文化知識。而從文學的角度看，歷史人物傳記同時又是一種特殊的文學作品。如果只是一味枯燥地敘述史實，讀者提不起興趣，一旦束之高閣，那麼正應了《琵琶記》的一句唱詞：「縱好也徒然！」並且，為歷史人物立傳，作者總有自己的立場與愛憎，選擇取捨，大有文章，因此落筆之時，就不可能一點也不受主觀思想情感的驅遣。所謂「純客觀」的寫作是不存在的。司馬遷的《史記》，筆端染有強烈的感情色彩，這並不妨礙它成為我國傳記文學的優秀典範。而這一點正是班固《漢書》所無法比擬的。因此，加強歷史人物傳記的文學性，力爭把作品寫得生動些、有趣些，

不是平鋪直敍，而是跌宕起伏，有一定的故事情節，在權利爭奪中塑造傳主的形象，並且盡量做到以情動人，引人入勝。只要努力，這不僅是可能的，並且也是應該做到的。但限於編寫者的能力，良好的願望與實際情況可能存在一定的差距，希望讀者和專家提出寶貴的意見，便於今後改正和提高。

1987年1月14日夜書於上海蝸廬

（見《十大名相》，上海古籍出版社1987年版）

中國古代文明的悲壯頌歌

——《史記》文化精神述評

一

《史記》在西漢中期誕生，絕非偶然，而是有其個人原因和歷史文化背景的。

從個人因素及家學淵源方面看。司馬遷自述世系，「司馬氏世典周史」，早先就是史官世家。其父談在漢武帝初任太史令，學識淵博，思路開闊，著《論六家要指》，縱論陰陽、儒、墨、法、名、道德諸家，以道家爲主，兼綜百家，認爲各家互有優劣，殊途同歸，在歷史上都有合理存在的價值。他早有心編寫一部中國古代通史，但不幸天不假年，彌留之際，拉著兒子的手而泣曰：

> 余先，周室之太史也。自上世嘗顯功名於虞夏，典天官事。後世中衰，絕於予乎？汝復爲太史，則續吾祖矣……爲太史，無忘吾所欲論著矣……孔子修舊起廢，論《詩》《書》，作《春秋》，則學者至今則之。自獲麟以來四百有餘歲，而諸侯相兼，史記放絕。今漢興，海內一統，明主賢君忠臣死義之士，余爲太史而弗論載，廢天下之史文，余甚懼焉，汝其念哉！（見《史記・太史公自序》）

當時司馬遷俯首流涕，決心爲實現先人遺志而奮鬥。由於家學淵源，在他的意識土壤深處，早已播下了歷史文化的種子，在適當的氣候條件下，將破土而出，蓬勃生長。司馬遷是獨子，司馬家的香火，靠他承傳，因此他備受父母寵愛，自不待言。但司馬談對這個獨苗愛而不溺，相反，爲了實現修史以總結古代文化的理想，他對年輕的司馬遷進行了積極的文化教育投資，實行了嚴格的文化基礎訓練，並給予豐富而艱苦的生活鍛煉。《太史公自序》曰：

> 遷生龍門，耕牧河山之陽。年十歲則誦古文。二十而南遊江淮，上會稽，探禹穴，闚九疑，浮於沅湘，北涉汶泗，講業齊魯之都，觀孔子之遺風，鄉射鄒嶧，戹困鄱薛彭城，過梁楚以歸。於是遷仕爲郎中，奉使西征巴蜀以南，南略邛笮昆明，還報命。

可見司馬遷對於傳統文化，從年輕時就進行了刻苦的學習。所學「古文」，不僅指孔安國古文《尚書》之類，而且泛指學習古代的語言文字和典制文物知識，以便爲日後學習和研究古代文化典籍打基礎。父親出資讓他漫遊大江南北，以及他的出使大西南，不僅開闊了視野，拓展了胸襟，而且進行了廣泛的歷史文化調查，爲後來《史記》創作積累了大量活生生的思想文化素材。如《孟嘗君列傳》曰：

> 太史公曰：吾嘗過薛，其俗閭里率多暴桀子弟，與鄒、魯殊。問其故，曰：「孟嘗君招致天下任俠，奸人入薛中蓋六萬餘家矣。」世之傳孟嘗君好客自喜，名不虛矣。

鄒魯之地，喜談道德，折衷仁義，有彬彬儒雅之風。薛地與之相近，但是風氣迥異，鄉多任俠，俗嗜暴桀，爲什麼？經過了深入民間的實地考察，司馬遷從民俗學的角度，了解到不同地區形成不同風俗文化習氣的社會歷史原因，並掌握了大量的事實及生動的生活細節，終於完成了光彩奪目的名篇《孟嘗君列傳》。又如《樊酈滕灌列傳》：

> 太史公曰：吾適豐沛，問其遺老，觀故蕭、曹、樊噲、滕公之家，及其素，異哉所聞！方其鼓刀屠狗賣繒之時，豈自知附驥之尾，垂名漢廷，德流子孫哉？余與他廣通，爲言高祖功臣之興時若此云。

豐縣沛縣，今屬江蘇省，是漢高祖劉邦及其衆多開國功臣的故鄉。樊噲是劉邦的妹夫，原本是殺狗的屠夫，後來成爲衝鋒陷陣的開國功臣，封舞陽侯；滕公指夏侯嬰，原是車夫，灌嬰則是販繒賣帛的小商販，二人披堅執銳，因軍功封侯；蕭何、曹參後來雖貴爲開國丞相，但原來也只是一介小小的縣史。《史記》作爲一種歷史文化生活的總結，它毫不留情地擦掉了統治者塗抹在帝王將相臉上的神聖油彩，以還其歷史的本來面目。這些生動的故事是從哪兒來的呢？作者明白交代，一方面是朋友他廣告訴他的，他廣是樊噲的孫子。但功臣後代歷敍祖宗故事，摻雜主觀成分，美惡難免言過其實。因而另一方面，司馬遷又據「實錄」的文化精神，親到豐沛之地，「問其遺老」，加以實地調查和考察核實，以便去僞存眞，如實總結。司馬遷的一生中，曾幾次漫遊、出使或伴駕視察，其足迹遍布祖國的東南西北，經過實地考察，再加以好學深思，爲《史記》的寫作搜集和積累了豐富的思想文化資料。

　　漢武帝元封三年（前108年），他接替父職任太史令，雖然官卑職微，秩比六百石，廁下大夫之列，政治上並非得意；但作爲史官，當時「百年之間，天下遺文古事，靡不畢集太史公」，這對他實現寫作《史記》的理想，是一個優越的條件。他一頭埋進了皇家圖書館，發憤學習，「紬史記石室金匱之書」①。在大量的古代文獻資料中，他努力探幽索微，鉤玄撮要，追尋規律，以重現文化運行的歷史軌迹。司馬遷所說的「述往事」，並非主觀臆測或憑空構結，而是事有所本，稽古求眞。如《貨殖列傳》說：「夫神農以前，吾不知已。」《伯夷列傳》說：「夫學者載籍極博，猶考信於六藝。《詩》《書》雖缺，然虞夏之文可知也。」可見《史記》不去憑虛結撰「神農以前」原始社會的情況，而主要是從《詩》《書》六藝等古代典籍的記載，去認識「虞夏以來」的社會生活，加以生動的勾畫。所以班固《漢書·司馬遷傳贊》曰：「故司馬遷據《左氏》、《國語》，采《世本》、《戰國策》，述《楚漢春秋》，接其後事，訖於天漢。」不做史官，不讀古書，是無法完成這一偉大使命的。同時，對於古代的文化資料，司馬遷並不生吞活剝地照抄不誤。《史記》之作，是經過了批判、消化和吸收的積極揚棄過程。司馬遷是一個富有儒學修養的人，對孔子的思想學術和爲人很尊重；但他對於儒家聖賢，又絕不盲從盲信，而是堅持從事實出發，提出了自己的分析評價和獨特體會。如對伯夷這個殷商遺民，司馬遷並不因孔子的「定評」而不敢發表自己的見解。恰恰相反，他是通過廣泛搜集資料，在發現了古代佚詩後，在生活事實的基礎上，來糾正孔子言論的失誤。《伯夷列傳》曰：

　　孔子曰：「伯夷、叔齊，不念舊惡，怨是用希。」「求仁得仁，又何怨乎？」余悲伯夷之意，睹軼詩可異焉⋯⋯武王已平殷亂，天下宗周，而伯夷、叔齊恥之，義不食周

粟，隱於首陽山，采薇而食之。及餓且死，作歌，其辭
曰：「登彼西山兮，采其薇矣。以暴易暴兮，不知其非
矣。神農虞夏忽焉沒兮，我安適歸矣？于嗟徂兮，命之衰
矣！」遂餓死於首陽山。由是觀之，怨邪非邪？

作者以充滿感情色彩的憤激之言，反駁孔子那「怨是用希」的中
庸之論，體現了尊重事實而不以「聖人」的是非爲是非的文化精
神，閃爍著突破傳統偏見的進步思想火花。所以班固站在正統儒
家的立場，曾嚴厲批評司馬遷《史記》的「是非頗謬於聖人」②。
班固之言，確有事實依據。但問題的關鍵在於：儒家「聖人」的
是非，並不一定就代表了眞理。而在儒家思想已經「定於一尊」
的漢武帝時代，能夠面對事實而不盲從，敢於發揚獨立思考精
神，而不以「聖人」的是非爲是非，這正是勇於追求眞理、堅持
進步的文化表現。沒有這點精神，能寫出偉大的《史記》嗎？總
之，從個人條件而論，司馬遷的文化素養及其獨立思考、發憤著
書的精神，是《史記》誕生的內在條件。

而從外部條件，即客觀的歷史文化背景來說，總結古代文
化，已成爲時代的要求。司馬談逝世前說：「今漢興，海內一
統，明主賢君忠臣死義之士，余爲太史而弗論，廢天下之史文，
余甚懼焉。」這不是個別史官的意見，而是時代的呼聲，反映了
特定時代的文化心態。「史記放絕」的現象再也不能繼續下去
了。一切催生的客觀條件業已具備，等待的只是優秀的人選和適
當的時機。就這樣，當司馬遷的生命之火迸發出最後一瞬光輝的
時刻，《史記》猶如明月，破雲而出，奔突運行，在西漢中期的文
化天幕上普照光華。它是漢代智慧的產物，又是歷史文明的結
晶。作爲古代的文化巨人，司馬遷是推動歷史車輪前進、力求轉
變時代風雲的天之驕子，但同時又是一個受傳統文化基因遺傳和

受時代精神陶熔的祖國忠實兒子。文化巨人及《史記》的誕生，一刻也離不開養育他的傳統基因和現實土壤。

　　與諸侯混戰的春秋戰國不同，漢朝是封建大一統的時代。漢承秦制，一切有利於鞏固新王朝的制度，漢統治者無不依樣畫葫蘆。但漢初大亂甫定，生民塗炭，不堪忍受嚴重剝削；再加上對於秦末農民起義的教訓記憶猶新；因而漢初統治者不得不因時適變，順應潮流，實行「無爲而治」、與民休息的新決策。道家的「無爲」，並非什麼都不做，而是順應自然，合時而動，無爲而無不爲。反映在思想文化方面，就是不過多干涉，空氣相對自由一些。這樣經過了五、六十年的休養生息，出現了史上有名的「文景之治」，物質文明是「衣食滋殖」，精神文明是「刑罰用稀」③。但以「好黃老言，不悅儒術」的太皇竇太后去世、雄心勃勃的武帝專政爲轉機，思想文化發生了急遽的變化。經過了經濟復蘇和發展生產，漢武帝時已蓄積了大量財富。如《漢書·食貨志》所說：

　　　至武帝之初，七十年間，國家亡（無）事，非遇水旱，則民人給家足，都鄙廩庾盡滿，而府庫餘財。京師之錢累百鉅萬，貫朽而不可校；太倉之粟陳陳相因，充溢露積於外，腐敗不可食。衆庶街巷有馬，阡陌之間成羣；乘牸牝者，擯而不得會聚……於是罔（網）疏而民富，役財驕溢，或至并兼；豪黨之徒，以武斷於鄉曲。宗室有土，公卿大夫以下爭於奢侈，室廬車服僭上亡限。物盛而衰，固其變也。

封建國家羽毛豐富，實力雄厚，思想風氣也隨之一變，於是統治者萌發了大力興辦文治武功的雄心壯志。國家的大一統，必然要

求統一思想，整齊文化。於是董仲舒在元光元年（前134年）提出《舉賢良對策》，要求罷黜百家，獨尊儒術，以爲這樣「統紀可一⋯⋯民知所從」。這個建議被漢武帝所接受，於是開此後兩千餘年封建社會以儒家思想爲正統的先聲，也可說是秦以後的思想專制的新起點。但即使如此，主觀願望與實際情況也常有距離。獨尊儒術的文化決策雖出自國家意志，但漢初以來思想文化的自由空氣仍以歷史的慣性在向前運動，一時難以煞車，更不可能完全熄滅。司馬遷就不是一個正統的醇儒，因而《史記》時常閃爍著「異端」的文化光輝。《太史公自序》所載司馬談《論六家要指》云：

> 天下一致而百慮，同歸而殊涂（途）。夫陰陽、儒、墨、名、法、道德，此務爲治者也。直所從言之異路，有省不省耳。

司馬談死於元封元年（前110年），正當武帝全盛時期，距採納董仲舒建議也經過了二十餘年。但司馬氏父子仍然受漢初的思想文化影響，兼綜百家，認爲諸子各家的文化學術是殊途同歸、百慮一致，同樣符合封建統治階級的利益。這種與正統儒學不相協調的「百家之言」，在漢武帝時明顯存在，並沒有受到什麼嚴重迫害。允許存在，自然也就獲得了發展。因此，同一漢武時代，它既是儒學獨尊、思想專制的新起點，同時又在文化學術領域存在著某種相對自由的空氣。不然，像《史記》這樣被古人指責爲矛頭指向當朝皇帝的「謗書」④的誕生，並且得到官方容許而流傳，這一文化現象就難以解釋了。既專制又自由，這種思想上的矛盾現象，是文化歷史發展到一定階段的必然。一方面是思想文化的運動，自有其內在規律，並不一定與政治體制同步同構，漢

初以來自由空氣的彌漫，一時難以驅散；另一方面，更由於當時
的統治者，正處於騰騰上升的時期，對自己的事業和前途充滿了
自信，因而心胸闊大，氣魄恢宏，有勇氣、有度量兼收並蓄，容
納百家之言。有點「異端」傾向，說點不同意見，也沒什麼了不
起！借用當時大賦家司馬相如的話，西漢的文化意識，可用「兼
容並包」、「參天貳地」八字來概括⑤。這種開闊的心胸，非凡
的氣魄，相對自由的空氣，是學術繁榮的精神因素，更是促使
《史記》文化精神得以充分展現的寬銀幕。當時羣星畢現，人文薈
萃：

> 是時……海內艾安，府庫充實……上（指武帝）方欲用文
> 武，求之如弗及。始以蒲輪迎枚生（枚乘），見主父
> （偃）而嘆息。羣士慕嚮，異人並出。卜式拔於芻牧，弘
> 羊擢於賈豎，衛青奮於奴僕，日磾出於降虜，斯亦曩時版
> 築（指傅說）飯牛（指寧戚）之朋已。漢之得人，於茲爲
> 盛：儒雅則公孫弘、董仲舒、兒寬，篤行則石建、石慶，
> 質直則汲黯、卜式，推賢則韓安國、鄭當時，定令則趙
> 禹、張湯，文章則司馬遷、相如，滑稽則東方朔、枚皋，
> 應對則嚴助、朱買臣，曆數則唐都、落下閎，協律則李延
> 年，運籌則桑弘羊，奉使則張騫、蘇武，將率則衛青、霍
> 去病，受遺則霍光、金光磾，其餘不可勝紀。是以興造功
> 業，制度遺文，後世莫及⑥。

於此可見，《史記》的作者生在這樣的偉大時代，從事文化總結，
條件優越。當時各個學術領域，自由論爭，相互切磋，彼此啓
發，同步發展，創造了一個良好的文化大環境。司馬遷因此心胸
豁達，高瞻遠矚，寫出了「後世莫及」的文化名著，促進了祖國

傳統文化的繁榮和發展。

但值得一提的是，司馬遷的生活歷程富有濃厚的悲劇色彩。生活在漢武帝這一偉大的時代，同樣孕育著偉大的歷史悲劇。司馬遷因為「李陵事件」受牽連，在天漢三年（前98年）受腐刑，使他的身心受到難以忍受的侮辱，但他沒有就此沈默，而是憤怒地抗議：「拳拳之忠，終不能自列，因為誣上，卒從吏議。家貧，財賂不足以自贖，交遊莫救，左右親近不為壹言。身非木石，獨與法吏為伍，深幽囹圄之中，誰可告愬者！」⑦寫盡社會黑暗、世態炎涼。他以為五刑之中，「腐刑最下」，侮辱無以復加，但因《史記》「草創未就」，理想尚未實現，於是忍辱負重，「就極刑而無慍色」。歷史的發展本來就充滿了痛苦的掙扎和血淚的控訴，再加上漢武帝所強加的個人悲劇，因此，《史記》奏響古代文明頌歌的時候，自然染上了一層雄渾悲壯的感情色彩。《史記》所形象展現的古代文明的悲壯色彩，正說明了作者那突破傳統、發展傳統的文化精神的偉大創造力。

二

漢唐文化是封建時代中華民族的驕傲，人們盛稱傳統精華，常有「唐詩、晉字、漢文章」的流行說法。漢文章的優秀代表，如《漢書》稱，首推司馬遷《史記》。中國古代散文無所謂純文學，而常是文史哲不分家，熔敍事、議論、抒情於一爐。因而所謂「文章」，應擴大視之為文化。從總體文化精神考察，《史記》的基調是積極進取的：風格是雄渾豪放的；色彩是絢麗多姿的；它以發揚優良傳統為是，而不以棄舊圖新為非；以砥礪士人節操、發揚獨立人格為榮，而以阿諛奉承、奴性媚骨為恥；體現了人的主體意識的覺醒，對中國知識分子高尚人格精神的形成，起了積

極的促進作用。《史記》所體現的封建社會上升時期的文化，具有
吞吐萬象的能力，它融會了中華大地各民族的文化精華，汲取了
外來文化的瓊漿，爲發展中華文化增添新血液新活力，充分顯現
其開拓精神和放射狀態；它不僅注意到文化的歷史差異性，同時
注意到文化的地區差異性，但又求同存異，從中發現了民族文化
心理的共同內核；它在學術上尊重各家各派，兼綜百家，以批判
定於一尊的正統儒學的定向思維，反映出文化思考的多維視角和
多元性……總之，《史記》諸多文化精神，可用其《報任安書》中的
一段話來概括：

> 僕竊不遜，近自託於無能之辭，網羅天下放失舊聞，考之
> 行事，稽其成敗興壞之理，凡百三十篇，亦欲以究天人之
> 際，通古今之變，成一家之言……僕誠已著此書，藏之名
> 山，傳之其人通邑大都，則僕償前辱之責，雖萬被戮，豈
> 有悔哉！

其中「究天人之際，通古今之變，成一家之言」三句，說明了
《史記》創作的動機和目的，同時也是司馬遷文化觀念總體精神的
集中體現，涵蓋了中國古代文化最基本的問題和人類生命向上躍
進的積極一面。

　　「究天人之際」，是從人與自然的關係來作廣泛的橫向研
究；「通古今之變」是從人與歷史的關係來作深入的縱向考察；
縱橫交錯，密切聯繫，相互闡發，則自「成一家之言」，以構成
其文化思想體系。所謂「究天人之際」，討論的是世界觀或宇宙
本體論的問題。作者把「人」從俗儒那封閉孤立的倫理禁錮中拯
救了出來，安放到「天」即宇宙自然的運動消長的大環境中，去
追蹤其發展軌迹。這是針對俗儒那「知人而不知天」的理論危機

而發。司馬遷向董仲舒學《春秋》，思想上曾受儒家今文學派公羊家的影響。但董仲舒影響最大的理論是「天人合一」之說，強調「道之大原出於天，天不變，道亦不變」⑧，將天道與人事牽強比附，認爲天是有意志有目的，皇帝是天子，代表天命，替天行事。董氏把陰陽五行之說，加以唯心神學化，他表面講「天」，實際是把「人」神化。這種「知人而不知天」的理論形成了一股強大社會思潮。司馬遷作爲史官，古時巫、史不分，所以他在《天官書》中曾記錄了一些有關天人感應之事。這說明在科學還不夠發達的時代，司馬遷不可能不受社會思潮影響，無法完全擺脫神化儒學的束縛。但從總體傾向看，司馬遷對於老師的這套理論是不贊同的。他在《太史公自序》中就否定了宣揚天人感應迷信之言的「星氣之書」，批評它們是「多雜禨祥，不經」。又明白地說：「夫春生夏長秋收冬藏，此天道之大經也，弗順則無以爲天下綱紀」。在《孝文本紀》中，他又稱引文帝遺詔：「天下萬物之萌生，靡不有死。死者天地之理，物之自然者。」已隱約意識到自然之中有不依人的意志爲轉移的客觀規律存在。在研究方法上，他是「仰則觀象於天，俯則法類於地」，在天地自然的客觀運行中，來觀察人類的地位和變化。司馬遷眼中的「天」，並不是人類意志的異化物，更不是上帝一類的人格神，而是指一種超乎人力、不可抗拒的自然力，它是不依人的意志而存在，而又影響著人類生活的宇宙本體。《天官書》又說：「夫天運，三十歲一小變，百年中變，五百載大變；三大變一紀，三紀而大備：此其大數也。爲國者必貴三五。上下各千歲，然後天人之際續備。」所謂「天人之際續備」，指的就是天地間萬事萬物的自然狀態和客觀發展規律。可貴的是，他又把樸素的唯物自然觀運用到社會領域。如《魏世家》云：「說者皆曰魏以不用信陵君故，國削弱至於亡。余以爲不然。天方令秦平海內，其業未成，魏雖得阿衡之

佐，曷益乎？」他雖讚美信陵君的爲人和功業，但認爲魏國必然
滅亡，這是歷史發展的必然。客觀形勢勝過了個人的作用。戰國
紛爭到了該結束的時候，秦國掃滅羣雄、統一六國的行動是勢不
可擋的。這就是司馬遷所理解的「天意」，它絲毫沒有人格神的
迷信成分。又如楚漢之爭，項羽兵敗垓下，執迷不悟地歸咎於
「天」，大言不慚地說：「天亡我，非戰之罪也。」司馬遷駁斥
說：「及羽背關懷楚，放逐義帝而自立，怨王侯叛己，難矣。自
矜功伐，奮其私智而不師古，謂霸王之業，欲以力征經營天下，
五年卒亡其國，身死東城，尚不覺悟而不自責，過矣。乃引『天
亡我，非用兵之罪也』，豈不謬哉！」項羽的失敗，不是如項羽
所說，是一個有意志的天在和他作對，而是因爲他不遵循社會發
展的客觀規律，一味「以力征」爲務，大軍所到，人民殘滅，
「天下多怨」。從哲學觀念來理解，人是一種社會的自然。項羽
殘暴，到處殺人放火，毀滅人類文明，燒秦宮殿，「火三月不
滅」，天下圖書及種種文化古迹，毀於一旦，嚴重破壞了人與自
然的和諧，因而「百姓不親附」，導致自刎烏江，身死而爲天下
笑。「天」無言，不是有意志有人格的「上帝」，怎麼會故意懲
罰某人呢？項羽之敗，在於他不去「究天人之際」，沒有把人在
宇宙運動中的位置擺正。他過分誇大個人的力量，把自己「神」
化，違背客觀自然之勢，去作主觀隨意狂想，當然無論怎麼英雄
蓋世，「力拔山兮」，到頭來還是被自然運轉的宇宙車輪輾得粉
碎。再舉《伯夷列傳》爲例：

> 或曰：「天道無親，常與善人。」若伯夷、叔齊，可謂善
> 人者非邪？積仁絜行如此而餓死！且七十子之徒，仲尼獨
> 薦顏淵爲好學。然回也屢空，糟穅不厭，而卒蚤夭。天之
> 報施善人，其何如哉！盜蹠日殺不辜，肝人之肉，暴戾恣

睢，聚黨數千人，橫行天下，竟以壽終，是遵何德哉？此
其尤大彰明較著者也。若至近世，操行不軌，專犯忌諱，
而終身逸樂，富厚累世不絕。或擇地而蹈之，時然後出
言，行不由徑，非公正不發憤，而遇禍災者，不可勝數
也。余甚惑焉，儻所謂天道，是邪非邪？

這段關於「天道」問題的議論，激情奮發，極其精彩。俗儒把
「天」當作有意志的人格神——上帝，所以說是「天道無親，常
與善人」，只要行善，就可得到天的善報。董仲舒的天之「譴
告」說，性質類似。其《舉賢良對策》云：「觀天人相與之際，甚
可畏也。國家將有失道之敗，而天乃先出災害以譴告之。」又
說：「故聖人之於鬼神也……恃其公報有德也，幸其不私與人福
也。」⑨司馬遷則不信這套神學化的儒學，對「天道」的公正提
出了懷疑與責問：世間現實，善人遭難，惡人逸樂，是非顛倒，
公道何在？「天道」是根本無人格意志的，但它確有超乎人類意
志的偉大自然力存在，人們應注重研究這一自然之「天」，在人
與天的和諧關係中來加以認識、運用和改造。他所領導的西漢改
曆就是「究天人之際」的一種努力。原來，漢初通行的曆律是秦
時的《顓頊曆》，秦人認為自己在陰陽五行中屬水德，而顓頊是水
德之帝，因此採用遠古《顓頊曆》。這種曆法比較落後，不準確。
司馬遷是太史令，兼管曆法，因此於元封七年（前104年）與壺
遂等倡議改制漢曆，以合自然。漢武帝批准了這一建議，於是在
司馬遷的主持下，集中了如鄧平一類的全國著名的曆法專家，
「唐都分其天部，而巴落下閎運算轉曆，然後日辰之度與夏正
同」。經過數十名專家的長期努力，精密推算⑩，一個嶄新的曆
法終於誕生了，史稱《太初曆》，又稱《夏曆》、《鄧平曆》或《三統
曆》。在一個封建農業國家中，科學的曆法是極其重要的，與古

《顓頊曆》相比，漢《太初曆》是先進的。所謂「夏正」，就是春秋末「行夏之時」理想的實現，它以正月爲歲首，既符天道節氣之自然，同時適應了農業生產的實際需要，替人民辦了好事。在天文曆算中，這是一種巨大的文化進步。從指導思想上看，重視自然和科學，把人的力量安放到宇宙本體中去作自然運轉。所以《曆書》又說：「明時正度，則陰陽調，風雨節，茂氣至，民無夭疫。」在人與自然的鬥爭中，逐步積累實踐經驗和知識，先認識自然，然後才能去改造自然，造福人類。這是司馬遷「究天人之際」給後人的啓示。

所謂「通古今之變」，指的是人在歷史發展長河中的地位和作用，偏於時間系列的縱向研究，在追蹤歷史運行軌迹時來總結人類社會的客觀發展規律。首先，與西方古代把歷史神話化不同，司馬遷常把古化神話傳說加以歷史化，也就是說，經過去僞存眞的處理，吸收神話曲折反映現實的合理內核，以合其「實錄」精神的文化抉擇。古希臘荷馬史詩《伊利亞特》、《奧德賽》，就是把古希臘的民族戰爭歷史生活神話化，富於絢麗的浪漫色彩。而司馬遷的「實錄」精神具有現實傾向，古代神話是他寫《史記》時的重要參考，但經過他的爬羅抉剔，刮垢磨光，終於把神話的絢麗圖畫，編織入雄偉的中華文化史册之中。《史記》是第一部中國古代的文化通史，時間縱貫數千年，從黃帝到漢武帝，歷史的足迹歷歷可見。中華民族那勤勞、勇敢、樸素、務實的優良品格，在《史記》開篇的《五帝本紀》和《夏本紀》的記載中，就給人留下了深刻的印象，從此這一歷史印記再也抹不掉了。《五帝本紀》始於黃帝，黃帝是有史可查的中華民族的老祖宗，中華文明的創始人。黃帝以前的原始社會，時間邈遠，文獻無徵，不合信史的條件。所以《貨殖列傳》說：「夫神農以前，吾不知已。」《史記》不去憑虛構結「神農以前」原始社會的情況。當時流傳著

許多神農以前的神話，但把神話當歷史，不合「實錄」原則。因此，司馬遷主要是從儒家六藝等古代文獻記載，以及深入廣泛的社會歷史調查中去稽考黃帝以後的歷史。《五帝本紀》中的黃帝，沒有誇飾神話化，而基本是一個有血有肉有感情的人。他「順天地之紀」（順應天地四時自然規律），「時播百穀草木」，「勞勤心力耳目，節用水火材物」，在踏實的祖國大地上爲中華文明辛勤拓荒。至於有關黃帝的神話，《本紀》幾乎一無所取：

> 學者多稱五帝，尚矣。然《尚書》獨載堯以來；而百家言黃帝，其文不雅馴，薦紳先生難言之。孔子所傳《宰予問五帝德》及《帝繫姓》，儒者或不傳。余嘗西至空桐，北過涿鹿，東漸於海，南浮江淮矣，至長老皆各往往稱黃帝、堯、舜之處，風教固殊焉，總之不離古文者近是。予觀《春秋》《國語》，其發明《五帝德》《帝繫姓》章矣，顧弟（但）弗深考，其所表見皆不虛。《書》缺有間矣，其軼乃時時見於他說，非好學深思，心知其意，固難爲淺見寡聞道也。余并論次，擇其言尤雅者，故著爲本紀書首。

這一段話，把司馬遷寫作《史記》的甘苦和盤托出。當時考古學尚未建立，地下文物的歷史意義還鮮爲人知，所以司馬遷從文獻資料和社會調查兩方面入手來總結中華文明，還是較先進和科學的。「百家言黃帝」，多神話傳說，作爲信史，當然不行，所以他批評「其言不雅馴」，連有學問的人也弄不清楚，因此在本紀中一概捨棄不載。但在其他篇章，他又以互見筆法，故意保留了有關黃帝的神話故事。如《封禪書》載方士之言：

> 中國華山、首山、太室、泰山、東萊，此五山黃帝之所常

游，與神會。黃帝且戰且學仙……百餘歲然後得與神通
……黃帝采首山銅，鑄鼎於荊山下，鼎既成，有龍垂胡髯
下迎黃帝。黃帝上騎，羣臣後宮從上者七十餘人，龍乃上
去。餘小臣不得上，乃悉持龍髯，龍髯拔，墮，墮黃帝之
弓。百姓仰望黃帝既上天，乃抱其弓與胡髯號，故後世因
名其處曰鼎湖，其弓曰烏號。

在《史記》中，《封禪書》是一篇特殊的諷刺筆墨，矛頭指向漢武
帝，如邵晉涵所說：「此書直紀事而其失自見，不用貶詞，可爲
史法。」①武帝是一代雄主，企求長生不死，必自有一通理論，
當時誰敢逆鱗以批其荒謬？於是司馬遷繞道迂迴，捨其高言大
論，而僅記其被方士所惑騙，說是「天子益怠厭方士之怪迂語
矣，然羈縻不絕，冀遇其眞」，屢次上當受騙而終不覺悟。在這
裡，他把皇帝當作一個值得研究的文化對象，剝去了「天子」的
神聖外衣，以還其世俗面目，原來，雄才大略的人主，還有他迂
呆惑溺的另一面。武帝把方士所說黃帝成仙升天的神話當作了眞
實的故事，而司馬遷則指出：「究觀方士祠官之意，於是退而論
次自古以來用事於鬼神者，具見其表裡。後之君子，得以覽
焉。」批判之意顯而易見。有關黃帝的絢麗神話，不安放在《本
紀》而寫到《封禪書》中，自具深意。一方面說明其非眞實性；一
方面又保存了遠古神話及其本質眞實，描繪了中華民族後代子孫
對於炎黃祖先的崇拜和紀念，這是幾千年來形成中華民族的一股
不可忽視的凝聚力。把神話歷史化，的確是《史記》「通古今之
變」的一種生動具體的文化表現。

其次，考察歷史進化與社會發展的必然趨勢，重在一個
「變」字。歷史在不斷進化，一成不變的事物是沒有的。其《太
史公自序》曰：

維三代之禮，所損益各殊務，然要以近性情，通王道，故禮因人質爲之節文，略協古今之變。作《禮書》第一。

非兵不强，非德不昌，黃帝、湯、武以興，桀、紂、二世以崩，可不慎歟？《司馬法》所從來尚矣，太公、孫、吳、王子能紹而明之，切近世，極人變。作《律書》第三。

維幣之行，以通農商；其極則巧玩，并兼兹殖，爭於機利，去本趨末。作《平準書》以觀事變，第八。

不管是時間上的「古今之變」，或世間的「人變」、「事變」，都是值得注意和研究的歷史文明的演化痕迹。「紹以明之」、「略協古今之變」云云，當然包含著對傳統繼承性和歷史延續性的承認。人類文明曾在歷史母體的胚胎中吸足營養，應運而生，這是誰也否定不了的事實。但更重要的是，嬰兒誕生之後，經過風雨洗禮，終於不斷成長。不然，人類文明一成不變，永遠處在童蒙無知的階段，怎麼會有文明的今天！借助歷史文化基因之力，因其客觀自然之勢，變而通之，以便向更高級更文明的社會階段進發。「變」意味著掙脫母體以獲得新生時的痛苦啼哭，但又是擺脫傳統重負以後所顯現的輕鬆優美的前進腳步。「變」促使傳統發展，保證了文明機制的新生！司馬遷在《趙世家》中曾詳載趙武靈王的故事，來表現「變」的神奇力量。戰國之時，趙武靈王改變傳統習俗，實行胡服騎射，趙國因之而變，開疆拓土，西抗强秦，國富兵强。但當時人臣多引用傳統儒家禮義以非之，以爲這是「變古之教，易古之道」，拂逆人心，違背傳統，不可實行。但趙武靈王認爲「反古未可非」，復古雖有「高世之名」，卻有「遺俗之累」，不合形勢需要，所以針鋒相對地反駁說：「先王不同俗，何古之法？帝王不相襲，何禮之循？虑戲！

神農教而不誅，黃帝、堯、舜誅而不怒。及至三王，隨時制法，因事制禮。法度制令各順其宜，衣服器械各便其用。故禮也不必一道，而便國不必古……法古之學，不足以制今。」司馬遷通過趙武靈王的故事，宣揚了「變古」以發展文明的理論。禮儀服飾一類的文明，原是為了人類生活的方便，促進社會的發展，古今時異，事勢化遷，怎可執古制今，一成不變？人類文明必合歷史前進的腳步，日新月異，不斷變化和發展。「變」是文明的進步，是突破傳統的創造，人類開拓精神的表現。在時間縱向序列上，這是一種文明進化論。

所謂「成一家之言」，則是時空縱橫，經緯交錯，在探索自然與歷史的客觀發展規律時，發表自己那言之有據的理性判斷，和充滿悲壯英雄色彩的感情評價，他以自己的獨特認識為線索，重新編織了一張中華文明的系統網絡。對於古代文化，司馬遷有其獨得的心得體會，富有個性化色彩；但這些認識與體會，同時又是整個中華文化發展之鏈的重要一環，代表了民族傳統精神，為世界文化寶庫增添了財富。「成一家之言」標誌著主體意識的覺醒，表現為充分的個性化，沒有理論個性，就談不到創造性，而人類文明的進步則寓於不斷的創造之中。「成一家之言」談何容易！它反映了中華文化精神的一種進步趨勢。從縱向時間序列的進化演變——即「通古今之變」，到橫向空間序列的自然本體研究和文化轉移傳播——即「究天人之際」，它們在文化力量的傳播演進中，相互矛盾，衝突碰撞，融合更新，以達到新的文化生態平衡。這就是司馬遷「成一家之言」系統理論的根據。如關於中華文化精神的形成和發展，司馬遷一方面注意到古今歷史的差異性，從原始社會的「茹毛飲血」，到後代的「芻豢之味」；從先民的「擊石拊石」，到後代的急管繁弦，傳統文化在歷史的運行中自然演進。另一方面，司馬遷同時指出了文化精神的地區

差異性。如齊魯緊鄰，但文化習俗不同。據《齊太公世家》：「太公至國，修政，因其俗，簡其禮，通工商之業，便魚鹽之利。」「其民闊達多匿知，其天性也。」濱海地區，土地鹽鹵，不便農業，利於工商，人們商業意識強烈，商人周遊四方，見多識廣，頭腦靈活，視野自然寬廣，心性必然「闊達」。但在封建社會中，商人地位低下，所以齊人多「匿知」，很少表現在外，而是深謀老算，以智慧射工商之利。齊魯文化風俗雖異，但論其源流，則同是產生於西周文化這一共同的母體。在這裡，司馬遷以多層次多角度的思維視角，在運動變化之中，來觀察文化精神的歷史差異性和地區差異性，充分說明了中華文化同質異構、不斷發展的複雜性。不僅如此，司馬遷還具超前意識，進一步認識到中外民族文化交流與碰撞的重要性，主張廣泛融會中華大地國境內外各民族文化之精華，汲取外來文化的養料，以壯大中華文化的機體和活力。這種偉大的文化氣魄，與漢武帝的時代精神取得了同步發展。他在《史記》中的記載，從《匈奴列傳》《大宛列傳》，到《朝鮮列傳》《南越列傳》等，眼光四射於當時的國境之外的東南西北，給予各少數民族政權以歷史的實錄，反映了漢民族勇於吸收少數民族優秀文化以發展傳統文化的恢宏氣度。同時，他對於漢民族的文化陋習，也勇於拋棄和批判，甚至是儒家「禮義」，也藉齊相晏嬰之口加以批評：「夫儒者滑稽而不可以為法，倨傲順不可以為下……今孔子盛容飾，繁登降之禮，趨詳之節，累世不能殫其學，當年不能究其禮。」儒家「禮義」，是正宗的傳統文化，但它那嚴格區分等級的繁文縟節，不要說是一輩子，就是幾代人也學不會，於世何益？孔子是聖人，但聖人也是人，為什麼他的錯誤不可以批評？拋棄傳統陋習，吸收外來瓊漿，正是為發展中華傳統文化輸進了新鮮血液。於此可見，像司馬遷這類處於上升時期的封建知識分子，充滿了民族的自信，煥發出積極開

拓的興奮和熱情，具有席捲萬里、氣吞斗牛的宏偉氣魄，他們並
不忌諱本民族的傳統文化缺陷，而是敞開胸懷，吐故納新，兼收
並蓄，融會中外，以攀登世界文化峯顛。

三

處在漢武帝「儒學一尊」的社會思潮中，司馬遷的文化精神
不能不受時代的影響。但由於當時的儒學還具有一定的活力，而
且司馬遷雖然尊孔，但認爲諸子百家各有合理存在的理由，因此
廣泛吸收各家精華，去蕪存精，以改造爲自成一家的歷史文化
──即新儒學。《史記》的新儒學文化體系涉及面太廣泛太複雜，
難以一一評述，因而下面以解剖麻雀的方法，具體從經濟文化及
人格精神兩方面，來談論《史記》那「成一家之言」的新儒學的文
化貢獻。

俗儒多輕商，重精神倫理而不注意物質文明，經濟文化幾乎
空白一片。司馬遷則不然。《史記》一反傳統偏見，非常重視經濟
文化的建設。其《平準書》，是一部漢代的貨幣金融經濟史。而如
《貨殖列傳》，則更是一部縱貫古今數千年的經濟發展通史。這篇
作品，舉凡天時、地理、人事、物情，以及漁獵、工商、貨幣、
農林，無不加以敍述。通過貨殖活動，則社會各階層的人及各種
社會制度的發展，大致入其彀中，它以經濟活動爲中心，編織了
一張廣闊的文化之網。與俗儒只重道德不同，司馬遷認爲經濟力
量與國家的治亂興衰，人民的生死貧富，大有關係。《貨殖列
傳·序》曰：「《詩》《書》所述虞夏以來，耳目欲極聲色之好，口
欲窮芻豢之味，身安逸樂，而心誇矜勢能之榮使。俗之漸民久
矣，雖戶說其眇（妙）論，終不能化。故善者因之，其次利道
之，其次教誨之，其次整齊之，最下者與之爭。」這段話把客觀

的經濟發展規律對人類文明需求的刺激和決定作用，描繪得有聲
有色。在這裡，作者並沒有像俗儒那樣空言仁義道德，批判「聲
色之好」一類的物質欲望，恰恰相反，他認為這是歷史發展的必
然。經濟與物質具有極大的誘惑力，「雖戶說以眇論，終不能
化」，這正是對於俗儒那空洞的精神說教的無情嘲諷。「善者因
之」，強調尊重自然，遵循歷史，因勢利導，加以促進和發展。
他一反儒不言「利」的傳統觀念，指出了「利」的重要，並認為
民「利」不可壓制：

> 《周書》曰：「農不出則乏其食，工不出則乏其事，商不出
> 則三寶絕，虞不出則財匱少。」……此四者，民所衣食之
> 原也……故曰：「倉廩實而知禮節，衣食足而知榮辱。」
> 禮生於有而廢於無……故曰：「天下熙熙，皆為利來；天
> 下攘攘，皆為利往。」夫千乘之王，萬侯之家，百室之
> 君，尚猶患貧，而況匹夫編戶之民乎！

經濟物質之「利」是人類文化發展的強大驅力，上自王公貴族，
下至庶民百姓，無不為「利」奔走競爭！他斷言道：「富者，人
之情性，所不學而俱欲者也。」發展物質文明以求富貴，是人類
的本性之一，怎麼可以不計經濟利害而空言倫理道德呢？他舉例
說：勇士死戰，惡少剽劫，任俠犯禁，歌女冶容，公子游說，獵
者射，博者呼，醫生治病救人，吏士舞文弄法，士農工商，「其
實皆為財用耳」。社會各階層，不管是誰，都一樣各盡才智，以
「求富益貴」，始終不會毫無緣由地把金錢財富拱手讓人。這樣
剖析很透徹。精神文明和倫理道德的建設，要建立在物質利益的
基礎上，先衣食而後禮義，如果人民食不果腹，衣不蔽體，生命
受到直接威脅，還能顧到什麼仁義道德？而要建設物質文明和精

神文明，就不能僅僅依靠封建士人，同時應該眼光向下，注重經濟，看清國計民生和工商之利。但司馬遷這一先進思想，在古時沒有受到足夠的重視。古代四民：士農工商，士首列，商為末。商人社會地位最為低下。漢高祖建國不久，立即採用「重租稅以困辱之」的經濟政策來壓制商業發展。並且明文規定，「賈人毋得衣錦繡綺縠絺紵罽、操兵、乘騎馬」⑫，在社會發展中，重士、重農並不錯；但錯在「抑末（商）」二字，這種傳統偏見必然受到歷史的懲罰。司馬遷清楚地意識到這一點，他在《史記》中專門編寫《貨殖列傳》，就是為糾正重道德輕經濟的傳統失誤而發。他說：

> 故待農而食之，虞而出之，工而成之，商而通之。此寧有政教發徵期會哉？人各任其能，竭其力，以得所欲。故物賤之徵貴，貴之徵賤，各勸其業，樂其事，若水之趨下，日夜無休時，不召而自來，不求而民出之。豈非道之所符，而自然之驗邪？

治理國家，應該尊重客觀自然，以符「天人之際」的和諧關係；更應尊重歷史，研究經濟發展，富國富民，以合「古今之變」的必然趨勢。經濟民生，「商而通之」，沒有流通，經濟怎能健康發展？經濟規律客觀存在，是政府的教令政策所無法禁止的，其發展「若水之趨下」，長河的東去，誰能隨心喝令倒流？如果漢高祖的「抑末」政策被認真貫徹，封建經濟必然混亂，漢朝文明就不會成為中華民族的驕傲。實際上，漢高祖的錯誤決策早已得到某種程度的糾正。司馬遷說：「孝惠、呂后時，為天下初定，復弛商賈之律。」⑬又說：「開關梁，弛山澤之禁，是以富商大賈周流天下，交易之物莫不通，得其所欲。」⑭商人通過經商致

富，經濟地位提高，政治地位也隨之提高，司馬遷把他們描繪爲富埒王侯的「素封」之家。如宣曲任氏，做糧食生意，「富而主上重之」，就是實例。作爲劉邦結髮之妻的呂后，已不執行其「抑末」嚴令，更何況是後代呢！司馬遷對於呂后時代「衣食滋殖」的謳歌，正是一種思想的閃光。

司馬遷曾引俗諺形容致富之道：「農不如工，工不如商，刺繡文不如倚市門。」經商是古今致富之通途。更富刺激性的話是：「無巖處奇士之行，而長貧賤，好語仁義，亦足羞也。」這就招來了班固的非議和批判，說他是「崇勢利而羞貧賤」⑮。其實，這正從反面道出了司馬遷文化精神的偉大。一般俗儒片面發揮孟子「何必言利」的主張，以爲「士」是「勞心者」，社會職業最爲清高；而「利」則是「小人」爭奪之物，卑賤齷齪，爲君子所不齒。司馬遷則一反傳統觀念，認爲「天下熙熙，皆爲利來」，「利」是一種偉大動力，驅使社會進步，促進文明繁榮。富貴之「利」，符合客觀之道和「自然之驗」。賢聖如孔子，並不忌諱富貴之利。他說：「富而可求也，雖執鞭之士，吾亦爲之。」⑯話很坦率，只要發財有道，合理合法，他老先生就是給人家趕車子也心甘情願。他雖表揚顏回的安貧樂道，但同時對子貢經商致富之利，也很稱讚，說他是「貨殖焉，億則屢中」⑰。司馬遷在《貨殖列傳》中說：

> 子貢既學於仲尼，退而仕於衛，廢著鬻財於曹魯之間，七十子之徒，賜（按：端木賜，字子貢）最爲饒益。原憲不厭糟糠，匿於窮巷。子貢結駟連騎，束帛之幣以聘享諸侯，所至，國君無不分庭與之抗禮。夫使孔子名揚於天下者，子貢先後之也。此所謂得埶而益彰者乎？

按照司馬遷的記載，孔子周遊列國，時常窮得如「喪家之犬」，
如果不是子貢跟隨車前馬後，並從商業利潤中撥出一部分來供養
這些窮「士」，孔子又怎能「結駟連騎」周遊天下？又哪來的
「束帛之幣」以與諸侯分庭抗禮呢？把司馬遷的分析換用今天的
語言來說，就是子貢以其出色的經商才能，成了孔子文化學術活
動的經濟上的支持力量。於此可見，貨殖之利，成就聖賢之名。
孔子曾說：「沽之哉，沽之哉，我待賈者也！」⑱孔子進一步把
自己的文化學術知識也當作商品來交換了。聖賢尚且趨利，更何
況一般之士！司馬遷《貨殖列傳》有關士可言利的主張，既是從批
判俗儒的傳統偏見出發，又是從積極方面來發展新儒學。士不言
利，乏工商貨殖學識，則在上者愚昧，居下者蒙童，國家怎樣走
向繁榮富強？司馬遷非常清楚，對於工商財貨之利，是因勢利
導，抑或阻撓困迫，態度立場的不同，關係到生民命脈、國家興
衰、歷史進步的大問題，困迫豪傑，顛倒眾生，由「利」而興。
這一思想認識很深刻。清·陳玉樹《〈史記·貨殖列傳〉書後》就此
讚美道：

> 後世治不法古，官之下，貴者惟士，無真偽華實而皆崇
> 之，其視農商工，微賤特甚，朝廷僅設試士誨士之官，舉
> 古之田畯、草人、司市、賈師、工正、工師諸職，盡罷不
> 設。其教廢者其識暗，其理昧者其事拙，其勢分者其志
> 渙，其力薄者其情苟。三者（**按：指農、工、商**）皆式
> 微，而國勢亦弱矣。太史公知其然也，故其序引《周書》曰
> ……其下歷舉齊太公以婦功技巧魚鹽，輻湊天下；勾踐以
> 利農平糶貴出賤取致富，厚報強吳，觀兵中國……嗚呼，
> 國家而無大農大商大工，非細故也……太史公心焉傷之，
> 志其盛也，正以慨其衰也⑲。

「利」之所在，司馬會心。強調士人應學習貨殖工商之學，並非「細故」，而是關係「國勢」強弱的大問題。但遺憾的是，司馬遷的這些石破天驚之偉論，被一般封建士人所忽略，統治者更是建立官本位制，一切以長官意志為行動指南，其餘如經濟生產、消費流通、科學技術，則棄置勿顧。近代中國之弱，與此大有關係。

再次，司馬遷之所言「利」，並非帝王官僚一己之私利，而是強調國家萬民之公利。他明白指出：「有民立君，將以利之。」朝廷興辦實業，應考慮百姓利益。如古時堯舉棄為農師，教百姓耕耘稼穡，發展農業生產，「天下得其利」。又如對蜀守李冰的水利工程，他是讚不絕口：「此渠皆可行舟，有餘則用溉浸，百姓饗其利。至於所過，往往引其水益用溉田疇之渠，以萬億計，然莫足數也。」⑳這是從正面肯定「與天下同利」的文化思想。反之，他則痛加抨擊。如《周本紀》載芮良夫對周厲王的批判：

> 厲王即位三十年，好利，近榮夷公。大夫芮良夫諫厲王曰：「王室其將卑乎？夫榮公好專利而不知大難。夫利，百物之所生也，天地之所載也，而有專之，其害多矣。天地百物皆將取焉，何可專也？……夫王人者，將導利而布之上下者也……今王學專利，其可乎？匹夫專利，猶謂之盜；王而行之，其歸鮮矣！」

對於敲剝掠奪天下百物之利以為己有，而不與萬民共利，司馬遷直斥之為「盜賊」。國君尚不可專利肥己，更何況是一般官吏？對於《貨殖列傳》，近代梁啓超以中西文化比較，來說明《史記》文化精神的世界意義：

西士講富國學，倡論日益盛，持義日益精。皆合地球萬國
土地人民物產，而以比例公理盈虛消息之，彼族之富洵有
由哉……雖曰新學，抑亦古誼（義）也。蒙昔讀《管子·
輕重篇》、《史記·貨殖傳》，私謂與西士所論有若合符。
苟昌明其義而申理其業，中國商務可以起衰。前哲精意千
年埋没，致可悼也㉑。……
西人言富國學者，以農礦工商分爲四門……四者相需缺一
不可，與《史記》之言若合符節。

現在《史記·貨殖》之精光重現，大有益於天下萬民，司馬氏當含
笑九泉，差可欣慰。

四

砥礪士人氣節，發揚知識分子的獨立人格精神，是司馬遷對
於傳統文化的一大貢獻。天漢三年司馬遷受腐刑，後來寫了《報
任安書》：

人固有一死，死有重於泰山，或輕於鴻毛，用之所趨異
也。太上不辱先，其次不辱身，其次不辱理色，其次不辱
辭令，其次詘體受辱，其次易服受辱，其次關木索被箠楚
受辱……最下腐刑，極矣。傳曰「刑不上大夫」，此言士
節不可不厲也……夫人情莫不貪生惡死，念親戚，顧妻
子，至激於義理不然，乃有不得已也。今僕不幸，早失二
親，無兄弟之親，獨身孤立，少卿視僕於妻子何如哉！且
勇者不必死節，怯夫慕義，何處不勉焉！……所以隱忍苟
活，函糞土之中而不辭者，恨私心有所不盡，鄙没世而文

采不表於後也。古者富貴而名摩滅，不可勝記，唯俶儻非
常之人稱焉。蓋西伯拘而演《周易》；仲尼戹而作《春秋》；
屈原放逐，乃賦《離騷》；左丘失明，厥有《國語》；孫子臏
腳，《兵法》修列；不韋遷蜀，世傳《呂覽》；韓非囚秦，
《說難》、《孤憤》；《詩》三百篇，大氐賢聖發憤之所爲作
也。此人皆意有所鬱結，不得通其道，故述往事，思來者
……（《史記》）草創未就，適會此禍，惜其不成，是以就
極刑而無慍色。僕誠已著此書，藏之名山，傳之其人通邑
大都，則僕償前辱之責，雖萬被戮，豈有悔哉！然此可爲
智者道，難爲俗人言也。

這是史上著名的「發憤著書」說。身陷困境，面對侮辱，人或一
死了之，以解除痛苦，這僅是匹夫之勇；而在強壓之下，頑強地
活，艱苦卓絕，去爭取事業的成功，這才是眞正的士人氣節。在
環境壓抑下，忍辱負重，發憤抗爭，而非唯唯諾諾，這是人的主
體意識的覺醒和士人氣節的楷模。

　　就司馬遷的認識言，砥礪士節與獨立人格，最後當然是爲了
維護封建制度。但在調整統治階級內部關係時，士節時犯逆鱗，
與君權常有牴觸。可貴的是，在士節與君權的矛盾鬥爭中，司馬
遷把帝王當作一個具體的文化對象來研究。即使當今皇帝在前，
他也不隱瞞自己的觀點和感情評價。其士節的核心內容是「發
憤」抗爭。而所謂「發憤」，《史記》常是「憤」、「怨」同義並
稱。如《魯仲連鄒陽列傳》：「去感忿（憤）之怨，立終身之
名。」《儒林列傳》：「（儒生）以秦焚其業，積怨發憤於陳王
也。」其實，「憤怨」連稱是漢人的習慣用法，如班固《漢書．
敍傳》有「戰士憤怨」之語。所謂「憤」或「怨」，在司馬遷看
來，是一種備受壓抑的人類生命活力，它伺機衝垮重壓，爭取人

性的自然舒展，以鼓舞人們去奪取功業的圓滿。抒發「怨憤」是
人類的一種本性，即使貴如帝王，也無法加以壓制。如《伍子胥
列傳》評論子胥藉吳兵破楚復仇事云：「怨毒之於人甚矣哉！王
者尚不能行之於臣下，況同列乎？向令伍子胥從奢（子胥父）俱
死，何異螻蟻。棄小義，雪大恥，名垂於後世，悲夫！方子胥窘
於江上，道乞食，志豈嘗須臾忘郢哉？故隱忍就功名。非烈丈夫
孰能致此哉！」在漢武帝高度集權的年代發表這樣的評論，目的
無非如明代茅坤所說，是作者「描寫自家一片胸臆」。故凌約
云：「太史公於凡士之隱忍而不死者，必漬漬不容口，豈其本志
哉？無非欲以自明，且舒其鬱悶無聊之情耳！」㉒這與俗儒那
「溫柔敦厚」、「怨而不怒」的奴性品格形成了鮮明的對比。

　　但更加可貴的是，司馬遷之所以「發憤」，強調的是出於國
家民族之公心的怨憤，堅決反對以「私怨」侵犯人性。即使貴如
帝王，也不可隨心所欲地洩「私怨」害無辜。他在《季布欒布列
傳》中批評漢高祖說：「今上始得天下，獨以己之私怨求一人，
何示天下之不廣也！」在國家利益和個人「私怨」發生矛盾衝突
時，他認為後者應無條件服從前者，為公利而息「私怨」。而對
秦二世時奸相趙高，「所殺及報私怨眾多」，顛倒是非，以「私
怨」打擊報復、瘋狂仇殺，他則痛加抨擊，認為如此發洩「私
怨」，破壞國家利益，毀滅民族前途，扭曲殘滅人性，走向了士
節「發憤」的反面，是腐朽力量的罪惡表演，最後必為正義所鏟
除。砥礪士節，應該以國家民族為重，「非公正不發憤」㉓。
《史記》之所以能引起千古共鳴，「非公正不發憤」大概也是重要
因素。總之，司馬遷文化精神中的宇宙自然本體論及歷史發展意
識，通過士節的奮發，表現為一股凜然正氣。這種高尚的精神品
格，後來逐漸形成了我國知識羣體所推崇的一種風尚。在日常生
活中，特別是在社會動盪的大變革時代，這種崇信氣節的士人風

尚，聚結成一股不可忽視的社會力量，影響、推動或改變了社會的進程，從而構成了愛國主義優良傳統的重要內容。「國家興亡，匹夫有責」，這絕不僅是顧炎武個人的思想，而是經過了千百年歷史的積澱，轉化為正直士人的內在心聲與激情抒發。對抗邪惡，發揚真理，赴湯蹈火，視死如歸，這就是司馬遷所嘖嘖稱頌的「烈丈夫」的精神氣節！於此可見，司馬遷所發揚的獨立人格，既是充分個性化的，同時又完整地展現了中華民族之「公心」。

但遺憾的是，司馬遷等正直封建士人的道德理想追求，雖然最終是維護封建制度本身，而由於歷史局限，封建制度本身就具有扭曲和泯滅人性的殘酷一面，因此封建士人在堅持氣節時追求人格獨立和人性的完整，必然受到環境無情的壓迫和摧殘，因而在「君權」與「士節」的矛盾鬥爭中，直言極諫，公正發憤，就演化成一幕幕驚心動魄的歷史悲劇。司馬遷的腐刑，東林黨的廷杖，中國先進的知識羣體，一直在血淚中痛苦掙扎、頑強吶喊！屈原《離騷》說：「路漫漫其修遠兮，吾將上下而求索」，「雖解體吾猶未變兮，豈余心之可懲！」幾千年的中華文明古國，經歷了多得數不清的改朝換代，但終於振奮復興，與堅持高尚士節多少有些關係。司馬「發憤」，精神偉哉！

---

①《太史公自序》。

②《漢書·司馬遷傳贊》。

③《漢書·食貨志》。

④王允曰：「昔武帝不殺司馬遷，使作謗書，流於後世。」見范曄《後漢書·蔡邕傳》稱引。

⑤參考司馬相如《難蜀父老》：「且夫賢君之踐位也，豈特委瑣握（齷）齪，拘文牽俗，循誦習傳，當世取說云爾哉！必將崇論宏

議，創業垂統，爲萬世規。故馳騖乎兼容並包，而勤思乎參天貳地。」見《史記・司馬相如列傳》。「兼容並包」、「參天貳地」二句，有助於說明漢武帝英雄時代的文化意識。

⑥《漢書・公孫弘卜式兒寬傳贊》。

⑦《報任安書》。

⑧見《漢書・董仲舒傳》。

⑨《春秋繁露・祭義》。

⑩上據《史記、曆書》記載，又《太初曆》採用落下閎和鄧平的八十一分法，因而更加科學一些。據班固《漢書・律曆志》載，古曆一月是二十九又九四〇分之四九九天，制定《太初曆》時，則簡化爲二十九又八十一分之四十三天。史稱八十一分法。

⑪見邵晋涵《史記輯評》卷二《封禪書》。

⑫《漢書・高祖本紀》。

⑬《史記・平準書》。

⑭《史記・貨殖列傳》。

⑮《漢書・司馬遷傳贊》。

⑯《論語・述而》。

⑰《論語・先進》。

⑱《論語・子罕》。

⑲見《後樂堂文鈔續編》卷三。

⑳《史記・河渠書》。

㉑梁啓超《史記貨殖列傳今義》，見《飲冰室合集》第二十六冊。

㉒見《史記評林》。

㉓《史記・伯夷列傳》。

（原載《遁世與拯世──中國文化名著新評》，

上海文藝出版社1991年版）

謝家才女勝鬚眉
──謝道韞與王氏兄弟

　　《世說・賢媛》門記載了魏晉時代有關婦女生活的許多故事。其中第二十六則所敍，趣味盎然，啓人深思：

> 王凝之謝夫人既往王氏，大薄凝之。既還謝家，意大不說
> （悅）。太傅慰釋之曰：「王郎，逸少之子，人身（一作
> 「人才」）亦不惡，汝何以恨乃爾？」答曰：「一門叔
> 父，則有阿大、中郎，羣從兄弟，則有封、胡、遏、末。
> 不意天壤之中，乃有王郎！」

這則故事，把一個年輕的貴族少婦埋怨自己丈夫的情況，描繪得栩栩如生。主角謝夫人，名道韞，是我國古代偉大書法家王羲之（字逸少）第二個兒子凝之的妻子。太傅指謝安。阿大、中郎，指道韞的叔伯父輩的謝尚、謝據；封、胡、遏、末則分別是其兄弟輩中的謝韶、謝朗、謝玄、謝淵（一說謝琰）的小名。謝道韞回娘家後，大發牢騷，抒洩感情，一直埋怨丈夫，她認爲與謝家的叔伯輩和兄弟們相比較，沒想到天地之間，竟然會生下這麼一個王郎！讓人愛無法愛，留下的只有一腔怨與恨。大概謝道韞一定是在王家受足了氣，又不能說，所以一回娘家，就再三再四地埋怨這門親事，因而她的叔父謝安不得不出來「慰釋」一通。謝安到底是個影響很大的著名人物，在謝氏家族中具有極高的威

望。因此，由他出面勸慰解釋，一方面是對姪女表示關心，另一
方面也在力圖維護王、謝家族的共同利益，不要因小兒女的口角
之類，影響到兩家名門望族的關係。因此，他一方面爲王凝之辯
護，一方面又批評了姪女：「汝何以恨乃爾？」謝道韞對丈夫的
怨恨，和謝安爲王凝之迴護辯解，構成了這則故事的一對矛盾衝
突。誰是誰非，值得推敲。在以男性爲中心的封建社會中，矛盾
對立的雙方，一方是一代名流，一個世人仰慕的大男人；另一方
是年輕女流，後生晚輩。辯論的雙方，眞理究竟在誰手裡？在歷
史上，因爲謝安是東晉的一代名相，因此，幾乎不見有人就此事
對他有所非議或批評。只要肯定謝安，當然言外之意，就認爲他
對謝道韞的批評是言之有理了。不過也有例外，宋末的劉辰翁在
其《世說新語評》中，曾力排傳統舊說，大膽地肯定了謝道韞這個
年輕女人的埋怨恨毒是有道理的。但這一意見猶如鳳毛麟角，極
其罕見。有關劉辰翁的著作，因未曾隨身東渡日本，所以未能具
體稱引，只能道其印象。我認爲，劉辰翁讀《世說》很細心，發現
了隱藏在語言文字之外的言外旨趣。可惜其言極爲簡約，點到爲
止，未曾展開具體論述。現在就我個人心得，根據事實加以辨
正。

從謝安的角度看問題，王、謝家族是東晉在江南建立司馬王
朝的兩大支柱。王、謝二家都是當朝最著名的士族門閥，二家聯
婚，門當戶對。在當時的封建門閥社會中，家族門第的高貴是極
其重要的，幾乎可以說影響、甚至決定了貴族士人的一生前途。
因此，謝安認爲其姪女能夠成爲王羲之的兒媳婦，是很幸運的。
他本人和王羲之的關係也很好，不希望因小兒女之間的些微芥蒂
嫌怨而影響王、謝兩家的關係。王羲之是王導的從子，而王導是
渡江創立司馬朝廷的著名丞相，即使在其經歷了從兄王敦叛亂
後，琅邪王氏家族的地位和勢力仍然是很大的。謝安本人曾一度

與王家保持某種距離，甚至是通過兒女婚姻糾紛來加以表示。比
如王導的孫子王珣和王珉，和凝之、獻之是同輩，他們也是當時
的名士，《世說・傷逝》第十五則劉注引《中興書》云：「珣兄弟皆
婿謝氏，以猜嫌離婚。太傅既與珣絕婚，又離（珉）妻，由是二
族遂成仇釁。」①王謝二族構仇，對於東晉政權的穩定不利。作
為當時政界要人的謝安，當然明白這一道理。他並不想把王、謝
家族的矛盾推向極端，而是想尋找適當的機會加以彌縫修補。所
以對於同出於琅邪王氏的王羲之及其子弟，則更多地表示了親近
和友好的態度。他盡力化解並調和王凝之夫妻之間的矛盾，以避
免出現婚姻破裂。謝安從家族門閥政治出發來思考兒女婚姻。在
魏晉時，以政治婚姻而犧牲兒女的愛情幸福的事實很多。如《世
說・德行》第三十九則記載：

> 王子敬（**按**：即獻之，羲之子）病篤，道家上章，應首
> 過，問子敬：「由來有何異同得失？」子敬云：「不覺有
> 餘事，唯憶與郗家離婚。」

原來，王獻之娶的妻子是郗曇之女道茂。高平郗家雖然也屬名門
望族，但其政治勢力，怎能和皇家相比呢？這時，皇帝也看上了
獻之這個王家貴少，詔尚公主，據劉注引《獻之別傳》云：「咸寧
中，詔尚餘姚公主，遷中書令。」但據《晉書・孝武文李太后傳》
所載，當是尚簡文帝女新安公主。獻之和郗道茂感情雖好，但卻
被迫離婚。王家犧牲了獻之和道茂的感情幸福，王羲之為兒子娶
了他所不愛的高貴公主。

　　我們這樣說是有根據的。劉宋時代緊接東晉，宋文帝時詔江
斅尚臨汝公主，但江斅上表讓婚，表中言及「子敬炙足以違詔」
事，《晉書・王獻之傳》失載。做皇帝的駙馬爺，何等光彩榮耀，

為什麼王獻之卻寧願以炙燒其腳的自殘方式來逃婚呢？這是有原因的。一是獻之已婚，夫妻感情甚篤；二是皇家門第，凌壓士人，公主一般驕橫，豈多眞情！如江斆表中所稱：「自晉氏以來，配尚王姬者，雖累經美冑，亦有名才……而勢屈於崇貴，事隔於聞覽，吞悲茹氣，無所逃訴。制勒甚於僕隸，防閑過於婢妾。往來出入，人理之常，當賓待客，朋從之義。而令掃轍息駕，無窺門之期；廢筵抽席，絕接對之理，非唯交友離異，乃亦兄弟疏闊。」表載《宋書》卷四十一《后妃列傳》。可見詔尚公主，政治上雖可飛黃騰達，但在感情生活方面，卻是自找罪受。王獻之重玄理之自然，豈是甘心受人羈囚之人？但迫於壓力，卻也難以迴避。可見再婚公主並非出其自願，所以獻之臨終前，萌生悔意，可說是人之將死，其言亦善。謝安和王羲之一樣，對子女婚姻首先從門閥政治的大處著眼，其老謀深算，非常人所及，在謝道韞的身上，其政治婚姻目的是達到了。道韞父謝奕早故，叔父謝安疼愛姪女如己出②。因此，謝安於道韞如父，其意見對道韞的影響力可想而知。在封建社會中，父輩的意見決定了兒女的命運，而不管這個年輕姪女的態度、感情和意見。據《晉書·王羲之傳》附子《王凝之傳》，直至凝之晚年被農民起義軍孫恩所殺時，謝道韞一直隨侍凝之生活，盡其服侍丈夫、撫養兒女的責任，並沒有按照自己的感情要求離開王家。其實，王氏家族也同樣認爲，與謝家聯婚，保持王、謝家族的高貴血統的自然紐帶，有利於保持二族的緊密聯繫和共同利益，促進東晉士族門閥統治的鞏固。《世說·賢媛》第二十五則云：「王右軍郗夫人謂二弟司空（**按**：郗愔）、中郎（**按**：郗曇）曰：『王家見二謝（**按**：劉注謂指安、萬），傾筐倒庋；見汝輩來，平平爾。汝可無煩復往。」當時的郗氏家族，也是高官滿門的門閥士族；但與王、謝二家相比，則地位、影響略遜一籌。同樣是士族聯婚，其間仍有

親疏貴賤的差異。王羲之家之所以待謝安等特別熱情，不僅是個人情誼關係，還因為謝家門第高貴，所以努力聯絡以進一步發展王謝二家的密切關係。總之，由於王、謝二氏家族的共同努力，王凝之和謝道韞，雖然夫婦之間的感情早已出現了頗深的裂痕，但並沒有離婚。所以謝安對道韞說：「王郎，逸少之子。」從門第之高貴方面來肯定王凝之，在今天看來實在荒謬；但在魏晉人看來，卻符合潮流和形勢，維護了門閥士族統治的政治經濟利益。謝道韞雖是一代才女，識見過人，但卻不得不在無形而強大的社會壓力下，默默地犧牲了自己的感情和幸福。這是時代造成的人生悲劇，聰明能幹如謝道韞，一樣無計相迴避。

當然，上述情況並不說明謝安不愛自己的侄女，更不是故意以兒女的婚姻作交易。不必說道韞是已故長兄之女，應予特加垂憐愛護，就是謝家的其他子弟，他也同樣關心他們的成長和前途。謝安常在公務之暇，與諸謝子弟飲宴歡聚，談詩論文，其中包括了道韞在內，《世說》及諸史多有記載，文多不錄。他曾在與諸子侄歡聚時問：「子弟亦何預人事，而正欲使其佳？」諸人莫有言者，車騎（**按：死贈官車騎將軍的謝玄**）答曰：「譬如芝蘭玉樹，欲使其生於階庭耳。」見載於《世說・言語》第九十二則。謝家子弟，不問男女，謝安確實真正關心而「欲使其佳」。因此，他對謝道韞的婚姻，也是真心希望小夫妻生活和美幸福，並非故意把她推入火坑而不援手救助。因為就魏晉士人的認識而言，夫婿出身名門，家族高貴，在當時的門閥社會中，就意味著享有政治、經濟諸多特權，將來必然官運亨通，前途似錦。所以謝安對道韞說，凝之是「逸少之子」，就是名正言順的重大理由。夫婿因其高門望族而飛黃騰達或享有盛譽，不正是給做妻子的帶來無盡的財富和驕傲嗎？

還有，謝安對於王凝之的認識，態度與對待王珣、王珉兄弟

有別。他的確真正認為凝之的人才，遠勝於珣、珉二位堂兄弟，
所以他勸慰道韞說：「王郎……人身亦不惡。」在侄女對丈夫有
氣的時候，他說話婉轉一些，只稱「不惡」，說是還不錯，差點
沒說出人才難得的稱美之辭。「人身」，即人才，不僅指其外貌
的風姿瀟灑，而且更指其內在的才能品德。據《世說・言語》第七
十一則劉注引《王氏譜》云：「凝之字叔平，右（軍）將軍義之第
二子也。歷江州刺史、左將軍、會稽內史。」其官職地位與乃父
相似，王羲之最後也是官會稽內史。另外，凝之還是個書法家，
史稱其「亦工草隸」③，雖然成就遠不如義之，但史家稱美，可
見其書法藝術不俗，可能頗有乃父之風。再加以他後來作為地方
大員，備受朝廷重視，該是「人才」了吧？但是恰恰在這一點
上，謝安的判斷也明顯失誤，後面談謝道韞的認識時再進一步討
論。

　　而從謝道韞的立場看，其認識與叔父謝安大相逕庭。不過作
為一名一千六百多年前的年輕女子，她不能不極力壓抑自己的精
神痛苦，屈服於家族和社會的傳統壓力，閉口不提離婚之事，勉
強跟隨自己所不愛的男人生活一輩子。但是，她的內在感情洪
流，卻常衝決理智堤防，時常傾瀉而出，大發其怨毒牢騷，以表
示自己的憤怒。儘管這種抗爭是軟弱的，但把自己那久被壓抑的
感情痛苦時而宣泄一下，也可求得暫時的內心平衡。實際上，在
對待自己婚姻問題的認識方面，謝道韞遠勝於謝安。

　　很明顯，作為一個女人，對自己丈夫的觀察了解和感情體驗
更為細密。在這方面，作為父輩的謝安很難體會。當時的貴族男
子，在外可以是衣冠楚楚，風流瀟灑，如玉樹芝蘭，惹人愛憐。
但是，他們中有的實際上是男盜女娼，衣冠禽獸。在上流社會的
貴族沙龍中，有許多人的行為巧於偽裝，他們慣以虛偽矯飾來譁
眾取寵。比如王導的從兄王敦，因為「荒恣於色，體為之弊」，

縱欲過度而掏虛了身子，經家人左右相勸，於是裝出豪爽慷慨的樣子，一下子打開家門，「驅諸婢妾數十人出路，任其所之。時人嘆焉」，見載於《世說・豪爽》第二則。實際上，這並不說明王敦眞正幡然悔悟，放棄其荒淫好色的本性。他把婢妾數十人一下子掃地出門，而根本不問她們將來如何生活，這不是眞正的關心和釋放奴隸，而是置人於生死場中而沽名釣譽，企圖以此說明自己並非好色。其實，這全是裝出來的。對於琅邪王氏家族的首腦人物來說，區區數十名婢妾，何足道哉！年輕的女人對他來說，只是洩欲的工具，招之即來，揮之即去。他在石崇家燕集，石崇令美人行酒，客飲不盡，即斬美人。王敦卻故意「固不飲以觀其變，已斬三人，顏色如故，尚不肯飲」。見《世說・汰侈》第一則。美人的生命他都視爲兒戲，更何況是「驅諸婢妾數十人出路」以收美譽！實際上，後來王敦當了大將軍，不照樣倚紅偎翠，妻妾成羣，其寵妾宋禕，「有色，善吹笛」，就是接收石崇妾綠珠弟子，事載《世說・品藻》第二十一則及余注。王敦何時不荒淫好色！當時貴族多善矯飾以收令名，如王敦輩比比皆是。所以王孝伯（恭）嘲諷說：「名士不必須奇才，但使常得無事，痛飲酒，熟讀《離騷》，便可稱名士。」事載《世說・任誕》第五十三則。因此，謝安在冠冕堂皇的官場中來觀察王凝之，只能見其表面，而不察其內心世界，當然他會從風度翩翩的王家公子的表象，來得出「王郎……人身亦不惡」的結論。而謝道韞則不同，夫妻生活，長年累月，耳鬢廝磨，什麼心思不了解？一般見識的妻子尚瞞不了，更何況謝道韞是個思想敏銳、見識卓越並且感情豐富細膩的女才子！王凝之這個花簇錦團的王家子弟，內裡是什麼貨色，她當然一清二楚。在這方面，她最有發言權。一定是丈夫在日常的生活中，表現出許多卑劣的行爲，並且不自覺地流露出種種庸俗不堪的心理，徹頭徹尾地自我表演了一番，令人無法

原諒，於是才招致了妻子那「不意天壤之中，竟有王郎」的怨毒譏評。在封建社會中，女人即使再有才華，也必須依隨丈夫生活。因此，夫榮妻貴，哪有一個妻子不希望自己的丈夫有出息有前途，而要在名動朝野的叔父面前故意去貶損丈夫呢？道韞如此聰明，怎會不明白這一普通道理呢？因此，她對丈夫的埋怨嘲諷，是實在難以忍受以後的感情爆發，表現了她的眞正思想認識。對於王凝之這個王家子弟，謝安見其表；而謝道韞則在長期的感情生活體驗中，看到了他的內在醜惡靈魂。因此，二謝的品評，是非應不難分辨。大男人、大名流的話也不一定是正確的；相反，在這一問題上，眞理卻在後生晚輩的一個弱女子手中。

有關王凝之的材料，史存不多。今《晉書》卷七十五《范甯傳》載：王凝之任江州刺史時，范甯任豫章太守，范在郡「大設庠序」，興建學校，「並取郡四姓子弟，皆充學生，課讀《五經》，又起學台，功用彌廣」。凝之卻上章朝廷按劾之，謂甯「肆其奢濁，所爲狠藉」（表載甯傳，文長不錄）。但皇帝以爲「甯所務惟學」，所以「事久不判」，不了了之。范甯興儒學，可能與凝之的旨趣不合，但思想學術，百家爭鳴，有何不可？以行政手段來強行壓制儒學，在玄家中絕無僅有，自己不學，又反對別人學習，凝之之蠢可見一斑。他的主要史料，見存於《晉書》卷八十《王羲之傳》附子《王凝之傳》，但所載不足百字，云：

> （羲之）有七子，知名者五人（**按**：指玄之、凝之、徽之、操之、獻之）④。玄之早卒。次凝之，亦工草隸。仕歷江州刺史、左將軍、會稽內史。王氏世事張氏五斗米道，凝之彌篤。孫恩之攻會稽，僚佐請爲之備。凝之不從，方入靖（靜）室請禱，出語諸將佐曰：「吾已請大道，許鬼兵相助，賊自破矣。」既不設備，遂爲孫恩所

害。

其餘材料則零星見諸《世說》等筆記小說中。《世說・言語》第七十一則「謝太傅寒雪日內集，與兒女講論文義」，主要展現了謝道韞的文學才華。而劉注則引證《王氏譜》和《晉安帝紀》所載凝之事迹，內容與《晉書》本傳相似，應是《晉書》直接沿用上述諸書史料。《世說》正文所述是才華橫溢的謝家才女，而劉注則從反面描繪了一個迷信到癡狂程度的王家貴族，妻子與丈夫的形象，形成了鮮明的對照：女聰明雋秀，男愚蠢狂妄，彼此太不相稱。一位才女飽含辛酸和委屈，跟這樣一個無知狂徒生活了一輩子，當然是一齣實實在在的人生悲劇了。孫恩是農民起義領袖，王凝之守會稽，戰爭性質姑且勿論。但作爲一個身繫全城安危的長官統帥，「僚佐請爲之備」，不是沒有提醒他。但他卻滿腦子除了鬼兵神將之外，什麼也不相信。當時他家在會稽，謝道韞也隨侍身邊。相信這樣有關全城安危的大事，以道韞之聰明識見，如果是凝之進內室徵求她的意見，她一定會力勸丈夫放棄其迷信無知的做法，這不僅是拿自己的生命來賭博，同時也把自己的全家和全城的生靈財產當兒戲。但從事件的結果這一歷史事實來分析，凝之要麼根本不把事情眞相告訴妻子，要麼就是根本無視妻子的意見。總之，王凝之是我行我素，即使在生命攸關的問題上，也從沒有尊重妻子的意見。這樣的人，難道不該死嗎？據《晉書》卷九十六《列女・王凝之妻謝氏傳》云：

> 及遭孫恩之難，（道韞）舉厝自若，既聞夫及諸子已爲賊所害，方命婢肩輿抽刃出門，亂兵稍至，手殺數人，乃被虜。其外孫劉濤時年數歲，賊又欲害之，道韞曰：「事在王門，何關他族！必其如此，寧先見殺。」恩雖毒虐，爲

之改容，乃不害濤⑤。

所載道韞「手殺數人」，眞實性值得懷疑。作爲地主統治階級中人，道韞雖是女流，但是也不會同情農民起義。不過請注意這樣一個事實，當時道韞已是一位年過花甲有餘的老年貴婦，她有能力接二連三地「手殺」武裝的強壯士兵嗎？可見古人所云「盡信書不如無書」，有一定道理，對事實應加分析。有關孫恩攻破會稽殺凝之，史有明載。諸子被殺，妻子被虜，王凝之狂妄愚蠢的後果，是害人害己，自食其果還不算，而且不可避免地連累了妻子兒女。按唐・釋法琳《辯正論》，唐・陳子艮注引《晉錄》云：

> 琅邪王凝之夫人，陳郡謝氏，名韜元（按：此名他書不載，疑爲道韞小名），奕女也。清心玄旨，姿才秀遠。喪二男，痛甚，六年不開帷幕⑥。

而《異苑》卷六也有相似的記載，云：「琅邪王凝之字叔平，妻左將軍夫人謝氏，奕之女也。嘗頻亡二男，悼惜甚過，哭泣累年。」王凝之因其狂妄無知，迷信鬼神，倒行逆施，其死是罪有應得，但卻連累了多少無辜，給一代才女帶來了喪夫失子、孤寂嫠居，以淚洗面的悲痛生活。製造這樣人生慘劇的罪魁禍首，當然是其丈夫王凝之；但是，如果深入一步，追究始作俑者，還是由於王、謝二家的門閥婚姻意識，一直小心謹愼地勉強維護那早已出現感情裂痕的婚姻，甚至可以說，如謝安、王羲之等長輩，也不能辭其咎。

王家子弟所迷信的五斗米道，幾經發展變化，早已從原來民間的符水道敎，轉化爲煉金丹、修神仙的貴族道敎。「王家世事五斗米道」，在當時是出名的，性質早已轉化，愈增其迷信神仙

以求超脫和長生不老的意識。《晉書·王羲之傳》云：「羲之既去官……與道士許邁共修服食，採藥石不遠千里。」如果說王羲之的相信道教，更多是從服食養生的角度著眼；但是他的兒子，則大大增其迷信鬼神的程度。如王凝之，實際已走火入魔，如中邪一般，幾乎喪失了理智。面對強大的數以萬計的武裝敵人，卻概不設防，如果不是真正迷信鬼神，是不會把生命攸關之事當兒戲的。迷信道教鬼神，妄託虛幻，是王家子弟之所以愚蠢無知的一大原因。但是，相比之下，其士族門閥意識的根深蒂固，更是禍根。王家子弟以其高貴的門第而驕傲狂妄，以自我為中心，目空一切，俯視世人。如王獻之稱其兄徽之云：「兄伯蕭索寡會，遇酒則酣暢忘反。」（《世說·賞譽》第一五一則）由於目中無人，誰也瞧不起，當然會落落寡合，借酒澆愁了。徽之是凝之弟，他不僅卑視一般人，就是其頂頭上司，如果其門第出身不及王家，他同樣裝出一副名士派頭，常是答非所問來加以藐視。如《世說·簡傲》云：

> 王子猷（**按**：徽之字）作桓車騎騎兵參軍，桓問曰：「卿何署？」答曰：「不知何署，時見牽馬來，似是馬曹。」桓又問：「官有幾馬？」答曰：「不問馬，何由知其數？」又問：「馬比死多少？」答曰：「未知生，焉知死？」（第十一則）
>
> 王子猷作桓車騎參軍。桓謂王曰，「卿在府久，比當相料理。」初不答，直高視，以手版拄頰云：「西山朝來，致有爽氣。」（第十三則）

作為桓沖手下的官吏，什麼事也不幹，以不務世事為高。桓沖有問，又卑視不正面作答。這不是對桓沖的藐視又是什麼？其實，

當時桓沖在朝廷中的地位和作用，與謝安並重，國家倚爲棟梁台
柱。但是，因爲桓氏出身微賤，並非高門士族，所以王徽之就瞧
不起他，故意答非所問，不予理睬。他在桓沖手下擔任什麼官
職，怎麼可能不知道呢？如果不知，他就不可能走馬上任。徽之
內心可能認爲，桓氏家族雖是高官顯宦，有什麼了不起？他家當
兵的，行伍出身，低人一等⑦。現在能請到像我這樣的門第高貴
的王家子弟做幕僚，應該感到光榮而敬禮有加，怎麼還眞要我去
做事呢？這批高門望族的貴要子弟，希望高官厚祿的享受，卻又
不肯做實事，這樣「不嬰世務」，不對國家和民族負責，東晉怎
能不亡國呢？

再以當時人公認的王家兄弟中最傑出的人物王獻之爲例⑧。
因爲所受家風及時勢薰染，獻之自小就具有了濃厚的士族門閥意
識，如《世說・方正》第五十九則云：

> 王子敬（**按**：獻之字）數歲時，嘗看諸門生樗蒲（**按**：一
> 種賭博之類的遊戲），見有勝負，因曰：「南風不競。」
> 門生輩輕其小兒，乃曰：「此郎亦管中窺豹，時見一
> 斑。」子敬瞋目曰：「遠慚荀奉倩，近愧劉真長！」遂拂
> 衣而去。

門生，據顧炎武《日知錄》卷二十四《門生》條云：「《南史》所稱門
生，今之門下人也……其人所執者，奔走僕隸之役。」其實門生
戲言，並無惡意。但在出身高貴的小主人看來，卻感到門生不尊
敬自己，因此瞋目怒斥，拂袖而去。所稱荀粲（奉倩）、劉惔
（眞長）二人，一貫嚴於擇友，不與小人往來。於此可見王家小
孩鄙視門生僕隸的門第觀念。人們或許會說，獻之尚小，這是兒
戲，何必當眞？但是，士族門閥的傲慢與偏見，早已構成遺傳因

子，代代相傳，不知不覺地影響了幾歲大的孩子。這更說明了門
閥觀念的嚴重性，想要克服都很困難。現在再讓我們來看一下早
已長大成人並已仕宦通達的王獻之，如《世說・忿狷》第六則云：

> 王令（**按**：獻之曾官中書令）詣謝公，值習鑿齒已在坐，
> 當與並榻。王徙倚不坐，公引之與對榻。去後，語胡兒
> 曰：「子敬實自清立，但人爲爾多矜咳，殊足損其自
> 然。」（劉注引劉謙之《晉紀》曰：「王獻之性甚整峻，不
> 交非類。」）

獻之只問門第高低，而違背了一般的禮儀，不懂得尊重別人，不
肯與習鑿齒並排坐在一起議事，是因爲習氏出身於鄉間豪強，屬
於地位卑下的庶族地主之列。魏晉時士、庶之分已嚴。獻之爲保
持其高門士族的門面，而不管這樣對一般的知識分子的心靈傷害
有多深。其實，習鑿齒也非等閒之輩，除了書法藝術不如獻之
外，諸多才能及貢獻均在獻之之上，是當時的一代才人。《世
說・言語》第七十二則劉注引《中興書》云：「習鑿齒，字彥威，
襄陽人。少以文稱，善尺牘。桓溫在荆州，辟爲從事。歷治中、
別駕，遷滎陽太守。」在荆州桓溫幕，習氏以其實際才能爲桓溫
所賞拔，一年三遷其職。後至京師，晉簡文帝亦雅重焉，史有明
載。又《世說・文學》第八十則載：「習鑿齒史才不常，宣武
（**按**：指桓溫）甚器之，未三十，便用爲荆州治中（**按**：當時與
謝安、王徽之同事）……後至都見簡文，返命，宣武問：『見相
王何如？』答云：『一生不曾見此人！』從此忤旨，出爲衡陽郡。
性理遂錯。於病中猶作《漢晉春秋》，品評卓逸。」按宋本《世說》
及《晉書・習鑿齒傳》，「衡陽」作「滎陽」，是。他不僅是當時
著名的文士，而且是傑出的史家，確是一代英才。但僅僅因爲他

是庶族地主，出身卑微，所以被獻之所侮。獻之如此嚴於士庶之
辨，連謝安也不以爲然而加以批評，「人爲爾多矜咳，殊足損其
自然」，過多的人爲矯飾，裝腔作態，很能損害一個人的天然本
性，形象自然不佳。要治理國家，力圖恢復，怎能不團結廣大的
知識分子呢？獻之如此濃厚的門閥觀念，從小如此，當與父兄家
風的薰陶有關。在大哥玄之早逝之後，兄弟中以老二凝之爲大。
古人稱長兄如父，凝之作爲王家的嗣傳支柱，對獻之的影響當然
很大。又如《世說・簡傲》載：

> 王子敬兄弟見郗公（愔），躡履問訊，甚修外生禮。
> 及嘉賓（按：指愔子超）死，皆箸高屐，儀容輕慢。命
> 坐，皆云：「有事，不暇坐。」既去，郗公慨然曰：「使
> 嘉賓不死，鼠輩敢爾！」（第十五則）

> 王子敬自會稽經吳，聞顧辟疆有名園。先不識主人，
> 徑往其家，值顧方集賓友酣燕。而王游歷既畢，指麾好
> 惡，傍若無人。顧勃然不堪曰：「傲主人，非禮也；以貴
> 驕人，非道也。失此二者，不足齒人，傖耳！」便驅其左
> 右出門。王獨在輿上，回轉顧望，左右移時不至，然後令
> 送箸門外，怡然不屑。（第十七則）

王家子弟以其高貴門第而傲人，入顧氏園，不請自至，旁若無
人，瞎發議論，對主人及其賓友又不屑一顧，大大地刺傷了別人
的感情，主人勃然變色，下逐客令，結果是隨侍的左右被趕出
門，還死要面子，坐在肩輿之上不肯下轎走路，羞人反而被羞，
實在違反一般的人之常情。主人顧辟疆的憤怒抨擊，是及時而在
理的。但是獻之卻不覺悟，仍然拿腔拿調，「怡然不屑」，悲

哉！至於對其舅父郗愔一家的態度，更揭示了高門士族的勢利眼及其內心靈魂。其母郗夫人（羲之妻）是郗鑒之女，愔之姊，故郗愔於王家兄弟為母舅。郗夫人活了九十歲左右，見《世說・賢媛》第三十一則劉注引《婦人集》。則王家兄弟輕慢母舅之時，郗夫人仍健在。因為王家自以為門第比郗家高貴，所以自其表兄弟郗超（嘉賓）死後，郗家失去了操縱政權的實力人物，於是王家兄弟對待娘舅的態度陡變：同是一雙腳，一「躡履」，必恭必敬；一「箸高屐」，昂視闊步，前恭後倨，傲慢無禮。當著母面罵娘舅，這是何等絕情之事，為了王家高貴的門面，連傷害了母親的感情都不顧，可說是六親不認，一時失卻了人性，所以被娘舅罵為「鼠輩」，如果不是太過分、太不堪，親娘舅會這樣罵外甥嗎？此中「王子敬兄弟」，其中可能就包括了凝之，兄弟以他為大，他是王家兄弟傲慢無禮的帶頭人。後來，清桐城派領袖姚鼐曾為王家兄弟開脫「平反」，其《惜抱軒筆記》卷五云：「《晉書・郗超傳》言王獻之兄弟於超死後簡敬於郗愔，此本《世說》。吾謂其誣也。子敬佳士，豈慢舅若此？」⑨其實，姚鼐的辯解蒼白無力，錯誤明顯。「子敬佳士」豈成理由？門第之見、士庶之別，後人不以為然，但魏晉之士視為當然。「佳士」的標準大不相同。另外，前引《世說・賢媛》第二十五則故事，郗夫人曾親口對其二弟愔、曇說明，王家瞧不起郗家，從此少來王家走動，以免受辱。事實鑿鑿，何必為古人諱呢？高貴的門閥觀念猶如毒瘤，在王家子弟頭腦中，根深蒂固，所以凝之、徽之、獻之兄弟，目空一切，傲視世人，甚至可能連自己的妻子在內，而不問妻子是否知識文化比自己高明。因此，王凝之和謝道韞之間，雖是夫婦，但各存貴族門第之見，缺少眞摯的感情交流，夫妻生活自然不會是琴瑟和諧。當然，其主要責任在男方，王家子弟那頑固的高貴門第觀念，明顯就是禍源。

　　不過比較而言，在魏晉的世家貴族中，王家兄弟雖然大都缺乏治國安邦的政治才能，但總算還出了個傑出的書法藝術家王獻之，幾乎可踵武乃父而雄視千古。並且除凝之外，其他兄弟史上不見載有重大劣迹或罪惡，這與其從伯祖父王敦相比，可說好了許多。但論其濃厚的士族門閥觀念，則兄弟一脈相承，因此而作了種種不太完美的人生表演，甚至是像凝之那樣，盡幹蠢事而害人不淺，最後連自己的生命都葬送了。羲之七子，知名者五，老大玄之早故，餘次是凝之、徽之、操之、獻之。傲慢世人的高貴門第觀念，兄弟如出一轍，但其表現又同中有異：凝之愚蠢，徽之疏狂，操之偏俗，獻之高傲。兄弟當中，謝道韞對小弟獻之頗為關心愛護。《晉書・列女・王凝之妻氏謝氏傳》云：

> 凝之弟獻之嘗與賓客談議，詞理將屈，道韞遣婢白獻之曰：「欲為小郎解圍。」乃施青綾步障自蔽，申獻之前議，客不能屈。

在當時的清談論辯中，王獻之可能是理論修養根基不深，因此而「詞理將屈」；但是同一命題，在嫂嫂謝道韞那兒卻抒展自如，辭達理暢而「客不能屈」，從而轉敗為勝，為自命不凡的小叔子挽回了一點面子。其實，謝道韞也不過大獻之四、五歲，但是學識顯然比獻之成熟得多，故能在貴族沙龍的學術論辯中大見風采。以獻之之高傲，如果不是非常熟悉謝夫人的學問和才智，並且早已對她相當敬重，是不可能同意嫂夫人出場代為答辯的。事實說明，王家兄弟中的佼佼者，也不得不欽佩謝家女郎的才學。

　　據《世說》劉注引《婦人集》云：「謝夫人名道韞，有文才，所著詩、賦、誄、頌傳於世。」在封建社會中，作為女人，雖然人數占一半，但卻不可能參預仕途，治國安邦，經濟民生，她們沒

有任何發言權。因此，縱使謝道韞是個天才，沒有鍛煉及實踐的機會，也必然被扼殺。能在史書上稱其文才，有集傳世，已是鳳毛麟角，極爲稀罕了。其才華首先在文學上展露。《世說‧言語》第七十一則載：

> 謝太傅寒雪日內集，與兒女講論文義。俄而雪驟，公欣然曰：「白雪紛紛何所似？」兄子胡兒（**按**：謝朗）曰：「撒鹽空中差可擬。」兄女曰：「未若柳絮因風起。」公大笑樂。即公大兄無奕女，左將軍王凝之妻也。

古人曾比較謝朗和道韞二句之優劣，以爲「二句當各有謂，固未可優劣論也」⑩。其實，文學家運用形象思維，如果一定要像博物家那樣，先要把天上之雪分門別類，如什麼「米鹽雪」、「鵝毛雪」之類，再來寫詩，那麼就會因爲太落實而轉爲呆滯。所以，從文學創作和欣賞角度看問題，「撒鹽」之喻因其過實而致俗氣，很難引起美妙的聯想。而「柳絮」之譬，則輕靈飄忽，變幻萬千。如論文學意象和神趣風調，則自當以謝才女之句爲佳。不過，文學是可以多層次多視角來考察的，道韞很聰明，很能了解人們的內在精神需求。如《晉書‧列女‧王凝之妻謝氏傳》載：

> 叔父安嘗問：「《毛詩》何句最佳？」道韞稱：「吉甫作頌，穆如清風。仲山甫永懷，以慰其心。」安謂有雅人深致。

謝安所問，本來很難回答，可以見仁見智，不同的人有各異的心理需求，可從不同的角度來欣賞和判斷。所以《世說‧文學》第五十二則記載，謝安的同一問題，道韞弟玄稱《詩‧小雅‧采薇》中

「昔我往矣，楊柳依依；今我來思，雨雪霏霏」最佳。而道韞則引《詩・大雅・生民》之句以對。謝玄從藝術角度著眼。而道韞則心思「狡獪」，進一步揣摩了提問者的身分及其用心之所在。因為叔父謝安是政治家，朝野所望，所以她就從經邦緯政的賢人政治、太平盛世方面來選擇名篇佳句，暗中比擬謝安的寬闊胸懷和宰相風度。這一下果然見效，引起了謝安的思想共鳴，並充分肯定了侄女的才華，以為道韞具有了像《詩經》的風雅詩人那樣的高尚意趣。在謝家子弟中，謝朗、謝玄是其英傑。道韞就明確斷言，這些兄弟的智慧才幹遠勝於自己的丈夫王凝之。而從《世說・賢媛》第三十則「謝遏（按：即謝玄）絕重其姊」，及第二十八則云：「王江州夫人（按：即謝道韞）語謝遏曰：汝何以都不復進？為是塵務經心，天分有限？」」從道韞對弟玄的批評，說他讀書明理不認真，文才學植沒進步，這明顯是居高臨下的教誡口氣。可見其聰明才智又遠出其兄弟之上。可惜道韞終是女流，縱然學富五車，滿腹經綸，也無法踏入仕途為國效力。但是，謝玄在其叔父安、姊道韞的關心督促下，終於迅速成長，成為一代風流的儒將，他在淝水之戰中，不負眾望，以少擊多，戰勝強寇，為國分憂而名標青史。王凝之才能智慧遠不及謝玄等，而謝家兄弟又不及道韞的才華，兩兩連環相比，凝之才智與妻子道韞相差不可以道里計。文學才華，道韞的確不讓鬚眉。如《藝文類聚》卷八十八收錄謝道韞《擬嵇中散詩》云：

> 遙望山上松，隆冬不能凋，願想游下憩，瞻彼萬仞條。騰躍未能升，頓足俟王喬。時哉不我與，大運所飄颻。

「時哉不我與」，正是一代才女內心悲哀的寫照，封建時代豈容女人一展身手？封建士人所要求的是「養在深閨人未識」（白居

易《長恨歌》）的寵物。這豈是道韞的心願？但她面對現實又無可
奈何。不過才女終非一般，能夠自我排遣，其詩居然有飄飄欲化
的林泉風致。雖然也談仙人王子喬，但其作風已開始從當代盛行
的玄言遊仙詩風中脫出，更多描繪自然景色及詩人的感慨體驗。
又如逯欽立《先秦漢魏晉南北朝詩》收錄謝道韞《登山詩》（一作
《泰山吟》）云：

> 峨峨東岳山，秀極沖青天。岩中間虛宇，寂寞幽以玄。非
> 工復非匠，雲構發自然。氣（一作器）象爾何物？遂令我
> 屢遷。逝將宅斯宇，可以盡天年。

更清楚地把文學筆墨開始了從平淡寡味的玄言詩風轉向了氣象萬
千的山水自然。這首詩當然並非上乘佳作，但在晉代的山水詩
中，其詞旨之清要洗鍊，也頗可賞味。談中國的山水詩，誰都會
想到傑出的詩人謝靈運。靈運是謝玄之孫，道韞的親外孫。劉宋
之初，「（謝）混風格高峻，少所交納。惟與族子靈運、瞻、
曜、弘微，並以文義賞會。嘗共宴處，居在烏衣巷，故謂之烏衣
之游」⑪。混、瞻及靈運諸謝，都是道韞的至親晚輩。其詩酒酬
唱，當與謝氏家族的文學傳統有關。如前引《世說‧言語》第七十
一則，謝安常「與兒女講論文義」，詩酒取樂，安愛好詩文而唱
於上，子孫繼承發揮而風行於下，如靈運輩，更是一展身手，後
來居上而大有成就，而在其間，才女謝道韞就是一個承上啓下的
詩人，其詩已隱約透露了從玄言遊仙詩開始了向山水詩風過渡轉
化的點滴信息。謝靈運等一定會從這位聰明睿智的姑祖母（道
韞）的詩作中，受到了有益的啓迪。在中國文學史上，人們常是
說謝混諸人開始了從玄言詩風向山水詩的轉化，這一說法有點重
男輕女，不提謝道韞，這不太公平，功勞可有大小，但忽視其存

在總是不對的。現在，應該把一代才女謝道韞從被遺忘的角落裡找回來，置於山水詩的前驅之列。

文學創作重視感性的形象思維而輕理性思考。但是，作為一代才女的謝道韞，在當時不僅是個超越王謝家族子弟的詩人；而且她在理性思維的「清心玄旨」（前引《晉錄》）方面，也同樣睿智博識，辯言無礙，所以才贏得了如謝玄和王獻之等王謝子弟精英的欽佩。《世說・排調》第二十六則劉注引《婦人集》載：

> 桓玄問王凝之妻謝氏曰：「太傅東山二十餘年，遂復不終，其理云何？」謝答曰：「亡叔太傅先正，以無用為心，顯隱為優劣，始末正當動靜之異耳。」

又《晉書・列女・王凝之妻謝氏傳》載道韞晚年嫠居會稽之事：

> 太守劉柳聞其名，請與談議。道韞素知柳名，亦不自阻，乃簪髻素褥坐於帳中，柳束修整帶造於別榻。道韞風韻高邁，敘致清雅，先及家事，慷慨流漣，徐酬問旨，詞理無滯。柳退而嘆曰：「實頃所未見，瞻察言氣，使人心形俱服。」道韞亦云：「親從凋亡，始遇此士，聽其所問，殊開人胸府。」

劉柳之問當在凝之被殺之後，新太守上任而請益。同樣是會稽一郡之長，王凝之是家有賢妻，智賽諸葛，卻不屑一問，以致敗亡之禍，其愚且蠢被人恥笑；而新太守劉柳則不然，他是早聞道韞令名，知道一代才女，智慧卓識，超邁時流，因此敬禮請益，傳為美談。又如桓玄之問。玄為溫子，一代梟雄，曾釐革朝政，打擊了門閥豪族及地方分裂勢力，「黜凡佞，擢雋賢，君子之道粗

備，京師欣然」，取得了一定的成績。但是曾幾何時，又野心勃發，篡奪帝位，「驕奢荒侈，遊獵無度，以夜繼晝」⑫，迅速喪失了士意民心，因此很快被劉裕擊滅。他在篡位前後，對王謝家族是虎視眈眈的。謝安和王獻之雖然早已謝世，但他還是因其作為王謝家族的族標而視為放矢之的。如《世說・品藻》云：

> 桓玄問劉太常曰：「我何如謝太傅？」劉答曰：「公高，太傅深。」又曰：「何如賢舅子敬？」曰：「楂、梨、橘、柚，各有其美。」（第八十七則）
>
> 桓玄為太傅，大會，朝臣畢集。坐裁竟，問王楨之曰：「我何如卿第七叔（**按**：指王獻之）？」於時賓客為之咽氣。王徐徐答曰：「亡叔是一時之標，公是千載之英。」一坐歡然（第八十六則）。

事情發生在晉安帝元興元年（202年）⑬。劉太常指劉瑾，是王羲之的外孫，獻之是其娘舅。王楨之則是徽之子。桓玄是一朝權在握，便把令來行，故其所問言，不懷好意而暗藏殺機，只要對答不合其心思，則可能有丟官被殺的危險。劉瑾和王楨之，雖然以其機智言辭答對而逃過了一場厄運，但就其所言的內容分析，對桓玄這一野心家，未免阿媚之譏，喻玄為「千載之英」，當然蓋過了王家的「一時之標」。但同樣是對桓玄問，謝道韞雖為女流，其答辭卻不亢不卑，不僅不自損叔父謝安的英名，而且所言玄旨深邃，頗富哲理，令人咀嚼回味，按之彌深。雖然當時不許女人從事政治，但道韞之言，不是有一點政治家外交辭令的味道嗎？與劉、王相比，同樣對權奸之問，女流之智，義正辭嚴而理旨暢達，不更勝於朝廷之上的堂堂鬚眉嗎？但是，可惜一代才女不是生在男女平等的時代，而只能斂盡才華光芒，睜眼看男人愚

言蠢行，無可奈何，最後默默地在時光流逝中消失，女人不幸，
莫於過此，悲乎哀哉！

────────────────

① 此事又見《晉書》卷六十五《王導傳》附孫《王珣傳》，而文字稍異，當
是《晉書》據《世說》劉注改寫而成。

② 謝道韞之生卒年月，史不見載。但據其行事考之，生年大約小於王
凝之，而大於王獻之和謝玄。玄是其弟。玄生於晉康帝建元元年
（343年），其姊道韞則當生於晉成帝末年，約340年前後。道韞父
奕，據史載卒於晉穆帝升平二年（358年），見《晉書》卷八《孝宗穆
帝紀》。以此推之，奕卒時道韞年十八左右。謝奕卒於安西將軍、
豫州刺史任上，謝安西行運其棺木。則其女道韞結婚時，他可能已
死；即使是還活著，也不在家鄉。故道韞與王凝之婚事，極有可能
是當時一直隱居在家的謝安一手操持。故奕卒後，安待道韞及玄如
己出，也是自然之事。

③ 見《晉書》卷八十《王羲之傳》附子《王凝之傳》。

④ 據《世說·排調》第五十七則，記載王咨議大好事，向符朗再三再四
地詢問有關中原風土人物諸事，令人生厭而致譏於符。劉注引《王
氏譜》云：「（王咨議）肅之，字幼恭，右將軍羲之第四子。歷中
書郎、驃騎咨議。」則老二凝之、老五徽之之間，尚有老四肅之，
七子中不知名者，只有老三爲未知數。但據丁福保編《全晉詩》卷五
錄有王渙之《蘭亭》詩，於名下注云：「羲之第三子。」但未言其字
號仕履，又未說明出處。據此，則羲之七子，依次是：玄之、凝
之、渙之、肅之、徽之、操之、獻之。

⑤ 王羲之七子，凝之老二，獻之最小。余嘉錫《世說新語箋疏》第一三
二頁注②云：「《傷逝篇注》曰：『獻之以泰元十二年卒，年四十
五。』凝之之年，當較獻之十年以長。其死難時，獻之卒已十二
年，則凝之壽六十有餘，且七十矣。道韞之年，蓋與相若，故《晉

書・列女傳》言其為獻之解圍時，施青綾步障自蔽。及嫠居會稽，見太守劉柳，乃簪髻素褥，坐於帳中。柳束修整帶，造於別榻。則因年事已老，無嫌於後生也。」孫恩攻會稽而殺凝之，是晉安帝隆安三年（399年）。如果當時凝之年「且七十」，則道韞至少六十餘歲。據此而推其生年，則當在晉成帝末年，即340年左右。小於凝之五、六年，而早獻之三、四年。在其夫、子死後，道韞以淚洗面，史稱「不開幃幕六年」，則至少也活到七十餘歲，於此可略推其卒年。

⑥據余嘉錫《世說新語箋疏・言語》第七十一則注②稱引。

⑦桓沖是桓溫之弟，桓彝之子。「彝少孤貧」（《晉書・桓彝傳》）。彝亡後，「沖兄弟並少，家貧，母患，須羊以解，無由得之，溫乃以沖為質」，事載《晉書・桓沖傳》。桓家出身微賤，故為門閥士族所輕。《世說・方正》第五十八則載：「王文度為桓公長史時，桓為兒求王女，王許咨藍田……藍田（按：指王述）大怒……曰：『惡見文度已復癡，畏桓溫面？兵，那可嫁女與之！』」王家門第高貴，但王文度為桓溫下屬，同樣鄙視出身微賤的頂頭上司桓溫。可見這是當時門閥社會的士人觀念所致。

⑧據《世說・傷逝》第十六則劉注引《幽明錄》，言王獻之病篤，其兄徽之對道士稱願減己壽以延獻之之年，云：「吾才不如弟，位亦通塞，請以余年代弟。」此故事一來說明王家子弟之迷信神仙道教，二來也說明了徽之推崇獻之才能傑出，實為兄弟之英。又《世說・品藻》第七十四則云：「王黃門（按：指王徽之）兄弟三人俱詣謝公，子猷（徽之）、子重（操之，羲之第六子，歷祕書監、侍中、尚書、豫章太守）多說俗事，子敬（獻之）寒溫而已。既出，坐客問謝公：『向三賢孰愈？』謝公曰：『小者最勝。』客曰：『何以知之？』謝公曰：『吉人之辭寡，躁人之辭多，推此知之。』」可見如謝安等社會名流，也以為王獻之為其王家兄弟中最優秀的人才。

⑨見余嘉錫《世說新語箋疏》第775頁注②稱引。

⑩見陳善《捫蝨新語》卷三。

⑪見《宋書》卷五十八《謝弘微傳》。

⑫見《晉書》卷九十九《桓玄傳》。

⑬參見余嘉錫《世說新語箋疏・品藻》第八十六則注引程震炎說。

　　　　　　（原載日本國京都外國語大學《研究論叢》XLVI期，

　　　　　　　　　　　　平成8年即1995年3月）

士族門派分南北

——陸機兄弟與中原士族對立之根源

「門派」一詞是門閥宗派的簡稱。魏晉南北朝時,中華帝國實行封建的門閥統治。據稱魏文帝時始創九品官人法,見載於《三國志・魏書》卷二十二《陳羣傳》。魏晉人說是「制九格登用,皆由於中正」①。也就是說,在封建統治階級中,設立州郡中正官,評議人才,分上下九品,以備朝廷選拔官吏之用。由於中正官本身必須二品以上,爲地方的世家豪族所把持。因此,逐漸形成了國家用人是「上品無寒門,下品無勢族」的局面,高門望族出身的中正官,評議分等是「務隨愛憎:所欲與者,獲虛以成譽;所欲下者,吹毛以求疵」,「高下任意,榮辱在手,操人主之威福,奪天朝之權勢」,於是「天下訩訩,但爭品位」②。所以當時「據上品者,非公侯之子孫,即當塗之昆弟也」③。晉初,雖有劉毅、衞瓘等有識之士上疏,指責九品中正制的種種弊端,要求予以廢止,但是不被採納,門閥士族壟斷仕途的勢力日益膨脹。因此,國家政權幾乎被少數的上品貴族——即地方的高門士族所操縱。唐代柳芳於此有明確的描述:

> 魏氏立九品,置中正,尊世胄,卑寒士,權歸右姓已。其州大中正、主簿、郡中正、功曹,皆取著姓士族爲之,以定門冑,品藻人物。晉宋因之,始尚姓已。然其別貴賤,分士庶,不可易也④。

這就說明，在**魏晉**時，人的出身之貴賤，幾乎決定了他的一生前途。這一有關出身的血統論，其惡劣影響不止是南北朝，甚至直到現在仍陰魂不散，所以社會上有「龍生龍，鳳生鳳，老鼠生兒會打洞」的歌謠流傳。不過應予指出，魏晉時有關血統的區分更為嚴格，即使同樣是屬於地主階級統治中人，進一步還有士貴庶賤之別，也就是說，高門士族出身的貴族子弟，一出娘胎就是做大官的料子；而出身寒門的一般較為低賤的庶族地主子弟，則只能甘當配角跑跑龍套，他們即使再有才幹，也只能望洋興嘆，徒喚奈何，最多也只能埋怨自己沒有一個好姓氏好爸爸。國家用人首先不問其才能學問，而是只檢簿閱看其姓氏門第，豈非咄咄怪事？但當時形勢確是如此。士庶之別，猶如天淵之隔。統治國家的權力，集中在少數高門士族手中。他們牢牢控制了權勢利劍，令行禁止，為所欲為。這樣的情況代代相傳，必然養就了高門士族子弟那傲視世人、唯我獨尊的狂妄文化心態。他們待人接物，並不問其才能和貢獻，而是先查問出身門第和祖宗三代。如果門第不如自己高貴，就可能給予鄙視和白眼。這樣就在統治階級內部，又形成了新的嚴重矛盾和混亂，從而削弱了國家的力量，阻礙了社會的進步。有關士庶之別的問題，古今論述很多，故略。

在國家用人問題上，進一步縮小到士族的範圍，還有許多複雜的矛盾和困擾，比如士族門閥中地方宗派的南北對立，同樣破壞了國家機制的健全。《世說》在這方面也有生動而形象的描繪。如以陸機、陸雲兄弟為代表的江南士族，就因受到中原士族的歧視而展開了一場南北士人的對抗。《世說·方正》第十八則云：

> 盧志於眾坐問陸士衡（機）：「陸遜、陸抗是君何物？」答曰：「如卿於盧毓、盧珽。」士龍（雲）失色。既出戶，謂兄曰：「何至如此？彼容不相知也。」士衡正色

曰：「我父祖名播海內，寧有不知，鬼子敢爾！」議者疑
二陸優劣，謝公（安）以此定之。

古代在人面前，直指其父祖而稱名道姓，是對當事人的不敬和侮
辱。對於陸氏兄弟，更是如此。江南吳郡陸氏家族，並非一般人
家，而是三國東吳的鼎甲大姓，是當地聲名赫赫的高門士族，如
《世說·規箴》第五則所載：

孫皓問丞相陸凱曰：「卿一宗在朝有幾人？」陸曰：「二
相、五侯、將軍十餘人。」皓曰：「盛哉！」陸曰：「君
賢臣忠，國之盛也；父慈子孝，家之盛也。今政荒民弊，
覆亡是懼，臣何敢言盛！」

凱是陸機祖父遜的族子，其宗族之盛，連以剝人皮著稱的吳主孫
皓也要畏忌三分。《世說·賞譽》第一四二則引《吳四姓舊目》論江
南四大家族云：「張文、朱武、陸忠、顧厚。」劉注引《吳錄·
士林》曰：「吳郡有顧、陸、朱、張，為四姓。三國之間，四姓
盛焉。」《三國志·吳書·陸遜傳》亦明言：「陸遜字伯言，吳郡
吳人也，本名議，世江東大族。」遜、抗父子，出將入相，戰功
卓著，政績頗佳，忠心事吳，英名蓋世。因此機、雲兄弟引以為
家族之驕傲。現在被盧志當眾指名道姓地加以羞辱，怎能不義憤
填膺？陸機二十歲時，吳為晉滅。於是機、雲返故鄉吳郡刻苦讀
書十年，發憤寫詩作文，撰《辯亡論》等，早已聲名雀躍。二陸兄
弟於晉武帝太康十年（289年）與顧榮一起應徵入洛，機時年二
十九，雲二十八，「時人號為三俊」⑤。又據《三國志·吳書·
陸抗傳》裴松之注引《機雲別傳》云：「機兄弟既江南之秀，亦著
名諸夏。」「諸夏」即指當時的廣大中原地區。可見當時二陸並

非等閒之輩，二陸文才實爲太康之英，名望早已流播中原，在重
士族門閥的社會交際中，豈有不知其父祖而敢妄自指名道姓的道
理？可見盧志是蓄意在大庭廣衆之中羞辱二陸兄弟，殺其威風，
以示中原士族對於江南士人的藐視。當時晉滅吳不久，中原士族
以戰勝者的姿態而居高臨下，並作爲西晉朝廷支柱而盛氣凌人。
陸雲膽小怕事，恐怕因此而開罪中原士族貴要，因而勸兄忍氣吞
聲。但陸機則不然，其個性脾氣倔強於乃弟，躁急激烈，慷慨任
氣，典型的江南士人性格，自是形勢所致。《宋書·五行志》一
稱：「故吳人風俗相驅以急，言論彈射，以刻薄相尚。」實際
上，江南士人的這種文化心態，也是因長期受歧視而作出的一種
心理反彈。陸機作爲亡國的江南士族的代表，這種激烈火爆的脾
氣也是被逼出來的。他認爲辱及父祖門第，是何等重大之事，怎
能自甘示弱而不加反擊呢？因此針鋒相對，直道盧志父祖毓、珽
之名加以報復，出門後又稱盧志爲「鬼子敢爾」，其惱怒憤恨之
情，溢於言表。如此辯論，其後果的嚴重性他全然不顧。史實說
明，盧志於此耿耿於懷，江南小子，竟敢如此無禮地侮辱大邦士
族！因而時刻伺機報復，這就爲後來太安二年（303年）盧志與
宦人孟玖在成都王穎面前讒殺二陸兄弟埋下了禍根，見《世說·
尤悔》第三則：「陸平原河橋敗，爲盧志所讒，被誅。」劉注引
《機別傳》云：「成都王長史盧志，與機弟雲趣捨不同。又黃門孟
玖求爲邯鄲令于穎，穎教付雲。雲時爲左司馬，曰：『刑餘之
人，不可以君民。』玖聞此，怨雲，與志讒構日至。」

　　這是否僅是盧志與機、雲兄弟之間的個人恩怨呢？非也，從
中可窺中原士族與江南士族的矛盾和對抗。志出身於范陽盧氏，
從東漢以來，就是顯赫的高門望族，甚至到了唐朝還長盛不衰。
《世說·方正》第十八則注引《世語》云：「志字子通，范陽人，尚
書珽少子。少知名，起家鄴令，歷成都王長史、衛尉卿、尚書

郎。」其曾祖盧植，漢末名宦，《三國志・魏書》卷二十二《盧毓傳》裴注引《續漢書》，有曹操告太守令云：「故北中郎將盧植，名著海內，學爲儒宗，士之楷模，乃國之楨榦也。」祖毓於魏爲司空，父珽晉尚書，從漢至晉，仕宦顯達，門第貴盛，所以盧志才如此狂妄。他們這批中原士族，可以肆意侮辱別人的父祖家門，但卻絕不允許別人譏議自己的家族先人。類似之事，非止個別，而是俯拾皆是。如《世說・言語》第二十六則云：

> 陸機詣王武子，武子前置數斛羊酪，指以示陸曰：「卿江東何以敵此？」陸云：「有千里蓴羹，但未下鹽豉耳！」

王武子，即王濟。《世說・言語》第二十四則劉注引《晉諸公贊》云：「王濟字武子，太原晉陽人，司徒渾第二子也。有雋才，能清言。」太原王氏也是當日的高門士族。其父渾，晉司徒，是滅吳的功臣之一。此事大約發生在二陸兄弟初入洛時。王濟作爲中原士族的代表人物，很得皇帝的寵任，所以平素是何等地恃才傲物！《晉書》卷四十二《王濟傳》云：

> （濟）少有逸才，風姿英爽，氣蓋一時。好弓馬，勇力絕人。善《易》及《莊》《老》，文詞俊茂，伎藝過人，有名當世……尚常山公主。年二十，起家拜中書郎，以母憂去官。起爲驍騎將軍。累遷侍中，與侍中孔恂、王恂、楊濟同列，爲一時秀彦。武帝嘗會公卿藩牧於式乾殿，顧濟、恂而謂諸公曰：「朕左右可謂恂恂濟濟矣！」每侍見，未嘗不咨論人物及萬機得失。濟善於清言，修飾辭令，諷議將順，朝臣莫能尚焉。帝益親貴之……然外雖弘雅，而內多忌刻，好以言傷物，儕類以此少之。以其父之故，每排王

潛，時議譏焉。

《晉書》所稱「氣蓋一時」，乃是史家曲筆，實是目空一切。他因
其高貴的士族門第，開國功臣之嗣，又是皇帝女婿，可說是少年
得志，平步青雲，加以自謂文武兼備，所以目中何曾有人？中原
士族中的同殿之臣，尚且遭其忌刻譏議；更何況現在面對的是亡
國之餘的年輕二陸！在兩晉時，普遍存在著對於吳蜀荊楚士人的
歧視，《世說》及諸史載之歷歷，都曾從不同角度加以記述。因
此，作爲江南士族之英的二陸兄弟，在此強大的文化偏見和心理
壓力下，怎能不遽然反彈而甘願忍氣吞聲呢？在上述故事中，王
濟和陸機都不是美食家，他們對於具體的食物土產並不感興趣。
羊奶酪是北方常見的食物，並非奇珍異品。王濟生活之侈華，比
於石崇王愷，連皇帝也自嘆不如。《世說・汰侈》第三則云：

> 武帝嘗降王武子家，武子供饌，並用瑠璃器。婢子百餘
> 人，皆綾羅袴襦，以手擎飲食。烝㹠肥美，異於常味。帝
> 怪而問之。答曰：「以人乳飲㹠。」帝甚不平，食未畢，
> 便去。王（愷）石（崇）所未知作。

王濟家宴上的蒸小豬，味道之美，連皇帝也沒嘗過，因此而發
問。王濟的回答是：「用人乳來餵小豬。」這簡直是荒唐到了舉
世無聞的地步。爲了貴族的一餐口食，又該有多少母親被迫棄其
乳兒而不顧！王濟之窮奢極欲，腐朽透頂，於此可見一斑。因
此，區區羊酪，對於太原王家來說，又何足掛齒！所以王濟的意
思，並不是說羊酪是最佳食品，而是以此爲喻，說你們江東僻
壤，連羊酪這樣在北方普遍食物都沒有，以此比喻中原士族人才
濟濟，非江南之士可以比擬。王濟認爲江南士人見識淺薄，未見

人才，有什麼資格進京來爭一席之位！陸機是何等聰明的人，怎
麼會聽不出其弦外之音呢？實際上，陸機的文韜武略更在王濟之
上，因而他面對中原士族的猖狂挑釁，立刻奮起反擊。他是針尖
對麥芒，同樣運用暗喻之法，以物稱人。他所說的南方千里湖的
蓴羹，即蒓菜羹，確是吳地特產。但也並非難致之品，而是一般
吳人常食之物。陸氏以此江東常有的美味，即可勝過洛中的羊
酪。余嘉錫《箋疏》於《言語》第二十六則注云：

> 陸游《劍南詩稿》卷二七《戲詠山陰風物》自注云：「蓴菜最
> 宜鹽豉，所謂『未下鹽豉』者，言下鹽豉則非羊酪可敵，蓋
> 盛言蓴菜之美爾。」嘉錫案：自來解釋此兩句，惟此說最
> 確。明末人徐樹丕《識小錄》卷三云：「千里，湖名，其地
> 蓴菜最佳。陸機答謂未下鹽豉，尚能敵酪；若下鹽豉，酪
> 不能敵矣。」徐氏此解極妙，與余意合。

陸機以蓴羹下鹽豉來暗喻江南人才輩出，不僅可與中原士族相匹
敵，而且一旦朝廷取消其歧視和限制江南士人的政策，在適當的
氣候土壤之中，江南士人必將人人奮發圖強，其能力、作用與貢
獻，又將超越王濟之輩的中原狂士則可斷言。王陸雙方表面借物
以喻的委婉措辭，掩蓋不了一場南北士族唇槍舌劍的激烈論爭和
情感對立。又如《世說・簡傲》第五則云：

> 陸士衡初入洛，咨張公所宜詣，劉道真是其一。陸既往，
> 劉尚在哀制中。性嗜酒，禮畢，初無他言，唯問：「東吳
> 有長柄壺盧，卿得種來不？」陸兄弟殊失望，乃悔往。

張公指張華，是當時在國家朝廷中很有聲望的人物，他非常欣賞

江東二陸兄弟的才華並力加舉薦，於二陸兄弟有恩。張華不僅博
學多才，而且德高望重，爲時人所敬仰。但其出身並非中原的高
門士族，這點以後再議。二陸兄弟初到京師洛陽，人地生疏，因
此有關的人事疏通聯絡，多仰仗張華指教。爲了以後能在京師官
場立腳，不能不和操縱朝廷政治命脈的中原士族打交道。張華勸
二陸去拜訪的人物，不僅有劉道眞，可能還有王濟，因爲張王二
人過從甚密，曾一起向晉武帝推譽齊王攸可寄託後事，因忤旨一
同被黜免。至於道眞，名劉寶，也是當朝名士。《世說·德行》第
二十二則注引《晉百官名》云：「劉寶，字道眞，高平人。」余氏
《箋疏》引顏師古《漢書敍例》曰：「晉中書郎、河內太守、御史中
丞、太子中庶子、吏部郎、安北將軍，侍皇太子講《漢書》，別有
《駁議》。」高平劉家，也屬望族。《世說·賞譽》第六十四則稱：
「劉萬安（綏），即道眞從子。庾公所謂灼然玉舉。」現代注家
以「形容鮮明」釋「灼然」（如吉林教育出版社版《世說新語譯
注》），誤。「灼然」是魏晉時的科目之稱，就是從貨眞價實的
上流二品中選擇優異者應舉。《晉書》卷九十《鄧攸傳》云；
「（賈）混奇之，以女妻焉，舉灼然二品。」又《晉書》卷六十七
《溫嶠傳》稱：「後舉秀才、灼然。」故中華書局排校本（一九七
四年版）《晉書》於卷四十九《阮瞻傳》「舉止灼然」下校記云：灼
然者，晉世選舉之名，於九品中正爲第二品。」當時一品徒有其
名，無人能得到，故二品就算最高。所論參見唐長孺《九品中正
制度試釋》一文⑥。上品士人劉綏，論其譜系家世，以劉道眞族
子爲榮，可見劉寶在當時中原士人中的名望、地位和影響。《世
說·品藻》第九則注引《兗州記》云：「於時高平人士偶盛，滿
奮、郝隆達在（閭丘）沖前，名位已顯，而劉寶、王夷甫猶以沖
之虛貴，足先二人。」可見劉寶之名，與王衍並重，經其品評，
以定士人優劣。所以二陸兄弟想在京師仕途上發展，當然有見劉

寶的必要。但劉寶作爲中原士人的代表，兩眼朝天，何曾有物？
江東二陸，何方神聖，值得我劉寶費心推揚？因此他什麼禮貌客
套都不顧，只問二陸從江東帶來了長柄葫蘆的種子沒有？長柄葫
蘆，古時用以裝酒飲用。劉寶正在喪制中，卻對江南士人只談有
關飲酒之事。劉寶亦通經之士，曾治喪服之學。但他卻慕竹林名
士之風，任誕放達自居，故意違制只問酒事，而不顧禮貌。就劉
寶而言，是明白告知二陸：要求推揚，免開尊口；就二陸看，則
深感中原士人唯我獨尊而目中無人，此所以有受辱悔往之痛。這
就激發了另一場南北士人的對立情緒。

　　中原士族之歧視南方士人，是否僅僅是針對二陸兄弟而發的
偶然行爲呢？事實說明，並非如此。比如王濟，他幾乎常對南士
言帶譏刺，態度極其傲慢。據《世說・言語》第二十二則余氏《箋
疏》引干寶《晉紀》云：「周浚舉華譚爲秀才，王武子嘲之。」干
寶爲晉之良史，時代相距不遠，所言必有根據。證之以《晉書》卷
五十二《華譚傳》云：

　　　華譚字令思，廣陵人也。祖融，吳左將軍、錄尚書事。父
　　諝，吳黃門郎。譚期歲而孤……及長，好學不倦，爽慧有
　　口辯，爲鄰里所重。揚州刺史周浚引爲從事史，愛其才
　　器，待以賓友之禮。太康中，刺史嵇紹舉譚秀才……譚至
　　洛陽，武帝親策之……時九州秀孝策無逮譚者。譚素以才
　　學爲東土所推。同郡劉頌時爲廷尉，見之嘆息曰：「不悟
　　鄉里乃有如此才也！」博士王濟於衆中嘲之曰：「五府初
　　開，羣公辟命，採英奇於仄陋，拔賢儁於巖穴。君吳楚之
　　人，亡國之餘，有何秀異而應斯舉？」譚答曰：「秀異固
　　產於方外，不出於中域也。是以明珠文貝，生於江鬱之
　　濱；夜光之璞，出乎荊藍之下。故以人求之，文王生於東

夷，大禹生於西羌（**凡按**：以史實推之，應作「大禹生於
東夷，文王生於西羌」）。子弗聞乎？昔武王克商，遷殷
頑民於洛邑，諸君得非其苗裔乎！」

類似的對話，又見於《世說・言語》第二十二則，作吳郡蔡洪與洛
中人問答。可見類似性質的事情，是很敏感的社會問題，所以才
會廣爲流傳而有不同的「版本」。按照華譚所稱「諸君」云云，
則非僅是王濟一人的意思，而是一羣「洛中人」對南士的圍攻，
王濟不過是作爲中原狂士的代表站出來辯駁而已，他們的意見很
清楚，認爲「吳楚之人，亡國之餘，有何秀異」而敢入京應舉，
這是當時中原士族狂人之共識。如王濟之父渾於平吳時登建鄴
宮，釃酒酣飲，曾於衆座公開侮辱吳人曰：「諸君亡國之餘，得
無戚乎？」事載《晋書》卷五十八《周處傳》。王渾王濟，父子聲腔
如一，可見並非偶然。依此推之，華譚與王濟的這場尖銳辯論，
也就充分顯現了晋初南北士族的對立態勢。因此，陸氏機、雲兄
弟受侮之事，絕非個別之例，而是勢在必然。這種對抗形勢，一
直延續到東晋南渡以後。如《世說・排調》第四十一則云：

習鑿齒孫興公未相識，同在桓公（溫）座。桓語孫：「可
與習參軍共語。」孫云：「蠢爾荊蠻，敢與大邦爲讎！」
習云：「薄伐獫狁，至於太原。」

習鑿齒是襄陽人，屬荊楚南人。孫綽字興公，太原人，典型中原
僑姓士人。他們二人都是當時名聞遐邇的文人學者。在二人尚未
相識之時，如此戲言，實是戲中有戲。如果結合兩晋南北士人的
緊張關係來考察，則爲士人積習所致，是傳統偏見在作怪。南北
二名士的口舌之爭，你來我往，各不相讓。但追究其始，大都是

中原士人首先挑釁。在這種場合下，南士也大都不甘示弱，故習鑿齒肆其機智博識，引《詩・小雅・六月》之句反攻過去。類似南北爭鬥的事例，還可以追溯到西晉初陸機潘岳這兩個史稱「五言之冠冕的太康之英」身上⑦。據姜亮夫《陸平原年譜》於晉武帝太康十年（289年）下引《裴子語林》云：「士衡在坐，安仁（按：潘岳字）來，陸便起去。潘曰：『清風至，塵飛揚。』陸應曰：『衆鳥集，鳳凰翔。』」⑧陸潘二人的對話，都有嘲諷之意。潘岳，滎陽中牟人，「祖瑾，安平太守。父茈，琅邪內史。岳少以才穎見稱，鄉邑號爲奇童，謂終、賈之儔也。早辟司空太尉府，舉秀才」，見《晉書》卷五十五《潘岳傳》，是中原士人中之佼佼者。他與陸機曾同侍東宮太子，又同在賈謐二十四友之列，見面機會較多，二人彼此熟悉，故《裴子語林》有此戲言，相互挑逗而毫無顧忌。不過姜亮夫先生稱：《語林》的「罵坐之文，疑不足信」，但是並沒有提出事實證據。考《文選》卷二十四有潘岳代賈謐《贈陸機》詩一首，敍機生世仕履甚詳，態度是友好的，於此可見潘、陸私交之一斑。但是潘岳贈詩中有「南吳伊何，僭號稱王」，「僞孫銜璧，奉土歸疆」之句，以此贈機，又似乎在有意無意之間貶損了南士，因此姜亮夫指出：「故機答詩有『吳實龍飛』之言，與岳言相針對。」⑨所論甚是。陸機南人，意在護衞東吳，這是其父祖爲之奮鬥的故國。陸潘南北二士，所言實具言外之意。依此推論《裴子語林》之戲言，也可能有假戲眞做的成分，不可因其爲小說家言而一概予以排斥。

又如《世說・方正》第五十二則載：

> 王修齡嘗在東山，甚貧乏。陶胡奴爲烏程令，送一船米遺之。卻不肯取，直答語：「王修齡若飢，自當就謝仁祖索食，不須陶胡奴米。」

王修齡，名胡之。《世說·言語》第八十一則注引《王胡之別傳》
云：「胡之字修齡，琅邪臨沂人，王廙之子也。歷吳興太守，徵
侍中、丹陽尹、祕書監，並不就。拜使持節，都督司州諸軍事、
西中郎將、司州刺史。」他出身於琅邪王家，是丞相王導的從
子，右軍將軍王羲之的從兄弟。王胡之是東晉初王謝家族中的一
個知名人士，故《世說》記載了許多有關他的故事。至於謝尚，字
仁祖，《晉書》卷七十九有傳。據《世說·言語》第四十六則注引
《晉陽秋》云：「謝尚，字仁祖，陳郡人，鯤之子也……仕至鎮西
將軍、豫州刺史。」他是鼎鼎有名的謝安之從兄。又據《晉書》本
傳，謝尚年輕時，「丞相王導深器之，比之王戎，常呼爲『小安
豐』」。可見是陳郡謝氏家族的代表人物之一。至於陶胡奴，爲
王胡之所輕侮，其實也並非一般人物，他是東晉初名標青史的太
尉、大將軍陶侃的兒子。《世說·方正》第五十二則劉注云：「胡
奴，陶範小字也。《陶侃別傳》曰：範字道則，侃第十子也。侃諸
子中最知名。歷尚書、祕書監。」陶侃出身後來已列二品，應屬
上流士族，陶胡奴的出身該是高門貴族了，爲什麼反被王胡之瞧
不起呢？要知道，陶胡奴贈米濟王胡之困，除了搞好關係外，並
無絲毫惡意。而王胡之卻拒人於千里之外，態度言辭極其不遜，
說是只有謝尚才可以和他對等打交道，而陶胡奴卻沒有資格來過
問王家之事。這就把陶氏的關心當作企圖高攀他這個王謝子弟而
不屑一顧，故時人以之入「方正」門。爲什麼會這樣？原來，問
題的癥結仍然是出在其父陶侃身上，既與士庶之別有關，同時還
牽涉到南北士族對立的問題。《晉書》卷六十六《陶侃傳》云：「陶
侃，字士行，本鄱陽人也。吳平，徙家廬江之尋陽……侃早孤
貧，爲縣吏。」他不僅是出身微賤的庶族，而且是典型的一介江
南寒士。他並非因其卓越功勳而致上品出身，而是因爲獲得了幾
位南方高門士族的幫助才勉強躋身二品，算是加入了上流社會。

《世說‧賢媛》第十九則記載了陶侃之母截髮換錢以供客飯的故
事，感動了同郡士人范逵，臨別之時，逵曰：「卿可去矣！至洛
陽，當相爲美談。」「逵及洛，遂稱之於羊（楊）晫、顧榮諸
人，大獲美譽」。顧榮，吳郡人，江東士族名門出身。楊晫，據
《晉書‧陶侃傳》稱：「時豫章國郎中令楊晫，侃州里也，爲鄉論
所歸。」楊氏也是南方潯陽地方的二品望族。後來陶侃至京師洛
陽，並無中原士族予以直接提拔，只有原東吳降臣伏波將軍孫
秀，「以亡國支庶，府望不顯，中華士人（按：即指中原士族）
恥爲掾屬，以侃寒宦，召爲舍人」，見《晉書》陶侃本傳。除張華
外，賞拔陶侃於寒庶之中的都是江南士人。後侃躋身二品之列，
更與楊晫的直接推舉出力密切相關。《世說‧賢媛》第一九則注引
王隱《晉書》云：「羊（楊）晫亦簡之。後晫爲十郡中正，舉侃爲
鄱陽小中正，始得上品也。」陶侃以一介寒微之士，躋升上品之
列，絕非易事，而是依靠了江南士族出身的大中正楊晫的賞拔。
大中正舉之爲小中正，本來就有這種權利和方便。而做小中正
官，本身又必須是二品以上，所以陶侃因此而品位陡升。但是，
類似的事例，是很罕見的，只能作爲當時的特殊事例來認識。在
一般的情況下，要升到上品之位，需要州大中正特別薦舉，或皇
帝詔旨特批。不過，陶侃雖已名列二品，但論其門第出身，則中
原士人羞與齒列，並沒有眞正視之爲貨眞價實的上品貴族。另
外，又因他是通過江南士人薦舉而致高品，更是中華士人所不
齒，因而心中仍然視之爲「小人」⑩。陶範（胡奴）爲陶侃之
子，是小人之小人，當然就更其低賤了。所以王胡之（修齡）會
對他不屑一顧，寧肯餓肚子也不食其「嗟來」之食，表面似乎
「方正」而有骨氣，實際上正見中原士族王謝子弟之狂妄氣焰，
琅邪王家只和陳郡謝家交遊，因爲王、謝家族同爲東晉中原士族
之冠，門當戶對，琴瑟相孚。江南小人，怎配和王胡之來往？北

士極端藐視南士，於此又可見其一斑。

　　士族的南北爭鬥，似有愈演愈烈的趨勢，後來逐漸擴大爲一般的南北相互攻擊謾罵的地域偏見。中原之人罵南人爲「貉子」，而南人則譏中原北人爲「傖父」或「傖鬼」（簡稱爲「傖」），均見之《世說》所載：

　　　　孫秀降晉⑪，晉武帝厚存寵之，妻以姨妹蒯氏，室家甚篤。妻嘗妒，乃　秀爲「貉子」。秀大不平，遂不復入（《惑溺》第四則》）。

　　　　初，宦人孟玖弟超並爲（成都王）穎所嬖寵。超領萬人爲小都督，未戰，縱兵大掠。機錄其主者。超將鐵騎百餘人，直入機麾下奪之，顧謂機曰：「貉奴能作督不？」（《晉書》卷五十四《陸機傳》）

很明顯，「貉子」或「貉奴」，出自嬖子婦人之口，輕蔑鄙視南人的口吻，聲口畢肖，神態活現。孫秀陸機，都是江東貴族之英，豈甘受人羞辱？於是南人也必然心理反彈而譏嘲北人：

　　　　吳興沈充爲縣令，當送客過浙江，客出，亭吏驅公移牛屋下。潮水至，沈令起彷徨，問；「牛屋下是何物？」吏云：「昨有一傖父來寄亭中，有尊貴客，權移之。」令有酒色，因遙問：「傖父欲食餅不？姓何等？可共語。」褚因舉手答曰：「河南褚季野。」（《世說・雅量》第十八則）

　　　　（江東周玘）將卒，謂子綞曰：「殺我者諸傖，子能

復之，乃吾子也。」吳人謂中州人曰傖，故云耳。（《晉
書》卷五十八《周處附子玘傳》）

《世說》劉注引《晉陽秋》亦云：「吳人以中州人爲傖。」按余嘉錫
於此注云：「傖儴本釋亂貌，故凡目鄙野不文之人皆曰傖，本無
地域之分……中國爲聲名文物之邦，彬彬大雅，本不當有荒傖之
稱。但自三國鼎峙，南北相輕，於是北人罵吳人爲貉子，吳人罵
北人曰傖父。」⑫這就由地域政見的紛爭，進一步蔓延到意識形
態領域的感情對立。吳人視中原之人爲粗俗鄉愿之「傖父」，同
樣很不客氣。在晉時，南北士人之罵爭，多數是由中原之士首先
挑釁，但偶爾也有南士發難之事。如《晉書》卷九十二《文苑・左
思傳》云：

> 初，陸機入洛，欲爲此賦（**按：指《三都
> 賦》**），聞思作之，撫掌而笑，與弟雲書曰：「此間有傖父，欲作《三都
> 賦》，須其成，當以覆酒甕耳。」及思賦出，機絕嘆伏，
> 以爲不能加也，遂輟筆焉。

左思齊國臨淄人，山東之士，家世儒學，因妹入宮，移家京師。
是中原士人中的文學家。開始陸機譏其爲「傖父」，雖然對思個
人並無多大惡意，但卻是一種與中原士族相對抗的潛意識的自然
流露。左思並沒惹他，但是文人相輕，加以南北地域之見，致使
陸機主動挑鬥。不過後來左思賦出，陸機讀後立刻嘆伏，可見陸
機最終沒被南北偏見迷昏了頭腦，而是睜開眼睛看到了事實，於
是發出了衷心的讚美。

　　在兩晉士族的南北紛爭對抗中，中原士族歧視南士，是矛盾
的主導方面。他們以其豪族集團的強大勢力，占據國家權力核

心，所以朝廷用人，對於南人有明顯的歧視和限制，雖非明文，卻成通例。陸機於此頗爲憤慨。如賀循、郭訥是江東士人，陸機上疏予以薦舉，疏載《晉書》卷六十八《賀循傳》：

> 著作郎陸機上疏薦循曰：「伏見武康令賀循，德量邃茂，才鑑清遠，服膺道素，風操凝峻，歷試二城，刑政肅穆。前蒸陽令郭訥，風度簡曠，器識朗拔，通濟敏悟，才足幹事。循守下縣，編名凡悴；訥歸家巷，棲遲有年。皆出自新邦，朝無知己，居在遐外，志不自營。年時倏忽，而邈無階緒，實州黨愚智所爲恨恨……誠以庶士殊風，四方異俗，壅隔之害，遠國益甚。至於荊、揚二州，戶各數十萬。今揚州無郎，而荊州江南乃無一人爲京城職者，誠非聖朝待四方之本心。

疏中所稱，連中原士人所不屑的郎官之類，荊揚江南之人，卻無任此職者。陸機之任著作郎，已算是因僥倖機會而獲得的特殊恩寵了。陸機的話，意態悲涼，令人心酸。爲了對抗中原狂士的擠壓，南士之在朝從政者，雖然人數不多，但卻不得不團結起來，相互薦舉，相互幫助，彼此稱揚延譽，於是在無形中浮現了一個南方士人政治集團。西晉時如二陸兄弟、顧榮、賀循、紀瞻、楊晫、華譚、蔡洪、吾彥等。其策略除了竭力維護南士集團的權益，並力求保持內部的團結外，還有上書朝廷並四處聯絡，爭取皇帝及當權的中原士族中有識者的支持，力爭盡量錄用南士，並在減少壓力的情況下，和強大的中原士族狂人相抗衡。因此，一旦南士集團出現了內部矛盾和裂縫，就立即加以調解彌合。如《晉書》卷五十七《吾彥傳》云：

> 吾彥字士則，吳郡吳人也。出自寒微，有文武才幹……初
> 爲小將，給吳大司馬陸抗。抗奇其勇略……乃擢用焉。稍
> 遷建平太守……吳亡，彥始歸降，武帝以爲金城太守……
> 帝嘗問彥：「陸喜、陸抗二人誰多也？」彥對曰：「道德
> 名望，抗不及喜；立功立事，喜不及抗。」會交州刺史陶
> 璜卒，以彥爲南中都督、交州刺史。重餉陸機兄弟。機將
> 受之，雲曰：「彥本微賤，爲先公所拔，而答詔不善，安
> 可受之！」機乃止。因此每毀之。長沙孝廉尹虞謂機等
> 曰：「自古由賤而興者，乃有帝王，何但公卿？若何元
> 幹、侯孝明、唐儒宗、張義允等，並起自寒微，皆内侍外
> 鎮，人無譏者。卿以士則（**按**：吾彥字）答詔小有不善，
> 毀之無已，吾恐南人皆將去卿，卿便獨坐也。」於是機等
> 意始解，毀言漸息矣。

此事大約發生於機雲在吳讀書、入洛之前。當時二陸兄弟年輕氣
盛，士族門閥意識強烈，嚴於士庶之辨。吾彥答詔，其實並非不
實誣辭。但二陸兄弟以爲對父抗「不善」，也就是不尊敬，於是
加以譏毀。這是二陸兄弟腦中的士族門閥意識在作祟，因吾彥出
身微賤，故輕視之。而尹虞爲長沙人，屬東吳，他規誡二陸，處
處在理，「吾恐南人皆將去卿，卿便獨坐也」之言，從維護南士
的内部團結出發，擊中了二陸的要害，同時也啓其深省。在二陸
眼中，士庶當然不可不辨，但是南北之士的對抗形勢更爲直接和
嚴峻。於是二陸幡然悔悟，頓釋前嫌，重新維護了以江南士族爲
核心的南士集團的團結，從而增強了抗衡中原士族的力量。

　　南北士族的宗派對立和門閥紛爭，後果極其嚴重。對抗從文
攻到武鬧，烽火點燃，愈演愈烈，令人怵目驚心。長期的歧視和
心理壓力，就會釀成變生肘腋之禍。東晉初就曾因此而發生了江

東士族豪强的叛亂。如《晋書》卷五十八《周處附子玘孫勰傳》云：

> 玘（**按**：周處之子）宗族强盛，人情所歸，（元）帝
> 疑憚之。於時中州人士佐佑王業，而玘自以爲不得調，内
> 懷怨望，復爲刁協輕之，恥恚愈甚。時鎮東將軍祭酒東萊
> 王恢亦爲周顗所侮，乃與玘陰謀誅諸執政，推玘及戴若思
> 與諸南士共奉帝以經緯世事。先是，流人帥夏鐵等寓於淮
> 泗，恢陰書與鐵，令起兵，己當與玘以三吳應之……（後
> 因洩密事敗）玘忿於迴易（**按**：其位一日幾調），又知其
> 謀泄，遂憂憤發背而卒。時年五十六。將卒，謂子勰曰：
> 「殺我者諸傖子，能復之，乃吾子也。」吳人謂中州人曰
> 「傖」，故云耳……勰字彦和，常緒父言。時中國亡官失
> 守之士避亂來者，多居顯位，駕御吳人，吳人頗怨。勰因
> 之欲起兵，潛結吳興郡功曹徐馥。馥家有部曲，勰使馥矯
> 稱叔父札命以合衆，豪俠樂亂者翕然附之，以討王導、刁
> 協爲名。孫皓族人弼亦起兵於廣德以應之。馥殺吳興太守
> 袁琇，有衆數千……（後兵敗）元帝以周氏奕世豪望，吳
> 人所宗，故不窮治，撫之如舊……（勰）失志歸家，淫侈
> 縱恣。

東晉南渡之初，晉元帝司馬睿以宗室遠支，而能在江南立國，是
因占了天時、地利與人和。因爲西晉皇室近親歷經八王之亂和五
胡亂華，傷亡殆盡，這就爲遠支皇族奪取帝位創造了有利時機。
再加以他襲爵爲琅邪王後，於惠帝末年歷任平東將軍監徐州諸軍
事，安東將軍都督揚州諸軍事，手握兵權。他接受王導建議，移
鎮建康，即原來吳國京城。這時，北方大亂，戰火熊熊，屠戮慘
酷；而江南卻很少受戰爭影響，仍然較爲安定。加以因避亂而北

方人戶大量南移，爲南方輸注了先進生產技術和中原文化，因此
江南的政治、經濟和文化，發展很快，實力大增。這是天時和地
利。同時還有人和。因爲司馬渡江，聽從王導等的建議，不僅依
賴中原士族豪強的支持，同時也積極爭取江南士族豪門的擁戴。
故東晉創始，又因中原士族和江南士族的暫時聯合，終於順利開
基建國，史家號稱「中興」。面對北方少數民族鐵騎縱橫的強大
壓力，如果作爲國家領導核心的南北士族不聯合抗敵，則國無寧
日，士族豪強也將被分化瓦解，逐一消滅。面對這一嚴酷的現
實，因而在南北士族中頭腦清醒的有識之士的號召、倡議和率領
下，南北士族奮起聯合抗敵，旣求目前之生存，又圖將來的發
展。因此形勢日漸好轉。但是好景不長，就在政局逐漸穩定之
後，統治階級的內部矛盾終於爆發，在中原士族各派系間，在
南、北士族豪強之間，又重新展開了激烈的爭奪和對抗，爲的是
控制朝廷和半壁江山。東晉皇族較弱，一貫依仗世家豪族來進行
統治，因此在內部新的複雜鬥爭中，顯得愁眉莫展。晉元帝在與
琅邪臨沂王氏家族這一豪強集團的刀兵相抗中失敗，大將軍王敦
率軍攻進了京師，雖不殺元帝，但皇帝也成了傀儡，終因鬱鬱寡
歡而崩。於此可見當時中原士族的驕橫跋扈。伴隨著中原士族豪
強的南遷，他們不僅帶有部曲，而且還有一大批依賴士族而集體
南逃的庶族地主和人民，並逐漸以地域宗族爲中心，形成了自己
的小社會。中原士族豪強很快就占領了南方大量的美池艮田，並
於寄居地自立僑郡寄籍，不歸所屬江南地方政府管轄。其勢力急
遽膨脹，很快就控制了朝廷用人予奪的大權。這一形勢又助長了
中原狂士舊態復萌、故技重演。他們與江南士族豪強這些地頭蛇
的關係，有時爲了某種政治需要而暫時聯合，但更多的是狠加擠
壓。晉元帝曾想對當時的士族豪強勢力稍加壓制，以免削弱中央
皇權，所以他起用劉隗和刁協等稍加釐革，據《晉書》卷六十九

《刁協傳》稱：

> 協性剛悍，與物多忤，每崇上抑下，故爲王氏（**按**：指王
> 敦等）所疾。又使酒放肆，侵毀公卿，見者莫不側目。然
> 悉盡心力，志在匡救，帝甚信任之。以奴爲兵，取將吏客
> 使轉運，皆協所建也，衆庶怨望之。

其實，所謂「衆庶怨望」，指的是士族豪強的聯合反抗，因爲刁
協等「以奴爲兵」及「取將吏客使轉運」的新政策，就是要把士
族豪強掠奪控制的奴客和隱沒的戶口，沒收爲國家士兵，並負責
後勤運輸工作。這就直接損害了士族豪強的利益，並且可能會削
弱其對抗中央朝廷的力量。這時，爲了自身的利益，南方士族中
的不法豪強，就投靠了中原士族的王氏強宗。如周札是周處之
子，玘之弟，王敦叛亂時，他鎮守京師門戶石頭城，首先開門迎
降的是他，京師不守，他負一定的罪責。又如沈充，是王敦亂黨
的重要謀主，凶險驕恣，侵人田宅，剽掠市道，大肆殺戮，無惡
不作。他出身於吳興望族。如史所稱，「江東之豪，莫強周、
沈」⑭。就因爲受到南北士族狂人的聯合夾攻，東晉中央皇權很
快被壓制了下去。不過，小人以利合，其聯盟是不會長久的，一
旦利害衝突，又將彼此爭鬥厮殺。就在王敦攻下石頭城而勝券在
握後，中原士族豪強狂人又開始實施新的殘酷計劃——即如何處
心積慮地去消滅昔日的「盟友」，把屠刀又砍向江東沈、周二氏
的地方豪強。如《晉書·周處附子札傳》載：

> 王敦舉兵攻石頭，周札開門應敦，故王師敗績。敦轉札爲
> 光祿勳，尋補尚書。頃之，遷右將軍、會稽內史。時札兄
> 靖子懋晉陵太守、清流亭侯，懋弟莚征虜將軍、吳興內

史，莚贊大將軍從事中郎、武康縣侯，贊弟縉太子文學、
都鄉侯，次兄子飆臨淮太守、烏程公。札一門五侯，並居
列位，吳士貴盛，莫與爲比。王敦深忌之。後（周）莚喪
母，送者千數，敦益憚焉。及敦疾，錢鳳以周氏宗強，與
沈充權勢相侔……乃説敦曰：「夫有國者患於強逼，自古
釁難恆必由之。今江東之豪莫強周、沈，公萬世之後，二
族必不靜矣。周強而多俊才，宜先爲之所，後嗣可安，國
家可保耳。」敦納之……使廬江太守李恆告札及其諸兄子
與脱謀圖不軌。時莚爲敦咨議參軍，即營中殺莚及脱、
弘，又遣參軍賀鸞就沈充盡掩殺札兄弟子，既而進軍會
稽，襲札。札先不知，卒聞兵至，率麾下數百人出拒之，
兵散見殺。

這是一場血淋淋的陰謀。南北士族豪強如此這般地反覆搏殺，怎
能不嚴重削弱國家的力量呢？所以恢復中原的口號，雖然人所稔
熟而以資號召，但國家實力已在內部的爭鬥中消耗殆盡，自保尚
岌岌可危，遑論北伐中原！這就把國家的統一、時代的進步往後
無限期地推延了下去。歷史的經驗說明，兩晉國家的衰亡，原因
當然很多，但是士族豪強的矛盾對抗，也是重要因素之一。

對於這一危及國家民族命運的嚴重後果，統治階級中的有識
之士，西晉如張華，東晉如王導、謝安等，均要求改弦易轍，主
動容納南方士人，以廣泛爭取人才，盡量減少南、北士族的摩擦
和對抗。只有南北團結聯合，國家朝廷才有希望和生氣。用今天
的話來比方，他們所要求推行的，是相當於今天所謂的「統一戰
線」策略。

先說張華重視並廣泛招攬如二陸兄弟這類「南金」的事例。
張華並非士族，而是庶族出身。《晉書》卷三十六《張華傳》云：

「張華，字茂先，范陽方城人也……少孤貧，自牧羊……華學業
優博，辭藻溫麗，朗贍多通，圖緯方伎之書莫不詳覽。少自修
謹，造次必以禮度。勇於赴義，篤於周急。器識弘曠，時人罕能
測之。」他因被阮籍讚嘆爲「王佐之才」而聲名始著。在魏晉之
際的門閥社會中，庶族出身本來難以在朝廷立腳。但在賈后與八
王周旋爭鬥的特定條件下，卻爲他創造了進身機會。他因賈后的
破格賞拔，委以朝政，而躋身於政治漩渦中心。如《晉書》本傳所
稱：

> 賈謐（賈后之侄）與后共謀，以華庶族，儒雅有籌略，進
> 無逼上之嫌，退爲衆望所依，欲倚以朝綱，訪以政事。疑
> 而未決，以問裴頠，頠素重華，深贊其事。華遂盡忠匡
> 輔，彌縫補闕，雖當闇主虐后之朝，而海內晏然，華之功
> 也。

張華針對中原士族歧視南士的積習偏見，以實際行動加以糾正。
他廣泛推薦並徵辟南士精英入朝任職，實是力求南、北士人的團
結。張華本人是庶族地主出身，所以對於備受中原士族擠壓的體
會很深。據《晉書》本傳所載，以張華的才能，有早登台輔之望，
但是，「荀勖自以大族，恃帝恩深，憎疾之，每伺間隙，欲出華
外鎮。」後來朝議欲徵華入相，又爲馮紞所譖，因事免官，因而
「終（武）帝之世，以列侯朝見」。試想，有爵而無官，又怎參
朝政？縱有千般計謀，也無從做起。因此，他多爲南士延譽遊
說，實是一種發自肺腑的內心共鳴，因爲他同樣受中原狂士的歧
視，長期孤軍奮鬥，所以一旦有朋自南方來，不僅利於國家，而
且對他個人努力掙脫悲涼孤寂困境的追求，也是一種無形的精神
支持。現列舉數例以明，如張華之賞拔陸機、陸雲兄弟：

> 司空（張華）見（二陸兄弟）而說之，曰：「平吳之利，
> 在獲二儁。」〔《世說・言語》第二十六則劉注引《晉陽
> 秋》。**按**：《晉書・陸機傳》所載相似，但增加（二陸）
> 「造太常張華，華素重其名，如舊相識……張華以薦之諸
> 公」諸語。又臧榮緒《晉書》亦云：「司徒張華重其名，如
> 舊相識，以文呈華，天才綺練，當時獨絕，新聲妙句，縱
> 橫張、蔡。」〕

平吳之前，史稱朝廷公議，「羣臣多以為不可，唯華贊成其
（按：指羊祜）計」，力爭盡快使天下從分裂走向統一。平吳之
後，他又盡量搜集有關南方士族的人才信息，薦拔南士，賞譽二
陸，其誠摯之情令人感動。當時張華已貴顯，名滿朝野，於年輕
的江東二陸是當然的前輩。但他卻放下架子，虛心結識，為之稱
揚延譽不遺餘力。這除了共同的文學愛好及其道德品格等個人因
素外，更主要的是與其治國安邦的人才策略的考慮有關。「伐吳
之役，利獲二儁」，這是何等崇高的評價。這與王濟、盧志等中
原名士歧視南士為「亡國之餘，有何異秀」云云，態度迥異，形
成了鮮明的對比。張華讚美二陸兄弟，見諸《世說》者甚多，如
《文學》第八十四則注引《文章傳》曰：

> 機善屬文，司空張華見其（**按**：指陸機）文章，篇篇稱
> 善，獲譏其作文大治，謂曰：「人之作文，患於不才；至
> 子為文，乃患太多也。」

「大治」，余嘉錫注引李詳云：「案大治謂推闡盡致。」張華對
陸機的文學才華，極其賞識，並且非常認真地閱讀其作品，從文
學批評與欣賞的角度言，是真正的知音。今《陸士龍集》卷八有

《與兄平原書》，曾多次稱引張公（華）之言以定機文得失，如稱；「嘗憶兄道，張公父子論文，實自欲得，今日便欲宗其言。」又云：「雲今意視文，乃好清省，欲以無尚，意之至此，乃出自然。張公在者必罷，必復以此見調……願兄小爲之定，一字兩字出之。」事實俱在，可資佐證。古人云，知音難逢。因此，二陸兄弟在京師備受中原士人歧視擠陷之時，獲得了張華的誠摯關懷，其感激敬慕之情，發自內心，油然而生。如《晋書·張華傳》稱：「初，陸機兄弟志氣高爽，自以吳之名家，初入洛，不推中國人士，見張華一面如舊，欽華德範，如師資之禮焉。華誅後，作誄，又爲《詠德賦》以悼之。」今誄、賦二文均不見載於今本《陸士衡集》中。但《藝文類聚》卷二十《孝》部引陸機《祖德賦》，云：

> 伊我公之秀武，思無幽而弗祂。形鮮烈於懷霜，澤溫惠於挾纊。牧希世之洪捷，固山谷而爲量。西夏坦其無塵，帝命赫而大壯。登具瞻於太階，濯長纓乎天漢。解戎衣以高揖，正端冕而大觀。戢靈武於既曜，恢時文於未煥。騰絕風以逸騖，庶遐蹤於公旦。

其所稱頌，與陸氏先祖之事迹功德甚不相符，而恰與張華行履相合。這不是巧合，如姜亮夫先生所云：「疑此『祖德』即悼張之『詠德』，『祖』乃『詠』字形近而誤。」⑮所言合於情理。

南士之中，張華之賞拔二陸兄弟，是否僅是純屬個人關係的偶然行爲呢？回答是否定的。《晋書》張華本傳稱：「華性好人物，誘進不倦，至於窮賤侯門之士有一介之善者，便咨嗟稱詠，爲之延譽。雅愛書籍，身死之日，家無餘財，唯有文史溢於機篋」。有關治國安邦方略，他主張用人唯賢，士有一善，也希望

盡其所用。其策略和措施，就是力求協調統治階級中的內部團
結，希望在朝廷之上，盡量縮小士庶之別並進一步淡化士族的南
北之見。如《世說‧排調》第九則云：

> 荀鳴鶴、陸士龍二人未相識，俱會張茂先坐。張令共語，
> 以其並有大才，可勿作常語。陸舉手曰：「雲間陸士
> 龍。」荀答曰：「日下荀鳴鶴。」陸曰：「既開青雲睹白
> 雉，何不張爾弓布爾矢？」荀答曰：「本謂雲龍騤騤，定
> 是山鹿野麋，獸弱弩強，是以發遲。」張乃撫掌大笑。

荀隱字鳴鶴，穎川望族出身。陸雲，字士龍。茂先是張華字。南
北士人同在華座，本身已頗說明其調和南北的傾向。張華因荀、
陸二人「並有大才」，以才分而不受南北地域偏見所拘囿。當荀
陸二人以戲言並爭南北高下時，華但以「撫掌大笑」之樂來加以
調和，共沒有表現出偏袒任何一方的傾向。不過在一般的情況
下，由於南士更多受壓，所以張華尤注眼於南士之英傑。如《世
說‧賞譽》第十九則云：

> 張華見褚陶，語陸平原曰：「君兄弟龍躍雲津，顧彥
> 先鳳鳴朝陽，謂東南之寶已盡，不意復見褚生。」陸曰：
> 「公未睹不鳴不躍者耳！」

陸機的回話，表現了他對南士人才輩出的驕傲，但是由於中原士
族的歧視，朝廷不聞不問而引爲憾事。張華的話，則表現出他那
繼續衝破阻力、挖掘南士瑰寶的勇氣與決心。關於褚陶，劉注引
《褚氏家傳》曰：「陶字季雅，吳郡錢塘人。褚先生（**按**：爲《史
記》補缺者）後也。陶聰慧絕倫，年十三，作《鷗鳥》、《水磑》二

賦。宛陵嚴仲弼見而奇之,曰:『褚先生復出矣!』弱不好弄,清
談(淡)閒默,以墳典自娛。語所親曰:『聖賢備在黃卷中,捨
此何求?』州郡辟不就。吳歸命……司空張華與陶書曰:『二陸龍
躍於江漢,彥先鳳鳴於朝陽,自此以來,常恐南金已盡、而復得
之於吾子!故知延州之德不孤,淵岱之寶不匱。』仕至中尉。」
還有,《晉書》卷六十八《薛兼傳》云:

> 薛兼字令長,丹楊人也。祖綜,仕吳爲尚書僕射。父瑩,
> 有名吳朝。吳平,爲散騎常侍。兼清素有器宇,少與同郡
> 紀瞻、廣陵閔鴻、吳郡顧榮、會稽賀循齊名,號爲「五
> 俊」。初入洛,司空張華見而奇之,曰:「皆南金也。」

所稱「皆」,說明張華所賞拔的南士是很不少的一大批。其所推
薦延譽的眾多南士,其中有如陸機兄弟這樣傑出的文學家,有顧
榮、薛兼這樣的政治家,還有像陶侃這樣的政治家軍事家。《世
說・言語》第四十七則注引《陶紋錄》云:「侃字士衡。其先都陽
人,後徙尋陽。侃少有遠概綱維宇宙之志。察孝廉入洛,司空張
華見而謂曰:『後來匡主寧民,君其人也。』」於此可見,張華之
賞拔南士,並非僅僅是作爲中原士族的陪襯,而是唯才是舉,寄
以「匡主寧民」的經邦緯國之厚望。

但是,隨著張華被趙王司馬倫所殺,其泯滅士人南北的理想
化爲泡影,少數中原有識之士的努力,難敵士族豪強的傳統陋
習。西晉時代的南北士族之對抗,依然故我,並傳之東晉。但可
寶貴的是,薪盡火傳,張華的精神不滅。

現在再說東晉的開國名相王導。他在司馬氏倉皇南渡、開國
江南的新形勢下,實際繼承並延續了張華融會南北的用人策略。
西晉朝廷徵辟部分優秀南士,其目的如當時馮熊謂齊王冏長史葛

旗所云；「以顧榮爲主簿，所以甄拔才望，委以事機，不復計南
北親疏，欲平海內之心也。」⑯但眞正這樣做的，除了張華、摯
虞等少數有識之士外，中原士人之當政者，大都虛與委蛇，一句
空話而已；而「欲平海內之心」，減少南人的不滿與對抗，才是
他們的眞正目的。因此，西晉一朝，國家朝廷的要害部門，無一
不爲中原士族豪强所壟斷。但東晉南渡之初，中原士族豪强的力
量相對地被削弱，而江南士族豪强則因很少受戰亂打擊而保存並
日漸擴大其影響和實力，因而南北士族雙方的力量對比消長，由
量到質，也發生了相應的變化。中原士族豪强的囂張氣焰，不得
不暫時收斂一些。這就爲以王導爲首的中原士族中有識之士，創
造了改弦易轍的有利的氣候和土壤。

《晉書·元帝紀》云：「永嘉初，用王導計，始鎭建鄴，以顧
榮爲軍司馬，賀循爲參佐，王敦、王導、周顗、刁協並爲腹心股
肱，賓禮名賢，存問風俗，江東歸心焉。」在南渡建立東晉王朝
之前，首先收拾民心，而保證「江東歸心」，是其創業之根本。
但要眞正做到江東歸心，必須做很多事，其中，克服傳統偏見，
爭取南北士族的團結一心和聯合支持，極其重要。因此，廣泛任
用江東名士，如顧榮、賀循等具有代表性的江南士族中的有識之
士，是一個企圖改變用人策略的重要信號。《晉書》卷六十五《王
導傳》云：

> 時元帝爲琅邪王，與導素相親善。導知天下已亂，遂傾心
> 推奉，潛有興復之志。帝亦雅相器重，契同友執……會帝
> 出鎭下邳，請導爲安東司馬，軍謀密策，知無不爲，及徙
> 鎭建康，吳人不附，居月餘，士庶莫有至者，導患之。會
> 敦來朝，導謂之曰：「琅邪王仁德雖厚，而名論猶輕。兄
> 威風已振，宜有以匡濟者。」會三月上巳，帝親觀禊，乘

肩輿，具威儀，敦、導及諸名勝皆騎從。吳人紀瞻、顧榮，皆江南之望，竊覘之，見其如此，咸驚懼，乃相率拜於道左。導因進計曰：「古之王者，莫不賓禮故老，存問風俗，虛己傾心，以招俊乂。況天下喪亂，九州分裂，大業草創，急於得人者乎！顧榮、賀循，此土之望，未若引之以結人心。二子既至，則無不來矣。」帝乃使導躬造循、榮，二人皆應命而至，由是吳會風靡，百姓歸心焉……俄而洛京傾覆，中州士女避亂江左者十六七，導勸帝收其賢人君子，與之圖事。

元帝納之，朝野尊導爲「仲父」——猶如春秋時輔助齊桓公一匡九合的名相管仲。但是導稱不敢當，並明確指出了當時國家用人的當務之急：「顧榮、賀循、紀瞻、周玘，皆南土之秀，願盡優禮，則天下安矣！」

王導頗有政治家的宰相風度，地不分南北，人不分種族，他都一樣善與周旋，加以團結利用。如《世說・政事》第十二則載：

王丞相拜揚州，賓客數百人並加霑接，人人有說色。唯有臨海一客姓任及數胡人爲未洽，公因便還到過任邊，云：「君出，臨海便無復人。」任大喜說。因過胡人前彈指云：「蘭闍，蘭闍。」羣胡同笑，四坐並歡。

劉注引《晉陽秋》曰：「王導接誘應會，少有忤（忤）者。雖疏交常賓，一見多輸寫（寫）款誠，自謂爲導所遇，同之舊暱。」與張華相比，在待人接物方面，張爲庶族出身，性格爽朗，較重感情，而王導則出於名門貴族，大家風範，更多的是從政治需要方面來考慮問題，所以不管親疏好惡，只要有用，他都巧與周旋如

舊相識一般。連胡人他都不忘記打招呼，予以熱情招待，更何況
是東晉皇朝所必須依仗的江南士族人士！爲了與南士親善，即使
一時受挫也絕不放棄接近的機會，其主動精神與中原士族的傳統
歧視心態恰成鮮明的對照。爲了友好，他曾親到南士紀瞻家觀
伎，見《世說‧任誕》第二十五則劉注引鄧粲《晉紀》。又如爲了工
作方便，並使南士感到親切，他曾努力學習吳語方言，見《世
說‧排調》第十三則：

> 劉眞長始見王丞相，時盛暑之月，丞相以腹熨彈棋局，
> 曰：「何乃淘！」劉既出，人問見王公云何，劉曰：「未
> 見他異，唯聞作吳語耳。」

「淘」音ㄑㄧㄥ，劉注云：「吳人以冷爲淘。」又引《語林》曰：
「眞長云：『丞相何奇，止能作吳語及細唾也。』」眞長即劉惔，
清談玄家。年輕時「家貧，織芒屩以爲養……人未之識，惟王導
深器之」（《晉書》卷七十五《劉惔傳》）。但是劉惔對王導的良苦
用心，有時卻不能很好地理解。比如他對王導口操吳語，因其中
原士人的傳統偏見而不以爲然，所以說話口氣不太尊重。其實劉
惔譏王導學吳語，並不明白政治家的深刻用心。近人陳寅恪一語
中的：「王導、劉惔本北人，而又皆士族，導何故用吳語接之？
蓋東晉之初，基業未固，導欲籠絡江東人心，作吳語者，亦其開
濟政策之一端也。」⑰識微之論，洞見肺腑。再以王導和陸玩的
關係爲例：

> 王丞相初在江左，欲結援吳人，請婚陸太尉。對曰：「培
> 塿無松柏，薰蕕不同器。玩雖不才，義不爲亂倫之始。」
> （《世說‧方正》第二十四則）

　　　陸太尉詣王丞相咨事，過後輒翻異。王公怪其如此，
　　後以問陸。陸曰；「公長民短，臨時不知所言，既後覺其
　　不可耳。」（《世說・政事》第十三則）

　　　陸太尉詣王丞相，王公食以酪。陸還遂病。明日與王
　　箋云：「昨食酪小過，通夜委頓。民雖吳人，幾爲傖
　　鬼。」（《世說・排調》第十則）

陸太尉指陸玩。據劉注引《陸玩別傳》曰：「玩字士瑤，吳郡吳
人。祖瑁，父英，仕郡有譽。玩器量淹雅，累遷侍中、尚書左僕
射、尚書令，贈太尉。」他是陸機的從弟，論其士族門第，江東
首屈一指。所以王導爲了爭取江南士人的更多支持和擁護，藉兒
女向陸氏求婚事加以聯絡，這實是一種事關政治的感情投資。在
中原僑姓士人看來，琅邪王氏爲中原士族之冠，婚於江東陸家，
是紆尊降貴；陸家則爲高攀，怎麼會不願意呢？再加以王導當時
是朝廷的輔政大臣，作爲親家，沾親帶故，對於族人的仕宦前途
及家族的政治經濟利益，該是大有好處的。可是陸玩其人，偏不
識相，他以外交辭令對應，話雖說得婉轉，但是頑固拒婚的態度
卻很明確，表現了江南士族在南渡之初時，對於中原士族的某種
不信任態度，甚至可說骨子裡仍含些微的敵意。大概機、雲二兄
長慘死中原士族之手，手足情親，記憶猶新，令人警懼。於此可
見，南北士族相互敵視的遺傳因子仍然在不知不覺地起作用。所
謂門第不配，擬於不倫，不過是表面文章而已。王導與陸玩，當
時是上下級的關係。，但是，玩在導前議事，經常翻異。表面似
乎是誠惶誠恐，實際卻是故意輕侮不遜以試其鋒芒，看看中原士
族是否眞能容納江南士人。觀其「幾爲傖鬼」之嘲，略帶玩世不
恭之意，以「傖鬼」譏諷中原士人，非僅爲王導個人而發。王導

請他食羊酪，存心修好關係；玩吃壞肚子，是因爲他吃得過量不消化所致。這是個人身體素質的問題，並非故意在請客時作弄他。但是，此一時彼一時也，南渡之初，面對南士的屢屢挑戰，王導不爲所動，表現得很有涵養。王導是不是個沒有脾氣和個性的人呢？非也。如《世說‧輕詆》第六則載：「王丞相輕蔡公（謨），曰：『我與安期、千里共游洛水邊，何處聞有蔡充兒？』」謨爲充子，故云。蔡謨也是當時中原士族中的名公賢士，他曾譏王導妾雷氏納賄干政爲「雷尚書」，又曾以「朝廷欲加公九錫」之類的話和王導開政治玩笑，王導對他很惱火，所以對謨有故意貶損的意氣之語⑱。可見王導也是很有個性脾氣的人，在一般情況下，他要維護尊嚴，而不能容忍別人對自己的不敬。但是，對陸玩卻是例外，他有自己政治上的算盤，如余嘉錫所分析：「導屢見侮於玩而不怒，亦以其族大宗強，爲吳人之望故也。」⑲爲了挽危圖存、建國中興的大局，即使是生氣不滿，他也會強壓怒火，臉色如常，忍人之所不能忍。這就是人所不及的宰相風度。不這樣忍一口氣，又怎能團結南人，共圖恢復大計呢？小不忍則亂大謀，作爲一個出色的政治家，王導善於駕馭理智來控制自己的感情。從感情個性看，這是矯飾；但從政治時勢看，很有必要。爭取南北士人的團結與聯合，正是他所設計的建國綱領之一，絕不允許人爲地加以破壞，其中包括他自己。所以他在賞拔南士方面做了大量的工作，包括起初時對他態度不遜的陸玩在內。陸玩實際也是江南士族中的有識之士，頗識時務，後來他眞正和王導長期很好地合作。他和兄曄，都曾領本州大中正。在王導逝世後，陸玩繼任司空，進位丞相，外參論道，內統百揆，其所徵辟賞拔，「皆寒素有行之士」，如其所稱：「臣聞至公之道，上下玄同，用才不負其長，量力不受其短。」⑳在泯滅士族南北對立方面，他遵循的是王導所創設的既定方針。其兄

曄，也曾任顯要官職，有職有權，並非僅是作爲政治花瓶的北士附庸而已。《晉書》卷七十七《陸曄傳》云：

> 陸曄字士光，吳郡吳人也。伯父喜，吳吏部尚書。父英，高平相，員外散騎常侍。曄少有雅望，從兄機每稱之曰：「我家世不乏公矣。」……元帝初鎮江左，辟爲祭酒……預討華軼功，封平望亭侯……太興元年，遷太子詹事。時帝以侍中皆北士，宜兼用南人，曄以清貞著稱，遂拜侍中，徙尚書，領州大中正。明帝即位……以平錢鳳功，進爵江陵伯。帝不豫，曄與王導、卞壼、庾亮、溫嶠、郗鑒並受顧命……遺詔曰：「曄清操忠貞，歷職顯允，且其兄弟事君如父，憂國如家，歲寒不凋，體自門風。既委以六軍，可錄尚書事，加散騎常侍。

曄、玩兄弟，與機、雲二陸，爲同宗兄弟，論其才華，當是機、雲高過許多。但曄、玩封侯拜相，賜贈有加；而機、雲卻不保首領，其命運迥然不同。爲什麼？當與形勢變化，方針政策改變的東晉初創之際，南北士族從對抗走向暫時的團結聯合有關。陸曄陸玩，說是由於皇帝寵任，實是出自王導等執政大臣的決策和賞拔。其中包括明帝遺詔，也是在王導等的導演下發表的。「其兄弟事君如父，憂國如家」，高度評價了南士的作用。這在爭取江南士族人才方面，正確的方針政策，維護了朝廷的團結和國家的統一，收到了明顯的積極效果。

又如顧和，死後追贈司空，故世稱顧司空。他更是在王導一手培養下成長的江南士人精英。如《世說‧言語》第三十三則載：

> 顧司空未知名，詣王丞相，丞相小極（小困），對之疲

睡。顧思所以叩會之，因謂同座曰：「昔每聞元公（**按：**
指顧榮）道公協贊中宗，保全江表，體小不安，令人喘
息。」丞相因覺，謂顧曰：「此子珪璋特達（按：王導引
《禮記》之言以美之，謂其品德高貴，『不須紹介自足通達
也』，見余嘉錫注），機警有鋒。」

《言語》第三十四則接上又云：「會稽賀生（循），體識清遠，言
行以禮。不徒東南之美，實爲海內之秀。」按：據《晉書》卷八十
三《顧和傳》，「東南」、「海內」二句，應是王導稱美顧和之
言。考「生」之稱，當指小於說話人的後生晚輩。但晉初元康三
年（293年）陸機三十三歲任著作郎時，曾疏薦賀循，稱其歷任
二縣，其年輩當與機相當；又《晉書》循傳稱其卒於太興二年，時
年六十。太興二年爲319年，而自太興二年（319年）上推六十
年，則賀循當生於三國末吳景帝永安三年（260年），比陸機大
一歲。而《晉書》本傳記載王導卒於咸康五年（339年），時年六
十四，上推當生於晉武帝咸寧二年（276年），王導年輩明顯晚
於賀循。故循於導，應是先賢，怎可稱「生」？其口吻明顯不合
事實。斯時賀循仕宦早達，何用王導獎拔而後知名？故以理推
之，當以《晉書》和傳爲是，《世說》「賀生」當爲「顧生」之訛，
後人不知，又據賀氏地望而妄加「會稽」以應，於是錯上加錯。

　　王導接見顧和諸人，因其後生晚輩，並不在意，所以小困而
臥。如此待客，不甚禮貌，在不知不覺的行爲細節中，自然流露
了他那高貴門第、唯我獨尊的中原士族的傲氣。這與其士族本性
有關，傳統偏見並非一朝一夕可以改變，賢如王導，也是無可奈
何。但王導畢竟不是一般的政治家，他那敏銳的政治嗅覺，使他
在睡夢中也保持了某種警覺，眼睛似乎半開半閉，隨時試探周圍
的一切，一旦稍有動靜，立刻警醒。所以，當顧和一開口，他立

即明白其良苦用心。當時顧和還是個不出名的青年，但其措辭委
婉，含蓄有味，頌而不諛，不亢不卑，如此得體，豈非人才難
得？加以他姓顧，是顧榮的族子，吳郡顧氏，是江南的四大家族
之一，金字招牌，南土著姓，豈是一般！現在顧家子弟主動向自
己靠攏，豈非大好時機？賞拔顧和，則可爭取到一大批江南士族
對東晉政權的支持和擁護，彼此有利，何樂而不爲？在小困而醒
的瞬間，在王導的腦海中掀起了陣陣波浪，於是他及時把握時
機，果斷地下判斷。「珪璋特達」，對於江東士人青年已是很高
的才能評價；而「不特東南之美，實海內之秀」云云，則是更深
一層的高瞻遠矚，「東南」已成爲「海內」的有機組成部分，江
南士人只要是優秀人才，一樣都是國家棟梁，豈可因其年輕無名
而小覷之？因此，彼此簡短的對話，把顧、王二人心理底牌和盤
亮出，顧和妥貼得體，王導洞察精深，兩相輝映，表現了處在國
家民族危難之中的關鍵時刻，南北士人雙方力求改變對抗而走向
團結聯合的共同願望。後來，顧和由於王導的賞拔延譽，很快知
名，二人長期默契合作。如《世說‧規箴》第十五則載：

> 王丞相爲揚州，遺八部從事之職。顧和時爲下傳還，同時
> 俱見。諸從事各奏二千石官長得失，至和獨無言。王問顧
> 曰：「卿何所聞？」答曰：「明公作輔，寧使網漏吞舟，
> 何緣採聽風聞，以爲察察之政？」丞相咨嗟稱佳，諸從事
> 自視缺然也。

當時東晉建國不久，時有叛亂，地方與中央關係緊張，加以「於
時陰陽錯繆，而刑獄繁興」㉑，形勢相當嚴峻，有識之士憂之。
如郭璞以《周易‧解卦》象辭「君子以赦過宥罪」上諫，要求寬鬆
政治，以招民心，以便獲得地方勢力的支持和擁護。顧和之意也

大致相似，他以爲王導作爲輔國大臣，不宜專派「特務」到各地去「採聽風聞」，專聽小報告，而自以爲這是明察秋毫的「察察之政」，這樣就會造成地方人人自危的局面，加劇地方和朝廷的矛盾，對於國家的穩定不利。所以他一反潮流，什麼小道新聞和小報告都不提，表現了一定的政治遠見。王導很快明白了顧和的心思，並接受了他的規箴，「咨嗟稱佳」，二人相互理解，密切配合。王導事後即提升顧和爲揚州別駕，成爲州府的主要官員之一。杜佑《通典》卷二十三稱引王導之教曰：「顧和理識清敏，勸今端古，宜得其才，以爲別駕。」對於年輕的江南士子，賞拔非同一般。因此顧和對王導也充滿感激和信任之情。如永昌元年（322年）大將軍王敦（**按**：導從兄）叛亂時，「王丞相詣闕謝。司徒、丞相、揚州官僚問訊，倉卒不知何辭。顧司空時爲揚州別駕，援翰曰：『王光祿（含，導從兄）遠避流言，明公蒙塵路次，臺下不寧，不審尊體起居何如？』」見《世說·言語》第三十七則。在王導政治生涯最困難最狼狽的時刻，顧和並不因此而落井下石，恰恰相反，他從平日對王導政治理想及其道德品格的深切了解，仍然堅信王導是忠心報國的，所以信中動問起居，話雖短而關心之情溢於言表。這對處於困境中的王導是很大的精神慰藉。王顧同心，南北融合，促進了士族作爲統治階級核心集團的內部團結。只有泯滅士族南北對立，國家才有可能走出困境而否極泰來。反之，則所謂國家的「中興」將化爲烏有。兩種態度和兩種立場，前途大不一樣。但是，聯合也是有原則的。比如顧和，他對中原士族中驕橫跋扈者，則奮起抗爭。如謝安的堂兄謝尚，是康樂皇太后蒜子的舅舅，在其任南中郎將領宣城內史時，越過朝廷，擅「收涇令陳幹殺之」，被彈劾後，皇帝下詔不問。顧和於是上章抗辯曰：「案尚蒙親賢之舉，荷文武之任，不能爲國惜體，平心聽斷，內挾小憾，肆其威虐，遠近怪愕，莫不解

體。」㉒要求重新查處，嚴懲不貸。面對中原士人的猖獗，顧和
毫不畏縮，甚至於開罪謝家大族也在所不顧。當然，後來謝安任
丞相掌大權時，並沒有因此而報復顧家，因爲謝安同樣是有識之
士，他繼承的仍然是王導的團結南北士族的路線。不過這是後
事，當時顧和不可能知道這一結果。當時得罪高門望族，後果可
能非常嚴重，甚至是仇殺滅門都可能發生。如明帝伐王敦時，敦
黨沈充兵敗誤入故將吳儒家，儒將殺充以取侯賞，充曰：「封侯
不足貪也。爾以大義存我，我宗族必厚報汝。若必殺我，汝族滅
矣。」儒不聽，殺充。「充子勁竟滅吳氏」，事載《晉書》卷九十
八《沈充傳》。當時之事，人所稔熟，顧和豈有不知？但他彈劾謝
尙時卻不計後果。於此可見，顧和沒有辜負王導的培養和關心。

　　還有陸玩，雖然能力不算很強，但任事仍然兢兢業業，忠心
爲國，如《世說‧規箴》第十七則云：

> 陸玩拜司空，有人詣之，索美酒，得，便自起，瀉箸梁柱
> 間地，祝曰：「當今乏才，以爾爲柱石之用，莫傾人棟
> 梁。」玩笑曰：「戢卿良箴。」（劉注引《陸玩別傳》云：
> 「是時王導、郗鑒、庾亮相繼薨殂，朝野憂懼，以玩德
> 望，乃拜司空。玩辭讓不獲，乃嘆息謂朋友曰：『以我爲
> 三公，是天下無人矣。』時人以爲知言。」）

面對中原士人的冷嘲熱諷和強大壓力，甚至當面有「傾人棟梁」
之譏，陸玩的回答不亢不卑，既對國家和民族負責，同時也表明
了自己繼承王導遺志的決心。於此可見，王導那泯滅士族南北之
見的團結和聯合的路線，取得了暫時性的成功。南士擁護，北士
也多有支持貫徹者。如王胡之任平北將軍、司州刺史時，態度有
所改變，曾上疏朝廷，請宥沈勁以拔用之，疏曰：「吳興男子沈

勁，清操著於鄉邦，貞固足以幹事。且臣今西，文武義故，吳興
人最多，若令勁參臣府事者，見人旣悅，義附亦衆。勁父充昔雖
得罪先朝，然其門戶累蒙曠蕩，不審可得特垂沛然，許臣所上
否？」詔聽之。宥諒一個沈勁，一大批吳興南人就甘心爲朝廷出
力。沈勁因得中原士人王胡之的重用，固守洛陽，死於王事，忠
義貫日月。事載《晉書》卷八十九《忠義·沈勁傳》。

　　但是，可惜好景不長。干擾與破壞這一正確路線的南北狂士
的勢力更大，這是制度使然，非一、二有識賢俊可以徹底扭轉和
根本改變。士族之南北對立，破壞了民族的團結，削弱了國家的
力量。因此，兩晉之衰亡，原因很多，但其中統治階級領導核心
集團的南北士族之對抗，相互牽制，力量抵消，也是重要因素之
一。但是，歷史的經驗教訓，並沒有引起人們的足夠重視，南朝
百年，踵武兩晉，重蹈覆轍，愈演愈烈，其惡劣影響明顯可見。
中原士族之歧視南士，從心照不宣的不成文的規矩，一變爲朝廷
明文的制度。如撰氏族譜時，貴重北方僑姓，而輕江東吳姓，
「其東南諸族，別爲一部，不在百家之數焉」，事載《南史》卷五
十九《王僧孺傳》[23]。士分南北，北貴南輕，不僅成爲習慣，而且
見諸典冊，逐成傳統依據，因而國家用人，南北大不相同。如齊
武帝對沈文季埋怨稱：「南士無僕射，多歷年所。」沈對曰：
「南風不競，非復一日。」可見長期以來，朝廷的要害機構和權
力，大都仍被中原士族所壟斷。後來梁武帝也承認：「祕書丞天
下淸官，東南望冑，未有爲之者。」南士不僅遠離權力中心，就
是光有聲望而有職無權的祕書淸望之官，也極稀罕。事載《南史》
卷三十一《張率傳》。這樣的公然歧視與排斥，愈加激發了南士的
憤恨和對立情緒。兩晉之時，顧榮與張華、王導同心勠力，主張
南北士人的團結與聯合，應該說大方向是正確的。如《世說·言
語》第二十九則云：

　　元帝始過江，謂顧驃騎（榮）曰：「寄人國土，心常
懷慚。」榮跪對曰：「臣聞王者以天下爲家，是以耿、毫
無定處，九鼎遷洛邑，願陛下勿以遷都爲念！」

顧榮表明了士不分南北，以維護國家朝廷統一的決心。在民族災
難深重之時，要求同心恢復大業，頗有遠見卓識。但南土狂士，
卻不顧大體地予以譏毀。據《南史》卷七十二《丘靈鞠傳》，丘氏謂
人曰：「我應還東掘顧榮冢。江南地方數千里，士子風流皆出此
中。顧榮忽引諸傖輩度（江），妨我輩塗轍，死有餘罪！」正人
君子不被理解而視如仇敵，南北士族如此對抗，故南朝諸代，國
祚怎能綿長？衰亡相繼，刻不旋踵，是其必然。重讀歷史，思之
愴然，惟嘆息而無言！

――――――――――

①《太平御覽》卷二一四引《晉陽秋》。

②見《晉書》卷四十五《劉毅傳》。劉毅於晉初上疏武帝，要求廢止九品
　中正制，但未被採納。

③見《晉書》卷四十八《段灼傳》。

④柳芳之言見《新唐書》卷一九九《儒學·柳沖傳》所附。

⑤見《晉書》卷六十八《顧榮傳》。

⑥見唐長孺《魏晉南北朝史論叢》，生活·讀書·新知三聯書店1955年
　版，第109～111頁。

⑦見梁·鍾嶸《詩品·序》。

⑧見姜亮夫《陸平原年譜》，古典文學出版社1957年版，第48頁。

⑨同注⑧，元康六年，第62～63頁。

⑩《太平御覽》卷二六五引《晉書》曰：「楊晫、陶侃共載諧顧榮（按：
　今本《晉書》下增『榮甚奇之』四字）。州大中正溫雅責晫與小人共
　載。」（按：今本《晉書》作「吏部郎溫雅謂晫曰：『奈何與小人共

載?』曄曰:『此人非凡器也。』」)

⑪《世說·惑溺》第四則劉注引《太原郭氏錄》曰:「秀字彥才,吳郡吳人,為下口督,甚有威恩。孫皓憚欲除之……秀豫知謀,遂來歸化。」此為江東吳郡之孫秀。與讒殺潘岳的琅邪孫秀字俊忠者別是一人,名同字異,郡望各別。前為南士,後為北人。讀《世說》者應於此類細加分辨。

⑫見余嘉錫《世說新語箋疏》,上海古籍出版社1993年修訂版,第361頁。

⑬據《晉書》卷五十二《華譚傳》,譚字令思,廣陵人。太康中舉秀才入洛,武帝親策之,其中有「吳人趏睢,屢作妖寇」之語,可見吳人不服,屢有舉動。帝問華:「今將欲綏靜新附,何以為先?」華答曰:「所安之計,當先籌其人士,使雲翔閶闔,進其賢才,待以異禮。」認為大量選拔江南士人以為國家朝廷棟梁,打破中原士族壟斷政權的局面,是穩定江南形勢的當務之急。所論與陸機薦賀循疏,事異而意同。又據《晉書·顧榮傳》云:「元帝鎮江東,以榮為軍司,加散騎常侍……榮既南州望士……時南土之士未盡才用,榮又言:『陸士光貞正清貴,金玉其質;甘季思忠款盡誠,膽幹殊快;殷慶元質略有明規,文武可施用;榮族兄公讓明亮守節,困不易操;會稽楊彥明、謝行言皆服膺儒教,足為公望;賀生沈潛,青雲之士;陶恭兄弟才幹雖少,實事極佳。凡此諸人,皆南金也。』書奏,皆納之。顧榮與華譚之間,在陳敏事變中有個人恩怨及其誤會,但在舉薦南士方面,二人用心與陸機如出一轍,所以晉時的南士集團,雖缺乏今天黨派之組織形式,但其精神相近,形成了無形的政治集團。

⑭見《晉書》卷五十八《周處傳》附子札傳。

⑮同注⑧,第79頁。

⑯見《晉書》卷六十八《顧榮傳》。

⑰見余嘉錫《世說新語箋疏》稱引，上海古籍出版社1993年版修訂，第794頁。

⑱「雷尚書」之譏，見《世說・惑溺》第七則：「王丞相有幸妾姓雷，頗預政事，納貨。蔡公謂之『雷尚書』。」九錫之譏，見《世說・輕詆》第六則劉注引《妒記》，文多不錄。

⑲同注⑰，第306頁。

⑳見《晉書》卷七十七《陸玩傳》。

㉑見《晉書》卷七十二《郭璞傳》。

㉒見《晉書》卷八十三《顧和傳》。

㉓參見楊筠如《九品中正與六朝門閥》，商務印書館1930年版，第86頁，第五章《六朝門閥的實際情況》云：「吳姓在政治上的地位，總不能與僑姓相比。」按：「僑姓」指過江南渡的中原士族高門大姓。

（原載日本國京都外國語大學《研究論叢》XLVⅡ期，平成八年　1996年9月）

重讀《世說新語》札記

一、言「孝」沒「忠」說魏晉

> 高貴鄉公薨，內外喧嘩。司馬文王問侍中陳泰曰：「何以
> 靜之？」泰云：「唯殺賈充以謝天下。」文王曰：「可復
> 下此不？」對曰：「但見其上，未見其下。」

　　這則故事，見於《世說新語·方正》第八則，年輕時讀來，味
道平平，未見其佳；而在幾十年後重讀，一旦熟悉歷史，上掛下
聯，旁敲側擊，一時頓悟，立感怵目驚心，在讀者面前呈現了一
場鮮血淋漓的歷史慘劇。

　　史上司馬篡魏開晉，以殺害魏帝曹髦為公開的信號。司馬文
王，指當時的晉王、相國、大將軍司馬昭，他在甘露五年（260
年），派其心腹中護軍賈充，率騎督成倅成濟兄弟，敢犯天下之
大不韙，以利矛貫帝，公然弒君，故朝野輿論譁然。高貴鄉公，
指當時的魏帝曹髦（241～260年），他登基前於正始五年封高貴
鄉公，弒後無諡號，故史籍以稱名。據《三國志·魏書》本紀，稱
其少年夙成，聰明好學，思有作為。但是朝廷內外早就布滿了司
馬集團的爪牙，君權旁落，並非朝夕。雖然時乖運背，亦在料
中，但被公然弒殺於軍前，卻也出人意料而嚇人一跳。故事中
「內外喧嘩」四字，以簡約的語言，不僅渲染了當時舉國洶洶的

緊張氣氛，而且說明了弒君不忠行爲震撼了傳統道德支柱「忠孝」觀念所帶來的嚴重後果，因而迫使有恃無恐的司馬昭，也不得不思考「何以靜之」的問題。當日的司馬昭，大權獨攬，生殺予奪，皇帝都敢殺，那麼取一臣子性命，猶如踩死一隻螞蟻似的，什麼感覺都沒有。但是侍中陳泰，卻敢於當廷面折，所謂「但見其上，未見其下」，賈充之上，當然是司馬昭了，故其言外之旨，是說司馬昭無法推卸其弒君不忠的罪責，其風骨凜然，氣貫長虹，敢於矛頭直指司馬昭。這是何等的勇氣與膽識，無疑是在捋虎鬚。果然，不久陳泰即「嘔血而死」──被迫自殺，故《世說新語》作者以之入「方正」門而加以旌揚。

這則故事，言約旨遠，藝術上耐人尋味，有關陳泰和司馬昭的心理，刻畫也頗細緻生動。但更重要的是，它說明了思想道德標準隨時代而變化，雖有陳泰之輩爲傳統「忠孝」觀念獻出了生命，但卻大勢所趨而徒喚奈何。魏晉時代，篡弒相繼，愈演愈烈，如曹魏篡漢，司馬篡魏，無所不用其極。這對於以「忠孝」爲核心的傳統道德觀念，產生了強烈的衝擊。在漢代，「忠孝」常是連稱，封建的「忠」與「孝」，基本上是一致的，求忠臣必於孝子之門，提倡「孝」就是爲了忠於君。故漢帝死後諡號多冠以「孝」字，如「孝文帝」、「孝景帝」、「孝武帝」、「孝宣帝」之類，以資號召。頌美忠孝雙美的盛世，形成了傳統道德觀念的重要支柱。但是，若在日常行爲實踐中，一旦忠孝不能兩全而發生矛盾時，漢人常選擇先忠後孝。如《後漢書·獨行·趙苞傳》載，漢靈帝時，遼西太守趙苞率衆與鮮卑入寇者戰，寇劫其母及妻子爲人質，苞於兩軍陣前對母慷慨流涕曰：「昔爲母子，今爲王臣，義不得顧私恩、毀忠節。」於是揮師破敵，母及妻子皆爲敵所害。不過，這一「忠孝」觀念發展至三國時代已有變化。《三國志·魏書·邴原傳》裴注引《原別傳》云，問君父同時有

篤疾，但救命藥丸僅一枚，先救君，或先救父？「太子（**按**：指曹丕）諮之於原，原愇然對曰：『父也！』太子亦不復難之。」此事於邴原，或為潛意識的衝口而出，但「愇然」二字，又傳達其眞實情感。原來，三國時士人腦海中的忠君思想，已日趨淡薄了，故曹操父子著手篡漢，也不僅是一己之私。這就為魏晉的篡弒不忠行動，作了早期的思想準備。曹操並非沒有篡漢自立之意，但當條件未成熟時，他並不急於發動。建安二十四年，吳主孫權上書稱說天命，勸曹操取漢自立為帝，曹操卻當衆揚其書曰：「是兒欲踞吾著爐上邪！」（《三國志》本紀裴注引《魏略》）時候未到，他還是安穩地做他那獨攬朝綱的漢丞相，但思想輿論，早在宣傳準備之中。故曹丕能順利地篡漢建魏，實現乃父之宿願。後來司馬篡魏，即步其後塵，借鑑了前朝的歷史經驗。既然君位可篡而得，故篡位者羞於言「忠」。因此，司馬開晉，只能提倡「以孝治天下」（見《世說新語‧任誕》第二則）①，表面上似乎在發揚傳統道德觀念，實際上缺「忠」之「孝」，只是一片偽善的道德遮羞布，而與漢儒不同。弒人君主，羞於言「忠」，弒殺魏帝曹髦的事件，就是直接的導火線。

　　但是，言「孝」而無「忠」，在封建時代，對於國家朝廷來說，終究是缺乏思想信念，喪失了某種道德支撐。晉時士大夫的道德觀，無忠君之心者仍可合法存在，仍然做他的官，思想極其混亂。西晉士人領袖王衍，為乞命而勸胡人石勒取晉自立為帝。其厚顏無恥，喪失民族氣節，實際早由晉主開其端。故晉武帝司馬炎駕崩前後，王公貴族已在為爭奪帝位而相互廝殺，演出了一幕又一幕驚心動魄的歷史悲劇。或許是與喪失了那和國家民族命運相關的忠君道德有關，武帝屍骨未寒，立即八王亂起，熱熱鬧鬧，你方唱罷我登場，直殺得斗轉星移，天昏地暗，屍橫遍野，赤地千里，結果是皇帝寶座誰也沒搶到，倒是把一個好不容易一

統天下的大好河山，淪喪於胡人鐵騎蹂躪之下，悲哉！

在這則故事中，陳泰表面是批判賈充弒主之不忠，要求殺之以謝天下。實際上他心裡明白，賈充不過是司馬集團的爪牙和實行者，司馬昭如果殺了賈充這一得力幹將，那麼又有誰肯出來為司馬篡魏效勞呢？很明顯，陳泰的矛頭，直指當時掌權的最高統治者司馬昭，因為民間早已傳聞：「司馬昭之心，路人皆知。」後來，司馬昭果然取賈充以下的成濟兄弟作替罪羊，誅滅九族，雖然手段極其殘忍，但卻無濟於事，仍然難堵悠悠眾口。據《晉書・庾純傳》，十年後，庾純在朝廷公宴之上，藉酒罵座，呵斥位高權重的賈充說：「天下凶凶，為爾一人！」並直前斥其弒主之不忠曰：「高貴鄉公安在？」這不是偶然地揭其歷史瘡疤爛帳，而是對於「以孝治天下」而缺乏「忠君」意識的一種批判。於此可見，陳泰雖死，但是薪盡火傳。統治者的思想，也難以一手遮天，它阻止不了歷史的反思。

二、皆大歡喜說王導

> 王丞相拜揚州，賓客數百人並加霑接，人人有說（悅）
> 色。唯臨海一客姓任，及數胡人為未洽。公因便還過任
> 邊，云：「君出，臨海便復無人。」任大喜說（悅）。因
> 過胡人前，彈指云：「蘭闍，蘭闍！」羣胡同笑，四坐並
> 歡。

這則簡短的故事，初看未奇，但若細加咀嚼，則如食橄欖，回味無窮。王丞相，指王導（276～339年），出身山東琅邪王氏，在重門閥的士族社會中，出身極其高貴。在歷史上，他又是東晉的開國元勳、一代名相。像他這樣有身分有地位的名士，為

什麼在宴會上卻要與數百賓客一一周旋、親自交談呢？其中奧妙，思想起來，大有學問。

西晉自武帝駕崩之後，旋即八王亂起，以五「胡」亂華而迅即覆滅。於是當時的有識之士如王導等，力促司馬南渡，開國江南，是為東晉。故事發生於東晉草創之際，作為晉元帝司馬睿的腹心股肱，當時王導官拜右將軍、揚州刺史、監江南諸軍事。原來，元帝渡江之後，建都建業（今江蘇南京），屬揚州地區。揚州下轄丹陽、吳郡、會稽、永嘉、臨海等十餘郡。王導身為揚州刺史，實是京畿地區的軍政長官，位高權重，責任很大，北禦胡騎，內衛京師，安定國家，繁榮經濟，集於一身。但當時國家草創，偏安江左一隅，立腳根基未固，可說是內憂外患，困難重重。北邊中原淪喪，「胡」騎南侵，形勢岌岌可危。而在江南內部，由於門閥社會傳統陋習，中原士族一貫歧視江南士人，由此而經常發生南北士人的對抗，甚至引發了大規模的武裝暴亂，社會極其動盪。這對於初建的東晉朝廷，無疑是火上澆油、雪上加霜。在此國家民族存亡之秋，為了生存和發展，當務之急是切實地在江南站穩腳跟，然後再圖恢復。為此，作為當時國策設計師的王導，主張盡可能地團結江南的知識分子和廣大民眾，穩定局勢，實現國家內部相對的安定與團結，以便同心建國，共禦強敵。在這一建國方略的指導下，王導不能不一改傳統士族陋習，因而思想及行為也隨之產生了相應的變化。

兩晉門閥社會，即在統治階級內部，也是嚴於士庶之別。比如王導侄孫王獻之，就因史家、文士習鑿齒不是出身於士族名門，就不肯與之同坐一條板凳議事，其嚴於士庶的矯飾，連謝安也看不慣。事見《世說新語・忿狷》第六則。而在王導官拜揚州刺史的宴會上，來賓數百，又豈能個個出身於高門士族？但王導見識遠勝獻之，他敢於打破陳規陋習，數百賓客，不問士庶，「並

加霑接，人人有說色」。這在士族社會中是很不容易的，可說是
經歷了一場思想「革命」。不僅如此，王導還很善於揣摩客人的
心理。臨海姓任的客人及數胡人，因爲尚未被王導「霑接」——
即沾潤接待，心裡不快。王導在熱鬧的應酬中，並未昏了頭，而
是「因便」自然地到了任某身邊，「君出，臨海便復無人」，說
你姓任的是臨海最傑出的人物，令人歆羨。聽了這樣讚美，任某
怎能不歡笑呢？又王導與胡人，非我族類，更無親故，但他同樣
沒有忘記，因便來到胡人身旁，放下了士人大官的架子，沿用胡
人習慣，彈指說話。「彈指」這一細節很生動，事雖小而意義
大，一下子把王導這個中原士族領袖與胡人的距離拉近了許多，
自然消了隔閡。「蘭闍」何謂？朱熹《朱子語類》以爲是「胡語
之褒譽者」，其猜測大致不爽。今人余嘉錫《筆疏》引王伯厚言，
以爲即佛語中的「蘭若」，並引慧琳《一切經音義》云：「阿練
若，或云阿蘭若，此土義譯寂靜處……遠離喧噪，牛畜雞犬之聲
寂靜，安心修習禪定。」余氏據此揭示了王導的良苦用心：「蓋
讚美諸胡僧於賓客喧噪之地，而能寂靜安心，如處菩提場中。然
則己之未加霑接者，正恐擾其禪定耳。羣胡意外得褒譽，故皆大
歡喜也。」藉胡僧梵語來頌美羣胡是喜愛清寂的得道高僧，故羣
胡歡天喜地，笑聲發自內心。於此可見，百忙之中不忘細務，王
導不僅是一個胸襟廣闊的政治家，更是一個聰明的心理專家。洞
人肺腑，以誠相接，故易見功。《晉陽秋》稱：「王導接誘應會，
少有忤者。雖疏交常賓，一見多輸款誠，自謂爲導所遇，同之舊
暱」，信然。能獲士心，則何事不竟其功？王導的「統一戰線」
經驗，值得後人玩味。

　　這則故事，言約旨遠，成功地刻畫了王導這個成熟政治家的
形象。王導一改中原士人的傲慢與偏見，紆尊降貴，不恥下問，
類似「彈指」的生活細節，生動地描繪了王導的寬廣胸懷，又隱

約透露了他那團結南北士人精英、實現國內民族和解的建國方略。當時的統治者，如能像王導待客那樣各自「多輸款誠」，則廣大民衆就能和朝廷國家保持一致，以實現團結救國的復興大計。遺憾的是，如王導者太少，悲哉！

三、清談風流數王謝

> 王右軍與謝太傅共登冶城。謝悠然遠想，有高世之志。王謂謝曰：「夏禹勤王，手足胼胝；文王旰食，日不暇給。今四郊多壘，宜人人自效。而虛談廢務，浮文妨要，恐非當今所宜。」謝答曰：「秦任商鞅，二世而亡，豈清言所致邪？」（《世說新語・言語》第七十則）

故事中的王右軍，即王羲之。謝太傅，指謝安。二人是東晉時代王謝家族中的傑出代表。唐・劉禹錫《烏衣巷》詩云：「朱雀橋邊野草花，烏衣巷口夕陽斜。舊時王謝堂前燕，飛入尋常百姓家。」其詩語致深婉，含蓄蘊藉，撫今思昔，嘆惜魏晉風流已逝，以致其滄桑之慨。其實，從物質上看，六朝金粉如夢；但從精神上言，則魏晉風流猶存。讀者只要細讀《世說新語》，自可有悟。名士清談玄理，也是魏晉風流的重要內容之一。

故事發生的時代背景史有三說：一是《晉書》載於謝安執政之際，按其時羲之已死多年，其誤可知；一是《晉略列傳・謝安傳》作「咸康中庾冰强致之」時，考冰執政爲咸康五年（339年），時謝安虛齡二十，羲之長其十七歲，似不必如此規勸一個尚未涉世的青年；一是今人余嘉錫《箋疏》推測，「是永和二、三年（346年、347年）間右軍爲護軍時事。安石雖累辭徵辟，而其兄仁祖方鎮歷陽，容有下都之事，且年事旣長，不能無意於當世，

故右軍有此言耳。過此以往,則右軍入東,不至京師矣」。余說甚是。

東晉士族之中,王庾桓謝四大家族相繼執國政柄,而名士風流,尤以王謝為最。在當時的門閥社會中,出身名門望族,就意味著享有政治經濟諸般特權,士族子弟必然是國家棟梁,前途似錦。當時謝安雖然尚未登仕,但早已因其道德學問譽滿人口,國人寄以「公輔之望」。謝安隱居會稽時,與王羲之及道士許詢、僧人支遁友善,「出則漁弋山水,入則言詠屬文」(《晉書》本傳)。羲之與安知己,愛之甚深,故藉批評其清談之誤,力勸謝安出仕,為國分憂,以便肩荷重任,解民倒懸。原其本意,發自善心。但其所議論,謝安不敢苟同,因而引發了一場關於清談玄理的是非功過的自由論爭。羲之的批評,實際上成為後來顧炎武輩「清談誤國」論之先導。這就涉及了對於當時玄學清談理論實質的評價問題,故謝安認為不可不辯。

謝安本人善玄理,能清言,當時與劉惔、王濛鼎足而三稱名家,見《世說新語・品藻》第八十四則。他少年時即向阮裕請教艱深難懂的先秦名家經典《白馬論》(《世說新語・文學》第二十四則),後來又與玄學名家支道林、許詢、王濛等聚會,清談《莊子・漁夫》篇,借題發揮玄理,洋洋灑灑「作萬餘語」,才峯秀逸,「四坐莫不厭心」(同上《文學》第五十五則)。出於對玄家清談精神實質的深切了解,故用明白而簡潔的語言,回答了友人的挑戰。羲之所稱「虛談廢務,浮文妨要」,如果是針對當時士族貴要不務世事,不以國計民生為重的歷史現象而言,這是當日的實際情況;但若把這一國家政治危機僅僅歸罪於玄家之清言,則又不合歷史實情。當時的玄家是否整天空談而不幹實事?他們如果不是還有其他原因,僅僅是思想爭鳴和理論探索,真有那麼大的能量,會把國家推向滅亡的無底深淵嗎?如東晉開國名相王

導，也是頗富玄理修養的清談名家，《世說新語‧文學》第二十一則載其善談「聲無哀樂」、「養生」、「言盡意」三理，皆是當日玄學重要命題。王導執政，循玄理而行道家之政，為東晉開國奠定了堅實的思想基礎。國家獲得了生存和發展。事實說明，清談玄理，何嘗誤國？殷鑑不遠，事實俱在，故謝安不同意義之的分析與估計。義之借史譬喻，謝安也針鋒相對地以史為例來加以批駁。秦重法家，腹非有罪，焚書坑儒，禁絕百家爭鳴，根本不允許任何清言，為什麼一樣由強致衰，急遽直下，二世即亡呢？謝安反問道：「豈清言致患邪？」這一歷史反思，很有說服力，說明了一個國家民族的興衰，原因複雜，而不應該把清談與亡國直接畫上等號。在這一問題上，王謝相比，謝安的思考更深入更全面，更能把握思想理論發展的脈搏跳動。謝安明玄理而善清言，有助其政績。他執政時，前秦苻堅百萬大軍壓境，國人驚惶，而「安每鎮以和靖，御以長算。德政既行，文武用命，不存小察，弘以大綱，威懷外著，人皆比之王導，謂文雅過之」（《晉書》本傳）。由此可見，淝水之戰的勝利，絕非偶然。正因有王導、謝安之輩玄家名流執政，努力王事，東晉王朝延長了上百年的壽命。王謝喜清談而精玄理，為魏晉的名士風流增添了光彩的一筆。誰說清談廢務妨要？歷史鑿鑿，不辯自明，千餘年盛傳不息的「清談亡國」論，可以休矣！

---

①晉‧潘岳《藉田賦》云：「夫孝者，天之性，人之所由靈也。昔者明王以孝治天下，其或繼之者，妙哉希矣！逮我皇晉，實光斯道，儀刑孚於萬國，愛敬盡於祖考。故躬稼以供粢盛，所以致孝也……能本而孝，盛德大業至矣哉！」（《晉書》卷五十五《潘岳傳》稱引，中華書局排印本，第1502頁）

（原載《文化讀書周報》1999年10月2日）

第二部分

中國古代文論與古典美學

從我國上古樂曲及有關記載探索藝術的起源
——上古至春秋時期美學思想札記之一

　　關於藝術起源問題的研究，在國外有許多專書專著，如俄國的普列漢諾夫等，已做出了卓越的貢獻；但在我國，卻還是一片剛剛著手開發的處女地，即使有幾篇文章談及，也是眾說紛云、莫衷一是。茫茫遠古，信史無稽，這的確是中國古代美學史研究中的一大難題。但是，「天下無難事，只怕有心人」。近代考古科學的新發現，為我們提供了許多原始時代的實物，由此去推測原始藝術的發生與存在的情況，當然就為解決這一難題打開了方便之門。關於這一方面，現在已有學者進行了探索，但僅有這方面的研究還是不夠的，現在我們則從另一角度著眼，擬根據現存的古代有關的傳說和記載來加以推測。這種推測是否合乎事實，希專家學者給予教正。

　　我國的藝術起始於何時？漢朝鄭玄在《詩譜序》裡說：

> 詩之興也，諒不於上皇之世。大庭、軒轅逮於高辛，其時有亡，載籍亦蔑云焉。《虞書》曰：「詩言志，歌永言，聲依永，律和聲。」然則詩之道，放於此乎？

古時詩、樂、舞三者合一。所以鄭玄所談關於詩的起始問題，實際上也就是探索古代藝術起源的問題。鄭玄認為最早的詩歌是源於虞舜時代。但他的根據卻僅僅是《尚書》的《虞書》篇中短短的幾

句話（**按**：《尚書》有今古文之爭，這不在本文討論的範圍之內）。這一說法當然是不可靠的。第一，他只因信史無載，就把信史期以前的上古社會一筆勾消，把它排除在藝術史的範圍之外，這顯然是不科學的主觀臆斷。世界上沒有信史記載的東西多得很，但它們卻確實早已存在過，並完成了自己的歷史使命。比如通過勞動，由猿變人，沒有一個原始人對這一事實作過任何的記載，但現代科學卻充分證明了這一點；怎能因為信史無載，就否定這種事實的存在？第二，既然上皇之世軒轅之時（**按**：用現代話來說，實際就是中國的原始社會），「其時有亡，載籍亦蔑云焉」，也就是說，古代的書中並沒記載這件事，既沒有說它有，也沒有說它無，鄭玄怎麼知道當時就一定沒有藝術的存在？第三，《尚書》中的《虞書》，實係後人所託，並不是真正虞舜時代的作品，鄭氏不辨真偽，以假充真，當然更不足信。不僅是我們不信，連唐代的大經學家孔穎達也不以為然：

> 舜承於堯，明堯已用詩矣。故《六藝論》云：「唐虞始造其
> 初，至周分為六詩。」亦指《堯典》之文，謂之造初。謂造
> 今詩之初，非謳歌之初；謳歌之初，則疑其起自大庭之時
> 矣。然謳歌自當久遠，其名曰「詩」，未知何代。雖舜世
> 始見詩名，其名必不初起於舜時也。（《毛詩正義》）

在這裡，孔穎達認為我國古代詩歌「必不初起於舜時也」，並指出「謳歌自當久遠」。這種見解，比起鄭玄是向前進了一步；但他最終也沒有解決問題，而是只能提出「未知（起於）何代」這樣含含糊糊的說法，表示自己的無能為力。這一歷史懸案，早就引起我國古代許多美學家、藝術家的興趣，於是百家爭鳴，萬說競奇。在這令人眼花撩亂的爭論中，正如齊梁時代的劉勰所說：

「但世夐文隱，好生矯誕，眞雖存矣，僞亦憑焉。」（《文心雕龍・正緯》；前人大量的研究材料，爲今天我們的研究提供了良好的條件，在紛繁的現象中，如果我們能棄僞存眞，認眞分析，就自然會發現許多寶貴的東西。還是這個劉勰，他在《文心雕龍》的《明詩》篇中就精闢地指出：

> 民生而志，詠歌所含。

他認爲詩歌的興起與「民生」同時。比劉勰稍微年長的沈約，在《宋書・謝靈運傳論》中也說得很清楚：

> 史臣曰：民稟天地之靈，含五常之德，剛柔迭用，喜慍分情。夫志動於中，則歌詠外發。六義所因，四始攸繫，升降謳謠，紛披風什。雖虞夏以前，遺文不睹，稟氣懷靈，理無或異。然則歌詠所興，宜自生民始也。

在孔穎達之前，沈約、劉勰有這樣精闢的見解確是難能可貴。他們相當明確地告訴我們，詩歌藝術是與人類一道誕生的。所謂「民生」，用現在的話來講，就是指人類初生的過程；所謂「生民」，指的是太古初民，也就是最早的原始社會的人類。沈、劉二人，把藝術的興起推到了不能再早的地步了。但這種理論是根據什麼事實而來的？沈、劉二人都無法進一步深入下去。由於時代的局限，當時的科學文化還不可能說明下列問題：即通過勞動，由猿變人的事實。人、藝術和勞動的關係，當然還是一個玄妙莫測的祕密。由沈、劉「宜自生民始」的說法，旣可以推出唯心主義的藝術起源說，也可以導致唯物主義的藝術起源論。關鍵就在於這個「生民」是怎樣創造出來的？如東方的佛敎徒有句名

言：「心生則種種法生，心滅則種種法滅。」心和意志是第一性的，是產生世界萬事萬物的本原；而客觀世界所現之「法」，都是主觀「心」或意志的假託，是第二性的，是從第一性的「心」中派生出來的。佛教理論賦予主觀的「心」以宗教的神力，因而世界上客觀活著的人，都不過是菩薩為了某種意志的需要而創造的幻影。西方的天主教、基督教，更有上帝造人的記載。既然人是神與上帝創造的，當然屬於人的藝術也自然是神和上帝的創造。實際上，在階級社會中的「神」和「上帝」，莫非是人世間帝王貴族的巧妙的神聖偽裝。因此，「聖人功成而作樂」的說法自然應運而生。早在春秋戰國時代，就有聖人創造藝術的理論出現。《左傳》昭公二十年載齊國晏嬰的話說：「先王之濟五味、和五聲也，以平其心、成其政也。」《左傳》昭公二十一年周景王的樂官泠州鳩說：「夫樂，天子之職也……天子省風以作樂。」就連先秦儒家的唯物主義大師荀況也有「先王立樂」的說教（見《荀子·樂論》）。所謂「五聲」和「樂」，就是指以音樂為代表的藝術。藝術源於「先王」、「聖人」的創造，這種唯心的藝術起源論無疑地抹煞了勞動與勞動人民在創造藝術中的關鍵作用。

只有馬克思主義，才能正確解決這一難題。恩格斯指出了勞動在由猿變人的漫長過程中所起的關鍵作用後，接著又說：

> 只是由於勞動，由於和日新月異的動作相適應，由於這樣所引起的肌肉、韌帶以及在更長時間內引起的骨骼的特別發展遺傳下來，而且由於這些遺傳下來的靈巧性以愈來愈新的方式運用於新的愈來愈複雜的動作，人的手才達到這樣高度的完善，在這個基礎上它才能彷彿憑著魔力似地產生拉斐爾的繪畫、托爾瓦德森的雕刻以及帕格尼尼的音樂①。

在這裡，恩格斯正確指出了勞動在創造藝術時的關鍵作用。雖然所謂「拉斐爾的繪畫、托爾瓦德森的雕刻以及帕格尼尼的音樂」，指的是階級社會中的高級藝術，但這些成就，正是人類在長期的勞動中所積累起來的技巧的基礎上創造出來的。原始人類通過勞動，創造了藝術美，這雖然是低級的、樸素的、原始的，但卻爲後代高級藝術的發展開拓了道路。這個開創之功，怎麼可以忘記呢？當然，我國的任何一個古典作家都不可能眞正認識到這一點；但傾向於唯物主義的藝術家、美學家，只要他們面向客觀存在的現實與人生，對於大量的、到處存在的勞動創造藝術的美學現象，就不能充耳不聞，視而不見。例如，許多關於我國上古樂曲起始情況的傳說和記載，就是這種矇矓意識的反映，如果我們經過去僞存眞的認眞探索，就自然會發現到許多關於藝術起源於勞動的有力佐證。

是「樂」（即藝術）先於「物」（即客觀的現實生活），還是「物」先於「樂」？這是探索古代藝術起源時必須首先弄清楚的問題。在這方面，關於上古樂曲的記載中有很好的回答。

㈠顓頊之樂：《承雲》、《五英》

顓頊是我國古代傳說中的部落君王（實際是原始部落的酋長）。據《史記‧五帝本紀》：「帝顓頊高陽者，黃帝之孫，而昌意之子也。」當時的藝術，據《呂氏春秋‧古樂》記載：

> 帝顓頊生自若水，實處空桑，乃登爲帝。惟天之合，正風乃行。其音若熙熙凄凄鏘鏘。帝顓頊好其音，乃命飛龍作效八風之音，命之曰《承雲》。

別的古籍記載略同：「帝顓頊高陽氏……命飛龍效八風之音，作

樂《五英》。」(《帝王世紀》)「立春至,天曰作時,地曰作昌,
人曰作樂,是以萬物應和……正風乃行,熙熙鏘鏘。帝好之,爰
命鱓先為倡,泊蜚(飛)龍稱八音會八風之音,以為圭水之曲,
以召而生物。」(羅泌《路史·後紀八·疏仡紀·高陽》)這些傳
說,首先就清楚地表明了原始音樂藝術是仿效「熙熙淒淒鏘鏘」
的自然之音而成的。是先有「物」,然後才有「樂」。原始藝術
首先是來源於客觀的世界。當然,這些傳說也有許多虛假的成
分。其中以樂曲祭祀上帝,並以為藝術有「召氣而生物」的神功
等等記載,大都是後人捕風捉影的偽託;在原始社會中,由於生
產水平的低下,人們無法揭開自然的奧祕,巫術迷信活動由此產
生,並在祭祀活動中以樂曲頌神功德,這是可能的,這是原始初
民的一種幼稚的幻想。但當社會歷史發展到階級社會的階段,這
種藝術上的迷信成分經過後代剝削階級的改造利用,就成了聖人
創造藝術的宗教唯心主義藝術論,認為樂源於「神」(實際上這
「神」即是人間帝王的神化),所以這種先王之樂就具有神一樣
的力量,為維護剝削階級的統治作出了貢獻。這當然就不是原始
樂曲產生時的真情實況。在揭開了這層迷信的薄紗以後,人們可
以看到事物的真相,所謂效八風之音,作樂「以召而生物」的說
法,原來是描寫人與自然鬥爭的艱苦勞動的勝利。這「物」就不
僅是純屬自然界的事物,而且具有它的社會屬性。從此可以看
出,只有棄偽存真,細加甄別,才能發現這些傳說的價值所在。

(二)帝堯之樂:《大章》

堯時的《大章》之樂,《周禮·春官》及《禮記·樂記》都有記
載,而《呂氏春秋·古樂》的記載更有價值:

帝堯立,乃命質為樂,質乃效山林溪谷之音以歌,乃以麋

鞈置缶而鼓之。乃拊石擊石，以象上帝玉磬之音，以致舞
百獸。瞽叟乃拌五弦之瑟，作以爲十五弦之瑟，命之曰
《大章》。

《路史・後紀十・疏仡紀・陶唐》所載大致相同：

（帝堯陶唐氏）命毋句氏作離聲，制七弦，徵大唐之歌而
民事得，命質放（仿效）山川溪谷之音，以歌八風，作
《大章》之樂。

這些傳說中的「帝」，並不是後來階級社會中的帝王，而是原始
社會中部落公社的人們推選出來的酋長。這裡的「帝」，實際是
當時原始人類在集體生活中意志的體現與化身。所以不管是顓
頊、帝堯，或是飛龍、樂質等人，在古代傳說中雖然近乎
「神」，但正如高爾基所說：「神是某種手藝的能手，是人們的
教師和同事，神是勞動成績的藝術概括。」②還有，這些記載中
的所謂「八風」，也不能像古人那樣機械地理解：

八方之風，謂東方谷風，東南方清明風，南方凱風，西南
方涼風，西方閶闔風，西北方不周風，北方廣莫風，東北
方融風。（《左傳》隱公五年林堯叟注）

原始初民的所謂「八風」，就字面理解，指的是不同季節來自四
面八方的自然之風，實際上是以「風」泛指自然，「八」喻其多
和廣，表明大自然的無所不在。上面所舉的上古樂曲，就是原始
人類受到「八風」「山川溪谷之音」等自然物的刺激與影響，認
爲「熙熙淒淒鏘鏘」的自然美非常動人，因而作樂以仿效之。這

實際上和古希臘的藝術起源於摹仿的理論是一致的。到了後代，進步的美學家把「風」與客觀的社會生活聯繫起來，就從摹仿進到積極的藝術反映論。如唐代韓愈的《送孟東野序》：

> 大凡物不得其平則鳴，草木之無聲，風撓之鳴，水之無聲，風蕩之鳴，其躍也或激之，其趨也或梗之，其沸也或炙之。金石之無聲，或擊之鳴。人之於言也亦然，有不得已者而後言，其歌也有思，其哭也有懷。凡出乎口而為聲者，其皆有弗平者乎！

這種藝術理論中的「不平則鳴」，比原始初民的摹仿自然，進步了不知多少，但究其根源，還是一脈相承，源遠流長！這些原始藝術，說明了「物」（客觀生活）是第一性的，「樂」（藝術）是第二性的。藝術是現實的摹仿。

再舉個例子，如音律的產生也同樣說明了這一藝術原則。《呂氏春秋·古樂》記載黃帝時命伶倫創造音律的情況：

> 聽鳳皇（凰）之鳴，以別十二律。

又《呂氏春秋·音律》記載：「天地之氣，合而生風。日至則月鐘其風，以生十二律。」從這些傳說來看，音樂中十二律（即黃鐘、大呂、太簇、夾鐘、姑洗、仲呂、蕤賓、林鐘、夷則、南呂、無射、應鐘）的創造也並不神祕，它是人類摹仿自然音響（如鳳凰之鳴、「八風」之音）的高低而成的音階。這些原始藝術證明了這樣的藝術原則：生活先於藝術，藝術源於生活。

其次，這些古代藝術傳說中的「物」是指怎樣的現實生活？藝術與原始初民的勞動生活關係如何？現在讓我們再舉幾個例子

來加以說明。

(一)舉勸重力之歌

《呂氏春秋‧淫辭》記載翟翦對魏惠王說：「今舉大木者，前乎（呼）輿謣，後亦應之。此其於舉大木者善矣。」高誘注曰：「輿謣或作邪謣，前人唱，後人和，舉勸重力之歌聲也。」《淮南子‧道應訓》也有類似的記載：

> 今夫舉大木者，前呼邪許，後亦應之。此舉重勸力之歌也。

這雖是後世的記載，但沿流溯源，卻可看到古代勞動歌謠產生的情況。在這方面，魯迅先生說過：

> 我們的祖先的原始人，原是連話也不會說的，為了共同勞作，必須發表意見，才漸漸的練出複雜的聲音來。假如那時大家抬木頭，都覺得吃力了，卻想不到發表，其中有一個叫道「杭育杭育」，那麼，這就是創作；大家也要佩服、應用的，這就等於出版；倘若用什麼記號留存了下來，這就是文學⋯⋯③

原始人類，在抬木頭這些集體勞動生活中自然發出了聲音，為了協調動作，有了共同的節奏，形成了旋律，並隨著勞動生活內容的變化，逐漸複雜豐富起來，產生了隨之變化的歌辭，摹仿的動作也應節而起，不知不覺地手舞足蹈了起來。這不就是音樂、詩歌、舞蹈三者合一的原始藝術了麼！抬木頭的勞動是這樣，在別的勞動中當然也會產生適合勞動需要的新藝術來。其實，不僅是

藝術，後代的文藝批評與美學思想的產生也和勞動生活有關。如魯迅所說的「杭育杭育」派的文學一經誕生，在集體勞動生活中起了作用，原始人類就會運用自己的智慧，加以議論、廣爲「宣傳」，並在流傳的過程中不自覺地探討了精粗工拙等美學規則。這種原始初民的口頭議論，是最早的文藝批評，也是最原始的美學思想的雛形。這些關於「舉重勸力之歌」的傳說給我們很大的啓發。這正表明，勞動產生了藝術。

㈡葛天氏之樂

葛天氏，傳說中的古代帝王。據《路史・禪通紀》：「葛天者，權天也；爰儗旋穹，作權象，故以葛天爲號。其爲治也，不言而自信，不化而自行，蕩蕩乎無能名之。」這完全是原始社會的情景，所以葛天氏仍是傳說中原始公社的一個酋長。當時的原始藝術，據《呂氏春秋・古樂》：

> 昔葛天氏之樂，三人操牛尾，投足以歌八闋：一曰《載民》，二曰《玄鳥》，三曰《遂草木》，四曰《奮五穀》，五曰《敬天常》，六曰《建帝功》（**凡按**：「建」字，高亨據《太平御覽》等書改爲「達」），七曰《依地德》，八曰《總禽獸之極》。

在原始社會進入以農業爲主的時期，牛既是當時的重要生活資料，又是當時極其重要的勞動工具。所謂「葛天氏之樂」，就是當時的原始人類在緊張的勞動之餘，摹仿與再現自己的勞動生活而載歌載舞的熱烈場面。歌聲振盪，舞步翩躚，原始初民在爲自己的勞動豐收之果而慶祝狂歡！高亨先生曾根據這八闋的小標題來探索這首樂曲的具體內容。他說：「《載民》二字難得確解，當

是歌唱從事勞動的人民（《小爾雅・廣詁》：「載，事也」）；
《玄鳥》歌唱春天燕子來；《遂草木》歌唱草木暢茂；《奮五穀》歌唱
五穀生長；《敬天常》歌唱遵循自然規律；《達帝功》歌唱天帝的功
德；《依地德》歌唱地神的恩惠；《總禽獸之極》歌唱狩獵。」④由
此可見這八支樂曲，反映了原始社會已經「進入以農業爲主的時
代的人們的生產鬥爭；同時也反映了人們迷信神權的意識」。這
段記載可作爲藝術起源於勞動的例證。

　　就現有的史料看來，高氏的推測大致不誤。「載民」即民之
事，也就是百姓的慶祝活動。「總禽獸之極」，實際可能是圖騰
化妝舞會，猶如《書・堯典》之「百獸率舞」，作舞者非獸，而是
化妝爲百獸的原始人。在原始社會，狩獵是一種重要的生產活
動。故自《載民》至《總禽獸之極》組曲，實際反映的是原始先民遵
循自然並獲得勞動豐收的歌舞狂歡的熱烈場面。但是，高亨先生
認爲《達帝功》、《依地德》是人們迷信神權意識的藝術表現，這種
說法不夠全面。這裡有兩種可能：第一，鑑於原始人所處的社會
的低級階段，科學文化極爲落後，他們無法眞正理解自己的勞動
成果，因此歸功於「天」與「地」。但在當時，這「天」與
「地」可以解釋爲生產勞動中應遵循的自然規律，順著它就興旺
發展，逆著它就失敗落伍。這裡的「帝」字，在原始時代也可訓
爲天。如《尚書・堯典》疏：「帝者，天之一名也，所以名帝。帝
者，諦也，言天蕩然無心，忘於物我。」《國語》卷三《周語》下：
「莫非嘉績，克厭帝心。」韋昭注曰：「帝，天也。」訓「帝」
爲「天」，確是古訓中早已有之（把「天」與「帝」賦予宗教的
神權，成爲「上帝」，那是後世的事）。這段記載中以「帝功」
對「地德」，實際上這裡的「帝功」就是「天功」，「天」與
「地」相對成文。歌唱「帝功」、「地德」，實際上也就是歌頌
原始人自己在生產勞動中「敬天常」──遵循自然規律的勝利。

退一步說,即使上述的解釋是錯誤的,所謂「帝功」、「地德」云云,真是人們迷信神權意識的藝術反映,但原始人類含有迷信成分的藝術,總經常是與神話傳說聯繫起來的。馬克思在《政治經濟學批判導論》中說:「任何神話都是用想像和借助想像以征服自然力,支配自然力,把自然力加以形象化。」因此,如果把《達帝功》、《依地德》這兩支樂曲中的迷信成分除掉,仍然可以看到原始人類的勞動生活,看到人與自然的鬥爭,看到藝術與勞動生活的關係。因此,這兩支樂曲就其基本傾向而言,主要的還是描寫人與自然鬥爭的艱苦的勞動生活,同樣可作為勞動藝術化的很好佐證。第二,這種迷信因素也有可能是進入階級社會時後人的偽託。《呂氏春秋‧古樂》說:「故樂之所由來者尚矣,非獨為一世之所造也。」這說明了藝術的直接的繼承性。原始藝術在階級社會的流傳演進中,既可能保持原作的基本精神,也可能有所「再創造」。這個「創造」,既可能是增益添彩,也可能是附累汙損。所謂「附累汙損」,就是指根本歪曲原作的偽託。當然,限於史料的缺乏,以上的敘述也僅僅是一種「自認合理」的推測,是否科學,是否合乎實際,還有待於證明。

總之,「葛天氏之樂」是原始初民勞動生活的藝術化。

㈢伏羲氏之樂

司馬貞補《史記》之缺而作的《三皇本紀》記載:「太皞庖犧氏,風姓……結網罟以敎佃漁……作三十五弦之瑟。」《古今圖書集成》轉引的《辨樂論》亦說:「昔伏羲氏因時興利,敎民佃漁,天下歸之,時則有網罟之歌。」鄭樵《通志》曰:「伏羲樂曰《立基》,或云《扶來》。」所謂《立基》或《扶來》樂曲,應是伏羲之時,原始人類在他們的「網罟佃漁」的勞動生活中產生的,是當時的捕魚歌。據傳,伏羲所處的時代,正是原始社會的漁獵時

期，以捕魚打獵維生，捕魚是當時主要的社會勞動。所以這些捕魚的曲調，就成了當代的主題歌而流傳後世了。這也是藝術源於勞動的有力佐證。

㈣神農氏之樂

據古代史料所載，伏羲氏之後，神農氏繼之而立。當時的藝術，據《辨樂論》所載：「神農……敎民食穀，時則有豐年之詠。」《呂氏春秋·古樂》記載：

> 昔古朱襄氏（按：炎帝神農氏別號）之治天下也，多風而陽氣畜積，萬物解散，果實不成。故士達作爲五弦瑟以來陰氣，以定羣生。

《路史·後紀三·禪通紀·炎帝》也記載：

> （炎帝神農氏）敎化興行，應如桴鼓，耕桑得利而究年受福。乃命刑天作《扶犁》之樂，制豐年之詠，以薦釐末，是曰《下謀》。

如果我們透過後代僞託的虛幻的迷信外衣，就會看到事實的本質。據傳，神農氏是處於原始的農業時期，所以有神農氏敎民播百穀的傳說。種田耕桑，扶犁（按：這裡的「犁」，泛指翻地用的木製工具，不必就是後代的鐵犁）執耒，本來就是當時的主要勞動生活。在原始社會，可能當時的自然條件非常惡劣，多風不雨，酷日高照而熱浪滾滾，是個只陽不陰的大旱之年，也即所傳的「多風而陽氣畜積，萬物解散，果實不成」。而在以農業爲主的原始社會中，人們通過自己艱苦的勞動創造，終於戰勝了可怕

的自然災害，取得了糧足桑肥的大豐收，當然歡喜若狂。原始人類無法抑制自己的激動，感情隨著歡慶豐收的歌舞奔放傾瀉。所謂《扶犁》，顧名思義也可知道是他們從事艱苦的農業勞動的描繪，這是一支歌頌勞動的種田歌；而《下謀》則是戰勝災害、奪取碩果的豐收曲。「下」對「上」而言，「上」指天，則「下」指地；而人又是地上的萬物之主，所以這「下」字就可引伸爲地上的人類。「下謀」可訓爲「人謀」。關於「謀」字，《說文》曰：「慮難曰謀。」《左傳》也有「咨難爲謀」的說法。所謂「難」在原始社會更多的是指自然災害所帶來的禍患。因此，《下謀》這支樂曲，可想而知，就是敍述原始人類在自然災害面前，同商量共戰鬥，用勞動的汗水換來了豐收之果。從種田歌《扶犁》，發展到豐收曲《下謀》，就成了一組反映原始社會農業勞動的歌舞。這又是藝術起源於勞動的有力佐證。

(五)夏禹之樂

我國原始社會的最後一位部族首領據說是夏禹。後來，禹傳位給兒子啓，建國曰夏，從此就由原始公社轉入了階級社會了。夏禹時代的原始藝術，據《白虎通義・禮樂》所引《禮記》的佚文，謂「禹樂曰《大夏》」，《莊子・天下》亦謂之《大夏》，《周禮・大司樂》也有教舞《大夏》的記載。而《呂氏春秋・古樂》則名之曰《夏籥》：「禹立，勤勞天下，日夜不懈，通大川，決壅塞，鑿龍門，降通漻水以導河，疏三江五湖，注之東海，以利黔首。於是命皋陶作爲《夏籥》九成。」據《史記・夏本紀》，當時是「鴻水滔天，浩浩懷山襄陵，下民其憂」，滔天的洪水嚴重地破壞了生產，奪去了原始公社居民的生命和財產。夏禹帶領了大家，用極其艱苦頑強的勞動，戰勝了這威脅原始人類生存的特大自然災害。當時的樂曲《夏籥》，實際上就是反映進入原始社會最後階段

的原始人類與大自然搏鬥的偉大勞動場面，由衷地歌頌了部族首領夏禹的功績。《大夏》或《夏籥》這首樂曲，直到春秋戰國時代還是流傳著的。《左傳》襄公二十九年記載吳公子季札觀樂的情況，「見舞《大夏》者，曰：『美哉！勤而不德，非禹，其誰能修之！』」所謂「勤而不德」，「正是說禹勤勞治水，功成而不自居，與呂書所言相合。」⑤另外，據《周禮・鐘師》等，考以《呂氏春秋》中「《夏籥》九成」之語，《大夏》或《夏籥》又一名爲《九夏》。《史記・夏本紀》有大禹「開九州，通九道，陂九澤，度九山」的記載，《國語》卷三《周語》下也云：「（大禹）高高下下，疏川道滯，鍾水豐物，封崇九山，決汨九川，陂障九澤，豐殖九藪，汨越九原，宅居九澳。」這裡的「九」，當然不能機械地理解爲實數，而是泛言其多的虛指。當然，「《夏籥》九成」中的「九」，可能是指組曲中的九支小樂曲或一支樂曲中的九段；但除此以外，還與《史記》、《國語》中虛指的「九」有關，形象地描繪了一幅幅人定勝天的偉大勞動畫面。《夏籥》是一支雄偉壯麗的勞動頌歌。由此可見，原始藝術也是由簡趨繁，在集體的勞動生活中不斷地豐富和發展。這更是藝術起源於勞動的有力佐證。

另外，上面的幾段傳說中，經常談到「瑟」這種弦樂器。在傳說中的伏羲、神農的時代，早就有製瑟弦歌的記載。這種弦樂器，實際上就是弓箭易弦改裝而成的。在原始社會中的狩獵時期，弓箭射程遠，命中率高，它不僅是當時先進的戰鬥武器，而且是主要的勞動生產工具。《吳越春秋》記錄了一首據說是黃帝時代的詩歌《彈歌》：「斷竹、續竹，飛土、逐宍（古肉字）。」弓弦一響，禽獸無藏；部族慶宴，同把肉嘗。弓箭發射的時候，繃緊的弓弦自然發出悅耳的聲音，而弓弦的長短、鬆緊不同，所發聲音隨之而異。原始人大概由箭出弦鳴中得到啓示，由簡而繁，按照一定的音階序列，改製爲從幾根到幾十根弦的「瑟」。這種

弦樂器，明顯也是由勞動工具轉化而來。這也是勞動藝術化的又一證明。

　　我們上面舉了這麼多古樂曲的傳說來加以探索，說明了什麼呢？一言以蔽之：藝術起源於勞動。

────────────

①恩格斯《自然辯證法·勞動在從猿到人轉變過程中的作用》，見人民出版社1972年版《馬克思恩格斯選集》第三卷，第509～510頁。

②高爾基《蘇聯的文學》，見人民文學出版社1958年版《高爾基選集·文學論文選》，第322頁。

③魯迅《門外文談》，見人民文學出版社1973年版《魯迅全集》第六卷，第99～100頁。

④高亨《上古樂曲的探索》，見《文史哲》1961年第2期。

⑤同上，第3期。

（原載《中國古代美學藝術論文集》，上海古籍出版社1981年版）

「真實」、「虛無」與古典文藝理論的歷史發展

　　學習我國古代的文藝理論，必須在歷史發展中來發掘它的價值。文藝是生活的反映。因此，對古代文論中「求眞實」「反虛妄」的理論主張，一般的評價都很高，有的人甚至認爲這就是古典現實主義的藝術論。其實，這種一概而論的說法是不妥當的。任何理論，都有它發生、發展的歷史。在一定的歷史階段中，它可能是進步的，促進了文藝的健康發展；但超越了這個「一定」的範圍，機械地固守某一理論陣地，不隨社會的進步而發展，那麼它就可能被時代推向歷史的反面。反之，經常受到人們非難的某些主張，就拿古典文論中的「虛無」之論來說（如晉代陸機《文賦》「課虛無以責有，叩寂寞而求音」），曾因不講或少講「眞實」之「有」而受到批判；但如果把它放到一定的歷史環境中，人們又自會發現其價值，甚至認爲它是古典現實主義藝術創作論的進一步深化。的確，在歷史發展的長河中，以固定不變的眼光來看待古典文藝理論，是怎麼也行不通的。

　　《韓非子·外儲說（左上）》有這麼一段記載：

> 客有爲齊王畫者，齊王問曰：「畫孰最難者？」曰：「犬馬最難。」「孰易者？」曰：「鬼魅最易。」夫犬馬人所知也，旦暮罄於前，不可類之，故難；鬼魅無形者，不罄於前，故易之也。

這故事很有意思。畫犬馬之所以難，就在於必須真實如眼前之物；畫鬼魅之所以易，就因誰也沒有看過，無從「類之」，因而就不必講什麼真實了。從這裡可以看出，按生活的真實面貌進行創作，是當時繪畫的基本原則。不過，在這裡必須說明一下，先秦時代，由於生產力的低下及其他條件的限制，藝術的發展處於幼稚的初級階段，即使是宮廷畫工，也不可能經常在價值昂貴的絹上練習作畫。平時缺乏廣泛的訓練，到創作時就會感到畫真實頗有困難，因而無暇他顧，難以進一步從理論上深入探索文學藝術的特徵。針對當時的具體歷史條件，《韓非子》中的這則故事對藝術提出了求真實、反虛無的要求，是有時代進步意義的。當時的藝術，只有從基本方面做起，腳踏實地，力求「類之」的真實，才能獲得存在與發展。這就像兒童學畫一樣，必須先從臨摹、寫生學起。如果一開始就學老畫家的「寫意」，畫無形之物，那就必然會胡思亂想，東塗西抹，勞而無功，不成其畫。這樣，對後來藝術的發展將帶來嚴重的後果。因此，先秦時期這種「求實」「反虛」的藝術精神是值得肯定的，它對後來現實主義藝術論的發展是有啟發的。

但以上是就藝術的初級階段而言。隨著時代的進步，在「求真實」的基礎上，又必然進一步提出「課虛無」的問題，這是現實主義藝術論在自身發展中逐步深化的必經之路，也是藝術辯證法的自然要求。歷史發展到魏晉南北朝，正如魯迅先生所說，是「文學的自覺時代」①，從創作實踐到理論批評，都有很大的發展。文學理論方面，已開始擺脫學術附庸的地位，出現了曹丕的《典論・論文》和陸機的《文賦》這樣的專門的文學論文，進一步研究文學創作的過程並探索藝術的特徵；後來齊、梁時代的劉勰寫了《文心雕龍》，更是全面地系統地研究了文藝理論中的諸問題，體大而慮周，為文藝的發展做出了新貢獻。但就在這樣的條件

下，左思和皇甫謐等人機械地重複了先秦兩漢時代的「求眞實」
「反虛妄」的理論，這就不一定符合現實主義藝術的創作原則
了。左思在《三都賦序》中，一面斥責司馬相如、揚雄等漢代賦家
的藝術誇張手法是「虛而無徵」，認爲「考之果木，則生非其
壤；校之神物，則出非其所」，一面又說自己的創作是發揮了
「本其實」的精神：

> 其山川城邑，則稽之地圖；鳥獸草木，則驗之方志；風謠
> 歌舞，各附其俗；魁梧長者，莫非其舊。

這就是說，一草一木，一言一行，細大不捐，都必須如實寫來，
不許有一絲一毫的誇張，更不許有任何的藝術虛構和想像。皇甫
謐爲左思的《三都賦》作序，同樣譏諷司馬相如等輩「虛張異類，
託有於無」，讚頌左思的作品：「其物土所出，可得披圖而校，
體國經制，可得按記而驗」，可證他們是堅決貫徹了「求眞實」
「反虛妄」的原則，並在當時形成了一股風氣。實際上，左思
《三都賦》中的「眞實」，近乎類書，而缺乏激情和生動形象。這
樣的「眞實」論，與其說是近於現實主義，還不如說是違反現實
主義的創作原則、無視文學藝術的特徵更合適；最多，也只能說
是近於自然主義。因爲左思之輩所要求的「眞實」，只有物象的
自然堆垛，僅有物體外貌的形似，而絕不是什麼有血有肉、有情
有態的栩栩如生的藝術形象。與陸機《文賦》「課虛無以責有」的
理論主張相比較，左思反對藝術的想像與虛構，這種「眞實」論
實在是從現實主義創作論上大大地後退了。但遺憾的是，這種
「眞實」論卻對後代發生了相當的影響。

就拿古代的鬥牛畫來看。生活中的鬥牛，牛尾夾在兩股之
間。但一些名畫家，卻偏偏違反生活的「眞實」，犯了「常識性

的錯誤」：他們畫中的鬥牛場面，常是牛尾高掉。這是為什麼？
蘇軾《東坡題跋・書戴嵩畫牛》：

> 蜀中有杜處士好書畫，所寶以百數。有戴嵩牛一軸，尤所
> 愛，錦囊玉軸，常以自隨。一日曝書畫，有一牧童見之，
> 拊掌大笑，曰：「此畫鬥牛也，鬥牛力在角，尾搐入兩股
> 間；今乃掉尾而鬥，謬矣。」處士笑而然之。古語有云：
> 「耕當問奴，織當問婢。」不可改也（見俞劍華編《畫論
> 類編》）。

這個牧童的意見，當然有一定的道理，因為他不是藝術評論家，
並不從藝術的角度看問題；他是個養牛「專家」，因而從生活常
識的角度立論，看到的是生活現象的真實，也就是從鬥牛的外貌
來看問題。以此標準衡量，戴嵩的鬥牛畫就似乎犯了「失真」的
毛病。但眾所周知，戴嵩是唐代的著名畫家，寫水牛尤佳，與韓
幹畫馬齊名，因而有「韓馬戴牛」之稱。像這樣的畫牛名家，難
道真如後人所說，是因「對某些方面的生活不夠熟悉，或是某些
疏忽大意」，偶然犯了一個「失真」的錯誤嗎？我看不見得。史
稱戴畫的鬥牛，有雙目微紅的特點。從這裡可以看出，戴嵩觀察
生活是很細緻的，因為牛鬥之時，兩眼充血，露出了拚死的神
態。小小的眼睛都注意到了，為什麼很顯眼的牛尾反而會視而不
見？其實，牛尾高掉，這可能是戴嵩的巧意安排。在一般情況
下，鬥牛時確如牧童所說，是夾緊尾巴，頭角相抵，但這是指勢
均力敵時處於某種相對的靜止狀態而言，一旦力量失去平衡，就
會你進我退，而在運動的過程中，就有可能鬆動一下夾緊的尾
巴，出現高掉牛尾的暫時現象，或示勝利，或示加勁，伺機再行
反攻。戴嵩可能是在認真、細緻的觀察中發現這一偶然的暫時現

象，並認爲有價值，就迅速捕捉了這一稍縱即逝的形象，通過自己的藝術想像與虛構，作出了高掉牛尾的安排。這樣，一方面可使構圖的力度更均衡，愈加顯露出繪畫的節奏，因而比生活眞實更美；另一方面，又可在非靜止的動態描繪中，顯露鬥牛在渾身運勁，決死一戰，因而更充分地反映出鬥牛堅韌不拔的狠鬥頑抗的神態。湯垕《古今畫鑑》曰：「戴嵩專畫牛……余凡七見眞迹：一在揚州司德用家，二牛相鬥，毛骨竦然……開卷古意勃然，有田家原野氣象。余於嵩有取焉。」可見戴嵩的鬥牛畫是如何逼眞動人，把鬥牛時的緊張氣氛和盤托出。夏文彥《圖繪寶鑑》評曰：「戴嵩……獨於牛能盡野性，過澄遠甚。」史稱韓滉的《五牛圖》，在骨骼轉折、筋肉纏裹處，「無一弱筆求工之意，然久對之，神氣溢出如生。」②可見其遺貌取神的特點。而戴嵩畫牛，「靑出於藍」，超過自己的老師韓滉，也正在於畫出了牛的「野性」——也即牛的神態。因此朱景雲《唐朝名畫錄》云：「戴嵩嘗畫山澤水牛之狀，窮其野性筋骨之妙，故居妙品。」這評價是有相當藝術眼光的。所謂「窮其野性筋骨」，就是不拘泥於現實生活中水牛的某些細節眞實，而重在刻畫牛的神態，從而披露了藝術家的內心世界。牛尾高掉的鬥牛畫，貌似失眞，但從藝術的「虛無」之處入手，加以虛構、想像、概括、集中，提煉出神態之「眞」，這比一般低首夾尾的鬥牛畫，可說更爲神氣活現，因而更合乎藝術的眞實。這樣，當然也就比生活的原型更美，更富於藝術的魅力。

可能有人認爲戴嵩鬥牛畫的牛尾高掉是一個偶然的孤證，那麼請看宋代郭若虛的《圖畫見聞志》：

> 馬正惠嘗得鬥水牛一軸，云厲歸眞畫，甚愛之。一日，展曝於書室雙扉之外。有輸租莊賓適立於砌下，凝玩久之，

既而竊哂。公於青瑣間見之，呼問曰：「吾藏畫，農夫安得觀而笑之？有説則可，無説則罪之！」莊賓曰：「某非知畫者，但識真牛。其鬥也，尾夾於髀間，雖壯夫膂力不可少開。此畫牛尾舉起，所以失真。」愚謂雖畫者能之妙，不及農夫見之專也，擅藝者所宜博究。

後來的許多藝術理論家也同意了這個農民的意見，並指出了厲畫「失真」的錯誤。他們肯定了「求真」就是現實主義創作論的基本要求。但這些批評者卻偏偏忘記了這個農民自己的話：「某非知畫者，但識真牛。」也就是說，他雖然比笑戴嵩鬥牛畫的牧童多活了幾年，但見識一樣。對於這種傳統意見，最近文品、金鋒二先生已著文予以反駁：「畫家描繪那兩條翹起的牛尾巴，為著配合牛的整體姿勢，正好突出了兩牛相鬥的韌勁、力、均勢，這不僅不能說違背生活真實，倒恰恰表現了厲歸真畫牛的獨創性。試想，如果拘泥於事實的細微末節，畫牛鬥非『低頭』『夾尾巴』不可，千篇一律，不能改動一點，那麼除了給人以沈悶、呆滯的感覺以外，哪裡還有美的享受呢？」③這些意見頗有見地。在鬥牛畫「失真」問題的爭論中，關鍵就在於「真」字，因為對「真」可有不同的理解。外貌的形似當然是「真」，但這僅是表面的真實；藝術家以他銳利的目光，透過外形，洞察了事物的內在本質，看到了人的內心世界，這種著重刻畫靈魂與神態，才是更高更美的藝術真實。如果以追求外表的「真」，作為繪畫的最高奮鬥目標，那麼我們可以斷言，再高明的藝術大師，也無法完成這一任務，因為他們也難以畫得與生活的原型不差分毫。當然，真正的藝術家，也不會忽略「形似」的基本功；但如果因此而停步不前，那也是片面的。蘇東坡說「論畫以形似，見與兒童鄰」④。藝術形象並不是生活的照相，不能把生活的真實與藝術的真

實混爲一談。眞正的藝術家，必然會在形似的基礎上，逐漸把注意力轉到「虛無」的神似方面。大家知道，厲歸眞是五代梁時的著名畫家，他不僅長於畫牛，還善畫虎。爲了眞實地描繪老虎的神態，他曾到深山密林中實地觀察，從生活中直接捕捉藝術形象。李薦《畫品》中的《渡水牛出林虎》條謂：「昔宋梁時道士厲歸眞所作⋯⋯（其畫）筆簡意盡，氣韻蕭爽，與戴嵩韓滉所畫，未知其孰賢也。歸眞畫虎，毛色明潤，其視眈眈，有威加百獸之意。嘗作棚於山中大木上，下觀虎，欲見眞態。又或衣虎皮，跳躑於庭，以思仿其勢。今觀此圖，我心識意解，未易得其自然也。」在這裡，古人又以「自然」——即合於生活眞實讚揚之。深山觀虎，在無槍無炮的時代，不要說是一個文質彬彬的藝術家，就是手持弓矢刀劍的赳赳武夫，在風吼虎嘯之時，也會不寒而慄的。但厲歸眞卻比勇士還勇敢，堅持觀察，實行得那麼認眞。很難想像，對於不必冒任何風險的鬥牛場面，他會不仔細觀察體驗就去作畫！由此可見，厲歸眞的鬥牛圖中那高翹的牛尾，並非偶然「失眞」，而是如文品、金鋒二先生所說，表現了藝術家的獨具匠心。或許，他因「無」見「有」，藉他所熟悉的老虎那千斤鐵棒似的尾巴，來勾勒鬥牛的蠻勁與勇猛。厲氏所畫，重點不在「牛」，而是在牛之「鬥」。這種虛構和想像，雖然從畫的局部——具體的牛來說可能「失眞」，但從全圖的整體結構來說，藝術形象卻更生動更完美了，它把鬥牛的神態與緊張氣氛渲染得淋漓盡致，更符合生活的本質眞實，因而就更感人，更富藝術效果。拘泥於局部的不典型的生活瑣事的「眞實」，有時反而會失去整體的神態；而沒有神采情態可言的「眞實」，就像一個毫無靈魂的木偶，活不起來，感動不了任何人，這恰恰是更大的不眞實！法國著名的雕刻藝術家羅丹曾說：

只滿足於形似到亂真，拘泥於無足道的細節表現的畫家，
將永遠不能成爲大師。要是參觀過義大利境內的墓地的
話，無疑地你們會注意到那些負責裝飾墓地的藝術家，多
麼幼稚地在他們的雕像上，專以模仿刺繡、花邊、髮辮爲
能事。也許這些做得精確，但既然不是出於自己的心靈，
也就不會真實⑤。

這話是何等正確，充滿了藝術的辯證法！最近我看了一部小說，
其中有一段關於肖像畫的通信，對我也很有啓發：「她的畫像收
到了。臉部質感還可以，很浪漫。整個形象還是美的⋯⋯可是，
朋友，印象！你忘了這點。我要在這幅畫中看到被強烈表現出來
的性格。你的畫法太古典了。寧可不像也不要緊。要誇張，要使
人一看就產生心靈的震動⋯⋯你應該用全部靈感去畫她，表達她
對光明的追求，表達她那自由奔放的性格，激動人心的熱情。如
果有一天，你能創作出這樣的形象，那將是光輝的傑作。」⑥在
這裡，作家所強調的已不是肖像那可見的外貌的「眞實」，而是
無形的不可見的靈魂。這是更高一級的眞實。

寫到這裡，我自然就想到了清代劉熙載《藝概・賦概》中的一
段話：「賦之象物，按實肖象易，憑虛構象難。能構象，象乃生
生不窮矣。」在這裡，劉氏所強調的也不是「按實肖象」，而是
把注意力落到「憑虛構象」上面。他認爲追求外形的眞實，只是
藝術創作的低級階段；而只有從「形似」再進一步，通過藝術家
在現實基礎上的想像和虛構，在「虛無」二字上做功夫，才能達
到「神似」的境界，塑造出更爲完美更爲動人的藝術形象。這樣
「無」中見「有」、虛實相生的藝術形象，才能以少總多，以粹
概全，在有限的外殼中，蘊藏了無限豐富的意義。這就是所謂
「象乃生生不窮」的眞諦。從字面看來，劉氏的這種論調，似乎

與《韓非子‧外儲說（左上）》的說法相對立，而實際上卻是相反相成，一脈相承。從先秦到清代，在幾千年的文藝發展的歷史長河中，從「有」到「無」，又以「無」見「有」，這些曲折變化，正可看出現實主義的藝術創作論，由淺而深、由低級向高級逐步發展的痕迹。

①魯迅《魏晉風度及文章與藥及酒之關係》。

②明‧李日華《論畫牛馬》，見俞劍華編《畫論類編》，第1085頁。

③文品、金鋒《從厲歸眞畫牛說起》，見上海師大中文系《語文》函授通訊1979年第9期，第18頁。

④蘇軾《書鄢陵王主簿所畫折枝二首》之一。

⑤羅丹口述、葛賽爾記《羅丹藝術論‧遺囑》，人民美術出版社1978年版。

⑥靳凡《公開的情書》，見《十月》1980年第1期。

（原載《學術月刊》1980年10月號）

「思無邪」與「鄭聲淫」考辨
——孔子美學思想探索點滴

　　春秋末年，孔子的美學思想產生了深遠的影響。幾千年，人人談孔子，但是否真正理解卻很成問題。後人總是按照新的歷史形勢和本階級本階層的要求，把孔子的學說重新巧妝打扮。比如「思無邪」是孔子衡量文藝作品美醜的一把重要標尺，是他美學思想中的核心問題，但後人對它卻爭訟紛紜——其毛病就在於脫離了產生孔子美學思想體系的歷史時代和具體環境，侈談「先師先聖」，這樣當然無法弄清原意，科學地闡述孔子的學說。

一、三種傾向不同的意見

　　《論語・為政》：「《詩》三百，一言以蔽之，曰：思無邪。」「思無邪」三字，原出《詩・魯頌・駉》的最後一章：「駉駉牡馬，在坰之野。薄言駉者，有駰有騢，有驔有魚，以車祛祛，思無邪，思馬斯徂。」據陳奐《詩毛氏傳疏》，這詩中的「思」字，都是句首語氣詞，無實意。關鍵只在「無邪」二字。所謂「無邪」，原只是描寫養馬人放牧時專心致志的神態，並無深意。但春秋時代，因為政治「外交」場合，經常要賦詩言志，隨機應變，故有「斷章取義」的現象。在《論語・為政》中，孔子也是採取當時流行的「斷章取義」的辦法，改變了「思無邪」的原意，借用來評價整部的《詩經》，並把它與政治、倫理等方面聯繫起

來。這裡的「無邪」，《論語集解》引包咸之說，謂「歸於正」，這大致符合孔子的原意。有「邪」必有「正」，「正」與「邪」是一對矛盾，所謂「無邪」，也就是「雅正」之意。在這方面，大家的意見差不多。但如進一步問，孔子所反對的「邪」，具體是指什麼？於是分歧就出現了。《論語‧衛靈公》：「放鄭聲，遠佞人；鄭聲淫，佞人殆。」《論語‧陽貨》：「惡紫之奪朱也，惡鄭聲之亂雅樂也，惡利口之覆邦家者。」再結合著「鄭聲淫」的問題來討論，分歧就更大了。歸納起來，古代大概有以下三種傾向不同的意見：

㈠曲解《詩》中戀歌主題，以合孔子「無邪」之旨

孔子的「一言以蔽之」，是指全部的「《詩》三百」而言，當然，其中包括鄭風之詩，也是合乎「無邪」標準的。但有人一想起「放鄭聲……鄭聲淫」的說法，又有所猶豫與懷疑，似乎孔子不應如此自相矛盾。為了「一以貫之」，如《毛詩》就想法歪曲《詩》中戀歌的主題，並予「拔高」，把它們與當時的政治鬥爭緊密聯繫起來。如《鄭風‧狡童》：

> 彼狡童兮，不與我言兮；維子之故，使我不能餐兮！
> 彼狡童兮，不與我食兮；維子之故，使我不能息兮！

這明顯是一首思念戀人的情歌。所愛之人態度的微妙變化，使少女憂心忡忡，日思夜想，食寢不安。但《毛詩‧小序》卻說：「《狡童》，刺忽也，不能與賢人圖事，權臣擅命也。」詩中哪一句哪一字是譏刺鄭公子忽？「權臣擅命」的蛛絲馬迹又在何處？《小序》毫不負責，缺乏事實根據。又如《鄭風‧褰裳》：

子惠思我，褰裳涉溱；子不我思，豈無他人？

狂童之狂也且！

子惠思我，褰裳涉洧；子不我思，豈無他士？

狂童之狂也且！

據《漢書・地理志》，當時鄭國的溱、洧二水，是「男女亟聚會」
處，用現在話說，即是當時鄭國青年男女聚會定情之地。在這詩
中，少女向戀人大膽披露心曲：如果你眞心相愛，我就撩起衣裙
蹚過河來找你；如果你變了心，那我就比你還要驕傲。眞摯之
情，溢於言表；勇敢追求，令人驚嘆。但《小序》卻捕風捉影：
「《褰裳》，思見正也。狂童恣行，國人思大國之正己也。」硬是
化「邪」爲「正」，把明顯的愛情詩歪曲爲寓有「微言大義」的
政治詩，然後把它納入孔子「一言以蔽之」的「無邪」軌道。後
人把《毛詩》的意見加以發揮，並使之「理論化」。如清代方玉潤
《詩經原始》卷五「鄭風」題注：「案鄭風古目爲淫，今觀之，大
抵皆君臣、朋友、師弟、夫婦互相思慕之詞。其類淫詩者，僅
《將仲子》及《溱洧》二篇而已。然《將仲子》乃寓言，非眞情也；即
使其眞，亦貞女謝男之詞。《溱洧》則刺淫，非淫者所自作。何得
謂爲淫耶？然則聖言非歟？竊意鄭風實淫，但經（孔子）刪定，
淫者汰而美者存。故鄭多美詩，非復昔日之鄭矣。其《溱洧》一篇
尚存在不刪者，以其爲鄭實錄，存之篇末，用爲戒耳。此所謂
『放鄭聲』也。」方氏巧妙地否定了鄭風中有愛情詩的存在。但孔
子明言「鄭聲淫」，並宣布要「放」之，這「鄭聲」與「鄭詩」
或「鄭風」有何關係？如果說「鄭聲」即是「鄭風」或「鄭
詩」，鄭詩又「大抵皆君臣、朋友、師弟、夫婦相慕之詞」，那
該是雅而又雅、正而又正，孔子爲什麼偏要斥之「放」之？這與
「《詩》三百，一言以蔽之，曰思無邪」的說法是否自相矛盾？如

果說「鄭聲」不等於「鄭風」或「鄭詩」，那又作何解釋？這一連串的問題，持《毛詩》觀點的人避而不答。爲什麼？因爲他們難以自圓其說。

㈡承認《詩》中戀歌的存在，並釋「鄭聲」爲「鄭詩」，斥爲「淫奔」，證明孔子反對一切愛情詩，以便附和「無邪」之旨

對於以《毛詩》爲代表的附會之言，早就有人反對。如漢代的許愼：「鄭國有溱、洧之水，男女聚會，謳歌相感。故鄭詩二十一篇，說婦人者十九，故鄭聲淫也。」（《初學記》卷十五《雜樂》第二於「敍事」下引《五經通義》）這說法雖明確，但過分簡單，因而影響不大。後來宋代的道學領袖朱熹據此大加發揮，形成了系統的「新」理論；又夾以行政之力，在科舉考試中強制推行，因而影響很大。朱熹明白指出，《詩經》中的國風，「多出於里巷歌謠之作，所謂男女相與詠歌，各言其情者也」（見《詩集傳序》）。朱熹並不像《毛詩》那樣笨拙，他公開承認《詩》中有民間愛情詩的存在。這當然是一個進步。但爲了維持孔子的「無邪」之說，把它與「放鄭聲」的說法統一起來，就直接在「鄭聲」與「鄭詩」或「鄭風」之間畫上等號，並大肆指責鄭風中的愛情詩是「淫邪」之作：

> 鄭衛之樂皆爲淫聲。然以詩考之，衛詩三十有九，而淫奔之詩才四之一；鄭詩二十有一，而淫奔之詩已不翅七之五；衛猶爲男悅女之辭，而鄭皆爲女惑男之語；衛人猶多刺譏懲創之意，而鄭人幾於蕩然無復羞愧悔悟之萌：是則鄭聲之淫有甚於衛矣。故夫子論爲邦，獨以鄭聲爲戒，而不及衛，蓋舉重而言，固自有次第也。詩可以觀，豈不信

　　哉！（《詩集傳》中「鄭風」題注）

　在這裡，朱熹把孔子當作「禁欲主義者」來奉拜，似乎是孔夫子
這個「先師先聖」不許男女接近，更不許有什麼愛情。愛情即是
「淫」，「淫」即是「邪」，這是朱熹想像中孔子的邏輯。出於
這種理解，朱熹自然就把孔子的「思無邪」與「放鄭聲」當作一
回事來處理了。這樣論述，既乾脆，又有「創造性」，但卻瞻前
而不顧後，忘了孔子所處的時代。所謂「男女授受不親」這種封
建觀念，是否可能在春秋末期孔子的腦海中存在？更何況孔子所
謂「無邪」，明言是全部的「《詩》三百」，當然包括了鄭風在
內，他並沒有特別聲明，說鄭詩除外。孔子怎麼會糊塗到如此地
步，一會兒說「《詩》三百」皆合「無邪」雅正的標準，一會兒又
要單獨放逐鄭詩？由此可見，朱熹之說也是漏洞百出，難以服
人。

　　㈢「鄭聲」非「鄭詩」，而是當時的流行音樂；孔子的「無
邪」之旨，意義較廣，其中也包含了對《詩》中戀歌的肯定和
讚揚

　後人對朱熹的意見，反對者也不少。如馬端臨、皮錫瑞等，
申《毛詩》以難朱說，謂「朱子以鄭衞爲淫詩，且爲淫者自作，不
可爲訓」（皮錫瑞《經學通論》卷二）。這樣反駁，以承認《毛詩》
「近於風人之旨」爲前提；而《毛詩》曲說之不可靠，已成事實。
皮之不存，毛將焉附？則馬、皮諸說，難以立腳，也是勢在必
然。這裡不再議論。倒是明代的「雜家」謝肇淛在《五雜俎》中發
表了啓人思考的見解：「夫子謂鄭聲淫。淫者，靡也，巧也，樂
而過度也，艷而無實也。蓋鄭、衞之風俗，侈靡纖巧，故其聲音
亦然，無復大雅之致。後人以淫爲淫欲，故概以二國之詩皆爲男

女會合之作，失之遠矣……」（見中華書局一九五九年版《五雜組》卷十二「物部」四）謝說與朱說針鋒相對。後來清代一些學者，繼而引古證今，申謝說以難朱熹。如戴震《書鄭風後》：

> 許叔重（**按**：即許慎）《五經異義》以鄭詩解《論語》「鄭聲淫」，而康成駁之，曰：「《左傳》說『煩手淫聲，謂之鄭聲』，言煩手蹢躅之聲使淫過矣。」其注《樂記》桑間、濮上之音，引紂作靡靡之樂為證，不引「桑中」之篇，明桑間、濮上，其音由來已久。凡所謂「聲」、所謂「音」，非言其詩也。如靡靡之樂、滌濫之音，其始作也，實自鄭、衛桑間濮上耳。然則鄭、衛之音，非鄭、衛詩；桑間濮上之音，非「桑中」詩，其義甚明……左氏《春秋》鄭六卿餞韓宣子於郊，所賦詩固後儒所目為「淫奔之詞」者，豈亦播其國亂無政乎？①

又如孫希旦《禮記集解》卷三十八《樂記》注：「先儒皆以鄭詩為鄭聲。然此言溺音有鄭、宋、齊、衛四者，而宋初未嘗有詩，則鄭、衛之聲，固不繫於其詩矣……周樂十五國風之風與南、雅、三頌，並肆於樂官。《大司樂》：『凡建國禁其淫聲、過聲、凶聲、慢聲。』若十五國之鄭風、衛風，即鄭、衛之淫聲，周樂豈當有之？蓋國風雅頌，皆雅樂之所歌也；若鄭、衛之聲，則別為當時之俗樂，雖亦必有歌曲，然其所歌，必非十五國風之詩也。」對於朱熹等把「鄭聲」與《詩》中「鄭風」或「鄭詩」等同起來的做法，謝、戴、孫諸人堅決駁斥。他們認為孔子的「鄭聲淫」是從「聲」或「音」——也即音樂的角度考慮問題，這與《詩》中鄭風之詩毫無瓜葛，別是一樁事情。孔子所斥責並加以放逐的，指的是當時流行的「俗樂」——也即當時的流行音樂。

　　在上述三種傾向不同的意見中，第一、二種意見代表了封建
正統思想，所以影響很大，但它們並不代表真理；而第三種意
見，我認為是突破了傳統偏見，是一種比較合乎事實、比較接近
真理的說法。但遺憾的是，謝、戴、孫諸人，意見雖新，卻沒有
提出充分的事實根據來詳加論述，言而不盡，因而難以消除《毛
詩》及朱說的影響，也是顯而易見。到現在，他們的意見甚至逐
漸被人遺忘了，因此，有重新提出並展開論述的必要。

二、幾點重要的考辨

㈠孔子不可能超越時代的觀念

　　人是生活在特定的歷史時代、具體的社會環境之中，因此，
人的思想總是打上了歷史的烙印。孔子是人而不是神。在關於男
女關係及婚姻戀愛問題上，孔子也不可能超越時代，產生諸如
「男女授受不親」這類典型的封建觀念。孔子處於春秋末期。當
時地廣人稀，由於發展生產與進行兼併戰爭的需要，積極蕃殖人
口是很重要的。再加以原始社會中的羣婚制，在奴隸社會中的某
些國家與民族中仍有一定的殘餘影響。恩格斯在《家庭、私有制
和國家的起源》一文中指出，在古代奴隸社會中的某些民族，
「允許姑娘們在結婚前有性的自由……是羣婚制的殘餘」。如斯
巴達人，「在習俗上（婦女）甚至存在著更大的自由。所以，真
正的通姦，妻背夫不貞，是從來沒有聽說過的」（見《馬克思恩
格斯選集》第四卷）。這種「羣婚制」的殘餘與影響，在我國古
代的奴隸社會中也是存在過的。如春秋時期，婚姻制度相當混
亂，男女兩性關係較為自由。因而像後代封建衛道士的「禁欲主
義」宣傳，在孔子的時代難以出現。即使偶爾有人提出，也不會
產生什麼大的影響。譬如封建社會中要求寡婦「守節」，並為烈

婦立「貞節」牌坊以示提倡，但春秋時代則正好相反。如《管子》卷十八《入國篇》：「所謂合獨者，凡國都皆有掌媒。丈夫無妻曰鰥，婦人無夫曰寡。取鰥寡而合和之，予田宅而家室之，三年然後事之，此之謂合獨。」請看，政府專門設立了媒官，採取行政措施，「強制」地進行「合獨」的工作，使鰥夫寡婦重建家室，生活有困難，政府還給以幫助，「予田宅而家室之」。這種情況，如果發生在封建社會中，特別是宋明道學盛行以後，則是不可思議的。不過可能有人以《管子》是「僞書」而不信其說。但《管子》之僞，僞在作者並非春秋時代的管仲；它是戰國時人的作品，則是毫無疑義的。戰國時人提出「合獨」這件事，卻非秦漢後人所能憑空臆造。如果《管子》還不足爲證，那麼再看儒經《周禮・地官・媒氏》：

> 媒氏掌萬民之判（按：指男女匹配）……中春之月，令會男女，於是時也，奔者不禁。若無故而不用令者罰之，司男女之無夫家者而會之……凡男女之陰訟（按：指婚姻糾紛），聽之於勝國之社。

《周禮》的記載，也明言「司男女之無夫家者而會之」是當時媒官的任務之一。這與《管子》中「合獨」的說法相吻合。而且《周禮》更進一步，還記載了「中春之月，令會男女，奔者不禁」的事實。所謂「奔」，即是朱熹的所謂「淫奔」或「私奔」的意思，也就是指沒有父母之命、無須媒妁之言的男女自由結合。「奔者不禁」，在封建社會中是荒唐的、非法的。秦始皇統一中國後不久，政府就明文規定：「飾省宣義，有子而嫁，倍（背）死不貞。防隔內外，禁止淫泆，男女絜誠」（見《會稽刻石辭》）。由此可見，婚姻制度、兩性關係、道德觀念已發生了巨大的變化。

春秋時代的「合獨」、「司男女無夫家者而會之」，——用現在的話說，就是公開提倡寡婦改嫁，在封建衞道者看來，已是痛心疾首的事了，更何況是犯了「淫奔」的七出大罪呢！這在後代的封建社會中是不可理解之事，但它發生在春秋時代，卻是見之經傳，言之鑿鑿，名正言順，合情合理。後人視爲「怪」，但在特定的歷史條件下，卻是見「怪」不怪，習以爲常。

但有人可能根據《詩經》中的幾首戀歌加以反駁，說明當時已有父母之命、媒妁之言的存在。如《鄭風・將仲子》：「將仲子兮，無逾我里，無折我樹杞。豈敢愛之？畏我父母。仲可懷也；父母之言，亦可畏也。」青春少女，就因害怕「父母之言」，不敢與所愛之人幽會。又如《衞風・氓》中的衞女在婚前對戀人說：「匪我愆期，子無良媒。」不也正說明沒有媒妁之言，不敢答應婚期嗎？但如果把整首詩認眞地讀了、理解了，再結合《詩》中的其他戀歌來考慮，那我們就會發現，所謂「父母之命」「媒妁之言」，在當時的婚姻關係中僅是一個萌芽狀態的現象，並沒有賦予法律的形式、倫理的權威，也就是說，它還沒有形成一種嚴格的婚姻制度。更何況當時並沒有禁止男女青年婚前的頻繁接觸與自由戀愛。即使是《將仲子》這首詩，雖因「畏父母言」而勸情人不要攀牆爬樹，但女方明言「仲可懷也」，不也就是衝破「父母之言」的愛情表白嗎？這說明青年男女在平時的自由交往中，產生了眞摯的愛情。再如《氓》這首詩，雖有「子無良媒」的說法，但這對戀人，也並沒有等待媒人來安排自己的婚姻：「氓之蚩蚩，抱布貿絲；匪來貿絲，來即我謀。送子涉淇，至於頓丘。匪我愆期，子無良媒。將子無怒，秋以爲期！」請看，衞女與「氓」婚前的戀愛，還是相當自由的，並沒有誰來橫加干涉；而當衞女說了「子無良媒」，「氓」大發脾氣，她就當機立斷，爽快地答應「秋以爲期」。這裡既沒有「父母之命」，同時也否定

了「媒妁之言」。退一步說，即使當時結婚須有「媒妁之言」，大概也只是「媒氏」代表官方在形式上的承認與促進而已。實際上，當時的婚姻制度具有矛盾的二重性：既有父母包辦的萌芽，又有較為自由的一面。這與後世的封建社會大不相同，不可一概而論②。

另外，我們還可從《左傳》、《國語》等先秦典籍來看，當時上層社會的婚姻問題也相當混亂。如魯桓公夫人文姜與哥哥齊襄公私通；陳靈公君臣共同私通夏姬；楚國大夫巫臣為謀娶夏姬而耍盡政治手腕，不惜棄國出奔，因而時人有「桑中之喜，竊妻以逃」之語；史言衞靈公夫人南子有「淫行」，但《論語》及《史記》均有「子見南子」的記載，這在封建衞道者看來，似乎是在「先師先聖」臉上抹黑，但當時的孔子並不把南子之「淫」當為大事而加以譴責。類似的現象，在春秋時代的貴族社會中屢見不鮮，當然不可能形成什麼固定的法律來加以約束，這是歷史環境與時代觀念使然。後來朱熹釋孔子「鄭聲淫」之「淫」為男女「淫奔」，並說孔子嚴加譴責，這實在是置歷史背景於不顧，超越了時代的觀念，把後代的封建觀念強加給孔子。實際上，我們找不到什麼過硬的史料，足以說明孔子曾強烈反對青年的愛情。相反，如果我們聯繫到具體的歷史環境與時代觀念來看，那麼孔子的「思無邪」說，確是指整部「《詩》三百」而言，對其中數目眾多的愛情詩，也是充分肯定的。這種態度，與後代封建衞道者的冬烘腦袋相比，實在高明了許多。

㈡孔子不可能超越舊的氏族宗法觀念

春秋時代，是我國奴隸社會的末期，按照侯外廬《中國思想通史》的說法，也就是以氏族血統為單位的宗法統治，開始向以地域為單位的「賢人」政治過渡的歷史時代。當時的宗法雖已動

搖，但仍有嚴重的影響。因此，孔子腦中有關宗族和祖先的觀念，仍然相當濃厚。

現在先看當時「天下宗主」的周朝的祖先。據《詩・大雅・生民》所載：「厥初生民，時維姜嫄。生民如何？克禋克祀，以弗無子，履帝武敏歆。攸介攸止，載震載夙，載生載育，時維后稷。」所謂「履帝武敏歆」，直譯的話，就是姜嫄踐踏了天帝的腳印，心有所通而懷孕生育。如果撕去神話的外衣，就可看到姜嫄追隨情人而「私奔」生育的事實。周人的祖先后稷正是個私生子。這事如果發生在封建社會，衛道者一定會採取「爲尊者諱，爲賢者忌」的辦法：要麼閉口不提，要麼巧爲附會之言。因爲「淫奔」二字，在封建社會中是極其刺眼的。但周人並不這樣。他們對這個私生的祖宗照樣頂禮膜拜，對「私奔」的姜嫄，也照樣立廟祭祀，奉爲禖（媒）神（按：大概相當於古希臘神話中的愛神，專主人間婚姻）。如《詩・魯頌・閟宮》：「閟宮有侐，實實枚枚。赫赫姜嫄，其德不回，上帝是依，無災無害，彌月不遲，是生后稷。」在周人看來，姜嫄是宗族的榮耀。孔子在《論語・八佾》中說：「周監於二代，郁郁乎文哉，吾從周。」可見他對周人文化的崇拜。孔子是個博古通今的大學者，《詩》三百篇是他的重要教材，姜嫄、后稷之事他是一淸二楚的。但他從無直接或間接地指責姜嫄的「私奔」爲「淫」，對於后稷這個私生子也絕無微詞。

再看孔子本宗的祖先。孔子祖先是宋人，宋是殷商之後。殷商的祖先又是怎樣的情況？據《詩・商頌・玄鳥》：「天命玄鳥，降而生商。」玄鳥生商，實在費解。原來這裡另有奧妙。《史記・殷本紀》：「殷契，母曰簡狄，有娀氏之女，爲帝嚳次妃。三人行浴，見玄鳥墮其卵，簡狄取吞之，因孕生子。」《史記索隱》引譙周之說：「契生堯代，舜始擧之，必非嚳子。以其父

微，故不著名。」爲什麼殷契只知其母，不拜其父？如果揭下神話的面紗，那麼自可發現譙周的解釋是合理的。「以其父微，故不著名」，說明了他是簡狄與人私生之子。但殷商之人並不以此爲恥，相反地大書特書，發爲詩章，播於樂舞，堂堂皇皇地出現在宗族祭祀大典之上。又據《禮記・月令》鄭玄注：「玄鳥，燕鳥也。燕以施生時來，巢人堂宇而孚乳，嫁娶之象也，媒氏之官以爲候。高辛氏之出，玄鳥遺卵，娀簡（按：即簡狄）吞之而生契，後王以爲媒官嘉祥，而立其祠焉。變『媒』爲『禖』，神之也。」可見殷商後人，照樣奉拜簡狄爲「國母」，爲媒神，叩首禮拜，弦歌鼓舞，引以爲榮。

殷、周先人如此，那麼孔子本人的母親又是怎樣？《史記・孔子世家》明言：「（叔梁）紇與顏氏女（按：名徵在）野合而生孔子……丘生而叔梁紇死，葬於防山。防山在魯東。由是孔子疑其父墓處，母諱之也。」爲什麼再三提倡「三年無改於父之道」的孔子只知其母，而不知父墓所在？原因是「母諱之」。爲什麼其母「諱之」？正因是「野合」私生之故。由此可見孔子本人也是一個私生子。孔子腦中的宗法觀念相當强烈，他一再說要「父爲子隱」、「子爲父隱」（《論語・子路》），是孝道的提倡者，絕不會指責母親，來揭自己瘡疤。作爲一個私生子，在封建社會中是毫無社會地位，讓人瞧不起的。因此，如果孔子生於宋明理學鼎盛的時代，無論他的道德學問怎樣，「先師先聖」這金字招牌還是要砸掉的。但幸虧他是春秋時人，免了一場浩劫，因爲當時人並沒這種偏見，私生之子照樣周遊列國，廣招門徒，傳道講學，受人尊敬。

以上事例說明，殷、周之人並不以「淫奔」或私生爲恥。孔子的宗族血統觀念相當强烈。據《論語・子路》所載，子貢問什麼是士，孔子的回答是先講「不辱君命」，其次就是「宗族稱孝

焉」。這種舊的宗族血統觀念是孔子所無法違背的。而且，從
《論語》、《左傳》等可靠的先秦典籍中，實在找不到孔子譴責「淫
奔」的材料③。由此可見，孔子的「鄭聲淫」之「淫」字，並非
如朱熹所說，是專指男女「淫奔」之情，因為孔子不能超越舊的
宗族血統觀念，在自己祖宗臉上抹「黑」。

㈢《詩經》各部分都有大量戀歌，孔子不應單獨譴責鄭詩而謳歌其他

整部《詩經》三百多篇，愛情詩或其他寫到男女關係的作品占
了相當的比例。戀歌不是鄭風的專利品。比如衛風，就有許多著
名的愛情詩。這點朱熹也已看到。但為什麼同樣是「淫」，孔子
卻只罵鄭而不及衛？朱熹為了自圓其說，煞費苦心，謂「鄭聲之
淫有甚於衛，故夫子……獨以鄭聲為戒而不及衛，蓋舉重而言，
固自有次第」。這是根據後代的封建說教而設計的一種想當然的
說法，並不符合當時的實際情況。如《論語・八佾》：

> 子夏問曰：「『巧笑倩兮，美目盼兮，素以為絢兮。』何謂
> 也？」子曰：「繪事後素。」曰：「禮後乎？」子曰：
> 「起予者商也！始可以言《詩》也已。」

孔子與子夏所討論的，正是《衛風・碩人》。這詩描寫衛莊公夫人
姜氏初嫁時的動人場面，把少女的青春美貌描繪得活靈活現。言
笑之際，風流旖旎；眉宇之間，顧盼生姿；亭亭玉立，千嬌百
媚。如此細緻地描繪結婚場面，把少女的音容笑貌及其誘惑魅力
都寫了出來。如果不因它是「經」中之詩，而是後世的作品，封
建衛道者一定會斥為「誨淫」之作。但孔子於此，非但不斥為
「淫」而「放之」，而且說它合乎當時的禮制，堪為典範。這種

解釋是否合乎詩的本義，是可以商榷的。但孔子不怕「誨淫」，卻是事實。衛風以外，如邶風《靜女》：「靜女其姝，俟我於城隅；愛而不見，搔首踟躕。」把男青年的癡心及少女的活潑與調皮，刻畫得維妙維肖。這種幽會，孔子為什麼不譴責為「淫」而「放之」？又如鄘風《柏舟》，生死戀人，信誓旦旦，忠貞之愛，激動人心。為什麼孔子從無微辭？如果說邶、鄘舊為衛地，可與衛風等同視之，列為鄭衛之音而不論，那麼如小雅的《隰桑》：「……既見君子，其樂如何！……心乎愛矣，遐不謂矣？中心藏之，何日忘之！」這是一個女人公開的愛情表白，感情是如此純眞、如此深沈，這與鄭詩之「淫」又有什麼區別？但孔子不僅不加譏刺，而且再三稱揚雅頌之詩，這又是為什麼？再如《詩》中的周南、召南，孔子教導兒子伯魚：「女為周南、召南矣乎？人而不為周南、召南矣乎，其猶正牆面而立也與！」（《論語·陽貨》）可見他對二南的重視。但召南中的《野有死麕》，就是一首典型的愛情詩：

野有死麕，白茅包之。有女懷春，吉士誘之。
林有樸樕，野有死鹿。白茅純束，有女如玉。
舒而脫脫兮！無感（撼）我帨兮，無使尨也吠。

少女「懷春」，男人「誘之」，這在封建衛道者看來，該是多麼典型的「淫奔」事件，當然要大罵「是可忍，孰不可忍」了。但它發生在春秋時代，卻極為自然，孔子不僅不加呵斥，而且拿它當教材，不僅教學生，而且還教兒子。這是發自內心，極其眞誠的。即使是周南中的《關雎》，位居全《詩》之首，該是何等顯眼、何等重要，但它也是一首典型的戀歌：「窈窕淑女，君子好逑」，「求之不得……輾轉反側」，追求是何等熱烈；「鐘鼓樂

之」、「琴瑟友之」，又寫出了新婚生活的和諧與快樂。孔子於此卻大力頌揚：「《關雎》樂而不淫，哀而不傷。」（《論語‧八佾》）這哪裡有點滴的斥「淫」之意？他解釋《關雎》這首詩：失戀之時不因悲傷而停止追求，結婚以後也不因已達目的而放縱。這樣評述，與漢儒的「后妃之德」（《毛詩》）、刺周康王（三家詩說）云云，不啻天淵之別，毫無相似之處。「后妃之德」的說法，純是後世封建觀念的反映，生在春秋時代的孔子，是編不出這樣離奇的故事來的。

再如《詩》中的陳風，總共十首，除《墓門》一首外，倒有九首是寫男歡女愛的詩歌，所占比例是十分之九。這比鄭風戀歌「不翅七之五」的比例要大得多。為什麼孔子不「舉其重者」而罵「陳風淫」，卻偏偏要單獨斥責「鄭聲淫」呢？為什麼不「放」陳詩而偏要「放鄭聲」呢？厚此薄彼，於理不通。朱熹之說，是經不起歷史事實的檢驗的。由此可見，孔子所謂「鄭聲淫」之「淫」字，並無指斥「淫奔」之意，更談不上反對愛情，而是另有含義，這是顯而易見的。

㈣孔子的「鄭聲淫」是從「樂」的角度立論，與《詩》無關

關於「鄭聲」之「聲」，孔子已有「惡鄭聲之亂雅樂」的說法，「鄭聲」與「雅樂」對舉，明明是從樂舞（主要指音樂）的角度立論。但後人卻偏在淺現明白處去求其「微言大義」。他們認為先秦時代詩、樂、舞三者合一，是綜合藝術，因此孔子的「鄭聲」，就該是指鄭風或鄭詩。表面看來，似乎言之有據。如《墨子‧公孟》：「（儒者）誦詩三百，弦詩三百，歌詩三百，舞詩三百。」《詩》既可歌可舞，當然是綜合藝術。《詩》中的鄭詩衛詩，當然也早配有現成的樂曲在流傳。所以《左傳》襄公二十一年季札觀樂的記載，其中包括了鄭風衛風。但這只看到問題的一

面。以《詩》爲辭而譜成的樂曲，在孔子的時代，已入「正樂」
「古樂」之列④。就在當時，各類藝術也已開始出現了獨立的趨
勢，這是另一面。《墨子·公孟》這話，同時也可作爲文學開始從
綜合藝術的「樂」中獨立出來的證明。《詩》旣可以單獨誦讀，也
就逐漸擺脫音樂形式的限制，以獨立的面貌出現，並獲得了生存
與發展。孔子也說過：「興於詩，立於禮，成於樂。」（《論
語·泰伯》）這話旣說明了詩、禮、樂三者互有聯繫的一面，同
時又說明了它們存在著相互區別的另一面。孔子教兒子學詩，謂
「不學《詩》，無以言」，就證明了《詩》已逐漸從「樂」中獨立出
來了。這又是當時詩、樂、舞開始分離的明證。「聲」或
「音」，這是屬於「樂」方面的問題，可以與《詩》無涉。《漢
書·禮樂志》：「桑間濮上鄭衞宋趙之聲並出。」《詩》之國風並
無宋風、趙風之目，可見此處鄭衞之聲與宋趙之聲一樣，實是與
《詩》無關的「新聲」。應劭注曰：「桑間，衞地。濮上，濮水之
上。皆好新聲。」顏師古注曰：「鄭衞宋趙之國，亦皆有淫
聲。」可證「鄭聲」是「新聲」，不滿者即斥爲「淫聲」。新近
修訂出版的《中國歷代文論選》解釋「鄭聲」：「產生於鄭國地區
的民間新樂。」（第一册第十八頁）這種說法從「樂」的角度立
論，比較合乎事實。

　　至於「淫」之義，本指淫溢、過度之意。如「淫雨」之
「淫」，指雨下得太多，影響人們的生產與生活。過多過甚，超
過正常需要，當然也是貶詞，但與男女「淫奔」之「淫」，卻是
兩碼事。孔子的「鄭聲淫」，即謂鄭國的這種「新樂」太過分
了，並無朱熹所說的斥責「淫奔」之意。那麼孔子在這裡指責鄭
聲的「過分」「過甚」又是什麼意思？我認爲是指不合禮制規定
而言。孔子曰：「非禮勿視，非禮勿聽，非禮勿言，非禮勿
動。」（《論語·顏淵》）一切違反禮樂制度的，他都認爲是僭

越，是過分、過甚，因而加以譴責。他所提倡的「樂」，是「立於禮」的基礎上的；一切無禮之樂，在孔子看來，都是過泰過甚。如季氏僭天子禮，「八佾舞於庭」時，他就憤怒地大聲疾呼：「是可忍也，孰不可忍也！」所謂「鄭聲」，作爲當時從民間新興起來的流行音樂，在上層貴族社會中已廣爲流傳。如《孟子·梁惠王下》：「王變乎色，曰：『寡人非能好先王之樂也，直好世俗之樂耳。』」「鄭聲」就是梁惠王所喜歡的當時流行的「世俗之樂」一類。「先王之樂」是合乎當時禮制規定的，而「世俗之樂」則突破了禮樂制度的規範，所以梁惠王才會爲它而「變色」。因此，孔子的所謂「鄭聲淫」，就是對以鄭國的「世俗之樂」爲代表的新興流行音樂的批評與譴責。因爲這種新的流行音樂，已從民間草野，潛入宮廷廟宇，登上了大雅之堂，從民間的歌舞，變爲上流貴族的生活必需。這種新樂，沒有經過樂官嚴格的整理與挑選，自然不合「先王之樂」的禮樂規範，因此可能會破壞現行制度的安寧。孔子對當時「禮壞樂崩」的現象深爲痛惜，的確是有所指的。這既反映了孔子復古文藝思想的局限性；但也明確了他的所謂「鄭聲淫」原是從「樂」的角度立論，與《詩》中的鄭風無涉。他的斥「淫」，與反對愛情詩根本是風馬牛不相及的兩碼事。

㈤後人的認識可作爲理解孔子原意的佐證

現在再看後人對「鄭聲」或「鄭衛之音」的認識。如《禮記·樂記》：

> 魏文侯問於子夏，曰：「吾端冕而聽古樂，則唯恐臥；聽鄭衛之音，則不知倦。敢問古樂之如彼，何也？新樂之如此，何也？」子夏對曰：「今夫古樂進旅退旅，和正以

> 廣，弦、匏、笙、簧，會守柎鼓，始奏以文，復亂以武，
> 訊疾以雅……今夫新樂，進俯退俯，奸聲以濫，溺而不
> 止，及優侏儒，獶雜女子，不知父子。」

這裡的「古樂」，也即孟子所說的「先王之樂」，聽時還要「端
冕」，可見禮制規定極爲嚴格。它是宮廷廟堂典禮中演奏的樂
曲，老套頭，少變化，枯燥呆滯，聽者當然昏昏欲睡。但因它合
乎舊的禮樂規範，子夏從正統觀念出發，卻大加頌揚。《樂記》中
的「鄭衛之音」，明言是「新樂」，也即孟子所謂「世俗之樂」
──當時新興的流行音樂。因它「奸聲以濫，溺而不止」，也就
是越乎禮制，過泰過甚，所以儘管它極富藝術魅力，使人聽了
「不知倦」而手舞足蹈，但子夏還是加以譴責。子夏是孔子的嫡
傳弟子，這段話恰恰可作爲「鄭聲淫」、「放鄭聲」一語的注
腳。《樂記》的作者正是從「樂」的角度來理解「鄭衛之音」的，
並沒有把它與《詩》中的鄭風、衛風等同起來。

又如荀子，他在《荀子・樂論》中說：「修憲令，審詩商，禁
淫聲，以時順修，使夷俗邪音不敢亂雅，太師之事也。」明顯把
「淫聲」「邪音」與雅樂（即正樂）相對立。他所說的「淫聲」
「邪音」，所指也正是當時新興流行的「鄭衛之音」，而非往古
相傳合乎禮制的以《詩》辭譜成的樂曲，所以又說：「先王貴禮樂
而賤邪音……姚冶之容，鄭衛之音，使人之心淫……故君子耳不
聽淫聲。」在荀子看來，鄭衛之音也即是「邪音」「淫聲」，與
先王的「禮樂」對立而存在。他同樣是從「樂」的角度來理解鄭
衛之音的。《荀子・勸學》：「《詩》者，中聲之所止也。」以《詩》
譜曲的古樂，當然包括了鄭風、衛風在內。所謂「中聲」，就是
指合乎禮制、不過泰過甚的樂律，所以楊倞注曰：「所以節聲音
至乎中而止，不使流淫也。」直接把「中聲」與「淫聲」對立起

來，可證以鄭風衞風之詩譜成的古樂，屬於「中聲」雅樂的範疇，而非「淫聲」「邪音」。在這裡，荀子繼承並發揮了孔子的論點，反對當時新興的流行音樂——鄭衞之音，並斥之爲「淫」。荀子也是從「樂」的角度來理解鄭衞之音的。《荀子·儒效》又說：「故風之所以不逐者，取是以節之也；小雅之所以爲小雅者，取是以文之也；大雅之所以爲大雅者，取是而光之也；頌之所以爲至者，取是而通之也。」按「逐」即流蕩；「不逐」即不流蕩、不過泰過甚之意。以國風譜成的古樂是不放蕩的、合乎禮制的「中聲」正音，所以可與雅、頌並列，成爲後人學習的典範。在這裡，荀子並沒有任何的暗示，說是要把鄭詩衞詩趕出國風之外。荀子認爲，以鄭詩衞詩爲辭而譜的樂曲，也是雅樂的一部分；這與他在《樂論》中猛烈抨擊的「使人心淫」的鄭衞之音，完全是性質不同的兩碼事，萬萬不可簡單地把鄭風衞風與鄭衞之音畫上等號。後來孫希旦明白地說：「若鄭衞之聲，則別爲當時之俗樂……，其所歌，必非十五國風之詩也。」這話確是言之有據，古已有之。荀子是戰國時的儒學大師，開口「孔子」，閉口「孔子」，對孔子學說理解極深。他的意見，正可以作爲對孔子原意進行推理判斷的有力佐證。孔子也有「《詩》《書》執禮，皆雅言」的說法。「雅」者正也。「《詩》三百」都是合乎「雅正」「無邪」標準的，當然其中之鄭風衞風也在「雅正」「無邪」之列。「雅正」「無邪」與「淫邪」正好相反，矛盾對立。因此，被孔子斥責爲「淫」的鄭聲，與屬「雅正」的鄭風之詩，當然不可能是一回事。這在形式邏輯上也是一清二楚的。

再如漢代桓譚《新論》：「揚子雲大才而曉音，余頗離雅操而更爲新弄。子雲曰：『事淺易喜，深者難識。卿不好雅頌而悅鄭衞，宜也。』」（《太平御覽》卷五六五「樂部」引）揚、桓爭論，誰是誰非，姑置不論。但他們明言是從「音」——即音律方

面來討論問題的。這裡的所謂「鄭衛」，指的是「新弄」——也即是當時新興的流行音樂。

再看史書所載，如曹魏時左延年曾在樂府機關任職，《宋書》卷十九《樂志》稱其「妙善鄭聲」，而《晉書・樂志》則云「黃初中，柴玉、左延年之徒，復以新聲被寵」。「鄭聲」與「新聲」通用。這些史家也是從音樂的角度立論，而不把「鄭聲」理解爲《詩》中的鄭風。清代汪士鐸在《記聲詞》一文中曾說：「詩自爲詩，詞也；聲自爲聲，歌之調也，非詩也……（《樂記》）鄭、衛、宋、齊之音，《論音》之『鄭聲』，皆調也。」（見《汪梅村先生集》卷五）這種說法也是言之有據的。

三、小結

根據上述考辨，現在可作個小結：

一、從美學思想角度而言，孔子的「思無邪」與「鄭聲淫」當然有關涉，這就是合乎「禮」的共同思想標準。藝術必須符合「無邪」雅正的標準，這是從正面言之；堅決反對音樂藝術中的「淫聲」「邪音」，因爲它不合禮制，過甚過濫，這是從反面言之。這一正一反，與評《詩》時的「思無邪」的思想標準是一致的。

二、但「思無邪」是從詩的方面，也即是從文學的角度來評價；而「鄭聲淫」則是從「樂」的角度立論，反對的是當時的「世俗之樂」——也即是當時以鄭聲爲代表的新興的流行音樂。孔子所要「放」之逐之的「鄭聲」，並非《詩》中之鄭詩。像朱熹等在「鄭聲」與「鄭詩」之間畫上等號，並巧爲附會之言，這是從後代的封建正統觀念出發，對孔子的曲解。

三、孔子斥鄭聲爲「淫」，反對民間新興的流行音樂，說明

了他的美學思想有復古保守的一面，應予批判。但於此也不可一概而論。當時的統治階級，出於獵奇與追求刺激等需要，把新興的民間藝術稍加改造，即據爲己有，使民間草野之音，化爲宮廷靡靡之樂。這就起了質的變化。孔子予以批判，可能也有正確之處。如《呂氏春秋・侈樂》所載：「夏桀殷紂所作侈樂，大鼓、鐘、磬、管、簫之音，以巨爲美，以衆爲觀……務以相過，不用度量……失樂之情。」墨子也指出：「桀女樂三萬人，晨躁聞於衢，服文繡衣服。」「秦穆王（**按**：王爲公之誤）遺戎王以女樂二八，戎王沈於女樂，不顧國政，亡國之禍。」（《墨子》佚文）「昔者齊康公興樂《萬》，萬人不可衣短褐，不可食糠糟。」（《墨子・非樂》）這些腐朽的統治者，把藝術享受建築在黎民百姓的痛苦之上，當時統治階級中的有識之士，已斷言這是「亡國之禍」。這在特定的歷史環境中，也自有道理。《論語・微子》中也有類似的記載：「齊人歸女樂，季桓子受之，三日不朝。孔子行。」齊國贈送「女樂」，別有用心，但魯國君臣卻沈湎於「女樂」，國政日廢。孔子對此違禮之樂，痛心疾首，也是合乎情理，並不一定都是藝術思想中的頑固性保守性所致。在後來的封建社會中，這種靡靡之音也是屢見不鮮的。如《漢書・禮樂志》：「是時（漢成帝時）鄭聲尤甚。黃門名倡丙彊景武之屬，富顯於世。貴戚五侯定陵富平外戚之家，淫侈過度，至與人主爭女樂。」這些材料說明，即使是民間最新最美的藝術，一旦變爲宮廷紅地毯上的清歌妙舞，也會立即變質，旣俗且醜，喪失藝術光彩，成爲靡靡之樂。所以對於孔子的「放鄭聲……鄭聲淫」的說法，也應一分爲二，具體分析，而不可貿然一筆抹煞，全盤否定。

四、孔子的「鄭聲淫」之「淫」，並非如朱熹所說，專指男女「淫奔」之情；據朱說而斷言孔子是反對愛情詩（或描寫男女

兩性關係的戀歌）的鼻祖，毫無事實根據。這是超乎歷史時代，把後世的封建觀念強加給孔子，孔子地下有靈，也會大呼「冤哉枉矣」！

五、孔子「思無邪」的評價，既然包括了全部「《詩》三百」而言，當然也包括了鄭風衛風之詩。清代袁枚曾說：「三百篇中，貞淫正變，無所不包。」（《隨園詩話》卷十四）《詩經》內容廣泛，既有歌頌功德的「美詩」，也有批判揭露的「刺詩」，還有大量描繪男女關係的愛情詩。這一切，孔子都「一言以蔽之」，統統稱為「無邪」，既雅且正，合乎「禮」的要求。這樣的美學思想，確比後世腐儒「存天理、滅人欲」的「禁欲主義」要高明得多、解放得多。

總之，對孔子美學思想的研究，要實事求是，合乎歷史，作一分為二的具體分析。超乎歷史，違背時代，把後代的觀念強加給孔子，必然無法正確理解孔子，並給予科學的評價。如果這樣，批判繼承、以資借鑑就成了一句空話。這難道還不應該引起我們的重視嗎？

---

① 見《戴震集》上編文集卷一，上海古籍出版社1980年版，第9～10頁。

② 《論語・公冶長》：「子謂公冶長可妻也，雖在縲絏之中，非其罪也，以其子妻之。」有人可能以此作為孔子包辦兒女婚姻的證據。的確，這裡有父母包辦的萌芽，這是一方面。但從另一角度理解，老師把女兒嫁給自己的得意門生，這在強調婚姻自由的現代社會，也是常有的事。孔子把女兒嫁給一個「囚犯」，這是對社會的一種抗議。他欣賞的是學生的道德學問。當時婦女較為自由，學生與女兒的接觸機會很多，彼此熟悉，這也是另一種形式的自由。

③ 《論語・陽貨》：「唯女子與小人為難養也，近之則不遜，遠之則

怨。」這話只能說明孔子對於婦女的歧視。但這是由當時婦女社會地位低下所決定的，是政治、經濟上的問題，與「刺淫」是兩碼事。而且，凡事要有個比較。封建社會是夫為妻綱，絕對夫權，妻妾對丈夫只有服從的義務，而無回嘴的權利。而孔子對婦女還算「客氣」，他的妻妾對他可以「不遜」，可以「怨」，而孔子也不過是發發牢騷而已。與封建社會的衛道者相比，孔子還算得上「開明」了。

④參前引戴震及孫希旦之說。

（原載《古典文學論叢》第三輯，齊魯書社1982年版）

漫談中國的傳統美學及其特色

　　「美」是什麼？這是一個複雜的問題。有的說「美是生活」，有的說「美就是善」，也有的說「美即是愛」，人們爭訟紛紜，至今仍無定論。但有一點是可以肯定的，即美與美的創造、美的欣賞，與人類的社會生活有關，在客觀的社會生活中有美，在主觀的精神世界中也有美。美的領域是無限廣闊的，美的普遍規律是無所不在的。凡有人類生活的地方，就有美學研究的對象。不過，當社會進入信史時期以後，人類大都是分部落、分民族、分國家來生活的。因此，對於美與美的創造、美的欣賞，不同民族、不同國家又具有不同的認識。就拿色彩之美來說，西方國家多數以為白色是甜蜜、安靜、純潔、幸福的象徵，所以結婚時的新娘，一般穿白色拽地長裙作禮服。但對我國的漢族說來，白色則時常是不祥的象徵。據《史記・刺客列傳》載，燕太子丹送荊軻入刺秦王時，為之餞行於易水之上，「皆白衣冠以送之」。知情者明白，荊軻刺秦王，不管事成與否，都是必死無疑，因而穿了白色喪服，預事弔唁，這「滿座衣冠似雪」（辛棄疾詞），另顯出一種不同於西方民族的慷慨悲愴之美。於此可見，美與美的創造和欣賞，又有它具體的民族特性。不僅如此，即在同一國家同一民族，在不同的歷史時期，對美的認識也在發展變化。如對紅的顏色，我國古代以它象徵熱烈、雄放，因此軍隊常以紅旗為幟，振奮士氣。唐朝著名的邊塞詩人岑參是這樣來寫邊疆軍營生活的：「紛紛暮雪下轅門，風掣紅旗凍不翻。」

（《白雪歌送武判官歸》）應該注意，古人對於紅旗之美的認識，
並不具有任何革命的意義，只有在近代以後，革命的階級才認爲
紅旗上的紅色，是烈士的鮮血所染成，它的美在於象徵著革命，
具有了時代的新內容。因此，當紅與白等色彩的感性形式積澱了
人類社會的理性內容之後，它在客觀上又使美具有了旣是民族
的、又合乎時代的新意義。當然，美具有民族特性，並非說它是
孤立於世界民族之林外面的；在世界各民族的歷史交流中，人們
對美的認識與創造，也是相互交流，彼此融會的，常是你中有
我，我中有你，不能說得太絕對。從音樂來說，比如我國唐時使
人耳目一新的「燕樂」，成了後來具有民族傳統特色的音樂；但
在唐以前，它卻是大量吸收了「胡樂」——即我國西北一帶少數
民族音樂而形成的。所以《新唐書·禮樂志》說：「周隋管弦雜曲
數百，皆西涼樂也；鼓舞曲，皆龜茲樂也。」敢於吸收外來民族
的優點，來爲本民族所用，這樣的「拿來主義」，在美的發展歷
程中，正是歷史進步的表現。於此可見，對於中國傳統美學民族
特性的理解，不可過分機械死板，實際上它與其他民族之美，是
有分有合，處於發展變化的矛盾運動之中的。

　　馬克思說：「人也是按照美的規律來造成東西的。」（《馬
克思恩格斯論藝術》，人民出版社1960年版，第226頁）主客觀統
一的文學藝術，是人類所創造的美的結晶。因此，人類對於文學
藝術的理論總結——即藝術哲學，就構成了美學理論的核心。在
美學的基本問題、基本理論、基本規律方面，中國與外國一樣；
但也應當承認，中國美學又具有區別於其他民族的傳統特點，它
集中在文學藝術中體現了出來。因此，要了解中國美學的發展，
就必須涉及以下兩方面的內容：一是藝術理論所賴以立論的傳統
哲學觀念；一是中國藝術的具體民族特色。

　　有人說西方的美學重摹仿與再現，而中國美學則重言志與表

現。這一說法並不全面。如古希臘荷馬史詩《伊利亞特》，詳細描繪了希臘聯軍爲了奪回美女海倫圍攻特羅亞九年的殘酷戰爭，這當然是「再現」生活的典範了。但關於海倫具體的美，書中卻幾乎一無所及，有的只是別人的印象：

> 特羅亞長老們也一樣的高踞城堆，
> 當他們看見了海倫在城垣上出現，
> 老人們便輕輕低語，彼此交談機密：
> 「怪不得特羅亞人和堅脛甲阿開人，
> 爲了這個女人這麼忍受苦難呢，
> 她看來活像一個青春長駐的女神。」

在人們的無限感嘆中，愈加襯出了海倫的傾國傾城之美，作者的情感也自然可見。這不是「表現」又是什麼呢？中國藝術固然重在「表現」，但又怎能說沒有「再現」呢？如三國時的長詩《孔雀東南飛》描繪劉蘭芝的美貌：「雞鳴外欲曙，新婦起嚴妝。著我繡裌裙，事事四五通。足下躡絲履，頭上玳瑁光。腰如流紈素，耳著明月璫。指如削葱根，口如朱含丹。纖纖作細步，精妙世無雙。」這又何嘗不是「再現」？中外美學的不同特點，不僅在於「再現」與「表現」，而且還在於怎樣來完成這「再現」與「表現」。也就是說，由於國家與民族的不同，宇宙觀與人生觀的區別，中國的文學藝術表現出不同於其他國家的民族特點。面對這些特點作出規律性的理論總結，也就構成了中國傳統美學的特色。

李澤厚在爲宗白華先生的《美學散步》作序時說：「『天行健，君子以自強不息』的儒家精神，以對待人生的審美態度爲特色的莊子哲學，以及並不否棄生命的中國佛學——禪宗，加上屈

騷傳統，我以為，這就是中國美學的精英和靈魂。」這一意見很
精闢。我國先秦時代的美學思想主要反映在「樂」論中。因為先
秦時代的「樂」，是詩、樂、舞三者合一的綜合性藝術。而隨著
藝術的發展和為了適應政治的要求，當時的諸子百家，各有自己
的「樂」論，於是圍繞著「樂」展開了論爭，如儒家提倡「禮
樂」，而道家墨家及法家則「非樂」，這些理論看來相反，實是
相輔相成。比如儒家《易》經說「立天之道曰陰與陽，立地之道曰
剛與柔……分陰分陽，迭用剛柔，故《易》六位而成章」，又說
「知變化之道者，其知神之所為乎」，強調陰陽剛柔運動變化的
「道」與「神」。孟子以其積極進取的精神，認為「充實之謂
美，充實而有光輝之謂大，大而化之之謂聖，聖而不可知之之謂
神」（孟子・盡心下》），進一步指出了「神」在美的世界中的
意義。而反對儒家「樂」論的道家，更是注意到宇宙萬物的陰陽
動靜的運動變化，與儒家《易》經一樣，在探索宇宙的深邃哲理中
充滿了辯證法因素，他們與儒者一樣強調「神」的美學意義，如
莊子用佝僂丈人承蜩的寓言故事，道出了「用志不分，乃凝於
神」的至理名言。它啟發人們思考，文學藝術創作中那「傳神」
的生花妙筆，是來自於平日刻苦的鍛煉，在專心致志的艱苦的藝
術勞動中，日積月累，終於從量變到質變，自然「悟」出了這一
「不可知之」、「難以言傳」的規律。總之，不管是主「入世」
者或主「出世」者，他們都力爭從運動變化的觀點，來探索宇宙
的真諦，指示人間的奧祕。戰國晚期的屈原就用生動的藝術形象
來傳達，他在《離騷》中說：「路漫漫其修遠兮，余將上下而求
索。」後來我國的佛教禪學，基本上也是貫穿了這種窮本探源、
高瞻遠矚的探索精神。這種具有民族特色的宇宙觀、人生觀，既
展開了探索與追求的想像翅膀，又立腳於堅實的現實之上，構成
了中國美學的理論基礎。後來我國文學藝術理論中有關動與靜、

虛與實、陽剛之美與陰柔之美，以及藝術意境的開拓等，莫不與此民族精神有關。陶淵明《飲酒》詩云：「結廬在人境，而無車馬喧。問君何能爾？心遠地自偏。採菊東籬下，悠然見南山。山氣日夕佳，飛鳥相與還。此中有真意，欲辨已忘言。」多麼富有意境！有限之境與無盡之情往復交流，給人以無窮的美的享受。「心遠地自偏」，正是心靈內部的距離造成的；「悠然見南山」，又是何等蕭灑超脫。但不要忘記，詩人在創造藝術境界的同時，是在追求人生探索宇宙的哲理中產生了無盡的樂趣，所謂「真意」云云，說明了藝術意境仍然是立腳於現實之上的。詩人並沒因此而忘乎所以。下面簡單介紹中國美學的發展。

有關音樂、舞蹈的理論、甚至是後代的曲論，集中反映在《禮記‧樂記》中。如後漢時傅毅《舞賦》，寫到舞蹈「躡節鼓陳，舒意自廣，游心無垠，遠思長想」，論到藝術的構思和想像，但它仍離不開「樂」論。他說：「臣聞歌以詠言，舞以盡意。」舞蹈與音樂、詩歌一樣，都是言志盡意的。《樂記》對於藝術的本質及特徵的論述，對後代美學論著以良好的影響：「凡音之起，由人心生也。人心之動，物使之然也。感於物而後動，故形於聲。」「樂者，音之所由生也，其本在於人心之感於物也……治世之音安以樂，其政和；亂世之音怨以怒，其政乖；亡國之音哀以思，其民困。聲音之通，與政通矣！」強調由客觀之「物」，震撼主觀之「心」，並因「心」而生「樂」，藝術是客觀社會生活的反映。但它不同於西方早期的摹仿說，《樂記》的所謂反映，並不是機械被動的「再現」，而是積極能動的反映，它以為「致樂治心」，通過音樂藝術的感染，淨化人們的精神，以期達到「移風易俗」的巨大社會作用。在先秦兩漢時期，能見到《樂記》這樣具有完整體系的美學理論專著，確是我國的一個驕傲。

而雕刻、建築、書法及繪畫理論，其精華又集中反映在畫論

中。古人有「書畫同源」之論，雖然並非全面，但它卻道出了書
法等藝術與繪畫的本質聯繫。所以曹植《畫贊序》曰：「蓋畫者，
鳥書之流也。」從魏晉六朝以後，我國的畫論隨同繪畫藝術的發
展，取得了驚人的成就。如六朝謝赫《論圖繪六法》中強調「氣韻
生動」，《畫品》中高度評價「略於形色，頗得神氣」的藝術創
造。到後來文人寫意畫意境的開拓，都採取了與西方不同的「再
現」和「表現」方法。沈復在《浮生六記》中說：「大中見小，小
中見大，虛中有實，實中有虛，或藏或露，或淺或深，不僅在周
回曲折四字也。」中國的藝術家善於高瞻遠矚，鳥瞰世界，在一
草一木、一丘一壑中見大千世界，在運動變化中來創造飛動流利
之美，所以中國畫家特重流動的線條之美，並能在山前看到山後
的亭子，與西方重光線明暗、採取定點透視法不同。方士庶《天
慵庵隨筆》一語破的，點出了中國畫論精粹之所在：「山川草
木，造化自然，此實境也。因心造境，以手運心，此虛境也。虛
而為實，是在筆墨有無間，──故古人筆墨具此山蒼樹秀，水活
石潤，於天地之外，別構一種靈奇。或率意揮灑，亦皆煉金成
液，棄滓存精，曲盡蹈虛揖影之妙。」藝術之「神」，在畫境中
生氣畢現。但以有限咫尺之幅，展現了無限的萬里之勢的神思境
界，並非憑空而降，而是如南陳的姚最《續畫品錄》所言，是「心
師造化」的結果，是審美主體與審美客體完美統一的自然結晶。
美的意境應在現實中去創造。

　　最後談談詩、文等正統文學及小說的理論。在明的方面，詩
文受儒家「言志」「明道」傳統文學觀的支配，在暗的方面，則
受到道家「無為」、「自然」，禪宗「虛靜」、「脫俗」等思想
的深刻影響。詩文的許多藝術規律，正是由這些相反相成的道理
交織而成。儒家主「入世」，因此提倡「詩以言志」，「文以明
道」。但只要不是像宋明理學家那樣來「言志」「載道」，化藝

術為空洞的思想說教；而是像韓愈那樣的「不平則鳴」之道，柳
宗元的「輔時及物」之道，那麼這樣根據時代要求來「各道其所
道」，就會把文學引向探索人生現實的軌道。儒家的「詩言
志」，與「文以明道」是同一意思的不同藝術表現。如唐代經學
家孔穎達所說，「情」、「志」一也，言志與抒情可以是矛盾的
統一。所以中國成為一個抒情詩特別發達的國家，並以此區別於
西方文學。在古代，如段玉裁注《說文解字注》引《周禮·保章氏》
注曰：「志，古文識：識，記也。」據此，則「志」又有「識」
之義，可證抒情言志，與認識現實、反映現實也並不矛盾。那麼
我國文學又是怎樣來「言志」的呢？應該承認，大都是通過
「神」來之筆所創造的藝術意境來實現的。傳統文學特重「神
思」，所以劉勰《文心雕龍》有《神思》篇，指出了虛實相生的藝術
想像的無窮妙用，把「神與物游」的形象思維規律，描繪得活靈
活現。因而六朝唐宋以後，詩論更重在意境的研究。藝術意境突
破了時間、空間的限制，在有限的藝術外殼中，蘊藏了無限的內
容，勝利地完成了因生動形象來「以少總多」的特殊任務。唐化
司空圖二十四《詩品》的「不著一字，盡得風流」，宋代嚴羽《滄
浪詩話》的「羚羊掛角，無迹可求」，並非真是什麼都不寫，而
是認為文學創作應追求具有「韻外之致」、「味外之味」的意境
（司空圖《與李生論詩書》）。這就通過具體的生動意境，把儒家
之「神」、道家之「神」，與佛教禪宗的「不著文字」思想三而
合一，靈活地體現了傳統美學的民族原則，促進了中國文學的健
康發展。而與詩、文理論相比，我國的小說美學（包括戲劇美
學）發展較晚，它在明清之際漸趨興盛。如李贄的《忠義水滸傳
序》，金聖嘆《水滸傳序》、《讀第五才子書法》及其他評點作品，
當時頗負盛譽。如果說詩文及國畫中的藝術意境是一種特殊形式
的感人藝術形象的話；那麼中國的古典小說則直接化意境入形

象，著重於刻畫人物和塑造典型形象的理論。金聖嘆在《讀第五
才子書法》中說：「《水滸傳》寫一百零八個人性格，眞是一百零
八樣」，《水滸傳》只寫人粗鹵處，便有許多寫法：如魯達粗鹵是
性急，史進粗鹵是少年任氣，李逵粗鹵是蠻，武松粗鹵是豪傑不
受羈勒，阮小七粗鹵是悲憤無說處，焦挺粗鹵是氣質不好。」這
是對於古典美學理論的發展。但這種注重塑造人物形象的理論發
展，仍然保持了傳統美學的民族特點，所以它特重虛與實、明與
暗、有與無等辯證轉換關係。所以金聖嘆在《水滸傳序一》中又
說：「心之所至，手亦至焉者，文章之聖境也；心之所不至，手
亦至焉者，文章之神境也；心之所不至，手亦不至焉者，文章之
化境也。夫文章至於心手皆不至，則是其紙上無字無句無局無思
者也，而獨能令千萬世下人之讀吾文者，其心頭眼底，乃窅窅有
思，乃搖搖有局，乃鏗鏗有句，而燁燁有字，則是其提筆臨紙之
時，才以繞其前，才以繞其後，而非徒然卒然之事也。」寫人物
而至於「聖境」、「神境」、「化境」，乃是小說意境的最高美
學境界。所謂「心手不至」、「無字無句無局無思」，與詩中
「不著一字，盡得風流」同一意思，並非什麼都不寫，而是不把
話說完，以啓發讀者豐富的藝術聯想，於是化無爲有，產生了
「窅窅有思」、「搖搖有局」、「鏗鏗有句」、「燁燁有字」的
藝術效果，因而人物形象具有「味外之味」，既生動，又典型，
躍然紙上，呼之欲出。這就把傳統「意境」說的發展推到了一個
新的美學高度，讓讀者獲得了無窮的審美享受。

（原載《文科月刊》1984年第9期）

中國古代文論體系探索

　　最近，形形式式的西方理論思潮，向正在開放改革的中國蜂擁而來，對中國的傳統文化及知識分子的文化心態，形成了巨大的衝擊波。於是乎人們熱衷於東、西方文化的比較研究。這是值得歡迎的事，有利於開拓理論思維，揭示不同歷史階段和不同民族文化的本質精神及其發展規律。但所謂「比較」，不僅要熟悉西方文化，而且必須對東方文化、特別是中國文化應有更眞切的了解。這樣的比較研究，任重而道遠，難以一蹴而就。那種不作長期艱苦鑽研，而只是站在遠處粗略望去的膚廓之論，常經不起事實的檢驗。比如有關中、西古代文論的比較研究，人們常籠統地說，西方古文論具有精心構設的理論體系，比較合乎科學；而中國古文論則多是漫不經心的隨意生發，零章斷簡，不成系統，缺乏嚴謹的科學精神，因此無法對中國古代文學的發展作出理論總結，難於指導文學的創作和批評實踐①。從現象看，似乎言之鑿鑿；但如潛心其中，又可透過現象，揭示深一層的內涵──即中國的古文論，在漫長的歷史發展長河中，與同時期的西方古文論相比較，具有了不同的理論構架和特殊價值。對於中國傳統文論，不僅要知其然，還要知其所以然。皮毛的牽強比附，不是成功的比較。我們借鑑西方文論，不是爲了炫耀逞博，而是爲了以比較作鏡鑑，洞察自己，明白優劣，以求進步。民族文化固有的優良傳統，應該發揚光大，而不必屈己附人，變成四不像的洋尾巴；但是一旦照見了自己臉上的泥垢，甚至是心靈的劣迹，也應

該有勇氣在比較中加以清掃，抱殘守缺、固守陋習只會導致民族
文化及其理論的危機。以下對中國古文論的體系略加比較探索，
聊作引玉之磚。

　　誠然，西方古文論家多能自成理論體系。如古希臘的柏拉
圖，精心結撰了一個以外在於客觀世界的「理念」為最高本體，
並以「理念論」為中心建立了唯心主義的美學體系，認為一切摹
仿具體事物的文學，不過是理念的「影子的影子」；由此派生出
神靈啟示的文藝靈感論，以及把詩人趕出其「理想國」的極端言
論。他從文藝本體論出發，進一步談創作思維諸問題，甚至還有
涉及詩人地位的文藝政策，從而構成了自己的理論體系。又如亞
里斯多德，他是柏拉圖的學生，但他嚴肅宣告：「吾愛吾師，吾
更愛真理。」其《詩學》與柏拉圖的《理想國》異其旨趣。他從客觀
自然本體出發，提倡文藝摹仿說，堅持現象與本質的一致，認為
文學所摹仿的對象是自然和現實，反映的是生活的本質，而不是
什麼虛幻「理念的影子」。由此生發，他探討了文藝與自然、文
藝與科學、文藝與宗教、藝術的創造性、藝術家的修養諸問題，
從而構成了一個古代唯物主義美學體系。事實說明，西方的古文
論界熱鬧非凡，難以一概而論。因此，要精確地說明「西方古代
所建立的理論體系」是很困難的。我們只能把眾多的事實加以抽
象的概括，發現以下幾點是大致相同的：

　　一、西方古文論家具有重視理論的傾向，比較明白理論原則
的重要性，因而多有建立自己理論體系的本能或自覺要求，而理
論的自覺性和個性化，同時促使產生了名目繁多、甚至是相互對
立的新的理論思潮，理論體系是在動盪不定的變化中日新月異，
創新發展；

　　二、多數重要的文論家，更重視從文藝本體論出發，作宏觀
的理論概括，然後綱舉目張，確立層次，鋪設理論網絡；

三、理論體系的展開，一般是首先建立理論原理，然後以理論原則爲指導，延伸到微觀的具體分析，也就是說，具體的文學批評和藝術欣賞等微觀研討，是由宏觀的理論原則派生的，是爲說明理論原則服務的；

四、理論體系多重理性主義的研討，力求以謹嚴的邏輯力量服人。

與西方古文論的理論體系相比較，我國古文論是否有自己的理論體系？它所建立的又是怎樣的理論體系？嚴格地說，這些問題更加難以精確的回答，而只能採用理論思維中的「模糊」觀念，來加以大致的勾勒和說明。

中國的古文論家，也有人曾經力圖建立自己的理論體系。特別是魏晉時代以後，文人會通孔老，兼論玄釋，再也不是儒學一家獨尊。玄學思潮與佛學的興盛，爲文論家的理論思辨開拓了新洞天，同時也提供了新方法論的武器。因此，也曾有少數文論家企圖從宏觀的文藝本體論出發，條分縷析，以建立自己的理論大廈。如齊梁時劉勰《文心雕龍》、南宋嚴羽《滄浪詩話》、清初葉燮《原詩》、晚清劉熙載《藝概》、近代王國維《人間詞話》等文論著作，多少具有這一自覺的理論傾向。如《文心雕龍・序志》篇：「夫文心者，言爲文之用心也……詳觀近代之論文者多矣，至於魏文述典，陳思序書，應瑒文論，陸機文賦，仲洽流別，宏範翰林，各照隅隙，鮮觀衢路……汎議文意，往往間出，並未能振葉以尋根，觀瀾而索源。」針對以前文論家各執一端之失，提倡振葉尋根、觀瀾索源的新方法、新途徑，表現出建立自己的理論體系的自覺要求。《文心雕龍》確是一部「體大思精」、自成體系的文論著作。全書共五十篇。依古書通例，最後的《序志》篇是全書序論。按照《序志》所言，其餘四十九篇可分爲以下幾大部分：從《原道》至《辨騷》五篇是「文之樞紐」，即文學總論，是其理論宣

言或綱領，這一部分，高屋建瓴，指導全書；從《明詩》至《書記》二十篇是具體「論文敍筆」的文體論，從各種文體的藝術特點及其歷史嬗變，來研究文學的發展規律；從《神思》至《物色》二十一篇是屬「割情析采」的創作論，從對具體的創作過程的分析研究中，總結出文學的藝術本質及其思維特徵；而《才略》、《知音》、《程器》三篇則爲批評論，以宏觀理論爲指導來進行具體的作家作品批評，最後又通過具體的文學批評實踐，反過來檢驗理論原則的正確與否。這不是構成了一個完整的古代文藝理論體系又是什麼？

又如清初葉燮《原詩》，他曾嚴肅批評了古今文論的混亂現象並追究其根源：「詩道之不能長振也，由於古今人之詩評雜而無章，紛而不一。」指出古文論家因爲缺乏系統的理論指導，所以言論常是前後不一，自相矛盾。針對這一弊端，葉燮大聲疾呼，要求建立一個「探得本原」的自覺的詩歌理論體系，而不是封建士大夫那茶餘飯後消遣解悶的就詩論詩的瑣屑之談。其《原詩》就是遵循這一精神來構設理論規模的。全書分「本原」論、「正變」論、創作論及批評論四大部分。正因爲他具有「本原」論的宏觀理論基石，又以「正變」論的靈活方法作指導，於是就能順利地轉入對於創作論的深層挖掘，探索形象與思維的特殊關聯，進而又提出了批評的原理和標準。這又是一個自覺構建的詩歌美學理論體系。作者的論述具體而深刻，充滿了藝術辯證法。如其「本原」論，著重探討了文藝所賴以生存和發展的本原，所論至少包含了以下三層意義：一是說明了客觀「自然」是詩人「感觸起興」的原動力，「克肖自然」、反映生活是文學「至文」獲得發展的根據；二是「詩外工夫，格物而詩」，說明文學所反映的「自然」，又主要是指人類的社會生活，文學創作的重點在寫人，以及人們彼此之間的聯繫；三是進一步說明同一客觀現實，

又因詩人所「感」不同而有不同的反映，這啓迪了後人認眞思
考，文學家的所「感」一旦與廣大社會的勞苦民衆息息相通，自
會不平則鳴，發憤作詩，積極干預生活，這就是《原詩》中所謂
「風人之旨」的深刻含義。以一斑窺全豹，其理論體系之謹嚴自
不待論。至於近人王國維，更是多方汲取養料，學貫中西，擇善
而從，用以改造舊論，發展傳統，從而建立了新的文論體系，這
已是人所熟知，不必多說。事實說明，那種認爲中國古文論不存
在什麼理論體系的說法是站不住腳的。我們絕不能套用西方的理
論模式來理解中國的古文論。中國自有其獨具民族特色的文論體
系。當然，詳論中國古文論的民族特色，不是本文的任務；這裡
擬從以下四方面來探討，著重說明中華民族是從什麼角度來建立
自己的古文論體系的。

首先，與西方一些著名的古文論家重文藝本體的再現的研究
不同，中國古文論雖也有關於文藝本體論的研討，但從來沒有形
成一種理論思潮，它主要是以文藝主體論爲中心來建設理論體系
的。在中國古代思想史上，以儒、道、釋三家影響最大。儒家執
「有」，提倡仁義道德，強調以社會羣體化那充滿倫理色彩的人
爲世界舞台的中心；道家言「無」，強調個人對「自然」的超脫
和自由；佛家則說「空」，提出「心生則種種法生，心滅則種種
法滅」的口號。儒道釋三家相互對立，爭奪正統，其中也可有唯
心、唯物之別，但主要是從認識主體出發來展開各自的理論網
絡，則三者思維方向是基本一致的。這一思想基礎，影響到中國
古文論體系的建立。如傳統文論中的兩大支柱，即詩論中的「詩
言志」說，文論中的「文以明道」或「文以載道」說，它們實質
上都是以認識主體爲中心來展開系統理論的。「詩言志」說容後
再議。一般地說，「文以明道」或「文以載道」，這裡的
「道」，主要不是指什麼宇宙本體或客觀自然，而是古代儒家

「聖人」之道，也就是「聖人」心靈方面的是非和認識。「文以明道」說從文藝主體論出發，廣泛論及文學與現實、文學與倫理教化及其社會功能諸問題，從而構成了一個富有東方色彩的文論體系。即如《文心雕龍》這樣具有嚴密理論體系的著作，開篇為《明道》，明白宣稱：「辭之所以鼓動天下者，乃道之文也。」什麼是「道」？大概是受魏晉以來玄學思潮的影響，他曾談及「自然之道」，說：「文之為德也大矣，與天地並生者何哉？」這是在探討「文」的本源或產生的根據，頗富文藝本體論的色彩，所以清・紀昀眉批道：「自漢以來，論文者罕能及此，彥和以此發端。」又說：「文以載道，明其當然；文原於道，明其本然。識其本乃不逐其末。」他因此肯定了劉勰「所見在六朝文士之上」。但遺憾的是，劉勰雖然觸及了文藝起源與宇宙生成之間的聯繫，但語焉不詳，很快把筆墨蕩開出去，把論述的重點轉移到「聖人之道」的上面。他說：「故知道沿聖以垂文，聖因文而明道。」還沒有來得及把文藝本體論展現，就已回復到「聖人」認識與表現的樊籠，他實際上仍然是以聖人的思想情感為主體來鋪設自己的理論基石的。因此，緊接《明道》之後，就有《徵聖》《宗經》二篇。「聖人」因文明道，重在作家的道德教化、文學修養等社會功能，因而實用性強而很少作純粹的理論抽象。所以劉勰在《序志・贊》總束全書時說：「生也有涯，無涯惟智。逐物實難，憑性良易。傲岸泉石，咀嚼文義。文果載心，余心有寄！」意思明白，他主要是從創作主體的抒情言志角度來立論，以人的「心」、「智」、「性」為綱目來展開自己的理論網絡的。儘管《文心雕龍》確也曾涉及文藝本體論，但其核心仍然是文藝主體論。關於這一點，西方學者也有所見。如美國唐納德・A・吉布斯《阿布拉姆斯藝術四要素與中國古代文論》說：「借助阿布拉姆斯的理論，我們似乎已經說明，至少就現存的古代經典文獻而

言，中國最古老的文藝理論建立在這樣的基本觀點之上：表現是詩歌的起因；由表現而產生的詩歌要爲治理國家服務；詩歌能夠揭示詩人的內心或性情，推而廣之，詩歌能夠揭示產生出詩歌的人羣所處社會的狀態。」②在這裡，作者對以主體論爲中心的古國古代文論體系，作了一個粗略的勾勒，應該說是有一定事實根據的。

其次，與西方古文論體系的個性化與自覺性不同，中國的古文論是在長期的歷史積澱中，經過多少代人的努力，終於在無形的嬗變中，形成了一個帶羣體色彩的民族理論體系。像《文心雕龍》、《原詩》這樣富於自覺的思辨意識、又具嚴密理論體系的文論著作，在中國古代是不多見、不典型的。中國古文論，更多的是散見於詩詞曲語、圈批評點及書信序跋之中。從作者的寫作動機而言，多數沒有意識到要建立一個什麼自覺的理論體系，所以常是以漫不經心的零章斷簡的面貌出現，因而很難看出它的理論規模。但是，個人理論不成體系，並不等於集體意識沒有理論體系。猶如一盤活蹦亂跳的散粒珍珠，一旦撒向廣漠大地，當然就很難捉摸，不見光彩了；但是經過了歷史長河的持久沖刷和篩選，代代相因相革，既沿且創，相互發明，這些滴溜滾圓的珍珠，一旦拭去塵埋污垢，並用歷史的紅線加以貫串，立刻變成一串閃閃發光的項鏈，具有誘人的魅力。中國古文論的發展也是如此。經過歷史的重新組合，一個帶羣體意識的無形理論體系終於不自覺地形成了。如詩論中的「詩言志」說，強調的是詩人主體意識的表現。它最早見於先秦儒家典籍（如《尚書·堯典》、《左傳》等），如近人朱自清先生所說，它是傳統詩論的「開山的綱領」③，是中國古代詩論體系的源頭，對我國的文學理論批評，發生了極其深遠的影響。它從文藝主體論出發，概括地說明了詩歌文學表現思想感情的特點。但在先秦階段，這一理論還是矇矓

的,即在大儒荀況,也只是說「詩言是其志也」④,並沒有更多
的闡述。到了漢初的《禮記‧樂記》,則據此發揮,指出了詩人所
言之志是「感於物而後動」,探討文藝產生的本原,從文藝主體
論進一步探討創作主客體的關係,涉及到文藝的本體論。《毛詩
大序》又進一步發揮說:「詩者,志之所之也,在心爲志,發言
爲詩,情動於中而形於言……先王以是經夫婦,成孝敬,厚人
倫,美教化,移風俗。」這就開拓了詩人的視野,擴大了「志」
所表現的範圍,其中又提出了「情」與「志」關係的新課題。
唐‧孔穎達解釋說:「在己爲情,情動爲志,情志一也。」⑤發
爲情、志統一之說。詩人所言之志,不僅是涉及政治教化的理性
規範之志,而且可以容納生動的個性化的情感活動。後人常把
「言志」與「緣情」⑥二說加以對立⑦,但考其源頭,原是辯證
統一的關係。而「美教化,移風俗」云云,又從詩歌的認識作
用,進一步論其社會教育作用。至東漢初班固《漢書‧藝文志》
⑧,又再加以發揮說:「《書》曰:『詩言志,歌詠言。』故哀樂之
心感而歌詠之聲發。誦其言謂之詩,詠其聲謂之歌。故古有采詩
之官,王者所以觀風俗,正得失,自考正也。」這是在「詩言
志」的主體意識的基礎上,發揚了古代「采詩觀志」的精神,充
分發揮了詩歌文學的認識作用和教育作用,從表現個人情志,進
一步去反映生活,以便完成能動改造社會的任務。在這裡,漢儒
已逐漸把傳統詩論從主體意識的表現延伸到對於創作客體的探
索。但不論是「情」或「志」,都是人的思想感情。社會極爲複
雜,人的思想感情也就變化萬千,因而「感於物而後動」的藝術
反饋,自然也是多姿多采,各逞異貌。如《禮記‧經解》篇有「溫
柔敦厚」的「詩教」說,它是「詩言志」說衆多表現方式中影響
重大的一種。「溫柔敦厚」一方面可作爲傳統詩歌的一種藝術表
現方式,如孔穎達《禮記正義》所說:「詩依違諷諫,不指切事

情。」強調的是詩歌創作的比興藝術，要求作品風格要含蓄蘊藉
而不直露。所以元人楊載《詩法家數·五言古詩》說：「五言古詩
或興起，或比起，或賦起，需要寓意深遠，託詞溫厚，反覆優
游，雍容不迫。……寫景要雅淡，推人心之至情，寫感慨之微
意，悲歡含蓄而不傷，美刺婉曲而不露，要有《三百篇》之遺意方
是。」作爲「詩言志」具體表現的「溫柔敦厚」說，按照楊載的
認識，不僅研究藝術的外部規律，而且涉及了藝術的內部規律。
而更重要的是，「溫柔敦厚」作爲傳統詩論的一個思維模式，按
照封建統治階級的要求來「發乎情，止乎禮義」⑨。但這一傳統
詩論的思維模式，不可能永遠一統詩壇，隨著時代的發展變化，
它必然被後人衝破並賦予新意。中國傳統詩論的「詩言志」說之
所以源遠流長，生命綿延，這種突破與發展所注入的新鮮血液的
奔騰是必不可少的。唐·韓愈的「不平則鳴」⑩之論，就是成功
的一例。作者認爲詩歌所言之「志」，不應「溫柔敦厚」，逆來
順受，而是標誌人的主體意識的覺醒，是對社會環境壓迫的抗
爭，是文學家干預生活、改造社會並求得內在心理平衡的一種特
殊的藝術手段。後來白居易《與元九書》⑪，又以「詩言志」爲理
論根據，發爲「文章合爲時而著，歌詩合爲事而作」之論，提倡
「風雅比興」，抒發志意，反映現實，表現出強烈的批判精神和
鬥爭性，從而把古代的「詩言志」說，發展爲富有古典現實主義
精神的系統詩論。他的政治諷諭詩如《秦中吟》、《新樂府》之類，
思想傾向鮮明，感情熱烈奔放，對當時的社會弊端，作了深刻的
揭露和批判。這些創作實踐，具體地說明了「詩言志」說的新發
展。總之，從先秦的「詩言志」說，經過漢儒的「溫柔敦厚詩
教」說，直到唐·韓愈和白居易，已在不知不覺的流變過程中加
以改造和發展，輸入了新血液，從而構成了具有豐富內容的傳統
詩論的體系。清初黃宗羲《萬貞一詩序》⑫即據此對「溫柔敦厚」

的儒家詩教作出新的理論解釋。他嚴厲批評了俗儒以「委蛇頹
墮」、「有懷不吐」、「厭厭無氣」爲「溫柔敦厚之詩敎」，
說：「蓋其疾惡思古，指事陳情，不異薰風南來，履冰之中骨，
怒則掣電流虹，哀則淒楚蘊結，激揚以抵和平，方可謂之溫柔敦
厚也。」喜怨哀樂，眞情實感，藉詩抒懷，以澆塊壘，因其「激
揚」發洩而終於獲得「和平」的心理平衡。這樣解釋「溫柔敦
厚」，雖不符合漢儒之意，但新思維大大拓寬了「詩言志」說的
理論視野，並賦予新的活力。這樣，從先秦至明清的幾千年中，
「詩言志」說由簡趨繁，逐漸發展，終於在不知不覺的理論演進
中，蔚爲大觀，成爲領導詩壇的正宗詩論體系。在漫長的封建社
會中，一個烙有民族羣體意識印記的古文論體系，終於脫穎而
出，日漸壯大，滋養後世。

　　第三，與西方古文論體系重宏觀的理論研究不同，中國古文
論更多的是在微觀的具體批評和審美欣賞中來呈現理論網絡和形
成體系的。我國古文論家，也有重視宏觀研究者，如司馬遷所
說：「究天人之際，通古今之變，成一家之言。」⑬作者企圖把
著作和理論，安放到一個廣漠無涯的時間與空間大背景中，去作
系統的探索。他強調理論總結是爲了「述往事，思來者」，影響
千秋萬代。於此可見其理論目光之深邃遠大。因此，司馬遷的一
些具體的作家論作品論，常染有宏觀的理論色彩。如評屈原《離
騷》，發揮淮南王劉安之言，侃侃而論：「濯淖汚泥之中，蟬蛻
於濁穢，以浮游塵埃之外，不獲世之滋垢，皭然泥而不滓者也。
推此志，雖與日月爭光可也。」把詩人之「志」，與日月相比
況，眼光何其宏大！又如東漢末年鄭玄《詩譜序》說：「欲知源流
清濁之所處，則循其上下而省之；欲知風化芳臭氣澤之所及，則
傍行而觀之。此詩之大綱也。舉一綱而萬目張，解一篇而衆篇
明。」從縱向的歷史發展（「循其上下而省之」），到橫向的社

會考察（「傍行而觀之」），無不涉足，表現出某種高瞻遠矚的理論思辨傾向。誰說中國古文論沒有宏觀的研究？不過比較而言，應實事求是地指出，如司馬遷及鄭玄的宏觀眼光，並不多見。中國古文論，大量的是詩話曲語、圈批評點一類的著作。宋歐陽修《六一詩話》開其端：「居士退居汝陰，而集以資閒談也。」因此，詩話之類從它一誕生，就和士大夫在茶餘飯後的消遣解悶結下了不解之緣。後來許顗《彥周詩話》又發揮說：「詩話者，辨句法，備古今，紀盛德，錄異事，正訛誤也。」所論較詳，但仍跳不出「閒談」的範圍。而其所「閒談」，又常是因一時見聞而隨意生長，從具體的文學現象入手而作細微入妙的批評鑑賞之論。說它多數缺乏宏觀眼光，還是合乎事實的；但因此而斷言詩話之類毫無理論，則又不盡然。如宋・葉夢得《石林詩話》，對於北宋文壇「時論不一，士大夫好惡紛然」的現象頗致不滿，於是要求堅持一定的理論標準，談詩論文應力求「未嘗有所向背」的客觀而公正的態度。《石林詩話》那重視藝術規律的理論觀念，正是通過具體的微觀探索透露出來的，葉夢得對藝術思維的總結，多是從某些具體的藝術方法入手而又顧及其思想特色的。如論杜詩：

> 杜子美《病柏》《病桔》《枯棕》《枯楠》四詩，皆興當時事。《病柏》當爲明皇作，與《杜鵑行》同意；《枯棕》比民之殘困，則其篇中自言矣……自漢魏以來，詩人用意深遠，不失古風，惟此公爲然，不但語言之工也⑭。
>
> 詩話固忌用巧太過，然緣情體物，自有天然，工妙雖巧而不見刻削之痕，老杜「細雨魚兒出，微風燕子斜」，此十字殆無一字虛設；雨細著水面爲漚，魚常上浮爲淰，著大雨則伏而不出矣；燕體輕弱，風猛則不能勝，唯微風

乃受以爲勢，故又有「輕燕受風斜」之語。至「穿花蛺蝶
深深見，點水蜻蜓款款飛」，「深深」字若無「穿」字，
「款款」字若無「點」字，皆無以見其精微。如此讀之，
渾然全似未嘗用力，此所以不礙其氣格超勝⑮。

所論雖細，但涉及文藝特徵及詩歌藝術的內外規律，認爲杜詩
「不但語言之工」，而且是「興當時事」，其「用意深遠」；但
藝術則渾然無刻削痕迹，觀察生活，細微入妙。這就在具體的審
美評價中，說明了藝術與生活的聯繫，無形中透露出理論的氣
息。宏觀的抽象是理論，微觀的批評和欣賞也自有無形的理論存
乎其中。這是探索中國古文論體系者不可不知的奧祕。而且，微
觀探索常是形成宏觀理論體系的必要前提。如嚴羽《滄浪詩話》是
一部自成理論體系的著作，作者自稱這是「自家閉門鑿破此片田
地」⑯，實際並非如此，在《石林詩話》已可見其端倪。如《石林
詩話》中有「禪宗雲間有三種語」、「老杜詩亦有此三種語」，
這是滄浪以禪喻詩的先聲；對「傾困倒廩無復餘地」一類作品的
批評，與滄浪反對「以文字爲詩，以才學爲詩，以議論爲詩」如
出一轍；欣賞詩歌如「彈丸脫手」之流暢，「初日芙蕖」之風
韻，強調自然之妙，稱之爲「亦是形似之微妙者，但學者不能味
其言耳」，這正與滄浪所謂「透徹玲瓏、不可湊泊」的旨趣相
近。可見嚴羽的詩論體系並非突然憑空而降，前人那縝密的微觀
藝術探索，對於《滄浪詩話》理論體系的形成是有啓發、有助益
的。與《滄浪詩話》的理論體系相比較，《石林詩話》的理論雖有瑣
碎之嫌，但貼切入微，腳踏實地，卻少空泛之弊。於此可見，微
觀探索也有自己的理論優勢，它常能搔到癢處，便於人們把握藝
術實際的跳動脈搏，從而獲得更多的審美享受。再舉一例，如
唐‧皎然《詩式》的「但見性情，不睹文字」，司空圖《詩品》的

「不著一字，盡得風流」，宋・嚴羽《滄浪詩話》的「羚羊掛角，無迹可求」，清・王漁洋《蠶尾續文》的「世尊拈花，迦葉微笑」，分而言之，則細微入妙有餘，而系統之論不足；但綜觀歷代，合而論之，則成傳統詩論中的「神韻」之說，呈現出系統理論的面貌，源遠流長，至今不衰。於此可見，在中國歷史長河中形成的古文論體系，微觀研究曾作出了應有的理論貢獻。

最後，與第三點直接相聯繫的是，與西方古文論體系多重理性主義的邏輯分析不同，中國古文論家更喜歡作隨意性強的直覺體驗式的生發，講究只可意會、不可言傳的「頓悟」工夫，染有濃烈的東方神祕色彩，思維方式與理論表述與西方異其旨趣。中國古文論的這種藝術精神，除孔門儒家（如《周易》）外，看來受到道家（如《莊子》）和佛家（如禪學）的更大影響。文學是語言的藝術。古人討論言辭，與文學觀念相關。《易・繫辭上》曰：「書不盡言，言不盡意……繫辭焉以盡其言，變而通之以盡利，鼓之舞之以盡神。」《易・說卦》又說：「神也者，妙萬物而爲言者也。」強調在發展變化中來把握「言」的微妙，以便傳達事物之「神」。《莊子・天道》篇有「輪扁斲輪」的故事，強調得心應手，「口不能言」之妙，啓發後人通過長期實踐以把握藝術的精微。後人據此生發，進一步形成「妙悟」之說、「通感」之論，即使是具體作品的批評或欣賞，也要求溝通作者與讀者，提倡心心相印的感應，而不一定強調透徹的說理。因此漢儒董仲舒有「詩無達詁」[17]之說；明・謝榛又加以發揮：「詩有可解，不可解，不必解，若水月鏡花，勿泥其迹可也。」[18]所謂「詩無達詁」，就是一種隨意性強的直覺表述的理論，它的精神實質不是說詩歌無法理解或不必解釋，而是說對於文學作品不能只作刻板呆滯的字面訓詁，而應根據藝術思維的特徵，作空靈的領會。也就是說，文學應超越單純訓詁文字的領域，主要涉足於詩歌的意

象和境界，並把它安放到特定條件中來靈活地理解其精神實質。
這就啓發人們根據藝術思維的特點，教人不要只看到語言文字表
面上所傳達的事物間的直接聯繫，更要看到事物之間那無形的間
接聯繫。字面所表現的直接關係可以「達詁」；但間接關係則常
是反映了事物之間深層結構中的無形的本質聯繫，它很難一下子
就「了然於口與手」的，因而不能勉強牽合「事實」去作機械的
「達詁」，而只能根據作品所提供的意象與境界，按照讀者不同
的生活體驗去作廣泛的藝術聯想，用心靈去「體味」，一旦「頓
悟」，就會豁然貫通，獲得了無窮的美的享受。如唐·王之渙
《涼州詞》：「黃河遠上白雲間，一片孤城萬仞山。羌笛何須怨楊
柳，春風不度玉門關。」如拘泥字面，死於句下，則於事不合，
窒礙難通。玉門關在我國甘肅省敦煌縣西，並非地處南北極，怎
麼會「春風不度」呢？但這貌似荒謬的詩句，卻寓有深刻的內
容。春風吹拂，萬物復蘇，草木蓬勃生長，而人卻不如草木。由
於封建統治者的窮兵黷武，不恤士卒，因而「君恩不沾」，猶如
春風不度一般。邊疆戰士怨憤之情，感人肺腑，啓人深省。揭露
與批判之意不言而喻。這裡展現的不是現實物境，而是詩人感情
邏輯的運行軌迹。這也就是葉燮《原詩》所說：「所謂言語道斷，
思維路絕，然其中之理，至虛而實，至渺而近，灼然心目之間，
殆如鳶飛魚躍之昭著也。」這是直覺體驗的「妙悟」之論，表面
似乎玄虛神祕，但卻有暗合於現代所謂「模糊思維」的科學精神
的合理因素存在，經過刮垢磨光，自然呈現其理論的精光異彩。

　　綜上所述，與西方古文論不同，中國古文論是按照不同的民
族文化心態的特點，從另一角度來建立理論體系的。二者之間，
思維方式有別，理論構架各異，論述重點不同，因而所展開的理
論網絡也就層次各異。這兩個理論體系相比較，孰優孰劣？誰是
唯心，誰是唯物？何者進步，何者保守？回答這些問題，應從實

際出發。世界的事物是複雜的，觀察世界的方式也應是多方位、多層次、多角度。因此，應允許文論家從不同視角來考察文學現象，以不同的方式加以理性的論說或情感的表述，並在不同的方位上來建設符合國情和民族意識的理論體系。中、西古文論體系，不僅思維方式有異，探索重心各別，而且結論也自不同。但二者之間並不是相互排斥的，更無是非高下之分。近代法國著名作家羅曼·羅蘭曾努力追求東西方文化的綜合和統一，他說：「亞洲的思想從歐洲的思想得到教益，同樣，歐洲的思想也需要亞洲的思想。這兩者好比人腦的兩個半球，有一個麻痺了，整個肢體就會萎縮，必須恢復它們的聯繫和健康的發展。」⑲這話很深刻。思維方向不同的理論體系，可以從不同側面來相互補充，彼此啓迪，共同發掘文藝的本質特徵。在中國古文論以主體論爲中心而帶羣體意識的理論體系中，雖不乏唯心虛玄的神祕之說，但它的確也曾建立了古典現實主義和古典浪漫主義等優秀的傳統理論。對於中、西古文論體系的優劣比較，應作具體分析，不能一概而論。西方古文論體系以本體論爲中心，尋本探源，高屋建瓴，宏觀抽象，涵蓋面廣，是其理論優勢；但如不善駕馭，則時有不切實際的空疏虛泛之論，又是其弊。中國古文論體系以主體論探索爲中心，重在創作主體及讀者審美再創造能力的發揚，所論常是眞切實在，體察細微，明白可行，這爲西人所不及；但瑣屑繁重，東拉西扯，不善於作理論規律的抽象概括，則明顯遜於西方。西方古文論體系，多由個人自覺提出，方向明確，目標遠大，而各人體系又各異旨趣，因而相互競爭，彼此發明，常呈日新月異的開放性面貌。但個人理論的號召力，除少數偉傑者外，又常會因時過境遷，缺乏穩定性而被後世所冷落。而中國古文論體系，則因其非自覺的羣體性，目標散漫，衆說紛云，如不細加推敲，就有神祕莫測的感嘆，這方面當然不及西方。但體系的羣

體性，發展中又見理論的相對穩定性，代代相傳，理論的實際影
響與效力更深更大，這又是西人所不及。不過隨著中國封建社會
的日趨沒落，理論的穩定性又會產生反作用，形成理論體系的封
閉狀態，成為束縛人們手腳的傳統模式，缺乏創新精神，保守性
日趨強烈。因此，開放體系，以馬克思主義為指導，學習西方的
理論精華，突破我國古文論體系的封閉性，以便建立符合國情的
新的中華文論體系，是當今之急務。總之，中西方古文論體系的
優劣比較研究，應取「洋為中用」和「古為今用」的態度，既要
見西人之長，但又要立腳中華，而不要數典忘祖，自暴自棄。

最後，讓我們借用羅曼・羅蘭的話作為結束語：「東西方的
通力合作將可以產生一種嶄新的、更加廣闊而同時又意識到自己
局限性的唯理論，以及一種嶄新的、建立在更牢靠的基礎上的直
覺論。總之，可以產生一種新的思想方法，而那時的思想將是更
加具有普遍意義的，並且是以生命的本質靈性為基礎的。」⑳祝
願東西方的理論家共同努力，相互取長補短，以促使這一全新的
文論體系早日誕生。

---

①這種意見，自「五四」以後就已出現。如大家敬重的已故美學理論
　家朱光潛先生，在《詩論・抗戰版序》中說：「在歐洲，從古希臘一
　直到文藝復興，一般研究文學理論的著作都叫做詩學……中國向來
　只有詩話而無詩學……詩話大半是偶感隨筆，信手拈來，片言中
　肯，簡練親切，是其所長；但是它的短處在零亂瑣碎，不成系統，
　有時偏重主觀，有時過信傳統，缺乏科學的精神和方法。」最近，
　劉緒源先生也說：「像歐洲大陸的一些理論家，他們幾乎是本能地
　善於構架自己的理論體系；而在我們的傳統文化中，卻少有從事系
　統研究的土壤，所多的是才子式的自我表現，是點評式、即興式、
　賞鑑式的批評……」（見《文匯月刊》1988年第2期所載《劉再復談文

學研究與文學論爭》稱引）。

②龔文庠譯〔美〕唐納德・A・吉布斯《阿布拉姆斯藝術四要素與中國古代文論》，見齊魯書社1986年版《中國古代文論研究方法論集》第220頁。

③朱自清《詩言志辨・序》，古籍出版社1956年版。

④見《荀子・儒效》篇。

⑤《左傳正義》昭公二十一年孔疏。

⑥如晉・陸機《文賦》有「詩緣情而綺靡」之說。

⑦清初朱彝尊《與高念祖論詩書》曰：「《書》曰：『詩言志。』……世治之污隆，政事之得失，皆可考見……魏晉而下，指詩爲緣情之作，專以綺靡爲事，一出乎閨房兒女子之思，而無恭儉好禮廉靜疏達之意，惡在其爲詩也？」見四部叢刊本《曝書亭集》卷三十一。

⑧班固《漢書・藝文志》，是在劉向《別錄》、劉歆《七略》的基礎上，「刪其要」而成。因此，《漢書・藝文志》反映的是兩漢之際一代知識分子的集體智慧和理論水平。

⑨見《毛詩大序》。

⑩韓愈《送孟東野序》（見蟫隱廬影宋本《昌黎先生集》卷十九）。

⑪見文學古籍刊行社影宋本《白氏長慶集》卷四十五。

⑫見中華書局排印本《黃梨洲文集》。

⑬見中華書局二十四史《漢書・司馬遷傳》引《報任安書》。

⑭《石林詩話》（中華書局1981年版《歷代詩話》本）卷上。

⑮《石林詩話》卷下。

⑯嚴羽《答出繼叔臨安吳景仙書》，見《滄浪詩話》附。

⑰見《春秋繁露・精華》篇。

⑱見《四溟詩話》（人民文學排印本）卷一。

⑲⑳引自法國雅克・魯斯《羅曼・羅蘭和東西方問題》，見北大出版1982年版《比較文學譯文集》，第159、166頁。

（原載《社會科學戰線》1990年4期）

中國古代文論研究與現代意識

　　我國對古代文學理論批評的研究，是隨著「五四」新文學的產生而展開的。當時的新思潮多爲開放型，在包括馬克思主義在內的西方思潮的激盪下，一大批具有現代意識的理論家，如王國維、梁啓超、魯迅、陳中凡、郭紹虞、羅根澤、朱東潤等，投身於古文論研究的拓荒工作，取得了輝煌業績，促進了學術的繁榮與發展。解放後，特別是粉碎「四人幫」後的十幾年來，數以千百的學術論文與刊物專著，如雨後春筍，蓬蓬勃勃，又形成了一個新的學術高潮。與解放前相比，無論是在量還是在質的方面，都取得了長足的進步。每一部新的中國文學批評史的出現，都各具理論特色與貢獻，這是不容抹煞的事實。但是，如果把已取得的成績，放置於當前改革開放的世界文化大環境中，通過縱向和橫向的比較研究，就不難發現它與迅猛發展的時代需求尚有較大的距離。究其原因，在於普遍缺乏（不是絕對沒有）現代意識，跳不出舊的治學框框，仍然在定向軌道和封閉模式中彷徨轉圈。譬如受傳統歷史傳記學派的影響，古文論研究多是作家論和作品論，一部豐富多彩的中國文學理論批評史，缺乏宏觀的理論規律和發展趨向的總結，所見多是一個個似曾相識的面孔，人或譏之爲「錄鬼簿」。研究方法不是生搬硬套「蘇式」或「西式」的洋理論洋框框，就是受舊傳統方法的禁錮，反映了研究者缺乏現代的主體意識，受制於古人和洋人，理論觀念落後於時代。近些年，由於受西方文藝思潮影響，宏觀研究在古文論界也得以提

倡，但一般來說，生吞活剝的多，消化吸收的少，滿紙唬人的洋概念，雖然聲勢很大，但卻因脫離國情而有隔靴搔癢之感，這是「宏而不觀」；而從微觀研究方面看，考證入微，但繁瑣板重而多老生常談，令人費心勞神卻難覓理論光彩，這是「微而不察」。這種研究現狀，在某種意義上說，是脫離了現代社會的需要。這一狀況如果再不改變，再不像「五四」學者那樣給傳統文化注入現代意識的新鮮血液，我們的學術界就將會故步自封而落伍，甚至遭淘汰。

在古文論研究中，如何把歷史研究與現代意識辯證地統一起來？所謂現代意識，並非現代人所專有。它包括兩個方面：一指研究對象——中國古文論思想資料所反映出來的古文論家的現代意識，一指研究主體——今天的研究者的現代意識。後之視今，猶今之視昔，今古發展沒有不可逾越的鴻溝。這是既相互區別、又彼此聯繫的一個問題的兩個方面。而我們所指的重點，當然是當代研究主體的現代意識。因為揭示古文論中客觀存在的現代意識，並非發思古之幽情，而是為了現代文論家的學習、研究和借鑑。但是現代意識無論古今都不僅是認識方法的改變，而且通過方法論的開拓與變革，標誌著理論觀念的更新。只有觀念更新，開拓新的思維空間，我們的古文論研究才能與時代合拍，更上一層樓，產生新面貌。歸根結蒂，我們所說的現代意識，核心思想是古文論研究的現代視角和立腳點。所以，「古為今用」和「洋為中用」的問題就成了關鍵。

世界上所有的研究都是為了「用」，社會科學研究的目的性更強烈。就算你鑽進故紙堆中、象牙塔裡、似乎純粹超功利無目的，其實，這對世俗社會就是一種特殊的態度與認識，合乎老莊的「無用之用」。一部《莊子》，如果真是所謂超功利無目的，一無用處，那麼如魯迅先生所說，只要寫下「今天天氣哈哈哈」幾

個大字即可，何必消耗心血，洋洋灑灑數十萬言呢？具有現代意
識的學者，不必諱言古文論研究的「古爲今用」和「洋爲中
用」。目前的古文論研究，容易走向兩種極端：一是號稱客觀，
只談歷史，以古證古，爲古而古；一是怕談歷史，視傳統文論爲
現代文化之大敵。前者怕與現代意識掛鉤，不敢提「古爲今
用」，以爲現代意識就是主觀妄想，會犯下把古人現代化的反歷
史的錯誤；後者則唯恐我們的研究不現代化，他們有的超越歷
史，忘乎所以，錯把古人當今人，要求古人說出合乎今人需要的
語言；更有甚者，簡單比附，要求古人跟著某些人的「影射」指
揮棒跳舞。這是反歷史主義的，是庸俗的實用主義。如此之
「用」，從根本上違背了現代意識，不符合馬克思主義的理論原
則。

那麼，古文論研究應具備什麼樣的現代意識呢？筆者以爲，
研究者應站在現代的理論高度來俯瞰歷史全景，不僅要超越傳統
治學方法的考據、實證、闡釋、歸納等狹窄陳舊的天地，而且要
跳出過去所遵循的「蘇式」、「西式」的洋框架洋模式，從多維
視野去對古文論進行宏觀把握和深層透視，以便爲今天建設具有
中國特色的馬克思主義文學理論體系提供必要的借鑑。這就是古
代文論研究所應具備的現代意識。我們不能簡單地將現代意識看
作一個單獨的「現代存在」。因爲，當現代意識的燭光一旦照亮
了古代文論的研究領域，研究者的這種現代意識本身就是多層面
的，它包含著歷史意識、現實意識、世界意識和未來意識的內
容。下面分別加以論述。

一、歷史意識

把歷史意識作爲現代意識的有機組成部分，似乎自相矛盾，

其實並不奇怪。我國的古文論，是對古代文學發展歷史經驗的理論總結，是祖先傳留下來的一筆豐富的文化遺產。歌德曾說：「如果我們不是對前人視而不見的話，我們身上的獨創性才會很好地保存下來，並取得很快的進步。」魯迅先生也說：「古人所創的事業中，即含有後來的新興階級皆可擇取的遺產。」（《〈浮士德與城〉後記》）今天的我們，當然必須具有異於前人的創新，但我們首先要知道前人已有了什麼東西和成就，加以批判、學習和汲取，才能站在前人的肩上，繼續向上跳躍。因此，現代文論家對古文論抱什麼態度、持何種立場，以及如何消化吸收諸問題，都屬於研究主體的現代理論思考。筆者認為，要研究古文論，首先就必須了解歷史原貌，用歷史眼光來審視過去，把古文論納入特定的歷史文化背景中去考察，根據中國古代文化文、史、哲難以分家的特點，結合古代作家的創作實踐，正確理解古文論的特殊範疇、概念及紛繁變幻的種種現象，歷史地把握其發展規律，這不僅是在總結過去，而且又可以窺視到古今相通的許多重要美學規律。「以史為鑑」是我國民族文化的優良傳統，如梁啟超《中國歷史研究法》所說：「中國古代，史外無學。舉凡人類知識之記錄，無不叢納於史。」又說：「歷史所以要常常去研究，歷史所以值得研究，就是因為要不斷的賦予新意義及新價值以供吾人活動的資鑑。」（見《中國歷史研究法補編》）所謂歷史意識，其實就是一種透過歷史，亦即事物發展的時間序列和空間結構的相互滲透和辯證統一，來作不斷發現「新意義和新價值」的現代思考，為現代文論的建設提供參照和借鑑。就以被許多論者視為現代意識之大敵的儒家傳統文論，其中也包含了某些合理內核。如孟子的「知人論世」之說（見《孟子・萬章下》），只要不是作為教條，那麼它的歷史意義不可低估，後人多受其沾溉。魯迅發揮「知人論世」之說，人皆盡知，不必贅言。漢代的經學

家，拿它作爲指導原則來解《詩經》。如漢末經學大師鄭玄《詩譜
序》說：「欲知源流清濁之所處，則循其上下而省之；欲知風化
芳臭氣澤之所及，則傍行而觀之。此詩之大綱也。舉一綱而萬目
張，解一篇而衆篇明。」作者「以史爲鑑」，要求人們站在理論
的高度上，來對詩歌發展進行總體把握，表達了宏觀與微觀相結
合的研究傾向與理論的自覺意識。從縱向歷史發展角度考察，
「循其上下而省之」，溯流探源，以明文學的發展變化；從社會
不同領域的橫向聯繫來看，通過廣泛考察社會「傍行而觀之」，
揭示文學與現實生活的關係。通過文史哲結合的跨學科方法，對
於具體文學作品進行分析研究，「知人論世」，舉一反三，便於
總體把握。由此可見，鄭玄理論中的歷史意識，閃爍著現代意識
的光芒，不僅在方法論上是一種新開拓，即在思維觀念上，也是
一種潛在的理論自覺的萌芽與騷動。不然，就無法理解經過漢代
經學的壓抑與禁錮之後，魏晉南北朝怎麼會突然迎來了文論覺醒
的春天了。今天我們的古文論研究，受自然科學的衝激，結合生
理學、民俗學、社會學、精神現象學甚至是數學等進行研究，也
是水到渠成、順理成章的事。先進的古文論家，並沒有要求後來
人作繭自縛。這就從積極開拓的方面，揭示了現代意識中的歷史
眼光的深層意義。而從消極方面看，重視歷史，至少可以減少或
避免空疏淺薄之誤。那種以爲「往昔一片空白，一切從零開始，
一切從我開始」的全盤否定傳統論者，最易犯這一毛病，我們主
張超越傳統，但並不一般地否定乾嘉學派的治學方法，如果缺乏
文字訓詁、版本校勘、史料考證、鉤沈索微等方面的知識，不知
歷史的本來面目，就容易主觀妄斷、信口雌黃。其所謂「現代意
識」，就成了無根之學的避風港。今天研究古文論，首要的是正
確還歷史以原貌，分清精粗與是非，然後才能談批判繼承、「古
爲今用」。如果不作歷史探索，知今而不知古，眼前糊塗一片，

久而久之，必將受到歷史的嘲弄。另外，在古文論的歷史世界
中，尚存留了許多未被開墾的處女地。如道教文化與古代文論的
關係，這一題目天地廣闊，但因其卷帙浩繁，理論玄妙，與養
生、氣功、煉丹諸學關係密切，而今天的文論家多數缺乏這一方
面的知識，所以知難而退，少有問津者。就是人們研究最多的儒
家傳統文論領域，也還存在著荒原。如漢代緯書，宣傳唯心神
學，但是透過「天人感應」的折光，一旦廓清其神學迷霧，又可
挖掘到不少有益的文論資料，從另一側面說明了儒家傳統文論的
歷史發展。人們一旦轉換視角，就會發現緯書的文學價值。它展
開了一個幻化萬千的神話世界，猶如一幅幅色彩斑斕的古代生活
畫卷，曲折地反射出古人的感情與認識。劉勰《文心雕龍・正緯》
篇說：「若乃羲、農、軒、皞之源，山、瀆鐘律之要，白魚赤鳥
之符，黃金紫玉之瑞，事豐奇偉，辭富膏腴，無益經典而有助文
章。是以後來辭人，採摭英華。」其實緯書不僅「有助文章」，
而且對後世文論也產生了巨大影響。如《春秋緯題辭》曰：「詩
者，天文之精，星辰之度，人心之操也。在事爲詩，未發爲謀，
恬淡爲心。思慮爲志。故詩之爲言志也。」這是繼承先秦儒家
「詩言志」的開山綱領而加以神學化的發揮，如果摒棄其「天人
感應」的糟粕，自可見其合理內核：它把「詩言志」說與「在事
爲詩」相結合，不僅強調了創作者的主體意識的表現，而且進一
步揭示了社會之「事」（即生活）的重要。

二、現實意識

在對古文論進行歷史反思之後，緊接著必然是返回現實來作
現代思考。這是現代意識的靈魂。有人一談到歷史意識，就興奮
地打出「回到乾嘉學派去」的旗幟，這是不切實際的。我們研究

歷史,著眼點還在於現在和未來。古代文論家都是生活在他們那個時代的世界中,受現實生活的制約,其思想感情必然受到當代理論思潮的影響,我們主張「存舊」並不是爲了「守舊」,關於這一點,陳伯海《文藝方法討論中的一點思考》一文中已作了說明。歷史發展的因革沿創,因是爲了革,沿是爲了創。而革舊創新,就必須具有現實意識的理論衝動。爲此,就應該把我們的古文論研究,納入到現代文化背景中去進行透視,以現實的眼光,去閱讀和欣賞古代文論作品,並進一步把握其理論意義,溝通古今,吐故納新,「古爲今用」,從而爲現代文論體系的建設作貢獻。而研究古必結合今,如馬克思《政治經濟學導言》所說:「人體解剖對猴體解剖是一把鑰匙。低等動物身上表露的高等動物的徵兆,反而只有在高等動物本身已被認識之後才能理解。因此,資產階級經濟爲古代經濟提供了鑰匙。」這個意見同樣適合於古文論研究。不明白現代文學與文論建設的現狀與需要,是不能準確把握古文論的歷史本質及其發展趨向的。因此,對於古文論的概念、範疇、觀點和規律的研究,不能一味地以古證古,而應該從現代思考出發,借助現代語言,加以通俗而科學的闡述。漢代司馬遷寫《史記》,改古語爲「今言」,不僅是一個語言文字的問題,而且反映了他的現代思考。其文論名篇《報任安書》曰:「究天人之際,通古今之變,成一家之言。」說明《史記》創作,早已超越時空限制,要放到宇宙生成、歷史運動的大系統中,以其無比恢宏的氣魄,表現了中華民族戰天鬥地的強烈主體意識,這就是他所說「成一家之言」的理論眞諦。作爲古文論家,司馬遷的現實意識何其強烈!又如唐代韓愈在古文運動中所提倡的「文以明道」,要求文學作品表現道,爲道服務。這似乎是拾先儒的餘唾,並無新意。他自稱「非三代兩漢之書不敢觀,非聖人之志不敢存」(《答李翊書》),這不是復古又是什麼?其實不然。如果

把他的文論主張，置於中唐這一特定歷史背景，進一步作現實思考，那麼自會明白，其所謂道，雖然性質屬封建之道，但針對中唐那藩鎮割據，宦官擅政，僧侶地主占有政治經濟特權，國家面臨分裂的危險局勢，要求文學作為維護封建中央集權之道的武器，這種主張是具有歷史的進步意義的。如果我們再進一步把韓愈「文以明道」主張放置到現代社會文化背景中去透視一下，又自會發現其新的現實意義。他曾對青年進士說：「所貴乎道者，不以其便於人而得於己乎？」又一反儒家羞言法家之道的傳統，要求學生「無惑於舊說」，強調先秦法家商鞅和韓非的改革，「人以富，國以強」，一統天下，行之有效，只要能「適於時，救其弊」，則無所不可（引文見《進士策問》），這與其《原道》所說的「行而宜之之謂義」是同一意思。從今天接受美學角度來理解，文學所體現的道，就是「行而宜之」、合乎生活實踐需要的人生必由之道。韓愈思想的解放，難道對於我們不是很大的啟發麼？關於古文論研究的現代意識，有一位青年在課堂討論上發表了中肯的意見，他說：「一定的文學思想，總是與一定的社會文化背景相聯繫的，古代的文學思想，無論我們對它採取何種態度，總是深深澱積於我們的民族文化性格、民族心理結構之中，左右著我們，支配著我們。因此，如果我們能帶著現代意識去審視古代的文學思想，我們就不僅是在追蹤古人，同時也在追蹤自己，追蹤古人在自己身上留下的影子。這可以說是更深一層的古為今用——從古代文學理論批評的發生、發展、興衰中去反省我們的民族文化意識，以便用來指導今天的行動。」

三、世界意識

一旦我們把古文論研究納入了現代文化背景中去透視，那麼

必然進一步擴大到與世界各地的文論進行交流與比較，這就必須
同時面向世界，具有開放性的世界意識。因爲今天的中國，已不
是處於閉關鎖國的封建時代，而是改革開放的社會主義新時代
了。其實，古文論研究的世界意識早已萌芽。方考岳在三十年代
就說：「百年以來，一切社會思想或制度變遷，都不是單純的任
何一國的問題，而且，來自文學批評家的眼光，或廣或狹，或伸
或縮，都似乎和文學作品的範圍互爲因果，眼中所看到的作品愈
多，範圍愈廣，他的眼光，也從而推廣。所以，海通以還，中西
思想之互照，成爲必然的結果。」(《中國文學批評》)在與西方
文論進行橫向聯繫的比較研究之後，發現了「洋」人的先進之
處，爲什麼不能「洋爲中用」，汲取作爲壯大自己機體的營養
呢？比如現代西方文論研究與現代科學發展趨勢相互滲透，大大
開拓了研究視野與學術界域。如系統論、控制論、信息論等對文
論研究的啓發與指導，爲什麼我們不能作一番新的嘗試呢？新嘗
試一時可能膚淺，但可以逐步深入以切合國情和民族特點，豐富
和深化我們的文藝理論觀念。我們一旦面向世界，自會發現自然
科學對於文論研究的「入侵」已成爲不可避免的新動向，陳伯海
在《文藝方法論討論中的一點思考》中舉例說：「例如用統計學方
法辨析作家的語言風格，用符號與公式演算來測探作品的美感效
應，用模糊數學的概念論述人物性格的組合，用控制論『黑箱』的
方法揭示創作心理過程的奧祕，以及用系統論的觀點來解釋一系
列的文藝現象等等。」面向世界，給我們的古文論研究吹進了一
股強烈的新鮮空氣。當然，學「洋」不是爲了媚外，而是爲了
「洋爲中用」。如果我們的古文論，有優於洋人之處，爲什麼不
能向世界推薦和介紹呢？其實，中國古代的思想文化與同時期的
西方相比，曾一度遙遙領先。如法國著名作家羅曼・羅蘭發揮了
早期浪漫主義的理論，提出了「亞洲是文化的搖籃」的觀點，認

爲「印度、中國和日本的文化成了我們的思想源泉」（見雅克・
魯斯《羅曼・羅蘭和東西方問題》）。現代西方學者也有人表現出
「回歸東方」的理論熱情，如日本、美國和西歐諸國，正掀起介
紹、學習劉勰《文心雕龍》的熱潮，就是例子。又如漢武帝時代，
封建時代處於上升時期，統治階級具有充分的自信，表現了非凡
的理論氣魄。《史記・司馬相如列傳》記載司馬相如之言：「且夫
賢君之踐位也，豈特委瑣齷齪，拘文牽俗，循誦習傳，當世取說
云乎哉！必將崇論宏議，創業垂統，爲萬世規。故馳騖乎兼容並
包，而勤思乎參天貳地。」請看，「兼容並包」之舉，「參天貳
地」之思，這是何等恢宏偉大的理論氣魄，生動地描繪了一個力
圖建立世界文化中心的火紅英雄時代。《史記》在當時視野所及，
寫有《匈奴列傳》、《大宛列傳》、《西南夷列傳》、《東夷列傳》等，
四境之外，無不涉足，並不爲長城所限，因而可稱《史記》是當時
的一部世界文化通史，雄踞於世界文化峯顛。司馬遷的理論氣魄
與世界意識，值得宣揚與借鑑。又如唐代日本和尚空海著《文鏡
祕府論》，就是外國學者學習中國古代詩論的理論結晶。中國的
詩話曲語，後來大量流傳到日本、朝鮮及東南亞，甚至是西歐，
產生了世界性影響。中國的古文論家，也曾爲世界文化發展作出
了自己的貢獻。如宋代嚴羽《滄浪詩話》，近現代美國文論權威斯
賓加恩在英譯本序言中稱頌道「（《滄浪詩話》）在八世紀前就預
示了西方世界關於藝術的現代概念。」他並將嚴羽的「別材」
「別趣」之說，與克羅齊《美學原理》的審美直覺相比較，指出了
中國藝術獨立於哲學、倫理、宗教的思想，比西方早得多（譯文
轉引自陸海明《古代文論的現代思考》一書）。總之，在把中國古
文論推向世界的比較研究中，自然會發現它的新意義新價值。老
舍寫於三十年代的《文學概論》中說：「我們要讀古籍古文；同
時，我們要明白世界上最精確的學說，然後才能辨出自家的價值

所在。」但在後來的發展中，我們的傳統文論形成了某種超穩定的封閉結構和模式，在世界競爭中逐漸落於人後，這時就必須承認洋人的先進，採取「拿來主義」，「洋為中用」，這才是科學的世界意識，為了拯救和發展中華民族文論，單依靠傳統是不行的，洋人中的有識之士也不如此狹隘。羅曼‧羅蘭早在一九一八年八月給印度的泰戈爾的信中坦誠地說：「為了拯救歐洲，單靠它自己是不行的……亞洲的思想從歐洲的思想得到教益，同樣，歐洲的思想也需要亞洲的思想。這兩者就好比人腦的兩個半球，有一個麻痺了，整個肢體就會萎縮，必須恢復它們的聯繫和健康的發展。」（見雅克‧魯斯《羅曼‧羅蘭和東西方問題》稱引）中西文論進行世界性的交流和比較研究，二者將互相促進，相得益彰。季羨林先生致王元化先生的信中說：「我常常感到中國古代文論有一套完整的體系，只是有些名詞不容易懂。應該把中國文藝理論同歐洲文藝理論比較一下，進行深入的探討，一定能把中國文藝理論的許多術語用明確的科學語言表達出來。」（見王元化《論古代文論研究的「三個結合」》一文稱引）這話也很有道理，如果不把傳統文論安放在世界性的大環境中來研究，不作現代化的科學說明，洋人看不懂，又怎能推向世界呢？於此也可見世界意識的重要。

四、未來意識

　　人類生命活力的無限延續與發展，是現化意識的一種激烈的內在衝動和願望。因此，先進的文論家，其深遠的目標無不集中於未來。未來是人類的希望，同時是現代意識交響樂中輝煌明麗的樂章。關於這一點，我國的古文論家已有隱約的認識。司馬遷在《史記‧太史公自序》中說，偉大的寫作事業，多是「發憤著

書」，是因爲「人皆意有所鬱結，不得通其道也，故述往事，思來者」。環境的沈重壓迫，壓抑了作家的理想與抱負，於是把生命觸角轉向了文學領域，發出了正義的吶喊，作品針對現實而發，而深邃的目光則射向了未來。「述往事，思來者」云云，正是作者勝人一籌的未來意識的理論總結。我們今天在繼承古文論家這一優良理論傳統的同時，更應該把古文論研究與探測文藝發展的未來走向聯繫起來，在總體把握的基礎上，揭示其深遠的理論意義。白居易《與元九書》，發揮儒家傳統文論以敎化爲中心的「風雅比興」說，提出了「文章合爲時而著，歌詩合爲事而作」的口號，主張爲人生而藝術，語言慷慨激昂，現實精神强烈，但論其理論影響有限，還比不上實行爲藝術而藝術的司空圖的影響大。司空圖避世王官谷，文藝思想深受佛老影響，在吟詩賞花的消閒生活中，寫了《二十四詩品》，消極避世，爲藝術而藝術，當有失誤。但他集中精力，研究藝術的內部規律，從審美心理的角度，提出了「韻外之致」、「味外之味」、「象外之象」的「三外」說，對後世詩論產生了非常深遠的影響，如嚴羽的「羚羊掛角，無迹可求」，王漁洋的神韻說，無不受其沾漑。後來的統治者，雖然採用公布詔命一類的行政措施推行儒家正統文論的敎化說，但影響也同樣有限得很。這些提醒後人不僅要研究文藝的外部規律，還必須把眼光逐漸轉向文藝內部發展規律的探索。文學的發展猶如東去的江水，後浪推前浪，奔流不息。清初詩論家葉燮也說：「夫惟前者啓之，而後人承之而益之；前者創之，而後者因之而廣大之。使前者未有是言，則後者亦能如前者之初有是言；前者已有是言，則後者乃能因前者之言而另爲他言。總之，後人無前人，何以有其端緒？前人無後人，何以竟其引伸乎？」只要人類的生命活力在延續和發展，古文論研究的未來意識也必然「日新其業」。

總之，古文論研究的現代意識是「古爲今用」、「洋爲中用」的靈魂，其理論包含了四大層面。如果把它比作一艘在茫茫海洋上航行的輪船，那麼歷史意識猶如鋼鐵、原煤、石油等構造輪船必不可少的原始材料；現實意識猶如蒸汽機柴油機，是輪船得以前進的動力，是機器運轉的心臟；世界意識如堅強碩大的船體，見其宏偉的理論氣魄；而未來意識如航海羅盤等重要儀錶，確保輪船的航向，直到登上光明的彼岸。四者有機聯繫，辯證統一，缺一不可。我們的古文論研究，如能超越舊框框，開拓新的思維空間，不僅在方法上，而且在視野、目的和理論觀念上也實行現代化的更新與武裝，那就必然會打開新局面，樹立新豐碑，爲世界文化和人類未來作出嶄新的貢獻。

（原載《人文雜誌》1991年第1期）

論《禮記・樂記》

一、從《荀子・樂論》到《禮記・樂記》

《禮記・樂記》是西漢中期以前古代儒家論「樂」的綜合性理論著作①，它集中體現了我國早期儒家學派的美學思想體系。

在先秦時代，隨著藝術的發展和爲了適應當時政治的要求，有關「樂」的理論逐漸形成並日益發展。當時的諸子百家，各有自己的「樂」論。於是在美學領域，圍繞著「樂」的問題，展開了激烈的論爭。百家當中，尤以儒、墨、道、法四家最具代表性：以重視和提倡「樂」的儒家學派爲一方；而墨、道、法諸家則自覺或不自覺地站到另一方，他們從不同立場和角度來批判儒家，對「樂」基本上採取了全面否定的態度。但在鬥爭中，儒家「樂」論不僅是批而不倒，而且逐漸適應了新形勢，在後來漫長的封建社會中占據了正統地位。於此可見，先秦儒家的美學思想，雖有它復古、保守的一面，但也必然有其合理的積極因素存在。《禮記・樂記》雖是成書於西漢中期，但它保存了許多先秦的思想資料，有其歷史淵源：它主要是繼承和發展了孔子以來的儒家美學思想，特別是受到《荀子・樂論》的直接影響；但又因時適世，根據漢代封建大一統後的新形勢，作出了較爲系統的理論總結。《樂記》是我國古代第一部比較有體系的美學理論專著，具有較高的水平。漢以前的「樂」論，討論的是詩、樂、舞三者合一

的綜合性藝術，對後代文學藝術的發展有相當的影響。《樂記》有許多篇章的內容直接來自《樂論》，甚至連文字也大致相似。因此，爲了說明《樂記》美學理論的繼承發展關係，有必要簡單回顧荀況的《樂論》。

在戰國晚期，荀子爲了鞏固新興地主階級的政權，充分重視禮樂的社會功能。認爲禮在於嚴肅等級，修明道德；樂在於感化人心，和諧情感。《樂論》中所謂「禮別異」、「樂合同」就是這個意思。荀子認爲在禮法之外，還必須輔之以樂，通過藝術的感化作用，使被統治的人民，更好地爲統治階級服務。他的《樂論》主要是從藝術社會學的角度來闡述其美學思想的。

《樂論》一開始就談「樂」的產生原因：

> 夫樂者，樂也，人情之所不能免也。故人不能無樂，樂則必發於聲音，形於動靜。而人之道，聲音動靜性術之變盡是矣。

他指出音樂的產生和人們對於藝術的需要，是自然的必不可免的事情；人們有了思想情感，可以通過音樂藝術表現出來。音樂藝術既然表現了人們的思想情感，因此可以因人及世，從中看到時代的面貌。《樂論》說：「亂世之徵，其聲樂險，其文章匿而采。」這種意見，和《左傳》所記吳國季札論周樂的認識是相通的②。

《樂論》非常重視音樂對於人們所發生的巨大作用，它指出不同的音樂，使人們產生不同的心理反應：

> 故齊衰之服，哭泣之聲，使人之心悲；帶甲嬰軸（同冑），歌於行伍，使人之心傷③；姚冶之容，鄭衛之音，

使人之心淫；紳端章甫，舞《韶》歌《武》④，使人之心莊。

不但如此，音樂還能夠對整個社會的民情風俗甚至國家的安危，發生重大的影響：

> 夫聲樂之入人也深，其化人也速……樂中平則民和而不流，樂肅莊則民齊而不亂。民和齊則兵勁城固，敵國不敢嬰也……樂姚冶以險，則民流僈鄙賤矣。流僈則亂，鄙賤則爭。亂爭則兵弱城犯，敵國危之。

基於這樣的認識，荀子反對墨子「非樂」的意見，而主張統治者應積極利用音樂來對人民進行教化，使他們更好地為封建政教服務。所以他又說：

> 故人不能不樂，樂則不能無形。形而不為道，則不能無亂。先王惡其亂也，故制《雅》、《頌》之聲以道之，使其聲足以樂而不流；使其文足以辨而不諰；使其曲直、繁省、廉肉、節奏，足以感動人之善心，使夫邪污之氣無由得接焉……樂者，聖人之所樂也，而可以善民心，其感人深，其移風易俗。故先王導之以禮樂而民和睦。夫民有好惡之情，而無喜怒之應，則亂。先王惡其亂也，故修其行，正其樂，而天下順焉。

孔子精通音樂並曾「正」過樂，他講到樂時，經常是「禮樂」聯繫在一起的。但他關於音樂理論方面的論述並不多。荀子則承之而加以發展，認為音樂具有感人至深和移風易俗的功能，非常重視藝術的社會作用；他並且從禮與樂的相互關係上，作了理論性

的闡述：

> 且樂也者，和之不可變者也；禮也者，理之不可易者也。
> 樂合同，禮別異；禮樂之統，管乎人心矣。

指出具有「合同」功能的樂，與具有「別異」作用的禮，必須相輔而行，統一起來。依照荀子的看法，把樂和禮結合起來，在客觀上可以收到更大的教育效果。他說：

> 故樂行而志清，禮修而行成，耳目聰明，血氣和平，移風易俗，天下皆寧，美善相樂。

這種以禮樂相配合進行教化的觀點，在《樂記》中有更詳細更具體的發揮和論述。

總之，在古代儒家的詩樂理論中，很重視詩樂的藝術特點及其社會作用，即詩樂一方面反映了人們的各種思想情感，另一方面又反過來對人們的思想感情產生巨大的教育和感染作用。因此，他們重視利用文學藝術來輔佐政治和道德，使人們通過詩樂的感染，更容易接受統治者的教化，從而達到鞏固封建制度的目的，這就是所謂詩教和樂教。比較完整地敍述這一美學理論，《荀子·樂論》開其端，而《禮記·樂記》則總其成。相形之下，雖然《樂記》比《樂論》龐雜，剽襲痕迹很多；但在理論的系統性並作出淋漓盡致的具體發揮方面，《樂記》又是青出於藍、後來居上。

二、詩、樂、舞三位一體

《樂記》所說的樂，帶有一定的原始性，作者認識到古代詩、

樂、舞三位一體的實際情況，「樂」是以綜合性藝術的面貌出現
的。因此，它的「樂」論，不僅關乎音樂，而且也是一般的文藝
原理。據劉向言，《樂記》原有二十三篇，現存十一篇，即今本
《禮記‧樂記》所載。它所講的樂理，由於後十二篇已亡佚，難以
窺其器數及技藝；而今存十一篇，多數重在義理，闡述樂的政治
作用和倫理意義，並進一步可窺見古代儒家學派的藝術哲學。

> 金石絲竹，樂之器也。詩，言其志也；歌，詠其聲也；
> 舞，動其容也。三者本於心，然後樂器（原作「氣」，據
> 孫希旦《禮記集解》、王引之《經義述聞》校改）從之（《禮
> 記‧樂象》，以下只注篇名）。

> 故歌之爲言也，長言之也；說之故言之，言之不足，故長
> 言之；長言之不足，故嗟嘆之；嗟嘆之不足，故不知手之
> 舞之，足之蹈之也（《師乙》）。

因爲詩是無聲的樂，樂是有聲的詩，舞蹈則是形體的音樂、動作
的詩歌，三者在表現思想情感方面，具有共同的藝術規律。所
以，作者在這裡指出了詩、樂、舞一樣都「本於心」的共同聯
繫，肯定了思想情感在三者之間的紐帶作用。不僅如此，作者同
時也注意到藝術分工的發展，指出隨著社會的進步，詩、樂、舞
三者已有分立趨勢，而各有其藝術特點：詩是通過語言來表達理
想情趣的；樂是通過聲調節奏和旋律歌詠來抒發思想情感的；而
舞則是通過形體動作來塑造形象，表現志尚的。人們鬱積於中的
深厚情感，一旦受到外界的刺激，就會採用各種藝術形式和表現
手段，自然傾瀉而出。如果通過「長言之」、「嗟嘆之」還不足
以表達的話，那麼人們自會手舞足蹈起來，以便最充分地抒情寫

志。這一理論，很快被《毛詩序》加以引用和發揮，對後代的文藝
產生了影響。

三、音由心生，感物而動

　　某些西方美學家認爲中國古代的藝術理論是「科學性少，玄
妙性多」⑤。但《樂記》理論體系的形成，就有力地糾正了這一錯
誤的認識。比如關於藝術的產生，藝術與現實的關係，藝術的本
質和特徵諸問題，《樂記》曾反覆加以論述：

> 凡音之起，由人心生也。人心之動，物使之然也。感於物
> 而動，故形於聲，聲相應，故生變，變成方，謂之音。比
> 音而樂之，及干戚羽旄，謂之樂（《樂本》）。

> 樂者，音之所由生也；其本在人心之感於物也。是故其哀
> 心感者，其聲噍以殺；其樂心感者，其聲嘽以緩；其喜心
> 感者，其聲發以散；其怒心感者，其聲粗以厲；其敬心感
> 者，其聲直以廉；其愛心感者，其聲和以柔。六者非性
> 也，感於物而後動（《樂本》）。

> 凡音者，生人心者也。情動於中，故形於聲；聲成文，謂
> 之音。是故治世之音安以樂，其政和；亂世之音怨以怒，
> 其政乖；亡國之音哀以思，其民困，聲音之道，與政通矣
> （《樂本》）。

> 夫民有血氣心知之性，而無哀樂喜怒之常；應感起物而
> 動，然後心術形焉（《樂言》）。

這些話蘊藏了豐富的內容：首先，「凡音之起，由人心生」，從審美主體的創造性方面來考察藝術之所以產生。所謂「人心」，漢人已有「心主思慮」（《黃帝內經》）的解釋，是指人們思想情感方面的主觀內心世界。人是有思想情感的特殊「動物」，有他自己的「血氣心知之性」，一旦受到外物刺激，就會產生哀、樂、喜、怒、敬、愛種種感情；而感情一旦產生，激動於中，就必然要表現於外。於是就通過「樂」這一綜合藝術的特殊表現，把各種不同的感情，用不同形式、不同風格，給予完美的藝術表現。這和《荀子・樂論》所謂「人情之所不能免」是一個意思，但卻更詳盡更深刻地說明了藝術的本質和特徵。所以《樂象》篇繼續加以發揮：「是故情深而文明，氣盛而化神，和順積中，而英華發外。唯樂不可以為偽！」作者明白指出，樂是情感的藝術，深厚充沛的真情實感，煥發了藝術的生命；任何虛偽矯飾，為文造情，都與藝術之美的創造不相容，所以說是「唯樂不可以為偽」。強調「情真」，這對後代文學藝術的創作產生了良好的促進作用。

其次，《樂記》又從審美客體方面來考察藝術的產生。在這方面，《樂記》比《荀子・樂論》深入了一步。音由「心」生，而「心」又是怎樣動起來的呢？按照《荀子》的理論體系，原有可能對此作出合於唯物主義美學原則的解釋；但遺憾的是，在《樂論》中沒有很好地反映出來。而《樂記》則不然，它把荀子的思想精華，化為具體的藝術論。「人心之動，物使之然」，「感於物而動，故形於聲」，藝術的產生，根源於「人心之感於物」。這裡的「物」，即指客觀存在的審美對象。是外「物」的震撼撥動了藝術家的心弦，激起了感情的波瀾，然後引起了創作衝動，從而產生了表現情感的藝術。樂是「心」（審美主體）和「物」（審美客體）的統一。但說到底，樂不是純粹主觀的自我表現，而是

在展現精神世界的同時，反映了客觀的物質世界。不以人的意志為轉移的客觀之「物」，是藝術之所由產生的物質基礎。

第三，「情動於中，故形於聲」，「聲」由「情」而起；但「情」又是怎樣在心中「動」了起來的呢？原來，由於宇宙自然陰陽相生，人類通過勞動，具有「血氣心知之性」，有條件產生思想感情，所以人類即在自然屬性方面，也根本區別於動物。但具備了產生的自然條件，並不等於是有了思想情感，所以說是「民……無哀樂喜怒之常」。人類的「哀樂喜怒敬愛」這「六情」，並非從天而降，生來與俱。「六者非性也，感於物而後動」，感情的表現是外物刺激的反映。《樂記》之所謂「物」，不僅指客觀自然界的日月星辰、風雨雷電、山川土地、花草樹木等；更重要的是指客觀存在的社會事物，也即人類的社會生活。人是社會的人，人與人之間必然發生各種關係，因而他所受社會與人生的影響也就愈加深刻。「治世之音安以樂」，「亂世之音怨以怒」，「亡國之音哀以思」，以不同風格來表現不同情感的藝術，正是人類社會生活的反映。所以說是「聲音之道，與政通矣」。這裡的「政」，泛指以國家政治為代表的社會生活。由此可見，《樂記》不僅指出因「物」動「心」，由「心」生「樂」的藝術產生過程，而且進一步說明了它是社會生活的反映。

第四，《樂記》所提倡的不是機械被動的反映。不同的情感，需要有不同形式的藝術來反映，從而形成了各殊的藝術風格：「噍以殺」（焦躁急促）的節奏，源於悲哀之心；「嘽以緩」（寬展舒緩）的樂調，因平和之情而生；歡天喜地的情緒，化為開朗流暢的旋律；憤怒壓抑的心境，激發出猛烈粗獷的音調。不同風格的藝術，根源於「心」，而「心」又是「感於物而後動」。這清楚地說明了藝術與現實生活的關係。尤其可貴的是，《樂記》沒有到此為止。藝術是現實的反映；但當藝術一旦創作出

來，成爲客觀存在的作品時，又必然以千姿百態的個性風格，影響人們的思想情感；並通過情感的共鳴，反作用於社會與人生。「安以樂」的治世之音，會帶來國泰「政和」的積極效果；「怨以怒」的亂世之音，會促使政治乖戾混亂；「哀以思」的亡國之音，可窺見國破民窮的面貌。藝術對於社會生活是有巨大的積極反響的。唐・孔穎達於此有中肯的闡釋：「夫樂聲善惡本由民心而生：所感善事，則善聲應；所感惡事，則惡聲起。樂之善惡，初則從民心而興，後乃合成爲樂。樂又下感於人：善樂感人，則人化之爲善；惡樂感人，則人隨之爲惡。是樂出於人而還感人。猶如雨出於山，而還雨山；火出於木，而還燔木。故此篇（按：指《樂本》）之首，論人能興樂；此章（按：指《樂言》）之意，論樂能感人也。」⑥這說明了藝術不是消極被動的摹仿與表現，而是一種積極能動的反映，並反作用於社會人生。

第五，關於藝術的運動變化與歷史發展。從宇宙自然的角度言，一切都處在陰陽動靜的運動變化之中。《樂禮》篇曰：「著不息者，天也；著不動者，地也；一動一靜者，天地之間也。故聖人曰禮樂云。」古人以「禮樂」與天地相感應，因而藝術必然隨自然而運動變化。而從社會生活的歷史發展言，社會歷史在不斷變化，「感物而動」的藝術也一樣隨之變化。因此，《樂禮》篇又同時指出：「五帝殊時，不相沿樂；三王異世，不相襲禮。」這是從運動變化的觀點來考察「樂」的歷史發展。

總之，《樂記》「音由心生，感物而動」的理論，應該承認它是我國古代素樸藝術反映論的先聲，其中也包含了某些辯證思想因素。

四、致樂治心，寓禮於樂

這裡討論的主要是藝術與政治的關係。

由於「樂」是對於現實生活的積極反映，具有重大的社會作用。因此，古代的統治階級對於藝術的重視，是有其政治目的的，表現出強烈的功利性。作爲古代儒家「樂」論總結的《樂記》，也必然打上鮮明的階級烙印。它大力發展了先秦儒家的「禮樂」觀，就充分反映了這一點。如《樂本》篇：

> 是故先王慎所以感之者：故禮以導其志，樂以和其聲，政以一其行，刑以防其奸。禮、樂、刑、政，其極一也，所以同民心而出治道也。
>
> 禮節民心，樂和民聲，政以行之，刑以防之。禮樂刑政，四達而不悖，則王道備矣。

在這裡，《樂本》篇直接發揮孔子、荀子的「禮樂刑政」之說，認爲「禮樂」與「刑政」一樣，都是「同民心」以達「王道」的必要手段。而《樂論》、《樂禮》、《樂情》等篇，更是由禮樂的相互關係，推論到它和整個世界現實的關係，從而突出了聖王制禮作樂的神聖意義和巨大作用：

> 樂者爲同，禮者爲異。同則相親，異則相敬。樂勝則流，禮勝則離。合情飾貌者，禮樂之事也。禮義立，則貴賤等矣；樂文同，則上下和矣。好惡著，則賢不肖別矣；刑禁暴，爵舉賢，則政均矣。仁以愛之，義以正之，爲此則民治行矣（《樂論》）。

禮與樂的作用不同。禮講「義」，區別貴賤等級，是封建秩序的象徵，禮立而「貴不肯別矣」，於此可見封建等級制度的威嚴；但過分偏重於禮也不行，因爲它會造成人與人之間的等級距離，難以收服「民心」，產生離心傾向。爲了克服這一缺陷，於是《樂記》繼《荀子‧樂論》之後，提出了寓禮於樂的理論，認爲禮必須與樂密切配合，才能起到更大的社會作用。因爲樂講「仁」，主統「同」，從人的觀點出發，強調和諧「民心」，創造向心傾向。樂是感情的藝術，它以生動具體的藝術形象，深入人的內心世界，直接觸及思想情感。它以鮮明的激奮之情，引起了人們的思想共鳴，產生了強烈的藝術感染力，從而有力地影響了社會與人生。所以說是「樂至則無怨」，「禮樂之施於金石，越於聲音，用於宗廟社稷，事乎山川鬼神，則此所與民同也」（《樂論》）。於此可見「禮樂」的重要。「禮樂」與「仁義」相輔而行，就成了人類社會生活中不可缺少的一部分。它從「治心」開始，最後完成其「治天下」的社會任務：

> 君子曰：禮樂不可斯須去身。致樂以治心，則易直子諒之心，油然生矣。易直子諒之心生則樂，樂則安，安則久，久則天，天則神。天則不言而信，神則不怒而威。致樂以治心者也，致禮以治躬則莊敬，莊敬則嚴威。心中斯須不和不樂，而鄙詐之心入之矣……故曰：致禮樂之道，舉而措之天下，無難矣（《樂化》）。

對於樂配合封建教化的功能，《樂記》極爲重視。所以《樂施》篇說：「天地之道，寒暑不時則疾，風雨不節則飢。教者，民之寒暑也，教不時則傷世。事者，民之風雨也，事不節則無功。然則先王之爲樂也，以法治也，善則行象德矣。」很明顯，與禮並舉

的樂，是古代統治階級用以「治民」的一種特殊統治術。作者認為，樂所反映的「物」，主要應是合於封建政教需要的社會生活。

五、樂為德華，移風易俗

這裡討論的是藝術的倫理意義。

樂是怎樣「治心」的呢？是不是因為樂是「人情之所不能免」，就放縱一切感情，隨它自由氾濫？不是的。《樂本》篇說：「樂者，通倫理者也。」作者對於藝術之「心」提出了明確的封建道德規範。就「人情」論，有「情」必有「欲」，作者並不否定藝術應滿足人的官能需要和給人以美的享受；但更重要的是，它堅持縱「欲」是不行的。因此，《樂記》提出「節欲」主張，認為「禮樂」之作，「非以極口腹耳目之欲也，將以教平民好惡，而反人道之正也」（《樂本》）。藝術從「仁」出發，要恢復「人道之正」，就必須「節欲」，所以說：「夫物之感人無窮，而人之好惡無節，則是物至而人化物也。人化物也者，滅天理而窮人欲者也……此大亂之道也！是故先王之制禮樂，人為之節。」（《樂本》）所謂「物至而人化物」，是說明人的主觀之情，經受不住客觀外界的物質誘惑，產生了無窮無盡的享受欲望。因「樂」而縱「欲」就是「大亂之道」，社會效果極為惡劣。因此作者堅決要求清除這種人情「物化」的異常現象，通過「禮樂」來嚴加節制，並把受誘惑的人情引上「正軌」。而要完成這一任務，關鍵又在於提倡封建的「樂德」：

樂者，所以象德也（《樂施》）。

樂者樂也。君子樂得其道，小人樂得其欲。以道制欲，則
樂而不亂；以欲忘道，則惑而不樂。是故君子反情以和其
志，廣樂以成其教，樂行而民鄉方，可以觀德矣（《樂
象》）。

德者，性之端也；樂者，德之華也。金石絲竹，樂之器
也。詩，言其志也；歌，詠其聲也；舞，動其容也：三者
本於心，然後樂氣（器）從之（《樂象》）。

所謂「君子」與「小人」，當然是一種封建意識。「君子」指當
時的統治者，「小人」則指庶民百姓。「君子」與「小人」一
樣，也有享受的欲望。所以「樂者樂也」，後一個「樂」即指快
樂，也就是承認藝術的審美作用，並要求得到精神享受的滿足。
但同樣面對藝術，「君子」與「小人」態度不同：「君子」以封
建之道來制「欲」，而「小人」則因樂而縱「欲」。縱「欲」者
最終是「惑而不樂」，效果適得其反。從封建倫理角度看，「小
人」是不可能在藝術享受中得到真正愉快的。「小人」如果要享
受真正的藝術快樂，就必須主動地向「君子」學習，使自己的
「情」與「欲」完全符合封建道德規範。所以《樂施》篇說：「樂
者，所以象德也。」何謂「象德」？鄭玄解釋說：「樂所以使民
象君之德者。」《樂記》認為，因樂可以「觀德」。在一切人情欲
望中，君主聖賢的封建道德是最嚴正的典範（「德者性之
端」），而樂又是道德的完美體現（「樂者德之華」）。通過提
倡「樂德」，實行藝術「節欲」，就能實現道德的自我完善，以
便「致樂治心」，用以「教民」，因樂的藝術薰陶，起潛移默化
的作用，來改變人們的思想道德面貌，從而達到移風易俗的重大
社會目的：

> 樂也者，聖人之所樂也，而可以善民心。其感人深，其移
> 風易俗易（後一「易」字據《史記・樂書》校增），故先王
> 著其教焉（《樂施》）。

《樂記》所提倡的「樂德」，是儒家中庸之道的藝術體現，後世深
受它的影響。「樂德」云者，實即「治心」爲上，從改變人們的
思想道德面貌入手，以期達到移風易俗、改造社會的目的。這一
理論，不僅具有歷史意義，而且至今仍有一定的借鑑價値。但
《樂記》所謂「道」與「德」，又自有它質的規定性，是從維護封
建禮教出發，具有歷史的局限性。在這裡，《樂記》把孔子「有德
者必有言，有言者不必有德」的意見，化爲「德成而上，藝成而
下」（《樂情》）的理論主張，從倫理上對樂加以限制，又明顯具
有不利於藝術發展的形而上學傾向。特別是它那「節欲」的藝術
主張，對後代道學先生「存天理，滅人欲」的理論是有啓發的。
一旦趨於極端，就會以抽象的空洞說敎，來代替具體、生動的情
感表現，從而否定了藝術的本質特徵。這與前面所說的「音由心
生，感物而動」的基本理論，又是自相違背的。類似的理論糟
粕，不利於藝術審美作用的發揮，當然應加指出和批判。

六、審音知樂，審樂知政

這裡討論的主要是有關藝術批評與美學欣賞的理論。《樂本》
篇說：

> 凡音者，生於人心者也。樂者，通倫理者也。是故知
> 聲而不知音者，禽獸是也；知音而不知樂者，衆庶是也。
> 惟君子爲能知樂。

是故審聲以知音，審音以知樂，審樂以知政，而治道
備矣。

是故不知聲者，不可與言音；不知音者，不可與言
樂；知樂則幾於禮矣。

「審音知樂」與「審樂知政」，是《樂記》理論體系中一個有機組
成部分。它通過建立批評原則和進行具體批評，來檢驗、說明和
充實、豐富理論體系的本身。藝術自有它的內部規律與外部規
律。具體批評也必須遵循藝術的規律。所謂「審音知樂」是以藝
術的內部規律為準則，「審樂知政」則是以藝術的外部規律為根
據。從「審音知樂」的批評原則言，藝術內部的和諧統一規律是
至關重要的。在一般情況下，《樂記》中的「聲」、「音」、
「樂」，是三個既相互區別、又彼此聯繫的概念。所謂「聲」，
是人有感於物而發出的不同聲響，它只能說是藝術的素材，本身
還不具有審美特徵；而不同的「聲」，按照一定規律，相互配
合，使清濁、抑揚、長短、高低種種變化，和諧統一，從而構成
了具有審美特徵的「音」——也就是具體的音樂藝術；而音樂又
進一步與詩歌、舞蹈甚至還有美術等藝術樣式相配合，就構成了
代表綜合藝術的「樂」。所以《樂本》篇曰：「聲相應，故生變；
變成方，謂之音；比音而樂之，及干戚羽旄，謂之樂。」《樂言》
篇也說：「是故先王本之情性，稽之度數，制之禮義，合生氣之
和，道五常之行，使之陽而不散，陰而不密，剛氣不怒，柔氣不
懾，四暢交於中而發於外，皆安其位而不相奪也。」它提醒人們
注意藝術的各部分「皆安其位而不相奪」的和諧統一原則，即藝
術的內部規律。而要進行批評，就必須先「知音」，違背藝術規
律的所謂批評，是抽象的空洞說教，對於藝術家及讀者或觀眾，
是毫無指導意義的。因此，《樂記》認為藝術批評必須堅持「審音

知樂」的原則，而不能脫離藝術的特徵。這樣的藝術批評原則是
合理的。

從「審樂知政」言，《樂記》又把批評原則擴展到「知政」的
範圍，注意到藝術的外部規律。通過對於「樂」的具體批評，檢
驗藝術作品是否真實反映了以國家政治生活為代表的社會現實。
所謂「知政」，明確是以藝術的政治龜鑑作用為標準，來具體評
價作家作品。所以《魏文侯》篇說：「君子之聽音，非聽其鏗鏘而
已也，彼亦有所合之也。」人們「聽音」，並不僅僅是欣賞它那
鏗鏘悅耳的音調節奏、優美動人的旋律曲折而已；而是必須通過
具體批評，進一步指出藝術與人生之「所合」。所謂「合」，主
要是指寓藏在藝術作品中的深刻而豐富的人生體悟和社會意義。
只有熟悉藝術的外部規律，了解藝術與生活、藝術與倫理道德的
關係，才能準確地批評作家作品，說明其「所合」或「不合」之
所在，從而揭示其價值或指出其不足。在作者的心目中，這是藝
術批評的另一個更加重要的政治標準。當然，這裡的所謂「合」
與「不合」，作者是以封建禮教的倫理道德來衡量的。所以在
「審樂知政」的政治標準中，又明顯具有特定的歷史階級內容。

《樂記》作者把「審音知樂」的藝術標準，與「審樂知政」的
政治標準，同時運用來具體評價作家作品。如《賓牟賈》篇：

> 賓牟賈待坐於孔子，孔子與之言，及樂，曰：「夫《武》之
> 備戒已久，何也？」對曰：「病不得其眾也」。「詠嘆
> 之，淫液之，何也？」對曰：「恐不逮事也。」「發揚蹈
> 厲之已蚤（早），何也？」對曰：「及時事也。」「《武》
> 坐致右憲左，何也？」對曰：「非《武》坐也。」「聲淫及
> 商，何也？」對曰：「非《武》音也。」子曰：「若非《武》
> 音，則何音也？」對曰：「有司失其傳也。若非有司失其

傳，則武王之志荒矣。」子曰：「唯，丘之聞諸萇弘，亦
若吾子之言是也。」

《武》是反映周武王伐殷紂王的大型歷史歌舞。在這裡，作者主要
是運用「審音知樂」的藝術標準來具體批評《武》樂。對於作品中
「致右憲左」及「聲淫及商」，批評者認爲並不是原來應有的面
貌，而是樂師輾轉傳授時的錯誤造成的；如果不是因爲「有司
（按：指樂官）失其傳」，那麼通過《武》樂這首具體作品，只能
說明作爲聖人的周武王的意志已經變得荒唐、衰頹了。當然，作
者同時也結合了「審樂知政」的政治標準來批評，說明了《武》樂
之所以能夠長久流傳，還因它寓有「天下之大教」的嚴肅政治內
容，反映了「周道四達，禮樂交通」的歷史現實生活。所以作者
藉孔子之口肯定地說：「則夫《武》之遲久，不亦宜乎！」又如
《魏文侯》篇對於雅樂與俗樂、古樂與新樂、「德音」與「溺
音」，有一段具體的批評：

　　魏文侯問於子夏曰：「吾端冕而聽古樂，則唯恐臥；
聽鄭、衛之音，則不知倦。敢問古樂之如彼，何也？新樂
之如此，何也？」

　　子夏對曰：「今夫古樂：進旅退旅，和正以廣，弦匏
笙簧，會守拊鼓。始奏以文，復亂以武，治亂以相，訊疾
以雅。君子於是語，於是道古，修身及家，平均天下，此
古樂之發也。今夫新樂：進俯退俯，奸聲以濫，溺而不
止，及優侏儒，獶雜子女，不知父子。樂終，不可以語，
不可以道古，此新樂之發也。今君之所問者樂也，所好者
音也。夫樂者與音，相近而不同。

　　文侯問曰：「敢問何如？」

> 子夏答曰：「夫古者⋯⋯聖人作爲父子君臣以爲紀
> 綱，紀綱既正，天下大定。天下大定，然後正六律，和五
> 聲，弦歌詩頌，此之謂德音，德音之謂樂⋯⋯今君之所好
> 者，其溺音乎？」
>
> 文侯曰：「敢問溺音者何從出也？」
>
> 子夏對曰：「鄭音好濫淫志，宋音燕女溺志，衞音趨
> 數煩志，齊音敖辟喬志。此四者，皆淫於色而害於德，是
> 以祭祀弗用也⋯⋯爲人君者，謹其所好惡而已矣。君好
> 之，則臣爲之；上行之，則民從之。《詩》云：『誘民孔
> 易』，此之謂也。」

在這裡，作者雖然是從「審音知樂」的藝術角度來開始批評的，
但由於封建倫理觀念的局限，藝術標準自然又服從於「審樂知
政」的政治標準。所以儘管以鄭衞之音爲代表的民間新樂在藝術
上是成功的，富有使人聽不知倦的藝術魅力。但作者卻以封建禮
敎的道德標尺來衡量，認爲它們是「奸聲以濫，溺而不止」，
「皆淫於色而害於德」，藝術上的成功，更說明其道德的墮落，
愈是應該反對和批評，因此一概斥之爲「溺音」，並主張把它趕
出藝術王國。而對古代雅樂，雖然實踐證明它使人聽了昏昏欲
睡，藝術效果極差，但《樂記》作者首先從維護封建禮敎的政治標
準出發，肯定它具有「紀綱既正，天下大定」的作用，一再稱頌
它是正統的藝術「德音」。提倡「德音」，反對「溺音」，又充
分顯示出《樂記》的批評理論具有無視事實、違背藝術特徵的消
極、保守的另一面。

七、《樂記》的歷史地位及影響

在世界美學史上，《樂記》占有重要地位。古希臘的柏拉圖和亞里斯多德雖有論樂之語，但在藝術材料的豐富性及理論的系統性上，難與《樂記》相比美。而在中國的美學史上，《樂記》的影響更為深遠。在漫長的封建社會中，它不僅在音樂理論領域中雄霸了二千多年，而且對後世的美學理論和文藝創作，產生了極大的影響。直到封建社會末期，稱頌者仍不乏其例，於此可見其理論的生命力。如朱權《太和正音譜》、何良俊《曲論》、徐大椿《樂府傳聲》等，都曾引用《樂記》來論戲曲。甚至連曹雪芹的《紅樓夢》也引用《樂記》「情動於中，故形於聲」，來具體評論唱腔。而對封建社會中詩、文之類的正宗文學，《樂記》的影響尤其明顯。如幾乎同時的《毛詩序》，即直接受其影響，甚至有大段的文字相似。又如《樂記》「音由心生，感物而動」的理論，齊梁時代的兩部理論傑作都直接加以發揮。劉勰《文心雕龍‧物色》篇曰：「春秋代序，陰陽慘舒，物色之動，心亦搖焉……是以詩人感物，連類不窮。」從客觀自然之「物」對於詩人之「心」的作用，來談文學的產生。鍾嶸《詩品序》曰：「氣之動物，物之感人，故搖蕩性情，形諸舞詠……嘉會寄詩以親，離羣託詩以怨，至於楚臣去境，漢妾辭宮……凡斯種種，感蕩心靈，非陳詩何以展其義？非長歌何以騁其情？」這又從人類社會的角度來理解「物」，把「感物而動」與反映社會生活聯繫了起來。到了中唐時代，白居易更是根據《樂記》及《毛詩序》的「心物感應」理論，提出了「文章合為時而著，歌詩合為事而作」的響亮口號（見《與元九書》），把新樂府運動推向反映社會現實、積極干預生活的軌道，發展了我國文學的古典現實主義優良傳統。因此，直至今

天,《樂記》的理論仍不失其借鑑的意義。

不過,在繼承借鑑的同時,也應注意批判。《樂記》所建立的是一個龐大而複雜的理論體系,其議論駁雜、前後矛盾之處,不一而足。比如它談到藝術的本質,認為「樂者樂也」,「人情之所不能免也」,承認樂是感情的藝術。從這基本理論出發,本該承認,不管是「君子」還是「小人」,他們都是人,一樣有感情,並且他們的「情」,一樣具備因為「感物而動」而創造「樂」的條件,因此,即使庶民「小人」,也有創造藝術的權利。但遺憾的是,《樂記》卻沒有這樣來發揮。相反,它從封建統治者的狹隘功利觀念出發,片面強調「唯君子為能知樂」(《樂本》),以為「作者之謂聖,述者之謂明,明聖者,述作之謂也」(《樂論》),武斷地認為只有有德有位的君王聖賢才具有制禮作樂的權利。這就違背了藝術的發展實際,否定和取消了勞動人民的創作權利,而頑固地表現了統治者壟斷文學藝術的企圖。這就明顯地陷入了歷史唯心論。又如關於藝術的歷史發展問題,《樂禮》篇說:「五帝殊時,不相沿樂。三王異世,不相襲禮。」強調藝術的發展變化。但《樂論》篇卻反之:「禮者,殊事合敬者也;樂者,異文合愛者也。禮樂之情同,故明王以相沿也。」強調「禮樂」的相沿相襲,而忽視了藝術的變革創新,具有形而上學的復古傾向。於此可見,《樂記》的美學理論體系是精華與糟粕並存,它對後代文學藝術的發展,既有促進的作用,也有不良的影響,應予具體分析、不可片面理解。我們只有在清除了污垢之後,才能發現《樂記》理論那發自於內心的奪目光輝。

①關於《樂記》的作者和時代,自古爭訟紛紜,至今迄無定論。擬另文撰述。這裡主要參考近人研究成果,如孫堯年《〈樂記〉作者問題考辨》等文(見《文史》第十輯),斷為西漢武帝時期儒生集體編撰的

著作，因爲班固《漢書‧藝文志》有「武帝時，河間獻王好儒，與毛生等共采《周官》及諸子言樂事者以作《樂記》」的記載。

②見《左傳》襄公二十九年載。

③傷，讀爲壯，義爲悲壯。

④《韶》，相傳古代舜時的樂舞名；《武》，相傳周武王時樂舞名。

⑤卡爾‧聶夫《西洋音樂史》，音樂出版社1958年版，第3頁。

⑥孔穎達《禮記正義》。

（原載《美學與藝術評論》復旦大學出版社1986年版）

漫談儒家的「溫柔敦厚詩教」說

我國古代儒家的「溫柔敦厚詩教」說，在文學理論批評史上，源遠流長，影響甚大。它始見於《禮記‧經解》篇：

> 孔子曰：「入其國，其教可知也。其爲人也，溫柔敦厚，《詩》教也；疏通知遠，《書》教也；廣博易良，樂教也；潔靜精微，《易》教也；恭儉莊敬，禮教也；屬辭比事，《春秋》教也。故《詩》之失愚，《書》之失誣，樂之失奢，《易》之失賊，禮之失煩，《春秋》之失亂。溫柔敦厚而不愚，則深於《詩》者也。」

詩教的「教」，漢朝人怎麼理解？班固《白虎通義》：「教者『效』也，上爲之，下效之。民有質樸，不教不成。」此解釋雖稍後於《經解》篇，但卻是綜合前人資料，代表了漢時官方的看法。因此，古代儒家之所謂「教」，主要是指自上而下的教化，是帝王對人臣，統治者對被統治者的教育和風化。漢代的統治階級根據當時政治上大一統的新形勢，採取結束百家爭鳴，要求思想統一的嚴厲措施，並據此提出了教化說。到漢武帝時，儒家思想就被正式定爲「國教」。因此《經解》篇就有了《詩》教、《書》教、樂教、《易》教、禮教、《春秋》教種種名目，在思想文化方面，這「六藝」是殊途同歸，都是當時正統思想的體現。

《經解》中所謂「孔子曰」，多係後人依託之辭，所以「溫柔

敦厚詩敎」一語，也不必眞是孔子的話。但孔子論「詩」，早有
「思無邪」之說，具體表現爲「樂而不淫，哀而不傷」，要求詩
歌適中有節，溫艮和平，合於禮義。因此，漢代儒學家據此創設
「溫柔敦厚詩敎」說，自有一定根據。「溫柔敦厚詩敎」說，是
漢儒爲適應漢代大一統新形勢而提出的理論，也可以說是通過文
學藝術來維護封建統治的一種特殊思想手段。

　　從政治思想和倫理原則方面看，所謂詩敎，是指在上者運用
詩歌藝術，對在下者施行敎化。「溫柔敦厚」在思想性格上表現
爲溫柔婉順、和顏悅色、待人寬厚。帝王對人臣百姓，操有生殺
予奪之權，當然無須對自己提出「溫柔敦厚」的特別限制。因
此，所謂「溫柔敦厚」云云，特指下對上的態度而言。在文學領
域中，是君主對人臣、統治者對被統治者提出的道德面貌和倫理
要求，這是上敎下效的結果。儒家早有「詩言志」的傳統。
「志」與「德」是直接聯繫的，所以《國語・楚語》有「敎之詩而
爲之導廣顯德，以耀明其志」的記載，「德」與「志」並舉。

　　「溫柔敦厚」詩敎是封建統治階級對於詩歌「言志」、表達
情感的一種特定的道德規範。漢儒認爲，「天不變，道亦不變」
（董仲舒語），封建秩序是「合理」的，應千秋萬代地流傳下
去。如果封建制度有時亦會出現某些缺陷，但它是可以通過統治
者在意識形態上的自我調節來加以克服的。「溫柔敦厚」的儒家
詩敎，正是把詩歌當作特殊的思想調節器。但「溫柔敦厚」式的
調節，也並不是只能唯唯諾諾地阿諛馴從，作爲封建文學理論的
一個基本原則，它深一層的含義是具有「依違諷諭」的職能，這
與《毛詩序》的「美刺諷諭」是同一意思。對於國家政敎得失，詩
人有所感觸，就會動於心而形於外，加以反映，具有頌美或批評
的權利。從這層意義講「溫柔敦厚詩敎」說表現出儒家對於文學
改變政治、移風易俗的作用是有一定認識的，具有一定的積極意

義。另一方面，漢儒所謂「美刺諷諭」或「諷諫」，強調的是婉言「諷諫」，要求「去而不訕，諫而不露」，不大主張直言極諫。這與《毛詩序》「詠歌依違不直諫」或「譎諫」，基本上是一回事。文學作品對上可以批評，但一定要合中庸之道和「諷諫」之旨；詩歌也可以牢騷寄慨，抒發哀怨，但必須「怨而不怒」，適中有節，不能過分；創作一定要「發乎情，止乎禮義」，終極目的還是為了維護封建等級制度的尊嚴，表現出對於居上位者的忠心；那種金剛怒目式的抗爭和吶喊，會破壞封建秩序的安寧，有悖於「溫柔敦厚」詩教。所以在創作中，堅決排斥具有典型意義的反抗性格。在這方面，漢儒的思想要比孔子僵化。孔子評《詩》三百篇，包括《伐檀》《碩鼠》在內，一概合乎「無邪」之旨，道德要求較為寬泛；漢儒則不然，他們不允許自由思想，因而把詩歌的思想風貌局限在「溫柔敦厚」的狹窄天地中，以此迎合封建統治者狹隘的政治功利需要，並希望通過文藝來「諧和性情」，以詩教民，以詩化民，以期達到「民同上情」、國治民安的根本目的。「溫柔敦厚詩教」作為儒家詩歌文學的思想倫理原則，這樣來強調文學對社會的反作用，企圖用一種固定的思想模式，來框住自由思想的發展，又必然是以理代情，會導致藝術的狹隘功利主義和教條主義，因此具有明顯的落後保守的一面。

但「溫柔敦厚」作為一個藝術原則，既與思想倫理原則相輔相成，又有它相對的獨立性，在某種程度上是符合藝術發展規律的，因而具有較多的合理因素。結合孔穎達及一般人的理解，「溫」是「顏色溫潤」，指質地外現的光彩；「柔」是「情性和柔」，是性格的外在風貌；而「敦厚」則是指表達思想內容時的充實、渾厚和深邃的樣子。總之，「溫柔敦厚詩教」從藝術上來理解，指的是充實、渾厚而深刻的內質，通過溫潤柔和的藝術風格，來加以委婉曲折、含蓄蘊藉地表現。孔穎達解釋「溫柔敦

厚」時所說的「依違諷諫，不指切事情」，也就是這個意思。但
這並不是孔穎達首創的，他這樣解釋也是有所本的。早在南齊時
代，劉勰以他文學家的眼光，透過經學的帷幕，發現了「溫柔敦
厚」的藝術價值，其《文心雕龍·宗經》篇曰：「詩主言志，訓詁
同《書》，摛風裁興，藻辭譎喻，溫柔在誦，故最附深衷矣。」意
思是說，詩人通過風雅比興等藝術手段來言志，文辭華美，婉轉
含蓄，深刻地揭示了人類靈魂的祕密，可以體味到「溫柔敦厚詩
敎」的藝術特點。直接把「溫柔敦厚」與傳統的「比興」藝術聯
繫了起來。後來清·王漁洋以「一唱三嘆」釋「溫柔敦厚」的藝
術（見《池北偶談》），也是這一意思。焦循則說得更明確：「夫
詩，溫柔敦厚者也，不質直言之，而比興言之，不言理而言情，
不務勝人而務感人。」（《雕菰樓集》卷十六《毛詩鄭氏箋》）這一
解釋是基本合理的。從藝術原則上來理解「溫柔敦厚」，強調傳
統「比興」藝術，富於「一唱三嘆」，韻味無窮之妙，含蓄蘊藉
而不直露，這樣便於調動讀者的積極性和創造性，爲其藝術聯想
的自由馳騁留下了廣闊的天地。這是基本符合藝術規律的，值得
後人學習與借鑑。但作爲藝術原則，也必須善於神明變化，正確
運用。如果以偏概全，趨於極端，只許委婉含蓄，含而不露，不
許痛快淋漓或其他，這樣就可能導致否定藝術風格的個性化和多
樣性，從而容易形成束縛藝術發展的新框框。這也是借鑑者所必
須注意的。

　　時代在發展，文學理論也必須隨之變化。因此，不同時代，
甚至是同一朝代中的不同階段，對於「溫柔敦厚詩敎」的理解和
運用也各不相同，因而影響有異。如東漢初班固從倫理原則上批
評屈原「露才揚己」、「怨刺主上」、不合「溫柔敦厚」之敎。
東漢末王逸則針對班氏逐條批駁，強調思想與藝術的統一，肯定
了屈賦「優游婉順」的藝術特點，認爲《離騷》是「依《詩》取興，

引類譬諭」，「其詞溫而雅，其義皎而朗」，完全合於「溫柔敦
厚」之旨①。二說相比，王說爲優。而發展到魏晉六朝時代，除
劉勰等個別人外，因玄學和佛學的興盛，儒家詩敎暫呈衰歇現
象。但當它經過這一挫折，發展到了唐宋以後的時代，卻又重新
取得了文學正宗的統治地位。如宋朝張戒《歲寒堂詩話》，主張詩
歌的藝術風格必須含蓄蘊藉，要求「情在詞外」「不迫不露」，
對於「溫柔敦厚」的藝術原則還是有所發展的；但從思想倫理原
則看，他過分強調「溫柔敦厚詩敎」的指導作用，用「思無邪」
三字來籠括一切，因而文學之路就會愈走愈窄。他說：「孔子删
詩，取其『思無邪』者而已。自建安七子、六朝、有唐及近世諸
人，『思無邪』者，唯陶淵明、杜子美耳，餘皆不免落邪思。六朝
顏（延之）、鮑（照）、徐（陵）、庾（信），唐李義山，國朝
黃魯直（庭堅），乃邪思之尤者。」這就有以詩敎來否定一切的
危險。而詩敎到了宋、明道學先生手中，甚至達到了惡性膨脹的
程度，他們專從思想倫理原則出發來苛求文學，無視藝術規律，
甚至是把「溫柔敦厚」當作「文以載道」來看。如許尹《黃陳詩
集注序》：「六經所以載道而之後世，而詩者止乎禮義，道之所
存也……喜不至瀆，怨不至亂，諫不至訐，怒不至絕，此詩之大
略也。」（《山谷詩集注》卷首，四部備要本）更有甚者，又把
「詩敎」的「溫柔敦厚」擴大到了「文敎」，如楊時《楊龜山
集・語錄》：「爲文要有溫柔敦厚之氣，對人主語及章疏文字，
溫柔敦厚尤不可無。」類似言論，十足說敎，不准抗爭，迂腐敎
條，令人生厭。這就引起了有識之士的不滿和批判。如清初葉燮
《原詩》，針對形而上學、固定不變的正統理論，發爲不同時代有
不同時代的「溫柔敦厚」之說，具有一定的時代新氣息。黃宗義
對於這種畏首畏尾、人云亦云的世俗之見，亦嚴加抨擊。他認爲
「疾惡思古，指事陳情」是詩歌的正路，「怒則掣電流虹，哀則

淒楚激結,激揚以抵和平,方可謂之溫柔敦厚也。」這是說,詩
敎的要求是多樣的,「溫柔敦厚」是一種很高的藝術境界,非一
般藝術庸人所能企及。黃宗羲的新解釋,雖不一定合於漢代《經
解》篇的原意,但作爲儒家詩敎說的新發展,卻爲古老的傳統理
論注進了新的生命活力。到了清朝全盛的康、乾時代,在乾隆皇
帝的直接干預下,沈德潛把上述諸說調和折衷,加以總結,大力
提倡「溫柔敦厚」的詩敎。他以爲「詩之爲敎⋯⋯歸於溫柔敦
厚,無古今一也」②。「詩敎之尊,可以和性情,厚人倫,匡政
治,感神明」③,所以它是文學的「極則」。因此詩人創作,必
先「求詩敎之本源」,「去淫濫以歸雅正」④,以「忠孝」之類
的封建禮義爲宗,直接爲封建統治服務,這就容易導致詩歌背情
說敎,內容狹窄。但與宋、明道學家比較,沈氏「詩敎」之說並
不那麼僵化,表現在他所編選的《唐詩別裁集》中,如選錄杜甫詩
一八九篇,其中包括許多藝術性強、諷諭明確、社會意義深刻的
作品,如《自京赴奉先縣詠懷五百字》、《北征》等千古名篇,確實
是有思想的。如果排除其提倡封建禮敎的糟粕,那麼他因詩敎而
要求較高的思想格調,也有一定合理因素。在藝術上,沈氏認爲
詩歌「直詰易盡」,即使是諷刺作品,「直質敷陳」也容易產生
「絕無蘊蓄」之病;所以他主張詩歌藝術要追求「微而婉、和而
莊」(《唐詩別裁集序》)的藝術境界,風格要「優柔婉約」。如
果不趨極端,那麼從委婉曲折、含蓄蘊藉方面來發展詩敎說,也
是有一定藝術眼光的,應該一分爲二來認識。總之,沈德潛爲封
建社會中正宗的詩敎理論作了總結,使它達到了極盛的時代;但
同時又標誌了它由盛而衰、漸趨衰亡的開始。儒家的「溫柔敦厚
詩敎」說,是封建社會的特殊產物,隨著封建社會的結束,早已
完成了它的歷史使命。今天我們總結過去的經驗敎訓,正是爲了
啓迪現在,展望未來。看到前人的成功或失腳之處,正是爲了新

文學的更快前進。

———————————

①詳參班固《離騷序》，王逸《楚辭章句序》、《離騷經序》。

②沈德潛《清詩別裁集‧凡例》。

③沈德潛《重訂唐詩別裁集序》。

④沈德潛《唐詩別裁集序》。

（原載《文學知識》1985年第3期）

「詩無達詁」與文學的模糊性

　　中國文學批評史上有句老話，叫做「詩無達詁」，它對我國古代詩歌的創作、批評和欣賞，產生了巨大影響：如果錯誤理解，就會誤入歧途；而正確的運用，則是一種美的享受，受益無窮。

　　據現存資料，「詩無達詁」原作「《詩》無達詁」，最早見於西漢董仲舒《春秋繁露‧精華》篇：「所聞《詩》無達詁，《易》無達占，《春秋》無達辭。」據凌曙注，劉向《說苑》稱作「《詩》無通詁」。「通」與「達」都是明白、曉暢之意。「詁」，以今言釋古語，引伸為解釋或理解。董仲舒既然說是「所聞」，自然這話的發明權當屬前人。而漢初大亂甫定，學術正在甦醒而尚未繁榮，因而「所聞」云云，可能是指先秦時人而言。也就是說，「《詩》無達詁」觀念的產生，由來已久。它原來是作為解釋先秦時代的古《詩》（即今天的《詩經》）的一個方法或原則，這是根據春秋時代各諸侯國之間，在政治外交場合中斷章取義的賦《詩》言志情況而提出的理論。《左傳》僖公二十三年杜預注：「古者禮會，因古《詩》以見意，故言賦詩斷章也。其全稱詩篇者，多取首章之義。」如《左傳》襄公二十七年載，鄭伯享晉大夫趙孟，子展、子大叔諸人陪客，各賦詩以言志，「子大叔賦《野有蔓草》。趙孟曰：『吾子之惠也！』」《野有蔓草》見於《詩經‧鄭風》，原是描寫男女愛情的作品，子大叔卻在堂皇的外交場合中賦誦出來，他並不是在歌頌愛情，而是節取其中「邂逅相遇，適我願兮」二

句，表示熱烈歡迎之意，所以趙孟說是「吾子之惠」，表示感謝。類似情況，清・勞孝輿《春秋詩話》卷一有概括的說明：「蓋當時祇有詩，無詩人，古人所作，今人可援爲己詩；彼人之詩，此人可虜爲自作，期於『言志』而止，人無定詩，詩無定指。」爲了自由表示意志的需要，人們可以毫不顧及原詩題旨而加以斷章取義。這樣的「人無定詩，詩無定指」，也就是「《詩》無達詁」的具體根據。這是時代的產物，在文學發展尚處於較低級的先秦階段，是可以理解的。但發展到漢以後，經過了《詩》《騷》的藝術薰陶和浸潤，文學取得了相當的發展，這時再重循舊迹，以後人的主觀需要來隨心所欲地曲解原作，並稱之爲「《詩》無達詁」，就會陷入唯心美學的泥坑而不自知。在某種程度上，董仲舒就犯了這樣的理論錯誤。如《詩經・魏風・伐檀》：

> 坎坎伐檀兮，置之河之干兮。河水清且漣漪。不稼不穡，
> 胡取禾三百廛兮？不狩不獵，胡瞻爾庭有縣（懸）貆兮？
> 彼君子兮，不素餐兮！

描寫了古代人民辛勤勞動卻一無所有，因而憤怒滿腔；而那些「不稼不穡」、「不狩不獵」的老爺「君子」，卻不勞而獲，坐享其成，野味懸梁，米糧滿倉，形成了鮮明的藝術對比。針對這種不平等的社會現象，詩人加以嘲諷與鞭撻：「彼君子兮，不素餐兮！」正話反說，具有強烈的批判意義，明顯是一首「刺」詩。但董仲舒卻據其「《詩》無達詁」的理論而隨心曲說，如《春秋繁露・仁義法》篇：

> 治民者，先富之而後加教……《詩》云：「飲之食之，教之
> 誨之。」先飲食而後教誨，謂治人也。又曰：「坎坎伐

幅。彼君子兮，不素餐兮！」先其事，後其食，謂之治身
也。

在這兒，董氏化「刺」爲「美」，認爲《伐檀》歌頌了統治階級中
的「君子」是「先其事，後其食」，他們是不會尸位素餐的。如
此「《詩》無達詁」，完全違背原作意旨。漢代的許多經生儒者，
就是以此爲則，主觀穿鑿，隨意附會，以合其政教倫理需要，結
果把古《詩》肢解得面目全非。這就根本否定了文學批評與鑑賞的
客觀標準，容易造成批評的主觀盲目性和隨意性，從而破壞了健
康的批評與美的欣賞活動。爲什麼？因爲他們機械地從訓詁著
眼，把「《詩》無達詁」錯誤地領會成詩意無法明白、難以解釋，
因而無法、也根本不必顧及原意，而可望文生義地根據主觀需要
來巧加曲說。這就造成了理論悲劇。

但是，望文生義、隨心曲解的理論錯誤應該批判，並不等於
就否定了「詩無達詁」所蘊藏的理論價值。與漢儒經相反，有許
多人是從文學創作與欣賞的思維及審美心理特徵入手，並逐漸擴
展開來，從專指《詩經》，變成了「詩無達詁」，泛指一般的詩歌
創作與欣賞。宋・王應麟《困學紀聞》卷三：「董子（即董仲舒）
曰：『詩無達詁』，孟子之『不以文害辭，不以辭害志』也。」指出
了董仲舒「詩無達詁」理論，來源於孟子的「以意逆志」①的說
詩方法。孟子與董仲舒都是唯心主義者。但唯心論者的話並不一
定都是徹頭徹尾的謬誤。恩格斯曾把唯心主義比作一座大廈，一
旦人們「深入到大廈裡面去，那就會發現無數的珍寶，這些珍寶
就是在今天也還具有充分的價值」（見《路德維希・費爾巴哈與
德國古典哲學的終結》）。孟子的「以意逆志」及董仲舒的「詩
無達詁」，還有「不以文害辭，不以辭害志」的一面，這就超越
了單純訓詁文字的領域，主要涉足於詩歌的意象和境界。詩歌文

學的藝術特點不同於一般的作品。「詩無達詁」就是根據詩歌的特殊思維方式，教人不要只看到語言文字與事物之間的直接聯繫，更要看到它們之間那無形的間接關係——即作者和讀者在創作與欣賞時相互啟迪的自由思維活動。字面所表達的直接關係可以「達詁」，也應該「達詁」；但間接關係則常是反映了事物之間深層結構中那無形的本質聯繫，很難「了然於口與手者」（蘇軾《答謝民師書》），不能勉強牽合「事實」而予「精確」的詁釋，而只能根據詩歌作品本身所提供的意象和境界，按照自己的生活實踐去馳騁想像，用心靈去捕捉、去體味，一旦「頓悟」，則豁然貫通，得到了無盡的美的享受。「詩無達詁」並不是說詩歌不可明白、難以解釋；而是說不能機械理解、拘泥字句而作呆滯板實的解釋，詩歌的創作和欣賞，應根據其藝術特點，拓展思維，空靈一些。人們據此發揮，從而形成了我國古典詩歌創作與欣賞的一個優良傳統。如明・謝榛《四溟詩話》卷一：「詩有可解、不可解、不必解，若水月鏡花，勿泥其迹可也。」清初葉燮《原詩》內篇下：「詩之至處，妙在含蓄無垠，思致微渺，其寄託在可言、不可言之間，其指歸在可解、不可解之會……引人於溟漠恍惚之境……又焉能一一徵之實事者乎？」他們以傳統詩論的特殊方法來闡釋「詩無達詁」的理論真諦。詩歌作品有時是可「詁」、可「達」、可解；但有時則不必「詁」、不必「達」、不必解。因為有的雖然表面既「詁」且「達」，但可能泥於痕迹，過於板實，結果根本違背了詩歌形象思維的藝術特點而離題萬里。所以希望讀者能站在最佳角度來欣賞，理解要自然空靈，而不要拖泥帶水，才能品味詩歌之妙。後來沈德潛又發揮乃師（葉燮）之說，所言更為通暢明白：「讀詩者心平氣和，涵泳浸漬，則意味自出；不宜自立意見，勉強求合也。況古人之言，包含無盡，後人讀之，隨其性情淺深高下，各有會心，如好《晨風》

而慈父感悟，講《鹿鳴》而兄弟同食，斯為得之。董子云：『詩無達詁』，此物此志也……（故）略示軌途，俾讀者知何從入耳。」又說：「朱子（即朱熹）云：『楚辭不皆是怨君，被後人多說成怨君。』此言最中病痛。如唐人中少陵固多忠愛之詞，義山間作風刺之語，然必動輒牽入，即小小賦物，對境詠懷，亦必云某詩指某事，某詩刺某人，水月鏡花，多成黏皮帶骨，亦何取邪？」（見《唐詩別裁·凡例》）他們反對漢儒經生對於「詩無達詁」的隨心曲說，認為勉強牽合「事實」而硬作「達詁」之解，就會破壞了詩歌那如「水月鏡花」般的空靈意境，而化為「黏皮帶骨」的庸俗之物。於此可見，「詩無達詁」的說法，貌似荒謬，實是頗有道理。現在略舉數例加以說明，如陶淵明《飲酒》詩：

> 結廬在人境，而無車馬喧。
> 問君何能爾？心遠地自偏。
> 採菊東籬下，悠然見南山。
> 山氣日夕佳，飛鳥相與還。
> 此中有真意，欲辨已忘言！

從邏輯思維的精確性來認識，「心」怎樣遠法？地怎樣「偏」法？人的心靈是主觀的，可以馳騁想像，愈飛愈遠；可是地方是客觀存在，絕不會因人「心」飛遠而稍有偏離。但從形象思維角度看，卻又是完全合情合理的，在創作與欣賞中，人的主觀審美心理活動具有偉大的力量，它不僅決定於作者，而且還依賴於眾多讀者的藝術再創造。過分精確而講究事實的語言，可能反而不耐咀嚼，詩味全無。如「採菊東籬下，悠然見南山」，這是膾炙人口的佳句。蘇軾盛讚道：「採菊而見山，境與心會，此句最有

妙處。」（見《東坡題跋・題陶淵明飲酒詩後》）這是以形傳神、韻味盡出的神來之筆。至於這詩味如何妙法，其「眞意」又是什麼？詩人則避而不答，公開聲稱自己是「欲辨已忘言」。陶淵明這位先生，平素自稱是「好讀書不求甚解」（見《五柳先生傳》），是否眞有點糊塗？其實不然，這正是詩人巧於運用「詩無達詁」的表現，要麼他不想說破，要麼這種感觸來無影、去無蹤，複雜而微妙，雖是心有所動，卻連自己也一時說不清楚，也就是人們常說的「心知之而口不能言」，因而爲廣大讀者留下了一片藝術空白，以便啓迪讀者的想像。由於各個時代的讀者不斷地馳騁想像，進行了藝術的再創造，所以《飲酒》詩也就獲得了永恆的藝術生命。這樣的「詩無達詁」，其妙無窮。然而有人不這麼看，他們在批評與欣賞的過程中，硬作牽強的「精確」的「達詁」。如「悠然見南山」句，《文選》「見」作「望」，意味大不一樣。「見」是漫不經心的偶然抬頭見到，帶有非功利的審美的隨意性，與「悠然」一詞配合得天衣無縫，很能反映詩人那脫俗的淸高品格；而「望」則不然，它明顯帶有主觀功利性，目的明確，這與「悠然」的神態相矛盾，更和詩的意象不符。而「南山」一詞，丁福保確詁爲特指廬山。如依這一見解，改「悠然見南山」爲「悠然望廬山」，則貌似精確「達詁」，實際卻大敗人興，毫無欣賞價值。正如蘇軾所說，「則此一神氣都索然矣」（《東坡題跋・題陶淵明飲酒後》）。在詩歌的創作與欣賞活動中，有兩種不同的態度，一是把話講盡說死，給讀者畫框框定調調，製造審美極限或模式，因而後人很難有再創造的自由，這實際上是「詁」而不「達」，有意無意地破壞了美的創造，限制了羣衆的藝術智慧；另一態度相反，表面上雖不「詁」不「達」，但卻是眞正的「詁」與「達」，因爲它在藝術實際中符合人類審美的心理活動規律，具有無窮的創造性。兩相比較，兩種方法，

兩種效果，相差不可以道里計。

又如李商隱的無題詩《錦瑟》，更是「詩無達詁」的典型：

> 錦瑟無端五十弦，一弦一柱思華年。
> 莊生曉夢迷蝴蝶，望帝春心託杜鵑。
> 滄海月明珠有淚，藍田日暖玉生煙。
> 此情可待成追憶，只是當時已惘然。

這是千古傳誦的藝術名篇，人們在欣賞品味的同時，又感到它像神話世界中的蓬萊仙島一樣，可望而不可即，它意境朦朧，如夢似幻，不即不離，難以「達詁」；卻又自有其美的價值，引導人們去作無窮的聯想與再創造。李商隱的這類無題詩，並非一時一地之作，隨著時空的推移變化，蘊藏在詩人潛意識深處的無限感觸紛至沓來，它多是通過愛情的方式來形象地展現古代的社會生活畫面，藉以抒發詩人那不言之情，難隱之痛。詩人在《錦瑟》的尾聯中明言：「此情可待成追憶，只是當時已惘然。」連作者在當時也說不清楚或不願說清楚的東西，為什麼讀者偏要去自找苦吃、硬作解語呢？勉強「達詁」可能偏離原詩意旨更遠。詩歌欣賞就是這樣，該清楚的地方則「詁」之「達」之；該模糊的地方則「不必詁」、「不必解」。但有人正好相反，他們硬是為《錦瑟》詩勉強牽合了種種具體「事實」：有的說它是愛情詩悼亡詩，有的說它是表現與令狐楚家婢女私通的豔體詩，有的則說它是描寫音樂「適、怨、清、和」具體聲調情緒的抒情詩……人們聚訟紛紜、莫衷一是，因此清初王漁洋有「一篇《錦瑟》解人難」的慨嘆（見《戲仿元遺山論詩絕句》）。明‧王世貞《藝苑卮言》卷四也說：「李義山《錦瑟》中二聯是麗語……不解則涉無謂，既解則意味都盡。此知詩之難也。」在這裡，「解」與「不解」，似

乎構成了二律背反，矛盾難以克服。這是不明「詩無達詁」的道理所致。實際上，《錦瑟》一類的無題詩是我國古代的一種特殊形式的抒情珍品，它猶如無標題音樂，往往是詩人某種潛在情緒的啓示和展現。在非理智的潛意識領域中展開的思維活動，常是「只能意會，不可言傳」的，這種感情又極其細膩、複雜而微妙，「心與境會」，隨機觸發，很難用任何具體的人和事來詳加解說，因此無法「達詁」，也根本不必勉強「達詁」。人們只能就詩論詩，感到詩的情致委婉纏綿，景象迷離彷彿，含義綿邈深遠，辭藻瑰麗精當，閃爍著誘人的藝術光彩，啓發了人們無限豐富的藝術聯想。特別是中間的二聯「麗語」，意境是多麼純淨，情緒又何等淒婉，在堅貞不渝的深切思念氣氛中，人們又隱約聽到了詩人心聲的哭訴與執著的追求。在陰森沈重的封建桎梏中，那久被禁錮的愛情，那被現實早已擊得粉碎的理想，那哀感頑豔的悲劇形象，只有在那既具體生動、又朦朧夢幻的藝術境界中，才重新獲得了自由的抒展！人們只隱約體驗到美的呼喚和正義的毀滅。至於詩人所愛的具體對象是誰？他的理想又是什麼？愛情與理想的關係又是怎樣在心中和諧統一了起來？這又留下了一片藝術空白，讓欣賞者去作新的聯想和創造。所以蘇軾在《送參寥師》一詩中說：「欲令詩語妙，無厭空且靜，靜故了羣動，空故納萬境。」所謂「空」是一種模模糊糊、虛幻不實的境界，但在這片藝術空白之中，卻猶如未開墾的處女地，等待後人去建設，創造最新最美的境界。這就是利用「詩無達詁」美學原則的妙用。

再如人們所熟知的王漁洋《秋柳》詩四首：

秋來何處最銷魂？殘照西風白下門。
他日差池春燕影，祇今憔悴晚煙痕。

愁生陌上黃驄曲，夢遠江南烏夜村。
莫聽臨風三弄笛，玉關哀怨總難論。

娟娟涼露欲爲霜，萬縷千條拂玉塘。
浦裡青荷中婦鏡，江干黃竹女兒箱。
空憐板渚隋堤水，不見琅邪大道王。
若過洛陽風景地，含情重問永豐坊。

東風作絮糝春衣，太息蕭條景物非。
扶荔宮中花事盡，靈和殿裡昔人稀。
相逢南雁皆愁侶，好語西烏莫夜飛。
往日風流問枚叔，梁園回首素心違。

桃根桃葉鎮相憐，眺盡平蕪欲化煙。
秋色向人猶旖旎，春閨曾與致纏綿。
新愁帝子悲今日，舊事王孫憶往年。
記否青門珠絡鼓，松枝相映夕陽邊。

這四首詩，一以貫注，迴腸盪氣，很有藝術魅力。並且首首切
題，說盡「秋柳」事，典故也不難解釋。但細細咀嚼品味，各種
畫面或故事一經重新組合，構成和諧統一的詩境之後，卻又感到
題旨恍惚，意象朦朧。作者在《菜根堂詩集序》中說：「順治丁酉
秋，予客濟南，諸名士雲集明湖。一日會飲水面亭，亭下柳千餘
株，披拂水際，葉始微黃，乍染秋色，若有搖落之態。予悵然有
感，賦詩四章。」所謂觸景生情，「悵然有感」，具體作何感
想？詩人並不說破，因此誰也猜不透箇中消息。而據後來梁章鉅
所見之本，題下原有漁洋《自序》云：「昔江南王子，感落葉以興

悲；金城司馬，攀長條而隕涕。僕本恨人，性多感慨，寄情楊柳，同《小雅》之僕夫；致託悲秋，望湘皋之遠者。偶成四什，以示同人，爲我和之。丁酉秋日北渚亭書。」丁酉年，是順治十四年，即西元一六五七年，是年詩人還是個二十四歲的青年。當時雖有鄭成功雄據閩海，但李定國奉明桂王入滇，漢奸洪承疇奏請三路大軍大舉進攻桂王，明清之爭，大局早定。在被刪的《自序》中，詩人的「感慨」，明朗一些，似乎與明末清初的鼎革興亡有關。但具體地說，所「恨」爲何？所愛者誰？雖然一時傳誦，和者甚衆，引起了許許多多明朝遺老遺少的感傷垂淚，甚至激起了某些愛國志士的情感共鳴，但又各有各的看法，所感所鳴大不相同。後來，梁章鉅等「悟」透了此中消息，他在《讀漁洋詩隨筆》卷上說：「《秋柳》四首⋯⋯詳味此詩，集於明湖，而慨白下（按：指南明福王建都的南京），別有寄託，非捨近而求遠也。其大意爲南都而作，人皆知之，惟詞旨恍惚迷離，但當以風格神韻取之，陳伯璣（允衡）所謂『初寫黃庭，恰到好處』者，自是定評（見《分甘餘話》）。若必字字按以時事，處處律以章法，則殊多不合：如以《黃驄曲》爲思孝陵，烏夜村爲悲福邸，板渚、琅邪爲懷汴京，桃根、桃葉爲譏選妓，新悲帝子爲傷太子，舊事王孫爲悼永明，而南雁、西烏二句，語意尤爲淒婉，在當時豈無所指？然以意逆志，亦在離合之間。必求其人以實之，則鑿矣！」他用「以意逆志」、「詩無達詁」的美學原則來說詩，所論較爲中肯。試想集於明湖之時，漁洋一時興到，心與境會，哪會想得這許多？哪容他仔細推敲，一章一句，牽事合律？如所謂「悼永明」事，「永明」指南明堅持抗清的桂王，此詩作於順治十四年，桂王在緬甸被執犧牲是順治十八年事，詩人並非未卜先知，怎能預料四年後將發生的事情而在詩中加以悼念？如此穿鑿「達詁」，貌似精確，實是離題萬里的無稽之談。實際上，漁洋的種

種感慨，是往日情感長期積澱的結晶，雖然他並沒清楚意識到，但卻在潛意識領域中活動，一旦觸景生情，有所會心，就會情不自禁地迸發，而非理智所能完全控制，於是一時詩興如萬斛源泉，隨地湧現，興會淋漓，何暇仔細思量？如此複雜的情感活動，其來龍去脈如何？恐怕連作者也一時說不清楚。再加以王漁洋的性格特點，清廷開科舉後，他在順治十二年上公車會試中式第五十六名，當時準備殿試，以便在新朝做官。所以，恐怕他也不願把話說盡說透，因而詩中欲說還罷，留下了一片藝術空白，既寄寓和發泄了自己的無限感慨，取得了一時的心理平衡，又好讓讀者各自馳騁想像。這是「詩無達詁」的又一典型。

由此可見，「詩無達詁」的說法，貌似荒謬，實是創作與欣賞的一個重要美學原則，其中包含了許多合理的成分。它立腳於文學事實，在理論上有其科學根據。說得明確一些，「詩無達詁」云云，是基於人類創作與欣賞活動中思維的模糊性而提出的，它多數是在日積月累而積澱形成的潛意識領域來展開想像的翅膀。詩人那突然爆發的創作靈感，與讀者那會心的豁然「頓悟」，一般說來多屬非理智的活動，是模糊思維的一種特殊藝術表現。所謂「模糊」，並不是糊塗，而是人類認識世界的一種必要形式。生活是複雜的。文學所反映的客觀世界，在縱向與橫向結構上具有多層次性，決定了詩人的創作思維與讀者的審美欣賞，必然活動在一個無限廣闊的天地之中，雖然經常轉換角度，但仍然是有的現象清晰，有的情境模糊；有的事物可作定量定性分析，一下子說明白，而有的時候則是詩人或讀者雖有感觸體會激動於中，卻又不是一言一語、一時一地能看清說明的。生活本身既有它清楚的一面，又有它模糊的一面。因此，人對世界的認識也必然既有其精確性，又有其模糊性。比如一個氣氛熱烈的演講場面，當人們把眼光專注於演說者時，演說者的形象是清晰

的；而會場中的萬千聽眾又是怎樣的形象？人們似乎「視」而不見，或是眼光一掃而過，印象是模糊的，但聽眾又的確是客觀存在，如果沒有他們的熱烈反應，也就無所謂演說的成功了。這是從視覺方面說的。再從聽覺方面看。比如聽一首交響曲，對一般聽眾來說，主旋律給人的印象是清晰的，和聲、和弦等低音區的伴奏雖然也聽到了，而印象是相對模糊的。但是，如果沒有「模糊」的低音伴奏旋律，那麼主旋律就會給人以飄浮不實的感覺，因而無法構成那雄偉奔放的總體氣勢。由此可見，「模糊」的伴奏部分有利於突出主旋律。「模糊」之中有明晰。再從人類的「第六」神經──心靈感覺方面說。「詩言志」（《尚書‧堯典》），人所皆知，詩歌所要描繪的是人類無形的靈魂，它深埋在人類認識世界的深層結構中，猶如煙霧迷茫的重巒疊嶂，站在山前，無法一望到底；即使是現代科學已經進步，可在飛機上鳥瞰全景，但眼睛被煙霧阻擋，樹林中有什麼生命在活動？廟宇中的人們又在想什麼、幹什麼？印象仍然模糊一片。所以德‧斯太爾夫人說：「人們心靈中真正神聖的東西是無法表達的，即使有詞彙來表達某些特點，卻沒有任何東西能表達它的整體，特別是表達各種真實的美的祕密。」②藝術的「整體」本身就包含了模糊，沒有模糊，也就無所謂祕密；有了祕密，才會引人作無窮的探索。藝術的永恆生命與此有關。再從思維的載體──語言的角度看。如說：「這個人身高一米八六。」這「一米八六」就是精確的概念。而如果說：「這個人身材很高，可以去打籃球；那個人太矮，不適合籃球運動。」這裡的「很高」，高到幾尺幾寸？「太矮」，又矮到什麼程度？人們不會總是帶了一把標尺，到處量人，而是根據需要望去，大致估量。「太高」、「太矮」之類常見的話，就不是精確的概念，而是帶模糊性的語言。那麼是否因其語言「模糊」就可廢棄不用呢？那又不行，這是生活的需

要。於此可見，人類對於世界的認識，特別是作家或詩人對於生活的感受和思維，必然同時具有精確性與模糊性。只有精確而不見模糊，就不可能全面而正確地認識世界。一般說來，理性認識易精確，感情評價多模糊。「他憤怒得像頭獅子」，表現憤怒之情的強烈，既形象又生動；但如進一步問其強度與力度，就會發覺這是一個「虛」的模糊概念，難以精確度量。與科學家的邏輯思維相比較，文學藝術家的形象思維，常在非理智的潛意識領域游弋，感情色彩濃烈，因而更多地運用了模糊思維的特點。即使是寫實性強的敘事詩，其中的人物形象，也是虛實相生，既有精工細筆，也有模糊潑墨。如樂府詩《陌上桑》描繪秦羅敷之美：「頭上倭墮髻，耳中明月珠。湘綺為下裙，紫綺為上襦。」從服飾打扮上來形容，很精確、很實在。但接下去一段：「行者見羅敷，下擔捋髭鬚；少年見羅敷，脫帽著帩頭；耕者忘其犁，鋤者忘其鋤；來歸相怨怒，但坐觀羅敷。」秦羅敷究竟是個怎樣出色的美人？臉型是圓、是長？眼睛是大、是小？一問具體，則人們一無所知。因為詩人一句也不說，而只從旁人眼光中看出。這是虛寫、是模糊。但這樣的模糊語言，比起那把話說盡、一覽無餘的板實描寫更有詩味，為讀者留下了一大片藝術空白，可以根據不同時代、不同個人的審美要求來重新加以創造，因而人們心中的秦羅敷，總是移步換形，大可人意，高矮適中，胖瘦隨心，真正達到了宋玉所形容的程度：「增之一分則太長，減之一分則太短，著粉則太白，施朱則太赤。」（見《登徒子好色賦》）如果描寫時只有精確而不見模糊，那麼唐人好豐腴而清人喜苗條，審美標準各異，詩人無論怎樣寫法，總會被後人挑剔譏笑，因而也就不可能是個永恆的美人了。又如《孔雀東南飛》寫劉蘭芝的美貌：「腰如流紈素，耳著明月璫。指如削蔥根，口如含朱丹。」局部刻畫非常精緻。但當寫東家鄰女之美時，卻只虛著一筆：「自名

秦羅敷，可憐體無比。」到底如何「可憐」、又怎樣「無比」？
其面貌、體態、肌膚、服飾等等，一概不知，全憑人們想像。這
裡的「可憐體無比」，確實難以「達詁」，無法具體描繪，而據
詩意，又的確不必「達詁」，因而詩人運用了創作思維的模糊性
來加以表現。寫實性強的敘事詩尚且是虛虛實實，有其難以「達
詁」的一面；更何況是自由「言志」而專以描寫無形靈魂衝突的
抒情詩呢！

　　而從審美欣賞的讀者角度看，文學的模糊語言的意義有它的
不確定性與靈活性，特別是高度精鍊的詩歌語言，更常是含蓄蘊
藉，蘊藏了大片的藝術空白，從而為讀者的豐富聯想與想像，留
下了自由飛翔的廣闊天地。現代的接受美學，非常重視讀者的藝
術欣賞與再創造能力。聯邦德國的羅伯特・堯斯說：「文學作品
不是對於每個時代的讀者都以同一種面貌出現的客體……只有閱
讀活動才能使作品從死的語言材料中拯救出來，並賦予它現實的
生命。」（《文學史作為文學科學的挑戰》）讀者的閱讀活動，不
斷增強了藝術的生命力。美國的韋勒克和沃倫在《文學原理》中也
說：「一件藝術作品的意義，絕不僅僅止於、也不等同於其創作
意圖……一件藝術品的全部意義，是不能僅僅以其作者和作者的
同時代的人的看法來界定的。它是一個累積過程的結果，也即歷
代的無數讀者對此作品批評過程的結果。」不同時代的廣大讀
者，根據「詩無達詁」所暗示的文學的模糊性的特點，利用詩人
為自己留下的藝術空白，再結合自己在生活中的具體感受，於是
充分發揮了審美再創造的權利。外國理論家的這些意見，其實中
國早已有之，不過表達方式不同而已。如清初金聖嘆說：「世間
妙文，原是天下萬世人心裡公共之寶。」又說《西廂記》的藝術成
就是「向天下人心裡取出來」的結晶（見《第六才子書讀法》）。
「天下人心」各異其趣，那麼對於同一作品，自會有不同讀法與

體會。這樣的「詩無達詁」，就不是主觀的隨心曲說，而是合情合理的藝術再創造。薛雪《一瓢詩話》曾舉例說，杜詩內涵豐富復雜，所以不同時代的不同讀者，站在不同角度上來欣賞，「兵家讀之爲兵，道家讀之爲道，治天下者讀之爲政，無往不達」。最後，大家又從總體上共同豐富和發展了杜詩的藝術生命。

　　總之，正確理解與運用「詩無達詁」的美學原則，不僅爲我國古代詩歌藝術寶庫增添了取之不盡、用之不竭的瑰寶，同時也爲今天的詩歌創作與欣賞，開拓了一片無限廣闊的新天地。

----

①見《孟子‧萬章》上：「故說詩者不以文害辭，不以辭害志，以意逆志，是爲得之……《雲漢》之詩曰：『周餘黎民，靡有孑遺。』信斯言也，是周無遺民也。」
②轉引自《萌芽》1985年第9期《比金牌更迷人的是什麼》。
（原載《中國古典文學論叢》人民文學出版社1989年版）

詩話緣起、性質及其理論貢獻

　　現在的中國古文論研究，人多鍾愛「體大而慮周」的《文心雕龍》，因為它具有嚴密的理論體系；而對於宋以後迅速發展的眾多詩話，則因其隨意生發、漫無鵠的、缺乏體系，而時有理論倒退之譏。誠然，《文心雕龍》的理論貢獻卓著，值得人們高度重視。但是，如果了解詩話著作產生的歷史條件和民族土壤，明白詩話的緣起、性質及其理論發展，也自會消除誤解，承認詩話自有其理論價值。

　　古代中國是詩歌的王國。人們常說，有詩就有話，「話」就是因詩而議論。其中議論得體，合乎規律，啓迪思維的意見，就是批評和理論。詩話自北宋中期歐陽修《六一詩話》創體之後，植根於詩歌王國深厚的土壤之中，加上合適的文化氣候條件，遂如雨後春筍，蓬蓬勃勃，呈現出無窮的生機，並蔚為大國，成為人們喜聞樂見、獨具民族特色的一種特殊論詩著作形式，終於雄霸詩壇，不可替代。宋以後直至清末民初，我國傳統詩歌的發展，傳統詩論的興衰，神韻、格調、性靈諸大詩派的紛爭，大量生動解頤的文學批評和審美鑑賞，均在詩話著作中有重要的反映。在中國古代文學理論批評史上，詩話理應占有重要的一席。

　　何謂「詩話」？詩話的緣起及其性質如何？章學誠《文史通義·詩話》云：「詩話之源，本於鍾嶸《詩品》。然考之經傳，如云『爲此詩者，其知道乎！』（《孟子·告子上》）又云：『未之思也，何遠之有？』（《論語·子罕》）此論詩而及事也。又如『吉

甫作誦，穆如清風』（《詩‧蒸民》），『其風孔碩，其風肆好』
（《詩‧崧嵩》），此論詩而及辭也。事有是非，辭有工拙，觸類
旁通，啓發實多。江河始於濫觴，後世詩話家言，雖曰本於鍾
嶸，要其流別滋繁，不可一端盡矣。」章氏之論，要旨有二：一
是詩話創體於六朝梁代鍾嶸《詩品》，但若溯其源流濫觴，則可上
推先秦經傳。關於這一點，與章氏幾乎同時的何文煥《歷代詩
話》，匯輯了詩話二十七種，開篇即爲鍾嶸《詩品》。其序云：
「詩話於何昉乎？賡歌紀於《虞書》（《尚書‧舜典》），六義詳於
古序，孔孟論言，別申遠旨，《春秋》賦答，都屬斷章。三代尚
矣。漢魏而降，作者漸夥，遂成一家之言。洵是騷人之利器，藝
苑之輪扁也。」他的言論更趨極端，把詩話的起源上推夏、商、
周三代。這大概與乾嘉時代好古學風有關。二是關於詩話的性
質，章氏明言，論事明是非，析辭見工拙，思理與藝術，無不觸
類旁通，啓人至深。據此，他又把詩話分爲「論詩及事」和「論
詩及辭」兩大類。這一論斷，已爲學界承認。但其詩話源於鍾嶸
《詩品》之說，則後世多持異議。鍾氏《詩品》雖爲論詩專著，但態
度嚴肅，構思謹嚴，理論自成系統，與後世詩話著作的閒談隨筆
面貌並不一樣。如果《詩品》稱詩話，那麼《文心雕龍》爲什麼就不
能稱文話、賦話，或者也稱「詩話」？這樣，詩話與一般詩論著
作界限泯滅，失掉了理論個性，範圍寬泛無邊，保存「詩話」之
稱，還有什麼意義呢？因此今人羅根澤針對章氏之論，提出「詩
話出於《本事詩》」之說（《中國文學批評史》二冊），而本事詩則
又出於筆記小說。這就注目於詩話著作的某些特殊性，把它從玄
遠的三代高論及先秦經傳，拉回到比較接近實際的境地。晚唐孟
棨《本事詩‧自序》云：「詩者，情動於中而形於言。故怨思悲
愁，常多感慨，抒懷佳作，諷刺雅言，著於羣書，盈廚溢閣。其
間觸事興詠，尤所鍾情，不有發揮，孰明厥義？因採爲《本事

詩》。」可見，《本事詩》雖不脫隨意生發的筆記性質，但掇拾故
實，專載詩事，力主言情抒懷，揭示抒情詩的藝術特徵，有助於
開啓宋詩話中論詩及事一類著作的方便法門。不過《本事詩》儘管
具有孕育之功，但終非詩話本身。詩話不僅論詩及事，而且論詩
及辭，常是事中有辭，辭中見事，論事論辭只是一種方便研究的
大致分類，實際是事辭兩難分離的綜合性詩論著作。《本事詩》尚
未發展到這一程度，而且很少見理論光彩。因此，所謂「詩話出
於《本事詩》」說，只能說是接近實際，但又並非事實。論述較爲
精審的，當推郭紹虞《宋詩話輯佚・一九七八年序》：「詩話之
稱，當始於歐陽修；詩話之體，也創自歐陽修。歐陽氏自題其
《詩話》云：『居士退居汝陰，而集以資閒談也。』……所以詩話之
體原同隨筆一樣，論事則泛述見聞，論辭則雜舉雋語，不過沒有
說部之荒誕，與筆記之冗雜而已。所以僅僅論詩及辭者，詩格、
詩法之屬是也；僅僅論詩及事者，《詩序》《本事詩》之屬是也。詩
話中間，則論詩可以及辭，也可以及事；而且更可以辭中及事，
事中及辭。這是宋人詩話與唐人論詩之著之分別……由詩話之性
質言，又介於此二者之間。在輕鬆的筆調中間，不妨蘊藏著重要
的理論；在嚴正的批評之下，卻又多少帶些詼諧的成分。這是一
般撰詩話者所共有的態度。」這一論斷，已爲學界多數同仁所首
肯。

　　具體地說，「詩話」云者，就是詩「論」與說「話」妙契無
垠的結合。宋詩話就是典型。它的誕生和發展，有其社會歷史的
原因和文論發展之必然。蔡鎮楚《詩話學》云：「（詩話）主要表
現在以下三點：㈠詩話之體必須在古典詩論的母體之內發育成
熟；㈡整個社會必須爲詩話之體降生具備相適應的環境；㈢詩壇
文苑必須有爲詩話之體接生的能幹助產婆。這一切，北宋時代業
已具備。」所言甚是。先秦時代，詩風古樸，「論」非成熟，

「話」僅斷章。就詩話來源（而非起源）論，謂其孕育著後世詩話的某種理論因子是正確的；但如清・勞孝輿直接稱之爲「春秋詩話」，則匪夷所思，脫離實際，表現了某種復古傾向。而發展到高度繁榮的唐詩階段，雖是人臼作詩，爭妍鬥豔，但如李之儀《德循詩律甚佳》詩云：「唐人好詩乃風俗，語出功夫各一家。」①詩人們投身於創作熱潮之中，激情迸發，近於忘乎所以，因而一時還來不及認眞思考詩「論」與「話」相結合的問題；而當時的一批詩格、詩法之作，又多是在唐以詩賦取士風氣下，爲科場舉子而備的寫詩入門、作法捷徑之類的敲門磚，雖是論詩及辭，但內容單調而缺少變化；至於本事詩之類，雖然論詩及事，通於史乘，但又缺乏理論眼光。要眞正做到論詩及事與論詩及辭的完美結合，歷史的重任自然落到了宋人肩上。

　　唐宋之際，歐陽修之前，已有「詩話」之稱，如民間說話《大唐三藏取經詩話》之類。但是《取經詩話》顯然是小說，與本文所稱「詩話」，性質犁然有別。不過我們如果轉換視角，從產生詩話的文化背景看，民間說話之「話」，是故事；文士詩話之「話」，也一樣有故事，二者所不同者，只是所「說」的客觀對象不同而已。民間「詩話」小說曾受到佛教經變或講唱經文的影響；文士詩話雖說性質不同，但也可能通過直接或間接的渠道，受到佛教經變或民間「詩話」的啓發。所以徐中玉先生云：「論詩著作之題名『詩話』，確自宋・歐陽修《六一詩話》始。竊以爲詩話之稱，其起源與流行於唐末宋初之『詩話』即『平話』之風有關。」②說明民間「詩話」與文士詩話之間某種內在聯繫，事出有因，值得深思。

　　另外，不可否認還有宋代學風的轉化及歐陽修這個能幹「助產婆」的催生作用。與唐人的創作熱情有別，宋代士人或致力於文化，或潛心於學術，如《太平御覽》《太平廣記》《資治通鑑》諸

作，相繼問世，標誌了學風的變化。就儒家經學言，漢古文學多重文物訓詁；宋學則重在義理發微，大膽疑古，議論風發。歐陽修《詩本義》之作就是例證。其《鎭陽讀書詩》云：「開口攬時事，論議爭煌煌。」宋人好議論喜爭辯的學術空氣，對宋詩話的誕生起了艮好的促進作用。北宋末年魏泰《臨漢隱居詩話》載有沈括與呂惠卿等爲韓愈詩歌創作爭辯的故事，充分說明了在詩話誕生的北宋時期，宋人評文論詩，自由爭鳴，已蔚然成風。詩話之興，正是時勢使然。歐陽修「偶出緒餘撰詩話」，貌似偶然，實際卻是偶然中有必然，《六一詩話》之作，正是一帖絕妙的催生劑，詩話這個寧馨兒，從此呱呱墮地，茁壯成長。作爲一種新興的論詩專著形式，宋詩話一誕生，就以驚人的速度發展。首創者歐陽修，又是北宋詩文革新運動的倡導者，領袖登高一呼，萬山羣起響應，很快就出現了詩話的創作熱潮。司馬光《溫公續詩話》云：「《詩話》（此指《六一詩話》）尚有遺者。歐陽公文章名聲雖不可及，然記事一也，故敢續書之。」此後劉攽《中山詩話》、魏泰《臨漢隱居詩話》、陳師道《後山詩話》接踵而出……以至南渡以後，詩話著作如林，終於稱雄於詩論壇坫。如淸·息翁《蘭叢詩話序》稱：「詩之有話，自趙宋始，幾於家有一書。」於此可見詩話著作聲勢之盛。

宋詩話之豐收，不僅反映在數量之多，還有一些著作，頗富理論價值，如葉夢得《石林詩話》、張戒《歲寒堂詩話》、姜夔《白石道人詩說》之類，而稍後的嚴羽《滄浪詩話》，更爲宋詩話的發展，作了一次系統的理論總結。不僅如此，宋詩話的著作品類也已基本齊備，據郭紹虞《宋詩話考》、《宋詩話輯佚》書中，尚有《敍事詩話》著錄於尤袤《遂初堂詩目》，《抒情詩話》見載於何汶《竹莊詩話》卷二十《杜牧》條。詩分敍事與抒情兩大類，古今中外，莫不如此。宋人已有《敍事詩話》和《抒情詩話》之作，可見宋

詩話的理論涵蓋面之廣。從宏觀角度看，在中國歷代詩話發展史上，宋詩話雖然處於誕生階段，但是它很快擺脫了幼稚程度，而趨於早熟，以後歷代詩話的種種發展變化，無不可在宋詩話中見其雛形或影迹。

宋詩話以前，曾產生了一批嚴肅的詩論著作，不僅是鍾嶸《詩品》，就是劉勰《文心雕龍》，也有大量的論詩篇幅，精光閃爍，啟人良多。不過，儘管《文心雕龍》理論體系龐大而嚴密，但在唐宋時代，卻幾乎嗣響無聞。這說明受魏晉玄學思潮影響的抽象理論思辨，並沒有構成傳統思維方式的主要方面；相反，唐宋以後，由於儒家重教化的實用傾向的復興，以及佛家尚妙悟的思維方式的影響，宋後士人論詩，多是漫無拘束，隨意生發，觸類旁通，妙語如珠，在具體批評和審美鑑賞中透露了理論氣息。宋詩話作者多為詩人，因此其詩話多是創作甘苦之言，依靠直覺體驗的思維方式來表述，理論零碎瑣屑，難以形成嚴密體系，這是缺陷；但論述生動活潑，趣味盎然，深入淺出，充分展現了理論個性，便於理論的推廣與普及，又是其優勢。詩話的誕生，正與傳統思維的民族特性相聯繫。從劉勰《文心雕龍》、鍾嶸《詩品》，發展到宋詩話，並非如有些人所說，是理論的倒退；而是如山水遇石，隨物賦形，曲折前進，一旦河道開闊，自然殊途同歸，滔滔滾滾，奔騰入海。詩話為中國古典詩歌的創作和批評，又開拓出一片廣袤無垠的新天地，其理論意義是無法抹煞的。

但是，對於詩話這種具有中國作風、中國氣派和獨特民族個性的詩論著作形式，古往今來，也有許多人不理解其歷史地位和理論價值，而多有譏評。就是發展到詩話大盛的清代，甚至是某些重要的詩話作家，也有許多錯誤的認識。如吳喬《答萬季埜詩問》，不僅批判嚴羽《滄浪詩話》「不言六義……作玄妙恍惚語耳」，而且進一步全面否定宋詩話，云：「唐人精於詩，而詩話

少；宋人詩離於唐，而詩話乃多……今人拘宋人之說詩，而不問
其與唐人違合……諸君當屏絕宋以後議論。」吳喬諸人，囿於宗
唐、宗宋偏見，一概抹煞「宋以後議論」和詩話的價值、意義，
在理論上顯然是片面的。而如袁枚這樣灑脫的大家，也在《隨園
詩話》卷八中說：「西崖（明·李東陽號）先生云：『詩話作而詩
亡。』余嘗不解其說。後讀《漁隱叢話》，而嘆宋人之詩可存，宋
人之話可廢也。」誠然，詩話的確有冗、雜、濫之處，即如歐陽
修這樣的大手筆，其《六一詩話》譏評「姑蘇城外寒山寺，夜半鐘
聲到客船」，謂夜半無鐘聲，也不免有夭關性靈之嫌。但是，猶
如長江黃河，其勢雄偉，也難免魚龍混雜，泥沙俱下。看問題應
求其主流與本質。如果「宋以後議論」如詩話之類均可告廢，那
麼又怎會有袁枚的《隨園詩話》呢？袁氏於其《隨園詩話》之作，自
視甚高，其詩豈因其「話」而亡？高自標榜的英雄欺人之語，並
不足取。郭紹虞《清詩話前言》的反駁很有道理：「後人每說唐人
不言詩而詩盛，宋人言詩而詩衰。其實不然。唐人不是不言詩，
而歐陽修的《詩話》，正是在唐人論詩著作上提高一步的。」詩話
的誕生和湧現，促進了古典詩歌的健康發展；而今天古典詩歌的
衰微和新詩的興起，直接關乎時移勢易，而與詩話無涉。文學發
展的歷史事實，清楚地說明了這一點。現以宋詩話為例，說明詩
話的學術價值和歷史地位。

㈠一部簡明而形象的中國詩歌發展史。

古代並沒有專門的文學史或詩歌史專著。但是今人的文學史
或詩歌發展史之類著作，在論述古典詩歌發展時，無不競相稱引
宋詩話著作，或是把宋詩話的有關論述，化為精神融入己作。就
以受袁枚譏評的胡仔《苕溪漁隱叢話》為例，它以時為序，以人為
綱，從先秦時代的國風至漢魏六朝，歷述唐代諸家，直至南宋初
年詩人呂居仁等，無不詳細搜羅史料及有關評論文字，既知人論

世，又敍述源流，給人以古典詩歌歷史發展的清晰而形象的認識。而在有關作家作品評論中，《苕溪漁隱叢話》又重點突出了陶淵明、李白、杜甫、韓愈、柳宗元諸大家。尤其在宋人視爲現當代的詩人中，突出了歐陽修、王安石、蘇軾、黃庭堅諸大家，並給予應有的重視，在處理古與今的繼承發展問題時，能夠點、面結合，理論認識是比較全面的，可資後代文學史家借鑑。重視「現當代文學」，表現了「不薄今人愛古人」的合理態度。又如計有功《唐詩紀事》、舊題尤袤《全唐詩話》，開斷代詩史之風，第一次爲人們提供了整個唐詩發展的形象歷史。

(二)**豐富和發展了傳統的詩歌美學寶庫，同時爲世界藝苑注入了新鮮的活力。**

宋詩話中有豐富的美學內容，其中有的是在繼承前人的基礎上發揚光大，有的則是超越前代，發人之所未發。從文學的外部規律看，如葛立方《韻語陽秋》，以爲詩人「觀物有感焉則興」，據此斷言杜甫「寄身於兵戈騷屑之中，感時對物，則悲傷系之」，於是始有驚人之語，這就指出了創作與生活的內在聯繫。觀物起興，似爲老生常談，但如聯繫南北宋之際國土淪喪的危急形勢看，自會體味出作者所言的深層理論意義。又如黃徹《碧溪詩話》自序稱「士之有志於爲善，而數奇不偶，終不能略展素蘊者，其胸中怨憤不平之氣，無所舒吐，未嘗不形於篇詠，見於著述者也」。結合趙宋南渡以後，中原淪喪，權奸當道，志士失路的形勢，發憤抒情，義薄雲天，正是詩歌走向生活的重要通途。所以嚴羽《滄浪詩話‧詩評》說，「唐人好詩，多是征戍、遷謫、行旅、離別之作，往往能感動激發人意」。說明詩話作者從不同側面，發展了傳統詩論，並賦予時代的新內容和新認識。

至於從文學的內部規律看，則新鮮之論，層出不窮。如宋代江西詩派的理論，在詩話中多有反映。他們的詩「法」理論，提

倡「奪胎換骨」、「點鐵成金」諸說，要求「以故爲新」、「以俗爲雅」，其末流之弊，雖有形式主義藝術傾向，但論其創始動機，則不乏創新意識。劉熙載《藝概》卷二道：「陳言務去，杜詩與韓文同，黃山谷、陳後山諸公學杜在此。」在理學統治的宋代，正統儒者常把杜詩化爲六經之附庸，從政敎風化方面，齗齗於杜甫「一飯未嘗忘君」的忠君思想。黃庭堅等江西詩派則不同，著重揭示的是杜詩內在的審美價值，亦即對杜詩之所以能夠開創古典詩歌新的美學結構的創新精神的學習。偏於技法藝術，也是一種美學進步。不然，就無法理解在江西詩派法席流行之時宋詩的發展了。後來，批判江西詩論的著作相繼出現，如張戒《歲寒堂詩話》從「言志」方面加以批判，葉夢得、姜夔從藝術方面加以修正，而嚴羽《滄浪詩話》則自謂探索到了江西派的詩病，「眞取心肝劊子手」（《答出繼叔臨安吳景仙書》），進行了總掃蕩。於是有關宋詩道路及詩「法」藝術的輪廓，在詩話著作的批判與反批判的自由爭鳴中，逐漸淸晰呈現出來。

當然，宋詩話的理論貢獻，主要還在對於詩歌藝術特徵及有關形象思維規律的探索。如《六一詩話》載梅堯臣對歐陽修談創作體會，要求詩歌創作，語新意工，道前人所未道，「必能狀難寫之景如在目前，含不盡之意見於言外」，從創新意識出發，要求詩人按照詩歌的藝術特徵，著意創造鮮明生動的藝術形象、寓意精深雋永的藝術意境。這一意見，被歷代詩家所發揚。發展到嚴羽《滄浪詩話》，則建立了以「興趣」和「妙悟」爲中心的系統詩論，揭示了有關詩歌的形象思維規律，振聾發聵，啓人至深。

㈢中肯的藝術批評與精當的美學鑑賞，促進了詩歌創作和文學批評的健康發展。

如《六一詩話》評梅堯臣、蘇舜欽二家詩歌藝術風格，以爲「子美筆力豪雋，以超邁橫絕爲奇；聖俞覃思精微，以深遠閒淡

為意。各極其長，雖善論者不能優劣也」。又如《滄浪詩話》比較李杜詩風，云：「子美不能為太白之飄逸，太白不能為子美之沈鬱」，「少陵詩法如孫吳，太白詩法如李廣。少陵如節制之師」。言簡意賅，批評精當，被後世奉為不易之論。又如司馬光的審美欣賞，獨具隻眼，一經表出，即膾炙人口，給人以美的享受。《溫公續詩話》所載有關唐詩人王之渙作《登鸛雀樓》詩的故事，即為其例。其他如評林逋《梅花詩》，標舉「疏影橫斜水清淺，暗香浮動月黃昏」，以為「曲盡梅之體態」，妙中理解，遂成不刊之評。還有，誨人不倦、提攜後進，也為後人樹立了典範，如《韻語陽秋》卷一云：

> 梅聖俞早有詩名，故士能詩者，往往寫卷投擲，以質其是非。梅各有報章，未嘗輕許之也。……皆因其短而教誨之也。東坡喜獎與後進，有一言之善，則極口褒賞，使其有聞於後世而已。故受其獎者，亦踴躍自勉，樂於修進，而終為令器。

或重批評，或重鼓勵，從不同方面，促進了詩歌創作和文學批評的健康發展。所以何文煥《歷代詩話考索》嘆頌之云：「嗚呼！如二公者（此指梅與蘇），安得世有其人？」

　　㈣詩話作者隊伍的不斷擴大，便於古典文論的普及與提高。

　　詩話時代以前《文心雕龍》及《詩品》諸作，精心構設，體系龐大，邏輯嚴密，不是一朝一夕之功，非常人所能作，所以寫作隊伍難以擴大，理論影響也就相對縮小。詩話寫作則不同，高者不妨精心結撰，低者亦可隨時獻其一得之愚。這就溝通了詩人與詩論家，名士與無名作家，使他們都能各顯其能。詩話作者隊伍的迅速擴大，當然也就有利於古典詩論在普及的基礎上不斷提高。

理論的通俗化與普及化，是詩話的又一貢獻。

　　至於詩話著作的資料彙輯之功；比較研究方法的具體運用；自由爭鳴的良好學風；均給後世以有益的啓示。詩話的發展，如清初葉燮《原詩》所說：「後人無前人，何以有其端緒？前人無後人，何以竟其引伸乎！」對於衆多詩話著作的整理和研究工作，有待今後大家的共同努力。

———————————

①《姑溪居士文集》卷七。

②《詩話之起源及其發達》，見《中山學報》第一卷第1期。

　　　　　　　　　　　（原載《學術月刊》1992年第7期）

劉向文學思想述評

劉向（約前77～前6年），主要活動於西漢後期的宣、元、成三朝。他是一個著名經學家、目錄學家及文學家，同時也是一個較爲正直的政治家。劉向的思想雖也受到諸子、特別是道家學說的某些影響，但其主要傾向則屬正統儒家，與董仲舒一樣，強調「天命」「譴告」之說。不過與一般迷信妄言不同，他更多是以「天」的權威，來進行諷諫，勸戒「天子」，普施善政，限制獨裁。所以他說：「天者非謂蒼蒼莽莽之天也。君人者以百姓爲天，百姓與之則安……背之則亡。」（《說苑‧建本》）這樣，又從高深莫測的天上回到了現實的人間。這正是他那以「美刺」爲中心的詩歌教化說產生的理論基礎。

劉向著作，有《九嘆》等辭賦三十三篇，多有亡佚；原有集，也已亡佚；明‧張溥輯佚成《劉中壘集》。今存《洪範五行傳論》、《說苑》、《新序》、《列女傳》等書。另外，漢成帝時，受命校閱祕府羣書，撮其旨要，條其篇目，以成《別錄》。其子歆在《別錄》基礎上，「種別爲《七略》」。這是我國目錄提要之祖。今《別錄》《七略》均佚，但其思想資料，多爲班固《漢書‧藝文志》所取。所以，《漢書‧藝文志》所表現的文藝觀點，有許多直接來源於劉向父子。

下面對劉向的文學思想加以簡要的評述。

一、曉合經義、文章可觀

西漢後期，社會由治趨亂，引起有識之士的憂慮，因而努力尋求治理社會痼疾的各種方案。而在武帝以後，儒學一尊，無論何種方案，總難超越經學的理性規範。劉向的文學思想，就明顯烙有時代的印記。他在《列女傳》卷一稱引魯子敬語：「治國之要，盡在經矣。」認爲儒家經義是治國之要，文章之本。甚至是先秦諸子的文章，他也巧爲揉合，依經立義。其《管子書錄》曰：「《管子》書務富國安民，道約言要，可以曉合經義。」(《列子書錄》云：「道家者，秉要執本，清虛無爲，及其治身接物，務崇不競，合於六經。」《晏子敍錄》說：「其書六篇，皆忠諫其君，文章可觀，義理可法，皆合六經之義。」不過作爲一個文學家，他雖然首先要求「曉合經義」，但同時又要求「文章可觀」。在這裡，已隱約感到「文章」另有別於六經的特徵之所在。他常稱引古書來直接或間接地闡述自己的文學觀念。「仲尼修道行，理文章」(《說苑・尊賢》)，「文章」與「道行」對舉，可見其重視。《說苑・君道》又說：「有武無文，民不可親；文武俱行，威德乃成。」統治者要鞏固統治，不僅要有刑政征伐，而且必須重視《詩》《書》禮樂等文化薰陶，只有文武並行，威德兼施，才能長治久安。劉向繼承了先秦漢初的雜文學觀念，文學包括在廣義的「文」當中。他注意到「文」與「武」社會效能的區別：武以「威下」，文以「親民」，「威」與「親」又來自不同的思維特點。而從不同的思維視角觀察問題，就有可能引導人們努力去探索文學的本質和特徵。

二、積內形外，明意達旨

　　「文章」或文學具有怎樣的性質作用及藝術特徵呢？劉向在
《戰國策書錄》中說：「皆高才秀士，度時君之所能行，出奇策異
智，轉危爲安，運亡爲存，亦可喜，皆可觀。」所謂「可喜」、
「可觀」，主要是從《戰國策》的語言藝術和人物描寫等方面，來
肯定其文學性。後來宋‧李格非《書戰國策後序》就繼承劉向而加
以發揮，明白指出《戰國策》「文辭之勝」，移人意志，頗有藝術
感染力量。在劉向的文論中，正面論述較少，更多的是通過記載
生動故事，來啓迪人們的文學思維。漢儒不管是今文學派或古文
學派，多數繼承先秦以來的「詩言志」說，劉向亦然。他在《說
苑‧修文》中大段稱引《樂記》曰：「詩言其志，歌詠其聲，舞動
其容，三者本於心，然後樂氣（器）從之。是故情深而文明，氣
盛而化神，和順積中，而英華外發。惟樂不可以爲僞者，心之動
也。」指出了詩歌的抒情特徵，文學是心靈的結晶，眞情實感是
文學藝術的生命。但「心」又是怎樣動於中而形於外呢？劉向續
引《樂記》「感物而動」之說，逐漸把文藝引向現實的軌道。據
此，則《漢書‧藝文志》謂樂府歌謠是「感於哀樂，緣事而發」的
理論，可能直接源於劉向《別錄》。因爲社會之「事」即自然之
「物」。人心「哀樂」之情，是現實客觀的「事」或「物」的反
映。於是在先輩理論基礎上，劉向又把「詩言志」說加以擴大，
提出了「作詩明指」或「作詩明意」的主張。如《列女傳》卷一
《齊女傳母》載，莊姜很美麗，但「婦道不正」，「有冶容之行，
淫泆之心」。其傳母諫之，爲作《碩人》之詩，莊姜悔悟，「卒能
修身」。於是劉向在篇末之頌中概括爲「作詩明指」之說。也就
是說，傳統的正面說理難以奏效，繼而作詩動之以情，渲染意

旨，於是莊姜感化。這則故事從側面說明了詩歌藝術的抒情特徵
及其感染力。又如《列女傳》卷四《召南申女》載，申女的未婚夫，
無禮逼婚，申女不從，於是男家羅織罪名，「致之於獄」。但申
女「壹貞修容」，反抗強暴，作詩表示決心：「雖速我獄，亦不
女從。」劉向據此稱頌曰：「作詩明指，後世稱通。」申女之
詩，見《詩・召南・行露》。《毛詩小序》以爲是「召伯聽訟」之
詩。劉向則據《魯詩》，從後世封建禮法角度來加以解釋，並對作
詩意旨進行了理論總結。「明指」、「明意」之說，在「言志」
的基礎上，愈加突出了文學訴諸感情的藝術特徵。所以劉向《說
苑・尊賢》篇說：「夫言者所以抒其胸而發其情者也。」文學就
是一種特殊之「言」。劉向認爲是眞情激動於中而發爲詩。這就
是他所說「內悅而形」（《說苑・修文》）「有諸內必形於外」
（《說苑・雜言》）的意思。如《詩・燕燕》：「燕燕于飛，差池其
羽。之子于歸，遠送于野。瞻望弗及，泣涕如雨」。《毛詩小序》
以爲是「衞姜送歸妾也」。而劉向據《魯詩》以爲是衞定公夫人定
姜子死歸婦，親送郊野，「恩愛哀思，悲心感動」而作詩。《列
女傳・衞姑定姜頌》曰：「衞姑定姜，送婦作詩。恩慈愛惠，泣
而望之……聽明遠識，麗於文辭。」在這裡，劉向通過細膩分
析，揭示了慈母喪子歸婦時的特殊矛盾心態。如此「送婦作
詩」，不僅具有外形體制的「麗於文辭」，而且是悲從中發的心
弦之音，是作者「恩愛哀思」之情的自然流露，詩歌因之感人至
深。

　　劉向進一步對文學創作過程進行概括。《說苑・貴德》曰：
「夫詩，思然後積，積然後滿，滿然後發。」創作之時，必須眞
情鬱積，激動不已，才能外發爲詩。他在《九嘆》中以屈原辭賦爲
例，認爲屈原「垂文揚彩」，是因爲他「腸憤悁而含怨兮，志遷
塞而左傾」，所以才「舒情陳詩」。一個人「冤結未舒」，自然

歌以代哭:「獨憤積而哀娛兮,翔江洲而安歌?……願假簧以舒
憂兮,志紆鬱其難釋。嘆《離騷》以揚意兮,猶未殫於《九章》。」
真情憤激,外發為詩賦文章,這是文學富於感人的藝術魅力之所
在。「《詩》《書》辟立……可以厲心。」(《新序・建本》)所謂
「厲心」,就是心靈的砥礪,情感的共鳴。所以創作必先具至誠
之心。《新序・雜事》第四論音樂藝術,與詩歌文學相通,認為
「誠心而金石為之開」,提倡藝術創作的「至誠」之心:

> 鍾子期夜聞擊磬聲者而悲,旦召問之,曰:「何哉,子之
> 擊磬若此之悲也?」對曰:「臣之父殺人而不得,臣之母
> 得而為公家隸,臣得而為公家擊磬。臣不睹臣之母三年於
> 此矣。昨日為舍市而睹之,意欲贖之,無財,身又為公家
> 之有也,是以悲也。」鍾子期曰:「悲在心也,悲在手
> 也,非木石也,悲於心而木石應之,以至誠故也。人苟能
> 至誠動於內,萬民必應而感移」。

但劉向的「至誠」與後世道學先生所謂「誠心」的抽象道德概念
有別,基本上是感情的因素。真情動於心,萬民感於外,於此可
見文藝的感染力量。上述重視「至誠」之情內積而形外的藝術
論,可能受劉安及司馬遷影響。但由於時代變化,作為獨尊儒術
時代的經學家和文學家,劉向不會率情任性,而是給文藝所抒之
情以適當的理性道德規範,要求「發由其道」(《說苑・貴
德》),分辨善惡。如《說苑・辨物》曾觸及詩歌與情欲關係的課
題:

> 不肖者精化始至矣,而生氣感動,觸情縱欲,故反施亂
> 化,故《詩》云:「乃如之人也,懷婚姻也,夫無信也,不

> 知命也。」賢者不然，精化填盈後，傷時之不可遇也。不
> 見道端，乃陳情欲以歌。《詩》曰：「靜女其姝，俟我乎城
> 隅。愛而不見，搔首踟躕。」「瞻彼日月，遙遙我思，道
> 之云遠，曷云能來。」急時之辭也，甚焉故稱「日月」
> 也。

劉向釋《詩》，具體是否正確，姑且勿論。但值得注意的是，他認
為「情欲」是人皆有之的問題，不肖者一旦生氣感動，無法控
制，於是「觸情縱欲，故反施亂化」，毫無道德可言。反映在文
學作品中，只知追求性愛，而不知天命與道，感情很不健康。而
賢者則不然，他們一樣有性愛，但卻能在情欲之上加以道德淨
化，昇華為閔時傷世的的社會慨嘆。他說：「《詩》《書》禮樂陳於
前，棄而為不善者鮮矣。」（《說苑·談叢》）文學創作通過對於
至誠之情的理性規範，完善其「厲心」的藝術特質。這是先儒
「以道制欲」的藝術化，影響好壞參半。從積極方面看，提倡情
感的淨化與昇華，化理入情，拓寬了文學視野。如明·馮夢龍
《情史敍》以為「六經皆可以情教也……情始於男女，凡民之所必
開者，聖人亦因而導之」。這對後世詩文以至戲曲小說創作的情
感的健康純潔是有益的。反之，如果片面理解，從「以道制欲」
逐漸發展到後世道學先生的「存天理，滅人欲」，取消文學中的
任何「情」和「欲」，這又是對文學中的人性及其藝術感情特徵
的反動。劉向所論，蘊藏了正、反兩方面的理論意義。

三、美刺並興，諷君勸世

詩歌文學的抒情特性，決定了它具有潛移默化的「厲心」的
社會功能。有時正面的道德教育，因它帶有某種程度的強制性，

人們並不一定樂意接受；而詩歌的「向善」與「好道」，則是通過其藝術感染作用，影響感情，化爲心靈的自願行動。《說苑‧君道》依託孔子而發表「詩之好善道」的理論，人們在愉悅的詩歌藝術欣賞中，不知不覺地完成了「成人之美，不成人之惡」的勸善懲惡作用，概括言之，不外美、刺二途。如《詩‧甘棠》，劉安認爲是以詩頌美之例。據《史記‧燕召公世家》，召公巡行鄉邑，人民「各得其所」，因作《甘棠》之詩以頌。劉向評云：「是故後世思而歌詠之；善之，故言之；言之不足，故嗟嘆之；嗟嘆之不足，故詠歌之……百姓嘆其美而致其敬，甘棠之不伐也，政教惡乎不行？……誦其文章，傳今不絕，德之及也。」（《說苑‧貴德》）也就是說，百姓流自肺腑的謳歌，化爲巨大的感人力量，促使人們自覺地遵守禮法，於是就達到了政教大行、社會安定的作用。又如《詩‧柏舟》「我心匪石，不可轉也；我心匪席，不可卷也。威儀棣棣，不可選也」，劉向認爲是美刺並興的作品，一方面頌美衞宣夫人的「貞壹」節操，一方面又「作詩譏刺」君臣無禮（《列女傳》卷四《衞宣夫人》）。這種解釋，並不符合春秋時事。女子從壹而終的貞節觀，是後來封建社會才形成的倫理觀念。因此，劉向所反映的正是漢儒的意見。詩歌美刺繫乎世之人心，美不爲諛，刺不爲過，美刺並舉，上可諷君，清明政治；下則化民，移風易俗。

但爲了加強詩歌美刺的諷諫力量，劉向又常挾「天命」、「譴告」的權威來說《詩》。如其《條災異封事》，言周初「周公繼政，朝臣和於內，萬國歡於外……天應報於上，故《周頌》曰『降福穰穰』、又曰『飴我釐麰』。釐麰，麥也，始自天降。此皆以和致和，獲天助也」。因人之和而「獲天助」，故作詩以頌美之。而亂世則反之。「下至幽、厲之際，朝廷不和，轉相非怨，詩人疾而憂之曰：『民之無良，相怨一方。』……當是之時，日月薄蝕

而無光，其詩曰：『朔日辛卯，日有蝕之，亦孔之醜！』……天變
見於上，地變動於下，水泉沸騰，山谷易處……自此以後，天下
大亂……皆怨氣之所致也。夫遵衰周之軌迹，循詩人之所刺而欲
以成太平致雅頌，猶卻行而求及前人也。」（見《漢書》本傳）

　　與《毛詩》等古文學派相比較，劉向等今文學派同樣提倡詩歌
美刺理論，而更強調「天命」「譴告」，發揮微言大義，主觀唯
心傾向明顯。但從發揚文學的社會效能看，以「天命」制「天
子」，限制封建帝王獨裁，這樣「美刺」卻染有某種民主色彩，
因而它那關心政教民瘼的現實精神也就愈加強烈一些。而美刺之
中，劉向更重視的是「刺」。因為詩人所刺，「皆怨氣之所
致」。「死者恨於下，生者愁於上，怨氣感動，陰陽因之以饑
饉」（《諫營昌陵疏》）。壓抑「怨」氣，就會遭「天譴」而大
亂，封建制度難以鞏固，甚至是滅亡。相反，如果把下面的
「怨」氣加以合理疏導，讓人們的不滿通過文學之「刺」，尋找
宣泄的突破口，一方面可求得內在的心理平衡，一方面又挾天威
而諷人主，統治者因詩之「刺」而震動悔悟，積極調整，就可能
復興而「成太平致雅頌」。劉向之「刺」，強調下對上的批評甚
至鬥爭，具體發展了孔子「詩可以怨」的理論，具有一定的民主
精神與批判現實的因素。

四、「詩無通詁」與具體批評

　　對於藝術的內在關係，劉向也曾進行研究。其《雅琴賦》描繪
藝術之妙：「彈少宮之際天，援中徵以及泉。」藝術想像超越時
空限制，上天入地，縱橫馳騁，所以說是「窮音之至入於神」。
藝術微妙，出神入化。「眉睫之微接而形於色，聲音之風感而動
乎心。寧戚擊牛角而商歌，桓公聞而舉之」（《說苑·尊賢》）。

藝術的感染，依靠的不是直接的抽象說教，而是形色聲音等具體的藝術微妙，在潛移默化中來震撼心弦。這一美學效應說明文學藝術是創作、批評與欣賞的統一。文學創作需要「知音」，而「知音」的批評與欣賞又自有方法。《說苑・奉使》曰：

> 《春秋》之辭有相反者……公子子結擅生事，《春秋》不非，以爲救莊公危也；公子遂擅生事，《春秋》譏之，以爲僖公無危事也……傳曰：《詩》無通詁，《易》無通吉，《春秋》無通義，此之謂也。

在這裡，他繼董仲舒之後，提出了「詩無通詁」之說。「通」，董仲舒《春秋繁露・精華》作「達」，「通」與「達」意思相似。它原是依經立義、闡述典籍的一種具體方法。因古代文史哲不分家，所以對後來的文學批評與欣賞也產生了影響。如果排除其「斷章取義」的主觀附會之弊，結合實際作靈活理解，那自會發現「詩無通詁」與今人所說文學的模糊思維有關，對後人頗有啓發。如《詩・柏舟》：「我心匪石，不可轉也；我心匪席，不可卷也。」在不同場合，理解不同。《新序・節山》載，原憲居貧，「坐弦而歌」；子貢當官，肥馬輕裘，相形之下，子貢愧退。劉向評云：「故養志者忘身，身且不愛，孰能累之？《詩》曰：『我心匪石，不可轉也；我心匪席，不可卷也，此之謂也。』」以爲歌頌的是追求個人精神人格的自由。而同一篇中，載蘇武不降匈奴的故事，寫他「守節不移，雖有鐵鈇湯鑊之誅而不懼」，引用同樣詩句，歌頌的不是個人精神的自由，而是忠於祖國的民族氣節。個人需求與國家利益發生矛盾時，前者服從後者。又如《說苑・立節》，則化具體爲一般，顯現了思想的昇華：

> 志有殺身以成仁，觸害以立義，倚於節理而不議死地，故
> ……名傳於後世，與日月并而不息，雖無道之世，不能污
> 焉……《詩》云：「我心匪石，不可轉也；我心匪席，不可
> 卷也。」言不失己也。能不失己，然後可與濟難矣。此士
> 君子之所以越衆也。

「能不失己」的操守，解釋很寬泛，具有不穩定的多義性，可作不同的聯想。所謂「己」，小至個人，如原憲的「坐弦而歌」；大至國家民族，如蘇武忠心報國。作到「不失己」，可以像屈原那樣，名傳於後世，與日月爭光，指的是具體的作家作品；也可像孔子那樣，作爲高尚道德的象徵，是封建知識羣體所崇拜的人格美的抽象存在。劉向這樣靈活地運用「詩無通詁」的理論，暗合現代接受美學的主張，爲批評與欣賞者的審美再創造留下了馳騁聯想的廣闊天地。

五、重視語言文辭的修飾與表達

關於文與質的關係，由於受先秦諸子多方面的影響，劉向之論時有自相矛盾之處，如《說苑·反質》：

> 墨子曰：「先質而後文，此聖人之務也。」
> 孔子曰：「吾思夫質素……丹漆不文，白玉不雕，寶
> 珠不飾，何者？質有餘者，不受飾也。」
> 雕文刻鏤，害農事也；錦繡纂組，傷女工者也……男
> 女飾美以相矜，而能無淫泆者，未嘗有也。
> 重禮不貴物也，敬實不貴華……是以聖人見人之文，
> 必考其質……聖人抑其文而抗其質……君子雖有外文，必

不離內質矣。

這是先質後文或重質輕文之論，與先秦道、墨、法家及漢儒極端言論相似。但在實際運用中，他更多提倡的是文質並重論。據《說苑・修文》載，子桑伯子批評孔子質美文繁，而孔子則企圖改變其質而無文傾向。對於這一美學論爭，劉向作出了自己的評判：「文質修者謂之君子，有質而無文之謂野。」很明顯，他維護的是孔子的文質並重論，批評了桑伯子的有質無文是一種粗野表現。所以又繼續發揮孔子「有德者必有言」的觀點，強調「德彌盛者文彌縟，中彌理者文彌章」，「《詩》云『雕琢其章，金玉其相』，言文質美也。」文質皆美，值得效仿。儒家六藝，「紛兮其有質文也」，質美充盈，必外溢而為文。以上所言，雖是就一般道德禮樂之文而言，但其中包含了文學。而就文學來說，「文」即「言」之文，因為文學是語言藝術，通過語言藝術來抒情達意，顯其文采。因此，其文質並重論進一步表現為對於語言文辭的重視：

> 《新序・雜事》第三「言語者，士之道路也。道路不
> 修，士無所行矣。」「孔子曰：『言語，宰我、子貢。』故
> 《詩》曰：『辭之集矣，民之洽矣；辭之懌矣，民之莫
> （慕）矣。』唐且有辭，魏國賴之，故不可以已。」

> 《列女傳》卷六《齊孤逐女》：「談國之政，亦甚有
> 文」。《齊女徐吾》：「君子曰：婦人以辭不見棄於鄰，則
> 辭安可以已乎！《詩》云：『辭之輯矣，民之協矣。』此之謂
> 也。」《齊太倉女》：「緹縈訟父，亦孔有識。推誠上書，
> 文雅甚備。小女之言，乃感聖意。終除肉刑，以免父

事。」

於此可見他對言語文辭的重視。語言藝術是「士之道路」，文士
才女，通過文辭來談論國政，交流思想，上可感動「聖意」，下
不「見棄於鄰」，促使人慕民治，以完成安邦定國的任務。

應該怎樣來重視言辭呢？劉向進一步又指出，必須講究言辭
的邏輯推理及修辭比喻之法。如《列女傳》卷六《楚江乙母》，講到
江乙之母善於邏輯推理及修辭譬喻，在君主前侃侃而談，駁倒權
貴，爲兒子平冤。劉向評云：「君子謂乙母善以微喻。《詩》云：
『獻之未遠，是用大諫。』此之謂也。」篇末之頌有「辭甚有度」
的嘆美。言辭之「度」——即語言藝術的表達規律。卷六《辯通
傳・頌義小序》說：「惟若辯通，文辭可從。連類引譬，以投禍
凶。推摧一切，後不復重。終能一心，開意甚公。妻妾則焉，爲
世所誦。」連婦女都要講究「連類引譬」的修辭，更何況是文人
墨客！所以劉向在《說苑》中專立《善說》一篇：

> 孫（荀）卿曰：夫談說之術，齊莊以立之，端誠以處
> 之，堅強以持之，譬稱以喻之，分別以明之，歡欣憤懣以
> 送之，寶之珍之，貴之神之，如是則說無不行矣！……鬼
> 谷子曰：人之不善而能矯之者難矣！說之不行、言之不從
> 者，其辯之不明也；既明而不行者，持之不固也；既固而
> 不行者，未中其中心之所善也。辨之明之，持之固之，又
> 中其人之所善，其言神而珍、白而分，能入人之心。如此
> 而說不行者，天下未嘗聞也。此之謂善說。子貢曰：出言
> 陳辭，身之得失，國之安危也。《詩》云：「辭之繹矣，民
> 之莫（慕）矣。」夫辭者，人之所以自通也。主父偃曰：
> 人而無辭，安所用之？……夫辭者乃所以尊君重身安國全

性者也。故辭不可不修，説不可不善。

客謂梁王曰：「惠子之言事也善譬。王使無譬，則不能言也。」王曰：「諾」。明日見，謂惠子曰：「願先生言事則直言耳，無譬也。」惠子曰：「今有人於此而不知彈者曰：『彈之狀何若？』應曰『彈之狀若彈』，則諭乎？」王曰：「未諭也。」「於是更應曰：彈之狀如弓，而以竹爲弦。則知乎？」王曰：「可知矣。」惠子曰：「夫説者固以其所知，諭其所不知，而使人知之。今王曰無譬，則不可矣。」王曰：「善。」

這兩則故事，一方面繼續說明生活中言辭的重要性，涉及了身之得失，國家安危；一方面又深入探討談說的藝術，從修辭邏輯結合心理分析，以便切中人們「心中之所善」。一旦說到人們的心坎裡，則其說容易被接受而實行。所引荀況之言，見於《荀子・非相》，文字略有出入，意思是說：言辭辯說有一定的方法和規律，儀表應矜持莊重，態度則端莊誠懇，既勇於堅持眞理，又巧用譬來開導聽衆，在辯論過程中，善於把事物分門別類地加以綜合分析，並運用令人喜悅、引人激動的方式加以表達，所以人們會像對待稀世珍寶一樣愛惜它，像神妙之物一樣崇敬它，如果這樣，則言辭談說一定深入人心，起到應有的作用。而在惠施對梁王問的故事中，則具體說明了修辭譬喩的方法及其重要性。平時言談尚且如此，更何況是文學的語言藝術呢！在漢代，廣集衆說以突出語言藝術的重要性的理論家當推劉向。這裡所論雖多就一般的語言藝術而論，但對後代文學家很有啓發，促進了人們對文學語言藝術的奧祕作深入的探索。不過我們同時不要忘記劉向所受經學的影響，因此《說苑・談叢》曰：「無思慮之心則不達，無談說之辭則不樂，善不可以僞來，惡不可以辭去。」既強調語言

表達與眞情實感的聯繫，同時又不忘對語言藝術施加「善」與
「惡」等觀念的倫理規範。

六、對婦女文學的宣傳和提倡

為了宣揚封建的忠孝節義倫理綱常，劉向借古諷今，編撰了
《列女傳》。宋・曾鞏《古列女傳目錄序》云：「初，漢承秦之弊，
風俗已大壞矣，而成帝後宮趙、衞之屬，尤自放。向以謂王政必
自內始，故列古女善惡所以致興亡者，以戒天子。此向述作之大
意也……向之所述，勸戒之意可謂篤矣！」所言大致不差。在今
天，這種說教早已失去意義。但人們在批判與反思的過程中，卻
又發現《列女傳》另有其價值，它保存了許多有關古代婦女文學的
思想資料，在閱讀了婦女作詩的種種生動故事後，人們又透過道
德帷幕，看到了婦女智慧及其文學創作的閃光。

封建社會中的婦女，所受壓迫深重，社會地位低下，幾乎被
取消了發言權。但劉向則不然。如《列女傳》卷二《周南之妻》載周
南大夫之妻「作詩《魴魚》，以敕君子」事。在這裡，婦女不僅有
發言權，而且以其詩歌創作，來達到在家匡正丈夫、在國教育
「君子」的作用。又如卷三《許穆夫人》載翟人破衞、懿公亡命楚
丘，許穆夫人（衞公室之女）弔唁衞侯而作《載馳》之詩。據《左
傳》閔公二年，也有「許穆夫人賦《載馳》」的記載。詩曰：「載
馳載驅，歸唁衞侯。驅馬悠悠，言至于漕。大夫跋涉，我心則
憂。旣不我嘉，不能旋反。視爾不臧，我思不遠。」詩中不僅暴
露與批判了統治階級內部的爭鬥，而且洋溢著愛國激情，體現了
女詩人那勝於鬚眉的眼光與遠識。於此可見，婦女不僅有條件作
詩言志，而且作品也能夠具有安邦定國的深遠意義。又如卷二
《柳下惠妻》：

柳下既死，門人將誄之。妻曰：「將誄夫子之德耶？則二
三子不如妾知之也。」乃誄曰：「夫子之不伐兮，夫子之
不竭兮，夫子之信誠而與人無害兮，屈柔從俗不强察兮，
蒙恥救民德彌大兮，雖遇三黜終不蔽兮，愷悌君子永能厲
兮。嗟呼惜哉，乃下世兮。庶幾遐年，今遂逝兮。嗚呼哀
哉，魂神泄兮。夫子之諡，宜爲惠兮！」門人從之以爲
誄，莫能竄一字。君子謂柳下惠妻能光大其夫矣。《詩》
曰：「人知其一，莫知其他。」此之謂也。頌曰：下惠之
妻，賢明有文。柳下既死，門人必存。將誄下惠，妻爲之
辭。陳列其行，莫能易之。

柳下惠妻不僅德賢，深刻全面地理解丈夫的精神品格；而且善於
文辭，能夠貼切地表彰其思想光輝。她的誄文，發自肺腑，一氣
呵成，竟使衆多士人不能改動一字，這是何等高水平的婦女文學
作品！劉向不僅對於創作，而且對於婦女的文學批評也給予一定
的評價。如卷六《齊管妾婧》載，管仲迎寧戚，不解寧戚所誦詩之
意，因此回家請教妾婧：

　　管仲乃下席而謝曰：「吾請語子其故。昔日公使我迎
寧戚，寧戚曰：『浩浩乎白水』。吾不知其所謂，是故憂
之。」其妾笑曰：「人已語君矣，君不知識耶？古有《白
水》之詩，詩不云乎：『浩浩白水，儵儵之魚。君來召我，
我將安居。國家未定，從我焉如此。』寧戚之欲得仕國家
也。」管仲大悅，以報桓公。桓公乃修官府，齋戒五日見
寧子，因以爲佐，齊國以治。君子謂妾婧可與謀。《詩》
云：「生民有口，詢於芻蕘。」此之謂也。

管仲是孔子所稱頌的大賢。但其妾婧的聰明才智在某些方面又超過他，她的批評使管仲心悅誠服，爲齊國之治作出了貢獻。這樣，從婦女文學的創作到批評，劉向可說是第一位給予重視、並作出理論評價的人。這是他的一個傑出理論貢獻。

總之，劉向的文學思想，基本上反映了儒術「獨尊」以後西漢晚期的理論水平。其中許多觀點，反映了正統儒學的理論，是繼承了董仲舒等而有所發展，成了下啓揚雄、班固的理論過渡。但他對「詩無通詁」、譬喻修辭等語言藝術的研究，及對古代婦女文學的重視等方面，則又作出了超越前人的貢獻。

（原載《復旦學報》社科版1989年第5期）

班固的文學思想

班固（32～92年），字孟堅，扶風安陵（今陝西咸陽）人。東漢初著名史家及文學家。著《漢書》及詩賦文章數十篇，後人輯有《班蘭台集》。曾參加討論與整理儒經的白虎觀會議，奉詔記錄、整理了《白虎通義》。

據范曄《後漢書‧班固傳》及《漢書‧敍傳》載，他生於書香世家，從小刻苦學習，「九歲能屬文，誦詩賦」；長大後，學無常師，博覽典籍，「九流百家之言無不窮究」，融會貫通，成一家言。其父彪曾續《史記》作《後傳》六十五篇，未成而卒。班固繼承父志，但又發現父親「所續前史未詳」，缺點不少，因而廣搜史料，「潛精研思」，以數十年孜孜努力，終於基本上完成了現有《漢書》的規模。

在歷史上，班固地位很高，後人雖偶有譏議，但影響不大。及至近現代，由於加強了對於儒家正統思想的必要批判，以致忽略了其思想中進步的另一面，因而班固的地位一落千丈。其實，作為一個官方史家與文人，堅持儒家正統思想，保守傾向較為嚴重，是可以理解的。而且他思想中還有另一個方面，作為一個正直、誠實的史家和文學家，在西漢末年農民大起義後不久，敢於正視現實、直面人生。班固世界觀中的這一巨大矛盾，在他的文學思想中有明顯的體現。

一、對於詩歌藝術的認識

班固的文學理論批評，集中表現在《兩都賦序》、《離騷序》、《離騷贊序》、《典引・序》，及《漢書》的《藝文志》、《地理志》、《食貨志》、《儒林傳》和其他有關的文學家傳記中。尤其是《藝文志》一篇，是他在劉向《別錄》、劉歆《七略》的基礎上改寫的，反映了時代的成果，當然也包括了班固自己的意見與貢獻。近人顧實《漢書藝文志講疏》曰：「班《志》豈盡《七略》之舊哉！」確是言之有據之論。《漢書・藝文志》中的某些文學見解，與班固其他文章有異，這只能從另一側面反映出班固文學思想複雜、矛盾的特點。

漢代是儒家經學統治的時代。作爲御用學者的班固，其文學思想無疑會受到經學的直接影響。時常「依經立義」，用它解釋文學現象，而不顧牽強附會，窒礙難通，把文學作爲闡釋儒家禮教的附庸，就是突出的表現。但班固又是一個正直的史家和有識的文人，比較能夠正視現實，因而對文學的藝術本質和社會作用有所認識。

從《漢書・藝文志》及《禮樂志》裡我們不難看出：有不少篇幅是按照「依經立義」的原則來討論古《詩》三百篇的，雖不乏泛泛之言，但也有值得注意的文學主張。例如，在劉向父子及班固以前，文學作爲經學附庸，一些辭賦作家，統治者是以倡優弄臣待之，地位極其低下。而《漢書・藝文志》則自覺或不自覺地批判了這一傳統偏見，特設《詩賦略》，把詩賦等文學作品與六經諸子等學術著作分開論述，又把衆多的詩賦作品區分爲五大類，即屈原賦、陸賈賦、孫（荀）卿賦、雜賦、歌詩。這就有利於從理論上去認識文學的藝術本質。

　　關於詩歌藝術的產生、性質和作用問題，班固曾作過這樣的論述：

> 夫民有血氣心知之性，而無哀樂喜怒之常，應感而動，然後心術形焉……音聲足以動耳，詩、語足以感心，故聞其音而德和，省其詩而志正（《禮樂志》）。

> 《書》曰：「詩言志，歌詠言。」故哀樂之心感，而歌詠之聲發。誦其言謂之詩，詠其聲謂之歌（《藝文志》）。

這些意見，繼承和發揚了古代儒家的文學觀念，明確指出了詩歌的「言志」抒情特徵。所謂「應感而動」，就是詩人主觀方面的「心」「志」，因爲世界外「物」的刺激，有所觸動與感應，外發而爲詩歌。所以說是「哀樂之心感，而歌詠之聲發」，悲哀和愉悅的情感，通過不同風格的詩歌作品，藝術地表現了出來，以期達到言志抒情的目的。而引起創造激情的推動力──也即外「物」，是指與社會現實有關的事物。關於民間歌謠的產生與出現，《漢書·五行志》就是這樣分析的：「君炕陽而暴虐，臣畏刑而鉗口，則怨謗之氣發於歌謠。」這就是說，封建統治者「無惠澤於下」，而士大夫又「畏刑而鉗口」，人民「怨謗之氣」鬱積於中而無所伸張，於是轉向文藝，通過詩歌，來傾瀉自己的怨恨之情。《藝文志》著錄了漢興以來詩歌作品二十八家三百多篇，並就民間歌謠發表了精彩的議論：「自孝武立樂府而采歌謠，於是有代、趙之謳，秦、楚之風，皆感於哀樂，緣事而發。」它說明詩人主觀情志的所「感」所「動」，確是由於客觀外「物」──社會人生之「事」的推動而產生。文學創作應該是發自內心，眞情動人，而不是無病呻吟，這就是「感於哀樂」；而所謂「緣事

而發」，又說明它應是言之有「物」、有爲而發的眞實反映。由
詩歌的本質及與現實生活的關係，《藝文志》又進一步談到詩歌藝
術的重大社會作用：「故古有采詩之官，王者所以觀風俗、知得
失、自考正也。」所謂「觀風俗」，說明了文學作品如果眞實地
反映了現實，那麼它就是生活的一面鏡子，因而可「觀」；而
「知得失、自考正」云云，就是通過作品的反映，檢查正確與錯
誤，勉勵統治階級中的有識之士，正視現實，因勢利導，進行自
我調節，以便更有效地維護統治。《藝文志》的這些論述繼承了劉
向父子的重大貢獻，反映了時代的理論水平，因而更富於代表
性，更能說明處在上升時期的封建統治階級的自信心。這時的統
治者，敢於提倡「緣事而發」的「怨刺」文學，以資政治借鑑，
應該說是儒家「詩言志」傳統文學觀念進一步發展的一個表現。

　　對於古《詩》三百篇的評論，《漢書‧地理志》也提出了一些頗
有參考價值的見解。如：

> 凡民含五常之性，而其剛柔緩急，音聲不同，繫水土之風
> 氣，故謂之風；好惡取舍，動靜亡（無）常，隨君上之情
> 欲，故謂之俗。孔子曰：「移風易俗，莫善於樂。」言聖
> 王在上，統理人倫，必移其本，而易其末，此混同天下，
> 一之乎中和，然後王教成也。

這裡討論的是社會風俗的形成。它過分強調統治者個人好惡的影
響，而認識不到生產發展及社會鬥爭的決定作用，這當然是片面
的；但其中論到不同的社會環境和生活條件，對於形成社會風氣
的影響，也有一定的合理因素。如春秋時期我國的西北地區，是
秦國土地，地處邊陲，與少數民族雜居。當時的民族糾紛不斷，
邊境戰爭頻繁。因此，西北人民形成了獨特的生活習慣，「修習

戰備，高上氣力」。這一社會風氣的出現，很大地影響了文學創作，因而「歌謠慷慨」，這在秦詩中有突出的反映。《地理志》謂《車鄰》諸篇，「皆言車馬田狩之事」，絕非偶然。當時秦國的「田狩之事」，一方面是游牧民族的一種生產方式，一方面又是諸侯國家進行戰備的演習訓練。即《毛詩》的《秦風・無衣》：

> 豈曰無衣？與子同袍。王于興師，修我戈矛，與子同仇。
> 豈曰無衣？與子同澤。王于興師，修我矛戟，與子偕作。
> 豈曰無衣？與子同裳。王于興師，修我甲兵，與子偕行。

詩中生動地描繪了廣大戰士同仇敵愾的愛國激情，士兵之間的友愛之心，人民慷慨從軍的熱烈氣氛，躍然紙上。《毛詩・小序》說：「《無衣》，刺用兵也。秦人刺其君好攻戰，亟用兵，而不與民同欲焉。」這樣分析，我們認為是不符合作品的實際的。《左傳・定公四年》載，秦哀公答應申包胥的請求而出兵救楚時，曾賦《無衣》，以表決心。這說明古人肯定它是一首正氣凜然的頌歌。班固在經學方面雖然大體上傾向於古文學派，但他對《毛詩序》的錯誤絕不盲從。他可能是根據今文學派的齊詩加以發揮，《地理志》實事求是地指出：

> 天水、隴西，山多林木，民以板為室屋。及安定、北地、上郡、西河，皆迫近戎狄，修習戰備，高上（尚）氣力，以射獵為先。故秦詩曰：「在其板屋。」又曰：「王于興師，修我甲兵，與子偕行。」及《車鄰》、《四載》、《小戎》之篇，皆言車馬田狩之事（按《漢書・趙充國辛慶忌傳贊》所言略同，有「其風聲氣俗自古而然，至今歌謠慷慨，風流猶存」之說）。

　　又據《史記・周本紀》，周民族的始祖后稷，「逐好耕農，相
地之宜，宜穀者稼穡焉。民皆法則之。帝堯聞之，舉爲農師」。
《詩・大雅・生民》眞實地反映了這段歷史，描繪了后稷對於發展
農業生產的重大貢獻。傳到夏時，公劉避亂，遷民於豳，《詩・
大雅・公劉》就形象地反映了周民族以農爲本傳統的形成。《詩・
豳風・七月》又具體描寫了農民全年的勞動情況，生動地勾畫出
周民族以農立國的歷史生活圖卷。根據周民族獨特的情況，《漢
書・地理志》謂「其民有先王遺風，好稼穡，務本業，故《豳》詩
言農桑衣食之本甚備」，並從歷史上民族傳統的形成，來具體分
析對於《豳》詩的影響，這是很符合歷史實際的。

　　再如對於《齊》詩的評述。自姜太公治齊之後，當地士人「矜
功名」，而「好經術」，常常「之乎者也」地炫耀學問，不知不
覺地影響詩歌創作，也多用虛詞來加強語言的聲氣作用，因此促
進了「舒緩之體」的形成。《漢書・地理志》對於《詩・齊風》那種
表現在語言藝術風格上「舒緩之體」的分析，就充分說明了齊國
的學術文化和風土人情對「舒緩」詩風形成的影響：

　　　齊地……《詩・風》齊國是也。臨淄名營丘，故《齊詩》曰：
　　　「子之營兮，遭我乎嶩之間兮。」又曰：「竢我著乎
　　　而。」此亦其舒緩之體也。吳札聞《齊》之歌，曰：「泱泱
　　　乎，大風也哉！其在太公乎？國未可量也。」……初太公
　　　治齊，修道術，尊賢者，賞有功；故至今其土多好經術，
　　　矜功名，舒緩闊達而足智。

　　「吳札聞《齊》之歌」一段，見《左傳・襄公二十九年》，服虔
注：「泱泱，舒緩深遠，有太和之意。」可見古人也認爲《詩》中
《齊風》的語言藝術風格是「舒緩深遠」，別具一格。又《史記・

貨殖列傳》：「齊地……臨淄，亦海岱之間一都也。其俗寬緩闊
達而足智，好議論，地重，難動搖……大國之風也。」王充《論
衡·率性》：「楚越之人處莊岳（**按**：齊國街里名）之間，經歷
歲月，變爲舒緩，風俗移也。故曰齊舒緩。」都一致承認齊國之
風是「舒緩」。不過《漢書·地理志》的評論比上述諸書更進一
步，指出了歷史傳統、生活風氣與詩歌作品語言藝術風格的必然
聯繫，並闡明了形成一定風格的社會歷史原因，實際上包含了對
文學作品民族特性的看法。

另外，班固以儒家傳統觀念來評述「鄭衞之音」，對於民間
戀歌之類，頗有微詞，當然不正確。但他又指出鄭地「土陿而
險，山居谷汲，男女亟聚會，故其俗淫」，衞地「有桑間濮上之
阻，男女亦亟聚會，聲色生焉，故俗稱鄭衞之音」。像這樣從獨
特生活習俗，來分析「鄭衞之音」一類愛情詩的形成，對後人是
有一定啓發的。總之，《漢書·藝文志》、《地理志》的許多具體批
評與論述，基本上還是從「緣事而發」、反映現實這一基本原理
演繹出來的。

二、對屈原及《離騷》的評價

西漢時期，賈誼、劉安、司馬遷、揚雄諸人，從各個角度對
屈原的人格及其代表作《離騷》，給予了很高的評價。但揚雄在推
崇屈賦的同時，又從「明哲保身」的觀點出發，不滿屈原的作
爲，形成了自相矛盾的批評。班固繼承和發展了揚雄的意見，對
屈原及《離騷》一方面進行了露骨的批評；一方面又暗中迴護，加
以頌揚。

班固曾作《離騷經章句》，已亡佚，現僅存《離騷序》和《離騷
贊序》二篇。在《離騷序》中，他發展了揚雄「明哲保身」的觀

點，對屈原及其作品所體現的鬥爭精神，表現了一定的不滿，並作出了自己的評價：

> 今若屈原，露才揚己，競乎危國羣小之間，以離讒賊。然責數懷王，怨惡椒、蘭，愁神苦思，强非其人，忿懟不容，沈江而死，亦貶絜狂狷景行之士。多稱昆侖冥婚宓妃虛無之語，皆非法度之政、經義所載。謂之兼《詩》風雅而與日月爭光，過矣。
>
> 然其文弘博麗雅，爲辭賦宗，後世莫不斟酌其英華，則象其從容。自宋玉、唐勒、景差之徒，漢興，枚乘、司馬相如、劉向、揚雄，騁極文辭，好而悲之，自謂不能及也。雖非明智之器，可謂妙才者也。

班固所激賞的是其文辭的「弘博麗雅」，「爲辭賦宗」。但是，對於屈原的浪漫主義豐富想像，班固又按照「依經立義」的原則給予批評，說是《離騷》「多稱昆侖冥婚宓妃虛無之語，皆非法度之政、經義所載」，完全以是否見於經典記載來繩檢藝術構思。這說明他對文學的藝術特徵及創作的思維規律，雖有一定認識，但又是幼稚和不全面的。不過在文學尚未擺脫經學束縛的情況下，這一幼稚的看法卻代表了當時部分士大夫的認識水平。

班固不同意司馬遷對屈原「忠而被謗」之「怨」的肯定，並尖銳地批評屈原因爲「露才揚己」、「競乎危國羣小之間」，才會落得「忿懟不容，沈江而死」的悲慘結局。這就把屈原正義的愛國鬥爭，曲解爲個人的意氣之爭；把《離騷》的公正呼喊，視爲個人的牢騷，並以此斷言屈原不合中庸之道要求，非「明智」之士，而是一個狂狷景行的過激派。這就從根本上歪曲了屈原的鬥爭精神及其作品深刻的社會意義。班固這樣用儒家「溫柔敦厚」

的傳統觀念來具體衡量作家作品，勢必與頑固的舊勢力相妥協，
導致削弱和取消文學的鬥爭性。這就有可能把文學藝術引導到脫
離生活鬥爭、一味歌功頌德的軌道上。

　　但是，在《離騷贊序》中班固又對此作出了矛盾的相反評價：

> 《離騷》者，屈原之所作也。屈原初事懷王，甚見信任，同
> 列上官大夫妒害其寵，讒之王，王怒而疏屈原。屈原以忠
> 信見疑，憂愁幽思，而作《離騷》。離，猶遭也；騷，憂
> 也。明己遭憂作辭也。是時周室已滅，七國並爭。屈原痛
> 君不明，信用羣小，國將危亡，忠誠之情，懷不能已，故
> 作《離騷》。上陳堯、舜、禹、湯、文王之法，下言羿、
> 澆、桀、紂之失，以風懷王。終不覺寤，信反間之說，西
> 朝於秦。秦人拘之，客死不還。至於襄王，復用讒言，逐
> 屈原在野。又作《九章賦》以風諫，卒不見納，不忍濁世，
> 自投汨羅。原死之後，秦果滅楚。其辭爲衆賢所悼悲，故
> 傳於後。

在這裡，批判的鋒芒直指荒淫腐敗的統治集團，反過來熱情地歌
頌了屈原的愛國精神，並高度評價其作品抒懷諷諫的社會作用。
這又說明他對屈原作品的藝術價值是有認識的。作爲《離騷序》的
姊妹篇的《離騷贊序》發表的這樣一種評價，應該看作是班固的一
種自我批判與自我否定。它不是偶然的興到之語，而是一種理論
評價的調整。在衆多的場合中，班固對屈原及其作品更多的是充
滿同情的、基本肯定的評價：

> 昔卞和獻寶，以離斷趾；靈均納忠，終於沈身。而和
> 氏之璧，千載垂光；屈子之篇，萬世歸善（班固《奏記東

平王蒼》，見《全後漢文》卷二十五）。

> 始楚臣屈原被讒放流，作《離騷》諸賦以自傷悼。後有
> 宋玉、唐勒之屬，慕而述之，皆以顯名。漢興（枚乘、鄒
> 陽、嚴夫子、嚴助、朱買臣等繼之）……文辭並發，故世
> 傳《楚辭》（《漢書·地理志》）。

> 讒邪交亂，貞良被害，自古而然。故伯奇放流，孟子
> 宮刑，申生雉經，屈原赴湘，《小弁》之詩作，《離騷》之辭
> 興（《漢書·馮奉世傳贊》）。

類似的評論，言語筆鋒之間，愛憎極其分明，充滿了感情色彩，
班固不僅肯定了屈原的思想與人格，而且進一步把他的創作，擺
到社會現實中去考察。這種肯定評價，與《漢書·藝文志》的觀點
是一致的，而不是如有人所說的「截然相反」。《藝文志·詩賦
略》中首列「屈原賦」，可見作者對於屈原作品文學價值的重
視。在《詩賦略敍論》中班固還有明確的理論總結：

> 春秋之後，周道寢壞，聘問歌詠，不行於列國。學詩之
> 士，逸在布衣，而賢人失志之賦作矣。大儒孫（荀）卿及
> 楚臣屈原，離讒憂國，皆作賦以風，咸有惻隱古《詩》之
> 義。其後宋玉、唐勒，漢興，枚乘、司馬相如下及揚子
> 雲，競爲侈麗閎衍之詞，沒其風諭之義。

班固繼承劉向父子的意見，同情屈原的「離讒憂國」，頌揚
屈賦的「風諭之義」，並把它提到與《詩經》相比美的崇高地位，
這同樣是站在儒家的立場，認爲屈原作品具有「惻隱古《詩》之

義」。

三、對司馬遷及《史記》的評論

　　從現存材料來看，班固對司馬遷和《史記》的評論同樣充滿了
矛盾的觀點：既有封建的保守觀念；又有理解與同情的態度。在
公開場合，班固屈服於強大的政治壓力，站在當時的官方立場，
不能不對司馬遷及《史記》持嚴厲的批判態度。班固年輕時學習司
馬遷《史記》而著《漢書》，早受當局注意，曾被告訐私修國史而下
獄，險遭不測，餘懼猶存。據其《典引・序》載，後來《漢書》雖列
為官書，但明帝仍不放心，特派小黃門持《史記・秦始皇帝本紀》
來試探並加責誡，明確指斥司馬遷《史記》的「微文刺譏，貶損當
世」。這使班固等文人誠惶誠恐。皇帝的「開瘖」，宮廷的意
志，直接滲入了班固的思想。作為官方史家和御用文人，他把漢
明帝的意旨當作金科玉律，大加稱頌，甚至有孔子再生「亦無以
加」的媚辭。這些話不但表現了他屈從壓力的阿諛態度，同時也
反映了他對司馬遷《史記》的錯誤看法。他對司馬遷《史記》的評
論，主要見於《漢書・司馬遷傳贊》：

> 其言⋯⋯是非頗繆於聖人⋯⋯此其所蔽也。然自劉向、揚
> 雄博極羣書，皆稱遷有良史之材，服其善序事理，辨而不
> 華，質而不俚，其文直，其事核，不虛美，不隱惡，故謂
> 之實錄。嗚呼！以遷之博物洽聞，而不能以知自全。既陷
> 極刑，幽而發憤，書亦信矣。迹其所以自傷悼，《小雅・
> 巷伯》之倫。夫唯《大雅》「既明且哲，能保其身」，難矣
> 哉！

在這裡，班固直接繼承並發揮了父親班彪《史記論》的觀點。對於《史記》在寫作體例及方法的「疏略」、「牴牾」之處，班氏父子是採取諒解的態度的，他們知道寫作的艱辛，作爲一部上下縱橫數千年的鴻文巨著，的確難以求全責備，「一人之精，文重思煩，故其書刊落不盡」（《史記論》），這是可以理解的。但班氏父子又用傳統儒家理性精神來衡量《史記》，指責司馬遷學術思想不純不正，其寫作「是非頗繆於聖人」，並因此斷言「議論淺而不篤」，是《史記》的「大蔽」。《史記》後來遭受非議，班氏父子的責難是有代表性的。不過這種批評也非班氏首創，而是對前人思想資料的繼承和發揮。據《漢書・宣元六王傳》載，成帝時東平王來朝，上疏求諸子及《太史公書》，成帝問大將軍是否可給，王鳳說：「《太史公書》有《戰國策》縱橫權譎之謀，漢興之初謀臣奇策，天官災異，地形阨塞，皆不宜在諸侯王。不可予。」王鳳的話，代表了當時統治者的意志。他們認爲如《史記》諸書，雖有知識，但這是「小辯破義」，不合儒道，無益經術。因此未經官方特許，嚴禁私自流傳。後來揚雄據此而發爲學術批判，明確指責《史記》「不與聖人同，是非頗謬於經」（見《漢書・揚雄傳》）。班氏父子對《史記》的批評，思想淵源於此。他們與揚雄一樣捍衛儒道，「依經立義」，以「聖人」的是非爲是非。按照這一思想指導，就會把文化學術完全納入封建政教的軌道之中，導致思想貧乏的歌功頌德作品的氾濫，加速文學脫離現實不良傾向的出現。這是班氏父子在理論上的失足之處。

但歷史在進步。即使是儒家思想強烈的揚雄，也不能無視司馬遷及《史記》的貢獻。他認爲《史記》的特點在於「實錄」（《法言・重黎》），「聖人將有取焉」（《法言・君子》）。這一自相矛盾的評價，根源於儒家思想內在的複雜性。它同樣影響了班氏父子的觀點。班彪承認司馬遷是「良史之才」；肯定《史記》的藝

術特點是「善述事理，辨而不華，質而不野，文質相稱」，具有
「觀前」「知古」的借鑑意義，是「聖人之耳目」（《史記
論》）。班固更進一步地概括指出，《史記》具有「文直」、「事
核」、「不虛美不隱惡」的特點。所謂「文直」「事核」，就是
如實地反映客觀現實；「不虛美不隱惡」，又突出了著作家愛憎
分明，實事求是，而絕不阿諛逢迎、迴避矛盾的嚴肅態度。班固
又給予司馬遷及《史記》以很高的評價，他在《漢書·司馬遷傳贊》
中，肯定司馬遷陷於「極刑」之後，「幽而發憤，書亦信矣」，
對司馬遷的「發憤著書」說表示了理解與贊同；「迹其所以自傷
悼，《小雅·巷伯》之倫」，這是利用經義加以發揮，又表現了對
司馬遷充滿同情的態度！像司馬遷這樣作為「聖人耳目」的才人
賢者，尚且不能「明哲保身」，遑論其他！班固因此有為人「難
哉」的慨嘆，對封建正統思想的束縛隱約地進行了批判。班固後
來也因無法「明哲保身」而死於獄中，正是繼司馬遷後又一齣歷
史悲劇。

　　班固對司馬遷《史記》的肯定評價，在《漢書》中還可以找到許
多例證。如《漢書·楚元王交傳贊》中，把司馬遷提到與儒家亞聖
孟子並列的地位，認為《史記》等「其言有補於世」。這對班固自
己宣揚過的「是非頗繆於聖人」的傳統偏見，直接作了自我批
判。《漢書·公孫弘卜式兒寬傳贊》也從「文章」的角度，盛讚
《史記》的寫作成就，認為在這方面，「後世莫及」，貢獻很大，
影響深遠。《漢書》關鍵綱目《敍傳》，是班固的晚年之作，距寫
《典引·序》已過一、二十年。它對司馬遷及《史記》作出了比較公
允的總結性評價：「嗚呼史遷，薰胥以刑！幽而發憤，乃思乃
精；錯綜羣言，古今是經；勒成一家，大略孔明。」「嗚呼史
遷」二句，充滿了同情與憤慨，大有物傷其類的共鳴。「幽而發
憤」二句，又以文學彩筆，熱情地渲染了司馬遷的「發憤著

書」。所謂「發憤」，包含了抗爭，這又與《典引·序》中漢明帝的「微文刺譏」之說針鋒相對。「勒成一家」二句，又對《史記》的光輝成就予以熱烈的頌揚。這一理論評價，明顯地有利於古代批判現實的進步文學傳統的發展。

四、論辭賦

西漢時代，文學在進步，如散文、樂府詩歌、文人五言詩等，都獲得了相當的發展；但最足以代表「後世莫能繼」的「一代文學」的，還數漢賦。不過這是後人的公論。在漢代，能從正面來對漢賦這種新興文學樣式進行理論研究的，真是寥若晨星，其中，班固是很有代表性的一家。其《兩都賦序》曰：

> 或曰：「賦者，古《詩》之流也。」昔成、康没而頌聲寢，王澤竭而詩不作。大漢初定，日不暇給。至於武、宣之世，乃崇禮官，考文章，内設金馬石渠之署，外興樂府協律之事，以興廢繼絕，潤色鴻業。是以眾庶悅豫，福應尤盛。《白麟》、《赤雁》、《芝房》、《寶鼎》之歌，薦於郊廟；神雀、五鳳、甘露、黃龍之瑞，以為紀年。故言語侍從之臣，若司馬相如、虞丘壽王、東方朔、枚皋、王襃、劉向之屬，朝夕論思，日月獻納。而公卿大臣御史大夫兒寬、太常孔臧、太中大夫董仲舒、宗正劉德、太子太傅蕭望之等，時時間作。或以抒下情而通諷諭，或以宣上德而盡忠孝，雍容揄揚，著於後嗣，抑亦雅頌之亞也。故孝成之世，論而錄之，蓋奏御者千有餘篇，而後大漢之文章，炳焉與三代同風。

班固作爲御用文人，受儒家「成人倫、助敎化」傳統觀念影響，
具有狹隘功利主義，歌功頌德、粉飾太平。爲迎合東漢帝王喜讖
緯迷信的風氣，他大談「神雀、五鳳、甘露、黃龍」之瑞，把
《郊祀歌》中一些謳歌「祥瑞」的篇章列爲典範，從而表現了阿諛
帝王、脫離現實的落後傾向。但《兩都賦序》又自有其理論價值。

　　首先，它注意到文學發展的歷史繼承性，研究了漢賦的源流
演變。「賦者，古《詩》之流也」，說明了漢賦與《詩經》的繼承、
發展關係。在《漢書・藝文志》中，他又根據《毛傳》及劉向、劉歆
之說加以具體發揮：

> 《傳》曰：「不歌而誦謂之賦。登高能賦，可以爲大夫。」
> 言感物造耑（端），材知深美，可與圖事，故可以爲列大
> 夫也。古者諸侯卿大夫交接鄰國，以微言相感，當揖讓之
> 時，必稱《詩》以諭其志，蓋以別賢不肖而觀盛衰焉。故孔
> 子曰：「不學《詩》，無以言」也。春秋之後，周道濘壞，
> 聘問歌詞，不行於列國。學《詩》之士，逸在布衣，而賢人
> 失志之賦作矣。大儒孫（荀）卿及楚臣屈原，離讒憂國，
> 皆作賦以風（諭），咸有惻隱古詩之義。

在這裡，班固同樣站在儒家立場上，卻充分肯定了漢賦的作用，
認爲優秀的辭賦，的確與《詩經》、楚辭一樣，具有諷諭意義。後
來劉勰的《文心雕龍・詮賦》篇，就繼承並發展了班固這一見解，
明確指出了漢賦是「受命於《詩》人，拓宇於楚辭」。因此，《兩
都賦序》大大提高了漢賦的地位，並爲這種新型文學樣式的生存
和發展，找到了「合法」而堂皇的理論根據。

　　其次，對於西漢辭賦的發展歷史，作了簡明的研究概述。
「大亂初定，日不暇給」，由於大亂之後，漢高祖劉邦更重視

「馬上」武功，對文化注意不夠，因而沒有爲漢初辭賦的發展創造良好的條件。直到武帝時代，文治武功，盛況空前，政治、經濟的發展，輔以帝王貴族的愛好與提倡，漢賦因而獲得了良好的發展機會。班固在《漢書‧武帝紀贊》中說：「漢承百王之弊，高祖撥亂反正，文、景務在養民，至於稽古禮文之事，猶多闕焉。孝武初立，卓然罷黜百家，表章六經……興太學……協音律……號令文章，煥焉可述。」在這樣的歷史條件下，如司馬相如、王褒一類的「言語侍從之臣」，大批湧現；賦家「朝夕論思」、「日月獻納」，逐漸把漢賦的發展推向了高潮。這樣的研究總結，基本符合文學發展的歷史事實。

第三，班固對漢賦作了理論評價。他認爲漢賦在思想內容上是「潤色鴻業」；藝術上的特點是「雍容揄揚」，既莊重典雅，又鋪張揚厲，體現了一代風貌，具有「抒下情而通諷諭」、「宣上德而盡忠孝」的巨大社會作用。「大漢之文章，炳焉與三代同風」。給漢賦以「雅頌之亞」的高度評價。這一重視當代的文學發展觀，實際還是運用儒家「美刺」理論來分析漢賦的結果。所謂「宣上德而盡忠孝」，就是頌「美」；所謂「抒下情而通諷諭」，就是刺「過」。這近於後世的批判暴露與歌功頌美的問題。在封建社會中，這本是一對難以統一的矛盾。但班固卻極力加以調和折衷，以儒家「溫柔敦厚」的傳統精神來論賦。在《漢書‧地理志》中，他指出：

……景、武間，文翁爲蜀守，教民讀書法令，未能篤信道德，反以好文刺譏，貴慕權勢。及司馬相如游宦京師諸侯，以文辭顯於世，鄉黨慕循其迹。後有王褒、嚴遵、揚雄之徒，文章冠天下。由文翁倡其教，相如爲之師。故孔子曰：「有教亡類。」

在班固看來「好文刺譏」、不合「明哲保身」之理，並非是「抒下情而通諷諭」；而「貴慕權勢」，阿諛逢迎，也不是眞正「宣上德」的謳歌頌美。只有像司馬相如、王褒、揚雄這樣「游宦京師」，擺脫地方陋習，接受傳統教育，既有「頌述功德」（《典引・序》），又能「託風終始」（《漢書・敍傳》），「美」與「刺」完滿結合，自然取得「文章冠天下」的文學成就。這也就是漢賦所以能夠「與三代同風」的原因。

最後，是對司馬相如等賦家的具體批評。班固對當代文學家的評論時有牴牾之處。他在《漢書・藝文志》中批評說：「其後，宋玉、唐勒，漢興，枚乘、司馬相如下及揚子雲，競爲侈麗閎衍之詞，沒其風諭之義。是以揚子雲悔之曰：『詩人之賦麗以則，辭人之辭麗以淫。如孔氏之門人用賦也，則賈誼登堂、相如入室矣；如其不用何！』」這是繼承劉向父子、揚雄等人的思想資料而加以發揮，以爲枚乘、司馬相如及揚雄早年賦作，缺乏古《詩》的「風諭」之義，因而加以批判否定；對揚雄後來表明的輕視甚至是「不用」辭賦的極端態度，他卻加以肯定。這是由儒家的藝術道德化的狹隘功利觀念所決定的。但在更多的場合下，班固卻對以司馬相如爲代表的漢賦作家持頌揚態度。如《漢書・公孫弘卜式兒寬傳贊》，認爲司馬相如的文章與公孫弘、董仲舒的儒業一樣，「興造功業，制度遺文，後世莫及」。在經學統治的時代，文章與儒業並列，那是很高的評價。在《漢書・司馬相如傳贊》中，更是直接引用司馬遷的話，畫龍點睛地肯定了司馬相如的賦作：

> 「相如雖多虛辭濫說，然要其指歸，引之於節儉，此亦《詩》之風諫何異？」揚雄以爲靡麗之賦，勸百而風一，猶騁鄭衞之聲，不已戲乎！

班固對於司馬相如辭賦中想像豐富的「虛辭濫說」，雖然並不讚賞，表現出對文學的想像與誇張等藝術手段不甚理解；但就總的傾向看，他堅決批判了揚雄那否定文學的極端理論，認爲司馬相如等人的辭賦與古《詩》一樣，具有「風諫」作用，因而給予肯定評價。而在《漢書・敍傳》中，他不僅認爲司馬相如的辭賦有「託風終始」的社會教育作用，而且具「多識博物」的認識作用，因而譽之「蔚爲辭宗，賦頌之首」，給予代表漢賦成就，反映一代文學風貌的榮譽。

如果以歷史的眼光，把班固對於漢賦的評價放到特定的社會背景中去考察，那就更能理解其理論意義。漢武帝雖然公開提倡辭賦，但在辭賦初興階段，卻是「俳優畜之」，並沒有眞正理解文學藝術的意義。發展到漢宣帝時代，人們在大量優秀辭賦湧現的基礎上，逐漸加深了對於一代文學的認識，並提到理論上來闡述。

據《漢書・嚴朱吾丘主父徐嚴終王賈傳》載，宣帝的文學見解，就比武帝進了一步。他對辭賦的見解，能夠力排衆議，較爲通達，指出辭賦不僅有「仁義之風諭」，「與古《詩》同義」，具有道德敎化的力量；而且它還「辯麗可喜」、能夠「虞說耳目」，以其藝術魅力來娛樂精神，甚至還可滿足人們的官能享受，進一步寓理於樂，發揮其動人心弦的藝術感染作用；另外，它還具有多識於鳥獸草木之名的認識作用，通過辭賦，認識事物，增加知識，豐富生活。這一理解，突破了當時傳統觀念的拘囿。班固評論漢賦，主要是繼續這一進步趨勢，並加以理論總結。但漢代是經學統治的時代，經生的理性「敎化」要求，與藝術的審美特徵，常常發生衝突。即在宣帝時代，以帝王之尊，也難堵「議者」之口。後來揚雄的「勸百風一」之論，並不比宣帝時的「議者」（按：多爲經生）高明。終漢之世，否定漢賦的趨

勢並不衰歇。如東漢末年，連蔡邕這樣著名的文學家，也上書皇帝，以爲「書畫辭賦，才之小者；匡國治政，未有其能」（見《資治通鑑》卷五十七），表現出一筆抹煞辭賦文學的否定傾向。當然，處於我國文學史上早期的皇皇漢賦，典重、呆滯、堆垛，缺乏生動的藝術形象，被後人譏爲類書、字典，類似毛病的確存在。但這是發展中的缺點。漢賦是我國文學史上的一個必然階段。它狀貌寫景，鋪張揚厲，「苞括宇宙，總攬人物」，壯麗河山，巍峨宮闕，神仙怪獸，士女百姓，無不畢現，正反映了一個繁榮昌盛的封建帝國那充滿活力與自信的時代精神。對於東漢末年那一概批判漢賦、全然否定文學的思想傾向，班固雖然無法預料；但相形之下，他對代表了「一代之文學」的漢賦，基本上持肯定、贊同的態度，在我國文學理論批評發展史上，確是不同凡響，起了一定的歷史進步作用。

（原載《復旦學報》社科版1985年第2期）

東漢桓譚文藝思想述評

　　桓譚，兩漢之際的著名思想家。字君山，沛國相（今安徽濉溪縣）人。具體生卒年代已難精確考定。他主要活動於西漢成帝以後，又在東漢初生活了二、三十年。據其《新論》佚文，他在成帝末年曾與揚雄同爲朝廷郎官：「余年十七爲奉車郎中」，「孝成帝出祠甘泉、河東，見部先置華陰集靈宮。」揚雄於成帝元延初年由蜀入京爲黃門郎，年四十餘，比桓譚年長二十五歲左右，他們是無話不談的忘年交。其生平，據《後漢書・桓譚傳》：

> 父成帝時爲太樂令。譚以父任爲郎，因好音律，善鼓琴。博學多通，徧習五經，皆訓詁大義，不爲章句。能文章，尤好古學，數從劉歆、揚雄辯析疑異。性嗜倡樂，簡易不修威儀，而憙非毀俗儒，由是多見排抵。哀、平間位不過郎……及董賢爲大司馬，聞譚名，欲與之交。譚先奏書於賢，説以輔國保身之術，賢不能用，遂不與通。當王莽居攝篡弑之際，天下之士，莫不競褒稱美德，作符命以求容媚。譚獨自守，默然無言。

他在王莽時代曾任典樂大夫。因不滿王莽統治，憤而投奔義軍，在更始帝手下任太中大夫。東漢初，以大司空宋弘之薦，拜議郎給事中。曾多次上書光武皇帝，懇陳時弊，建議興革，不被採納。更因廷對時直言無忌，反對圖讖，被皇帝欽定爲「非聖無

法」，差點問斬，後貶爲六安郡丞，意志壓抑，卒於道中。時年七十餘。主要著作有《新論》二十九篇，賦、誄、書、奏二十六篇，均亡佚。《新論》有嚴可均輯本，現上海人民出版社據以排印出版，又增補遺，便於閱讀。

上述材料至少說明了以下幾點：一、由於家學淵源及其職責，桓譚具有很高的藝術修養，使他對文藝有較爲深刻的認識；二、滿懷理想與抱負，爲人正直，不爲利誘所動；三、爲此而備受權貴及世俗的打擊，終其一生，坎壈仕途，鬱鬱失志；四、學習方法及思維方式很有特點，通大義而不爲章句與揚雄相似，但比揚氏更富批判精神，「燁析疑異」，「非毀俗儒」，勇於探索。這對漢儒重師法、喜因襲的傳統陋習，是又一次的思想衝擊。

桓譚的進步學術思想，是當時社會思想鬥爭的結晶。兩漢之交，在農民大起義怒潮的打擊下，封建政權基礎動搖，更迭頻繁。爲了麻醉人民思想，鞏固封建統治，統治者假託「天命」，借助「神靈」，於是讖緯迷信之類的唯心論極度氾濫。但就在這樣的氛圍中，自然科學的發展及前人的進步思想指引，也足以引起有識之士的抗爭和反思。當時特別是天文學及醫學的進步，有力地推動了唯物思想的發展。桓譚本人通醫學，更精於天文學，漢代的渾天說始於武帝時代的落下閎，而完成於東漢的桓譚和張衡。而其他方面，如劉安、司馬遷、劉向諸人的進步思想，都曾給他以積極的啓迪。桓譚雖然主要傾向於儒家古文學派，但對諸子百家，又能巧加採擷以豐富自己的思想。以儒爲主，兼綜百家，而不爲傳統偏見所囿是其學術思想的特點。具體表現在以下幾方面：一、堅持實事求是精神，堅決反對讖緯迷信的虛妄之言。二、提出了「精神居形體，猶火之燃燭矣……燭無，火亦不能獨行於虛空」的唯物主義形神論，並進一步強調天道自然，運

動變化（《新論・袪蔽》，見於嚴可均輯《全後漢文》，以下稱引，不另注明）。三、政治上尊王道而不賤霸道；經濟上提倡舉本抑末、重農抑商，抨擊對人民的高利貸盤剝，要求「歸功田畝」（見《後漢書》本傳）；又以為「國之廢興，在於政事；政事得失，由於輔助」（同上），強調改革必須舉賢授能，任用「大才」（《新論・求輔》）；四、反對復古，要求以古為鑑，提倡因時適變、今勝於古的發展觀。

上述學術思想，對他的文藝思想的形成，起了有益的促進作用。桓譚的文藝思想，據《新論》佚文稍加歸納分析，主要有以下幾方面的內容：

一、文德「養心」，褒貶興治

桓譚雖然在西漢末生活了四十餘年，在東漢初只活了二、三十年，但因《新論》成書於晚年，所以我們仍把他列為東漢的文論家。桓譚之所謂「文」，較之前人，有所進步。《新論・閔友》曰：「茂陵周智、孫胡，不為賦頌應酬之文。為大司徒掾，見使典定文義，兼領眾事。」隱約認識到賦頌之文與學術之文有別，「文」的觀點由混趨晰，其界域逐漸明確。但統觀全書，他基本上保持了西漢以來的雜文學觀念，包括經史及諸子著作，都在「文」的範圍之內。為什麼作《新論》？他明白地說：「譚見劉向《新序》、陸賈《新語》，乃為《新論》。」（《新論・本造》）《新論》與《新語》、《新序》，儘管旨趣各異，但共同的特點都是一個「新」字。也就是說，它們都是為新時代的社會現實而作。陸賈《新語》，據《漢書・陸賈傳》載：

賈時時前說稱《詩》、《書》。高帝　之曰：「乃公居馬上得

之，安事《詩》、《書》！」賈曰：「馬上得之，寧可以馬上
治乎？且湯、武逆取而以順守之，文武並用，長久之術
也。昔者吳王夫差、智伯極武而亡；秦任刑法不變，卒亡
趙氏（按：秦祖先造父，封於趙城，後以爲姓，故云）。
鄉使秦以併天下，行仁義，法先聖，陛下安得而有之？」
高帝不懌，有慙色，謂賈曰：「試爲我著秦所以失天下，
吾所以得之者，及古成敗之國。」賈凡著十二篇。每奏一
篇，高帝未嘗不稱善，左右呼萬歲，稱其書曰《新語》。

陸賈《新語》，新在爲漢初封建政權的鞏固而立論。作者認爲「天
生萬物，以地養之，聖人成之。功德參合而道術生焉。故……悟
之以文章」，「後聖乃定五經，明六藝……原情立本，以緒人倫
……修篇章垂諸來世……以匡衰亂」（見《新語・道基》）。文章
因道立論，爲現實的新發展而作。而劉向《新序》，雖多採摭秦漢
以來百家傳記，但如《四庫總目提要》引《崇文總目》說，《新序》的
寫作動機是爲了「正紀綱，迪教化」，以「爲漢規鑑」。其所謂
「新」，新在針對西漢末年的衰世亂政而發。桓譚《新論》的創作
精神與其基本一致，不過所論及的現實，是東漢初年由亂趨治的
社會。《新論・本造》篇曰：

> 余爲新論，術辨古今（按：嚴輯作「術古今今」，據《太
> 平御覽》卷六〇三《文部》校改），亦欲興治也，何異《春
> 秋》褒貶邪？今有疑者，所謂蚌異蛤，二五爲非十也。

在兩漢經學統治的時代，桓譚把自己的《新論》與孔子作《春秋》並
稱，這一方面是把儒家聖人的經典著作從高不可攀的天上，拉回
到現實的人間，批判世俗盲目崇古尊經而不知經的錯誤，表現了

過人膽識與創造精神；一方面又表現了高度重視《新論》創作，說
明以「興治」天下爲己任的嚴肅寫作目的。桓譚要求人們在寫作
前必須端正動機、嚴肅態度，通過文章「褒貶」，來完成「興
治」國家、改造社會的歷史任務。文學的「褒貶」，社會作用是
巨大的。著作家、文章家通過寫作來影響讀者，把握人心。漢人
論詩重在「言志」，而賦家則進一步以賦言志。桓譚《仙賦序》
曰：

> 余少時爲郎，從孝成帝出祠甘泉、河東，見部先置華陰集
> 靈宮。宮在華山下，武帝所造，欲以懷集仙者王喬、赤松
> 子，故名殿爲存仙，端門南向，山署曰望仙門。余居此
> 焉，竊有樂高眇之志，即書壁爲小賦以頌美曰。

他是個無神論者，不信鬼神，爲什麼作《仙賦》以頌美神仙？其
實，這是發揮文學的藝術想像，抒發懷抱，以表明自己的「高眇
之志」。這就是「賦以言志」的意思。他是通過「言志」來寫
人，並用以影響人心。《新論·正經》曰：「人抱天地之體，懷純
粹之情，有生之最靈者也……貌言視聽皆生於心。」這段話雖然
沒有直接談論文學，但它啓發文學家去重點寫人並刻畫其無形的
內心世界。在生命的世界裡，人是其「最靈者」，所有的社會事
物，都集中通過人來表現；而人又是通過視聽來感覺世界，通過
言行來傳達思想情感的，這就是他所說「貌言視聽皆生於心」的
意思。於此可見，桓譚已隱約提示了「言志」說的深層意義：文
學的中心任務是寫人，重點是把握人心，展現精神世界的奧祕。
寫人及描繪人心，並非易事。桓譚說得清楚：「凡人性，難極
也，難知也。故其絕異者，常爲世俗所遺失焉。」《新論·求
輔》）因此，對於著作家和文章家來說，要搞好寫作，首先必須

努力去研究人，探索心靈的祕密。作品要有感人的藝術力量，作者首先必須眞誠地感動自己。文學是如此，藝術也同樣。後來，班固本桓譚《琴道》未完成稿而續成之①，他們以音樂爲例：

> ……（琴道）足以通萬物而考治亂也。八音之中，惟絲最密，而琴爲之首。琴之言禁也，君子守以自禁也……八音廣博，琴德最優。古有聖賢玩琴以養心。夫遭遇異時，窮則獨善其身而不失其操，故謂之操。操似鴻雁之音。達則兼善天下，無不通暢，故謂之暢。《堯暢》經逸不存。《舜操》者，昔虞舜聖德玄遠，遂升天子，喟然念親、巍巍上帝之位不足保，援琴作操，其聲清以微。《禹操》者，昔夏之時，洪水襄陵沈山，禹乃援琴作操，其聲清以溢，潺潺志在深河。《微子操》，微子傷殷之將亡，終不可奈何，見鴻鵠高飛，援琴作操，其聲清以淳。《文王操》者，文王之時，紂無道，爛金爲烙，溢酒爲池，宮中相殘，骨肉成泥，璇宮瑤台，靄雲翳風，鐘聲雷起，疾動天地。文王躬被法度，陰行仁義，援琴作操，故其聲紛以擾，駭角震商。《伯夷操》、《箕子操》，其聲淳以激。

這段引文，很能說明桓、班二氏對於文藝社會本質的認識，其所謂「志」，至少有以下幾層意思：

一、發揮儒家「窮則獨善其身，達則兼濟天下」的精神，把文藝「言志」，與封建倫理道德及國家的興衰治亂聯繫了起來。如夏禹看到滔天洪水給人民帶來了深重的災難，「潺潺志在深河」的情感油然而生，於是通過《禹操》來加以藝術的表現。而世界的生活，變化萬千，不同的生活在不同人的身上，產生了風格各異的藝術作品，如《舜操》的「清以微」，《禹操》的「清以

溢」,《微子操》的「淸以淳」,《文王操》的「紛以擾」,不同風格反映了不同人格和思想情感,又通過對於不同人格的褒貶和渲染,反映了不同歷史時代的社會生活。

二、所謂「志」是人之志,而人之志,在不同條件下的具體情感表現是不同的。即使像舜這樣的聖人,也不只是國家社會的偶像,僅與人的社會性、羣體性相統一;聖人也是有血有肉有個性有情感的人,個人有私生活,決定了聖人之「志」也有其個性化的情感表現。作者認爲,雖然舜貴爲天子,但他也有「喟然念親」的個性化的藝術表現。「巍巍上帝之位不足保」,這不是否定文藝的「褒貶」「興治」作用,而是在儒家忠孝倫理觀念的統領下,深入一層地說明了文藝之「志」的複雜性,它還有其個性化的一面。

三、提倡文藝家的自我修養,以期達到怡悅情性、鍛鍊思想和培養情操的目的。也就是通過文藝來「言志」,旣激動別人,又鼓舞自己,以充分展現人類的生命活力。彈琴有「琴德」,如果加以類推,寫詩作文當然也就有「詩德」和「文德」。後來王充的「文德」之說,可能就是受到桓譚「琴德」的啓發。文藝有「德」,就能「養心」,思想面貌隨之改變和提高。

上述的分析表明,桓譚對於儒家「詩言志」及文藝敎化作用的理論,有繼承也有發展。

二、論創作與欣賞

值得注意的是,桓譚在研究創作客體的同時,又非常重視對於創作主體的探索,並能在藝術欣賞中揭示其美學價值。漢代楚文化的薰陶,使他從小就喜歡辭賦,非常欣賞優秀的文學作品。《新論・道賦》篇曰:「余少時學,好《離騷》,博觀他書,輒欲反

學。」在學習與藝術欣賞中充分肯定並盡情領略了屈原作品的美
學價值。又如《文心雕龍・哀弔》篇稱引《新論》佚文：

> 及相如之弔二世，全爲賦體。桓譚以爲其言惻愴，讀者嘆
> 息！

司馬相如的《弔秦二世賦》（見《史記・司馬相如傳》），末段有
「持身不謹兮，亡國失勢；信讒不寤兮，宗廟滅絕」云云。桓譚
讀後非常感動，於是發爲具體的批評：「其言惻愴」，是就其藝
術風格而言；「讀者嘆息」，則從欣賞角度而論及作品的藝術感
染力量。從他討論辭賦的言論中看出，他對文學作品的藝術特徵
已有朦朧的認識。而對司馬遷的創作精神，他也極其欽佩，以爲
漢興以來，「才通著書以百數，惟太史公廣大」（《新論・閔
友》）。《史記》不僅是歷史，而且是一部充滿激情的無韻之《離
騷》。但可惜這裡只見片斷佚文，沒有充分展開論述。而對於同
時的文學先輩揚雄，則有更多的敍述：

> 余少時見揚子雲之麗文高論，不自量年少新進，而猥欲逮
> 及。嘗激一事而作小賦，用精思太劇，而立感發病，彌日
> 瘳。子雲亦言，成帝時，趙昭儀方大幸，每上甘泉，詔令
> 作賦，爲之卒暴思精苦。賦成，遂困倦小臥，夢其五臟出
> 在地，以手收而內（納）之；及覺，病喘悸，大少氣，病
> 一歲。由此言之，盡思慮，傷精神也。（《新論・祛蔽》）

在這裡，他首先以作家的切身體驗，對文學創作這種藝術勞動的
艱辛，極盡形容之能事。在創作勞動中，只有付出心血的代價，
才能獲得豐收的碩果，他明知困難，卻偏不辭辛勞，並自負地

說：「孔子言：『舉一隅足以三隅反。』觀吾小時二賦，亦足以揆
其能否。」(《新論·道賦》)

其次，他發揮揚雄的意見，認為創作必須經過臨摹前人名作
的過程，然後藝術技巧日臻完美：

> 揚子雲工於賦，王君大習兵器，余欲從二子學。子雲曰：
> 「能讀千賦則善賦。」君大曰：「能觀千劍則曉劍。」諺
> 曰：伏習象神，巧者不過習者之門(《新論·道賦》)。

> 成少伯工吹竽，見安昌侯、張子夏鼓琴，謂曰：「音不通
> 千曲以上，不足以為知音。」(《新論·琴道》)

這是強調在不斷的藝術實踐中，熟能生巧，因巧傳神的意思。但
比揚雄進了一步，桓譚並沒有停留在純粹的模仿階段，這可從他
對於俗儒因襲模仿、不識大體的批判中覺察到，如《新論·言體》
篇曰：「及博見多聞，書至萬篇，為儒學教授數百千人，祇益不
知大體焉。」所論雖是學術，但與創作精神相通。桓譚對揚雄的
作品是欽佩的，並曾以它為習作之楷模；但他對揚氏作品並不生
搬硬套，觀其《仙賦》佚文可知；同時，他對揚雄又不盲從，而是
常有爭論問難，甚至是批判。學習前人又企望超越前人，這是
《新論》中很有價值的一點。

第三，在文與質也即文辭的雕飾與質樸的問題上，桓譚也有
自己的認識。如《文心雕龍·通變》篇引《新論》引文：「桓君山
云：予見新進麗文，美而無采；及見劉、揚言辭，常輒有得。」
劉指劉向，揚指揚雄。「新進麗文」，即指《新論·閔友》篇所說
的有識之士所不為的「賦頌應酬之文」。這是繼承揚雄的意見加
以發揮。但與晚年的揚雄一概抹煞辭賦創作的態度不同，桓譚充

分肯定了揚雄的「言辭」，其中包括了他在中年以前的賦頌之
作。桓譚年輕時與揚雄同事，見其「麗文高論」，折服嘆美，還
曾努力追模而自愧不如呢（《新論·祛蔽》）！《新論》追述早年之
事，而實作於晚年，可見這是他的一貫主張。對於賦頌一類「麗
文」，他已排除了揚雄那「童子雕蟲篆刻，壯夫不爲」的極端片
面的觀點。他對音樂藝術的質樸與雕飾問題的討論，也可作爲文
學見解的佐證，如《新論·啓寤》曰：「夫不翦之屋，不如阿房之
宮；不琢之椽，不如磨礱之榱；玄酒不如蒼梧之醇，控揭不如流
鄭之樂。」所謂「流鄭之樂」，指當時新興的鄭、衞之音一類的
流行音樂。他頗爲欣賞「流鄭之樂」，說明他並不贊成純任自然
的質樸，所以一反俗儒之見，認爲上古之世擊土鼓而歌，比不上
後來鄭衞之音的急管繁弦，優美動聽。這是從發展和進化的觀點
看問題，是後世如葛洪及蕭統「踵事增華」論的先聲。這比揚雄
有所進步。後來劉勰據此加以總結，認爲文學應「斟酌乎質文之
間」（《文心雕龍·通變》），在理論上又大大推進了一步。

　　第四，探索藝術規律及創作風格的多樣性。《新論·離事》
曰：

> 五聲各從其方，春角、夏徵、秋商、冬羽、宮居中央而兼
> 四季，以五音須宮而成。可以殿上五色錦屏諭而示之：
> 望視則青赤白黃黑，各各異類；就視則皆以其色爲地，五
> 色文飾之。其欲爲四時五行之樂，亦當以其聲爲地，而用
> 四聲文飾之，猶彼五色屏風矣。

結合陰陽五行論樂，並沒有擺脫秦漢傳統框架，但這是泛泛而
論，非討論重點之所在，作者在這裡所強調的是藝術外形體制的
構設。他一方面指出繪畫要有基本底色，音樂要有貫串基調，不

然就會因爲散亂無章而難以構成一部藝術作品；但另一方面又指出，藝術創作光有本色和基調是不夠的，它還必須是五色相配，五音交和，然後成其文飾。總之，他認爲藝術創作既要具有主調的穩定因素，又必須根據具體情景來變換聲音和色彩，才能構成文飾動人的藝術。只一不二，則單調乏味，不成文采，因而無法構成完美的文藝作品。這就引導人們進一步考慮藝術的多樣化。引伸到寫作，也是同一道理，所以《新論・本造》曰：

> 秦呂不韋請迎高妙，作《呂氏春秋》；淮南王聘天下辯通，以著篇章。書成，皆布之都市，懸置千金，以延示衆士，而莫能有變易者，乃其事約豔、體具而言微也。

桓譚認爲著作寫文很不簡單，並不是只要知書識字即可動筆，所以要迎請「辯通」的「高妙」之士來寫作。因爲作者富有文學素養，所以《呂氏春秋》和《淮南子》二書頗富藝術色彩，「其事約豔、體具而言微」，這是從藝術表達方面來立論的。它們都是通過具體的事實，生動的故事，華麗的文采，精鍊的內容，來委婉地寄託其深刻的含義。所以社會效果很好，取得很大的成功，衆人「莫能有變易者」。雖不免有溢美之辭，但說明《呂氏春秋》及《淮南子》二書，代表了當時的著作水平，那還是合乎歷史實際的。不過這二部書，並非呂不韋及劉安的個人著作，而是他們迎請衆多文士的集體作品。書出衆手，而各人的文化素養、藝術水平不一，因而表現在各篇章中，藝術風格當然變化多樣，並不完全統一。但桓譚對這二部「雜」書的寫作卻加以普遍肯定，這一方面說明他的思想比較開放，不爲一般儒家的傳統觀念所圍；一方面又從寫作角度，隱約說明了他對藝術風格的多樣性認識。《文心雕龍・定勢》篇引《新論》曰：「桓譚稱文家各有所慕，或好

浮華而不知實核，或美衆多而不見要約。」在這裡，桓譚不是在批評文家的愛好浮華之美，而是重在說明作家創作時因主觀創作條件的不同，藝術要求各別，因而風格迥異。後來的曹植受其影響，發爲「所習不同，所務各異，言勢殊也」之論（見《文心雕龍‧定勢》篇稱引）。劉勰的《定勢》也是根據桓譚所說的「文家各有所慕」來作理論發揮的。允許「文家各有所慕」，實際就是鼓勵作家、藝術家發揚自己的創作個性，而不被傳統模式所束縛。它有意或無意地啓迪後人去作突破漢儒「依經立義」的理性藝術模式的嘗試。

第五，討論才性與創作的關係。《新論‧言體》篇曰：

> 凡人耳目所聞見，心意所知識，情性所好惡，利害所去就，亦皆同務焉。若材能有大小，智略有深淺，聽明有暗照，質行有薄厚，亦皆異度焉。

這雖是從思想上討論人的才性問題，但暗中與文學創作的精神相溝通。由於共同的環境刺激，決定了人們主觀方面的「心意知識」、「情性好惡」，有其「同務」的一面。所謂「同務」，就是指事物的同一性。不同的人，由於「情性好惡」有同一的一面，因而以形象來渲染感情的文藝才能引起人們的共鳴。但世界事物又是千差萬別，即使是在同一棵樹上，人們也無法找到兩片完全相同的樹葉來。人也是如此。而「才性」屬於人的主觀世界的東西，更是變幻莫測，這就是桓譚所說的才能「異度」。所謂「異度」，是事物的矛盾性、差異性。這是人的才性的另一面。《新論‧祛蔽》篇曰：「質性才幹乃各異度，有强弱堅脆之姿焉。」才性不同，具體性能各異。引伸到創作，也是如此。因爲作家的才性「異度」，所以表現出各自不同的藝術姿質。後來劉

勰也有類似的見解，他在《文心雕龍‧體性》篇中發揮說：「然才有庸俊，氣有剛柔，學有淺深，習有雅鄭，並情性所鑠，陶染所凝。」從創作的主客觀的統一，去論述作者個性與藝術風格的形成。這一理論的進步，溯其淵源，與桓譚《新論》頗有關係。

但是，由於時代及當時文藝理論發展水平所限，更可能受到莊子的只可意會、不可言傳理論的影響，桓譚關於藝術奧祕的探索，有時也說得非常玄妙。《新論‧離事》曰：「聖賢之材不世，而妙善之技不傳。」在他看來，文學創作也是「妙善之技」之一，其藝術之妙，同樣如《莊子》中的輪扁斫輪，「得心應手，口不能言」（《莊子‧天道》）。爲什麼難以言傳呢？他從思想與言語的表達角度來發揮說：「惟人心之所獨曉，父不能以禪子，兄不能以教弟也。」（《新論‧離事》）這意見也有一定的道理。人們在長期的藝術創作實踐中所獲得的心得體會，其粗迹可尋，而精微之處則難以用言語來準確表述。這是常見的文藝現象。人們只須深入創作實踐，加以思考探索，理論思維就會由模糊而清晰，逐漸明白其奧妙，並進一步對作家藝術家「能與人規矩，不能使人巧」（見《藻川堂譚藝》）的文藝事實，作出接近完滿的解釋。但是，桓譚沒有達到這一高度。他的理論認識，仍然無法超越莊子的水平。這一說法，後來曹丕又從「文氣」方面加以引伸發揮，認爲「文以氣爲主……不可力强而致……引氣不齊，巧拙有素，雖在父兄，不能以移子弟」（《典論‧論文》）。從桓譚到曹丕，漢魏的創作論逐步深入展開，他們從作家氣質，談到創作中獨特個性的形成，進一步又論及藝術風格的多樣性，這對後世探討藝術規律，是有助益的；但認爲才性玄妙，不可言傳，卻又不是科學的表述方式，說明了理論認識的局限。第六，討論客觀環境對創作主體的影響。《新論‧求輔》曰：

賈誼不左遷失志，則文采不發；淮南不貴盛富饒，則不能
廣聘駿士使著文作書；太史公不掌典書記，則不能條悉古
今；揚雄不貧，則不能作《玄》《言》。

在這裡，桓譚基本上繼承了劉安及司馬遷「發憤著書」說，但又
有所補充和發展。這有幾層意思：一是承認客觀環境對作家創作
有相當的影響，鼓勵人們要為作家的寫作創造良好的條件。一是
發揚先輩的「發憤著書」之說，認為社會對於堅持正義、追求真
理的作家，常是不給他們的寫作提供良好的環境，反而又加以嚴
酷的壓迫，如賈誼在政治上一再受到貶斥而落魄失志，揚雄因不
附俗媚世而受貧困生活的熬煎，事實說明，這是封建社會生活中
的普遍現象。真正的文學家應該面對生活，接受挑戰，憤發激
情，努力創作。只要正確對待，充分發揮作家的主觀能動性，那
麼就能把不良環境的壓迫化為推動創作進步的動力，使客觀的創
作條件與主觀的創作激情相統一，從而推動文學的健康發展。一
是把生活環境與創作主體的關係，闡述得更全面。左遷失志、困
貧壓抑，固然可以促進人們「發憤著書」，繁榮創作。但是，如
果在正常的條件下，社會對作家的壓迫並不明顯，人們過著相對
安定富裕的生活，是否就意味著喪失創作條件，文學就無法繁榮
了呢？桓譚的回答正好相反。他以劉安及司馬遷為例，說明了有
利於創作的客觀條件是多方面的：劉安身為諸侯王，利用其「貴
盛富饒」的客觀條件，「廣聘駿士」，把許多有修養有本領的作
家集中在一起，讓他們有機會彼此切磋，相互交流，取長補短，
共同提高，以便更大限度地發揮各人的創作智慧和才能。桓譚因
此高度評價了《淮南子》的寫作，認為它很有藝術價值，人們讀了
以後，心悅誠服，莫能變易。至於司馬遷，一般人只看到他那受
刑失志、「發憤著書」的一面；但桓譚認為這還不是他的創作環

境的全貌，他身爲太史公和中書令，充分利用了「典掌書記」的
職務之便，廣泛閱覽古今圖書，熟悉國家典制和文件往來，學識
淵博，故能「究天人之際，通古今之變」(《史記‧報任少卿
書》)，把自己的創作擺到一個更宏偉、更系統的歷史舞台上去
作有聲有色的表演，因而作品非常感人。聰明的作者，就是這樣
善於抓住並利用任何有利的客觀條件，通過主觀努力，使它化爲
勝人一籌的創作構思與過人膽識。

三、反對尊古卑今，肯定創新精神

　　漢代經學的思想統治，經過一段時期的發展，逐漸暴露其復
古傾向，嚴重影響了文學藝術的健康發展。即使是智者如揚雄，
復古傾向也是明顯存在。這就引起了有識之士的不滿和批判。桓
譚是其代表人物之一。他不滿揚雄的復古主張，但又熱情歌頌了
揚雄著作中潛在的創新精神，並用它來作爲反對復古思想的理論
武器。這是以子之矛、攻子之盾的辦法。揚雄是他的師友，但他
是以「吾愛吾師，吾更愛眞理」的態度來對待揚雄的：

　　　張子侯曰：「揚子雲，西道孔子也，乃貧如此。」吾應
　　　曰：「子雲亦東道孔子也。昔仲尼豈獨是魯孔子？亦齊、
　　　楚聖人也。」(《新論‧啓寤》)

　　　王公問：「揚子雲何人邪？」答曰：「揚子雲才智開通，
　　　能入聖道，卓絕於衆，漢興以來，未有此人也。」國師子
　　　駿曰：「何以言之？」答曰：「通才著書以百數，惟太史
　　　公廣大，其餘皆叢殘小論，不能比之子雲所造《法言》《太
　　　玄經》也。《玄經》數百年，其書必傳。世咸尊古卑今，人

> 貴所聞賤所見也，故輕易之……若遇上好事者，必以《太
> 玄》次五經也（《新論·閔友》）。

桓譚打破經學權威，比揚雄為聖人，以其著作次五經，這件事本
身就是對於復古派的思想挑戰。光武皇帝罵他「非聖無法」，正
可從反面看到他那反對「尊古卑今」的思想光輝。他反對復古，
有其理論根據：

第一，他認為世界在發展和進步。如《新論·離事》曰：「宓
犧之製杵臼，萬民以濟。及後世加巧，因延力藉身重以踐碓，而
利十倍。杵臼又復設機關，用驢騾牛馬及役水而舂，其利乃且百
倍。」生產科學是如此，實用工藝美術也是如此。如古代的路
車，只是「素輿而蒲茵」而已，缺乏裝飾之美。而後代之車則不
然，如《新論·離事》所說：

> 譚謂揚子曰：君之為黃門郎，居殿中，數見輿輦、玉蚤、
> 華芝及鳳皇三蓋之屬，皆玄黃五色，飾以金玉、翠羽、
> 珠絡、錦繡、茵席者也。

可以想像車子之華美，非古代路車可比。這些意見，針對揚雄的
意見而發。隨著世界的發展進步，後人的藝術創造也必然加美於
前。世界的發展生生不息，藝術美的創新也就永無止境，從文藝
發展的總體趨勢言之，今勝於古是必然現象。

第二，他認為古代之美，不可能代替當今之佳好。古人的著
作當然有許多是值得學習的典範，如《易》、古文《尚書》、古帙
《禮記》、古《論語》、古《孝經》之類，桓譚讚揚它們是「嘉論之林
藪，文義之淵海」（《新論·正經》）。但如果食古不化，以古書
來取代現代著作，則桓譚是堅決反對的。他曾評論《春秋》說：

> 諸儒睹《春秋》之記錄，政治之得失，以立正義，以爲聖人
> 復起，當復作《春秋》也。自通士若太史公亦以爲然。余謂
> 之否。何則？前聖後聖，未必相襲。夫聖賢所陳，皆同取
> 道德仁義，以爲奇論異文，而俱善可觀者，猶人食用魚肉
> 菜茄以生熟異和，而復居美者也（《新論・正經》）。

他以生活中常見的食用魚肉爲例，魚肉菜茄原料雖同，但古今烹
調方法不同，「生熟異和」，變化多端，因而後代菜肴復能加美
於古代。以此說明不同時代的著作，其發揚「道德仁義」的思想
原則雖然一樣，但其具體實現，化爲文字，則有見仁見智之妙。
他因此下結論說：「前聖後聖，未必相襲」。這不是否定歷史的
延續性，而是把論述的重點擺在後代因革創新的支撐點上。「奇
論異文，俱善可觀」，在儒家文論中，桓譚試圖突破正統思想的
一元化規範，努力從多維的角度來討論古、今創作的繼承和發展
的關係。這是正面的論述。而桓譚意猶未盡，於是又從反面來加
以論證：

> 王翁（**按**：指王莽）嘉慕前聖之治，而簡薄漢家法令，故
> 多所變更，欲事事效古，美先聖制度，而不知己之不能行
> 其事。釋近趨遠，所尚非務，故以高義退致廢亂，此不知
> 大體者也（《新論・言體》）。

事事復古，菲薄當今，捨近求遠，「所尚非務」，雖有「美先
聖」之名，卻免不了國破身死之敗。他批評這樣的復古是「不知
大體」。學習古代聖賢的經典著作，目的應該明確，桓譚說：
「察前世已然之效，可以觀覽，亦可以爲戒。」（《新論・求
輔》）前聖的著作，是古代社會的結晶，其「已然之效」，可作

為經驗教訓以資後人鑑戒。桓譚之「戒」，正是為今而設，而非
盲目師古。

　　正因為有反對「尊古卑今」的思想基礎，所以桓譚在文藝實
踐中，表現出追求藝術創新的傾向。如《新論‧離事》曰：

> 揚子雲大才而不曉音，余頗離雅樂而更為新弄。子雲曰：
> 「事淺易善，深者難識。卿不好《雅》《頌》而悅《鄭》聲，宜
> 也。」

這段話見於《太平御覽》卷五六五《樂部》，僅是佚文片斷。桓譚原
來必有反駁之語，惜已亡佚，因而難見其理論全貌。但從揚雄的
批評中可以看出，二人論樂的理論傾向不同，並有公開的爭論。
揚雄因其復古宗經的思想傾向，所以好雅頌而斥鄭聲。這是孔子
「鄭聲淫，放鄭聲」的傳統思想在漢代的翻版，雖無新意，但影
響甚巨。直到東漢初年，大司空宋弘仍然以三公之尊、宰相之
勢，嚴厲批評桓譚好鄭聲，並警告要因此而繩之以法：

> 帝嘗問弘通博之士，弘乃薦沛國桓譚才學洽聞，幾能及揚
> 雄、劉向父子。於是召譚拜議郎給事中。帝每宴輒令鼓
> 琴，好其繁聲。弘聞之不悅……遣吏召之。譚至，不與席
> 而讓之曰：「吾所以薦子者，欲令輔國家以道德也，而今
> 數進鄭聲以亂雅頌，非忠正者也。能自改邪？將令相舉以
> 法乎？」（見《後漢書‧宋弘傳》）

可見所受壓力之大，但桓譚無改其志，好鄭衛新聲而不喜雅頌之
古樂，是他終生的嗜好。因為他有自己的思想原則和理論追求。
他針鋒相對地批評揚雄不懂音樂藝術，脫離了具體的藝術實際的

復古理論，是沒有什麼價值的。他是從漢代具體的文藝事實出發
來討論問題的。所謂「鄭聲」或「鄭衛之音」，主要是指當時源
於民間而流播朝野的新的流行音樂藝術（按：其中也包括了詩、
舞諸藝術）。據《漢書·禮樂志》載：

> 今漢郊廟歌詩，未有祖宗之事，八音調勻，又不協於鐘
> 律，而內有掖庭材人，外有上林樂府，皆以鄭聲施於朝廷
> ……是時，鄭聲尤甚。黃門名倡丙彊、景武之屬顯富於
> 世，貴戚五侯定陵、富平外戚之家淫侈過度，至與人主爭
> 女樂。

可見作為流行「新聲」的鄭衛之音影響面之廣。武帝時的正統儒
者如公孫弘、董仲舒曾大力提倡雅頌中正之樂，但無法與之抗
衡。漢平帝時博士平當曾建議朝廷「修起舊文，放鄭近雅，述而
不作，信而好古」；哀帝時更是明詔禁止：

> 惟世俗奢泰文巧，而鄭衛之聲興。夫奢泰則下不孫（遜）
> 而國貧，文巧則趨末背本者眾，鄭衛之聲興則淫辟之化
> 流，而欲黎庶敦樸家給，猶濁其源而求其流清，豈不難
> 哉！孔子不云乎：「放鄭聲，鄭聲淫。」其罷樂府官
> （《漢書·禮樂志》）。

但新興的詩樂卻是禁而不止，充分顯現其生命活力，並因其藝術
感染力而日漸擴大其影響，所以《漢書·禮樂志》承認：「然百姓
漸漬日久，又不制雅樂有以相變，豪富吏民湛沔自若，陵夷壞於
王莽。」早在西漢時代，《禮記·樂記》已有魏文侯「聽古樂則唯
恐臥，聽鄭衛之音則不知倦」的記載，但那是作為受批評的反面

材料出現的。桓寬《鹽鐵論·相刺》篇有「好音生於鄭、衞，而人皆樂之於耳，聲同也」之語，雖是頌讚口氣，但並非專論鄭衞之音，而是用以說明「聲同」而心悅的共同藝術審美要求。而發展到桓譚，則能在繼承前人的基礎上，順應文化發展的新潮流，一反揚雄好復古、喜艱深之弊，尖銳地批評他是「不曉音」的門外漢。桓譚敢於背離雅頌古調，並以典樂大夫的身分來爲「新聲」正名，這是對附庸於經學的正統文論模式的一次有力衝擊。

但應說明的是，桓譚所追求的藝術之「新」，總的說來，並沒有背離儒家的敎化原則。《新論·琴道》篇曾引用古代資料：

> 晉師曠善知音。衞靈公將之晉，宿於濮水之上，夜聞新聲，召師涓告之曰：「爲我聽寫之。」曰：「臣得之矣。」遂之晉。晉平公饗之。酒酣，靈公曰：「有新聲，願奏之。」乃令師涓鼓琴，未終，師曠止之；曰：「此亡國之聲也。」

這則故事曾被前人廣泛稱引，桓譚也借用來說明，文藝創作中，並非凡是「新」就是美。如衞靈公所喜愛的「新聲」，實爲「亡國之音」，雖然藝術上悅耳動聽，但因違背了儒家傳統的文藝爲政敎服務的原則，無益於封建之治，所以桓譚對它隱含批判之意。

總之，桓譚反對「尊古卑今」，重視文藝創新，雖然比揚雄前進了一大步，並直接啓發了王充，但它仍然屬於儒家文藝思想的體系。

四、有關「小說」的論述

中國古代的小說創作及其理論批評，如以今天的標準衡量，比之傳統詩文的發展，則時間要晚得多。但今人有關小說的認識，多受近代西方觀念的影響。如果結合中國的文學實際，以歷史的觀點、民族的眼光看問題，則其濫觴萌芽，可上推到先秦兩漢階段，也可說是源遠流長了。

中國古代「小說」一詞，最早見於《莊子·外物》篇：「飾小說以干縣令，其於大達亦遠矣。」意思是說，修飾閒言碎語，以追求美好聲名的人，與明達而有學問的人相差何止十萬八千里！這裡的「小說」，並非現在意義的小說概念，而是如《魯迅中國小說史略》所說：「乃謂瑣屑之言，非道術所在，與後來所謂小說者固不同。」但從《莊子》的具體運用而言，「小說」之中包括了寓言故事和神話傳說，從廣義上理解，也可說是小說的萌芽。因此，《莊子·外物》的這段話，也可視爲對於小說的批評。作者認爲「小說」經修飾後雖有感人的地方，但它終究離開「大達」很遠。「小說」之「小」，與「大達」之「大」相對，含有輕視而不足道之意。

西漢中期，「小說」迅速發展，僅武帝一朝，據《漢書·藝文志》載，有「小說」近千篇。發展到西漢末年，劉向父子喜愛《山海經》，他們不同於《莊子》的「小說」觀念，認爲《山海經》「皆聖賢之遺事」，「其事質明有信」，不以「小」而輕之。這就說明劉向父子對於寓言、神話、「小說」故事的重視。但因此而附會爲聖賢之事，以爲神話的誇張與幻想是「質明有信」，則仍離不開經學家以生活「真實」來比附藝術真實的錯誤見解。

發展到桓譚，則觀念有所進步。他首先針對世人對於「短

書」小說的傳統偏見加以反駁：

> 莊周寓言乃云堯問孔子；《淮南子》云共工爭帝，地維絕，
> 亦皆爲妄作。故世人多云：「短書不可用。」然論天莫明
> 於聖人；莊周等雖虛誕，故當採其善，何云盡棄邪？
> （《新論・本造》）

所謂「短書」有二義：一指簡短的書札，如江淹雜體詩《李都尉
陵》曰：「袖中有短書，願寄雙飛燕。」這與「小說」概念無
關。一指雜記之書，其中包括了寓言傳說、神話故事、筆記俗語
之類的「小說」。桓譚所謂「短書」，即取後一說。世人因「短
書」「小說」多虛誕不實之辭，以爲是聖人所棄，所以斥爲「不
可用」。桓譚則善於反思，他反駁說，《莊子》、《淮南子》中的寓
言「短書」，雖然事屬「虛誕」，但卻自有其價值，所以應採其
「善」，以爲世用。於此可見，他在儒家經傳之外，又爲文學著
作另闢門徑，開拓思路，所以對「小說」採取寬容的態度，擇善
而從，以豐富人類的文化寶庫。「虛」中見「善」，是桓譚對於
「短書」的重要理論評價。因爲桓譚對於漢代「小說」的藝術特
徵已有朦朧的認識，所以他對「短書」「小說」之「善」，有較
清晰的闡述，如《文選》卷三十一江淹《雜體詩・李都尉陵》李善注
引桓譚《新論》曰：「若其小說家，合叢殘（一作「殘叢」）小
語，近取譬喻，以作短書，治身理家，有可觀之辭。」這裡的
「小說」意義已有所發展，所以《魯迅中國小說史略》謂其「始若
與後之小說近似」。對照現存漢人小說的殘篇遺簡來看，桓譚所
論大概包含了以下幾層意義：一是形式體制方面的「合叢殘小
語」。「叢」，指事物之細而雜；「殘」，謂片斷而不見整體。
可見他心目中的「小說」，不僅是形式短小，而且內容叢雜，經

傳之外，幾乎無所不包。二是指「小說」在藝術上運用了具體事
物作「譬喻」，來說明事理情緒的形象化手法。三是指「小說」
的社會功能，即通過形象譬喻等藝術，完成「治身理家」、齊國
平天下的教化作用，所以說是「小說」之辭「可觀」。

　　總而言之，桓譚的「小說」觀，雖仍不離儒家教化的理論規
範，但與漢儒遵孔子「不語怪力亂神」之教，盲目排斥「小說」
的傳統偏見相比較，其發展與進步顯而易見，在漢代文論發展史
上，實屬罕見。桓譚對「小說」的藝術特色已有所窺探，並因其
「善」而採取了容納和保護的態度，無意中打破了儒家經傳的思
想壟斷，爲「小說」的生存和發展另覓生機，爲開拓文章著作的
領域另闢洞天。後人如王充，仍以儒家的「眞實」觀來衡量「小
說」「短書」，以生活眞實來比附神話傳說，如《論衡‧骨相》篇
曰：「儒所共說，在經傳者較著可信；若夫短書俗記、竹帛胤
文，非儒者所見，眾多非一。」因不見經傳，不信其眞，而歧視
「短書俗記」。由此可見王充對於「小說」神話之類的誇張、虛
構與想像等藝術特點，幾乎一無所知。這是從思想家的眼光來觀
察事物，而非取文藝家的審美態度。可以斷言，王充雖然尊崇桓
譚，但他對「小說」「短書」的認識，則遠遠落後於桓譚。

　　綜上所述，在中國古典文論發展史上，桓譚《新論》是部重要
的著作，因此，不僅是王充稱頌，就是齊梁時代的文學理論大家
劉勰，也在《文心雕龍》中再三地稱引論述。可惜全書已佚，難窺
全貌，而只能從佚文中尋幽探微，發現其理論價值。如果說揚雄
的文藝觀，是西漢文論向東漢文論的過渡；那麼桓譚的文藝思
想，則又是揚雄與王充之間的承轉。桓譚盛稱揚雄，但在反復
古、主創新等方面又超越了揚雄，並爲王充那斥復古而重發展，
反模擬而貴獨創的文學主張的發展開闢了道路。

①據《後漢書‧桓譚傳》，桓氏《新論》二十九篇，其中「《琴道》一篇未成，肅宗使班固續成之」。舊注引《東觀記》以爲桓氏「《琴道》但有發首一章」；嚴可均《桓子新論敍》又謂「劉子駿（歆）《七略》徵引其《琴道》篇」；劉歆早於班固，則今輯佚《新論‧琴道》，桓、班之文未分，應屬二人合作。

（原載《古代文學理論研究》第十四輯，
上海古籍出版社1989年版）

《文心雕龍》研究的若干問題

一、齊梁時代的思想爭鳴、
文學流派及《文心雕龍》的出現

　　要了解齊梁以前的文學鬥爭，劉勰的《文心雕龍》是一部重要的著作。宋齊以來的思想爭鳴及文學鬥爭，促進了《文心雕龍》的出現。關於這個問題，周勳初先生《梁代文論三派述要》一文已經論及，現略作具體的補充如下：

　　南朝是駢儷文學特別發展的時代，有人稱之爲形式主義文學氾濫的時代。其實，駢儷文學也有它發生、發展的歷史，自有它的文學價值，不可一概而論，而應具體分析。當時的傳統儒家經學，至少是暫時衰落了。因此，爲了加強封建思想統治，士族門閥地主除了繼續尊儒以外，同時又大力提倡玄學、佛學。統治思想的多樣化，思想的相對「解放」，就引起了不同文學思想的爭鳴。當日的文壇，除了代表傳統的儒家復古派外，又有力主「新變」的宮廷文學的出現。這些不同的思想，不同的文學流派，激烈鬥爭，互爭正統，在一定程度上促進了當時文學的發展。

　　史載宋文帝「雅好藝文」，於元嘉十五年（438年）立四學（儒、玄、史、文），文學出現了擺脫經學附庸地位的傾向，開始獨立於儒學之外（見《資治通鑑》卷一二三），並逐漸獲得發展，終於「蔚爲大國」。六朝時代本是文學獲得新生和發展的大

好時機。但當時的許多士族權貴，片面發揮「緣情綺靡」之說，逐漸把文學引入歧途，因而「新變」派的文藝思想應運而生，盛極一時。就拿「樂府」詩歌一類來說，裴子野的《宋略・樂志敍》概述當日的情況：「王侯將相，歌伎塡室；鴻商富賈，舞女成羣。競相誇大，互有爭奪。」當時的士族權貴，按照自己的低級趣味，專門採集描寫男歡女愛的民歌入樂，以供自己的生活享受之用；而對富有抗爭精神的民歌，則無取一二，由此可見其排斥之意。據《南齊書・王儉傳》載：

> 上曲宴羣數人，各使效伎藝，褚淵（彥回）彈琵琶，王僧虔彈琴，沈文季歌《子夜》，張敬兒舞，王敬則拍張。儉曰：「臣無所解，唯因誦書。」因跪上前誦相如《封禪書》。上笑曰：「此盛德之事，吾何以堪之。」

君臣宴集，所唱是情思委婉的《子夜》歌，可見當日士人的興趣所在。褚淵尚宋文帝女南郡獻公主，王儉尚明帝女陽羨公主，都是皇親國戚。褚淵、沈文季等比較接近當時文藝上的「新變」派，寄情聲色狗馬之間，抒寫男歡女愛之情。而出自琅邪王氏的王儉則另是一副儒者的呆板面孔，所以史上有「憲章前軌，無所改革」之譏（《見南齊書・檀超傳》），連他自己的學生鍾嶸也批評說：「至如王師文憲（王儉諡號），既經國圖遠，或忽是雕蟲。」（見《詩品》）於是把他的詩列爲下品。所謂「忽是雕蟲」，說明他對文學的相對獨立性缺乏認識。這是當日文學上復古派的典型。復古文學是沒有什麼藝術生命力的。當時復古與「新變」，兩派爭文壇正統的矛盾鬥爭愈演愈烈，到梁代則公開衝突。當時「新變」派的領袖是梁簡文帝蕭綱，蕭子顯、庾肩吾、徐陵等附之，他們在理論上反對復古，認爲「若無新變，不

能代雄」（見蕭子顯《南齊書‧文學傳論》），有一定的創新精神；但又提倡「文章且須放蕩」之新，具體發爲浮靡輕艷的宮體文學，後來徐陵根據這一「新變」主張，編撰《玉臺新詠》，「皆取綺羅脂粉之詞」，可見其好尙所在。當時的復古派以裴子野爲首，劉之遴、劉顯等附之，「其製作多法古」，因循守舊，反對變革。如裴子野的《雕蟲論》，即對「新變」派發動了猛烈的攻擊：

> 自是閭閻年少，貴遊總角，罔不擯落六藝，吟詠情性。學者以博依爲急務，謂章句爲專魯。淫文破典，斐爾爲功。無被於管弦，非止乎禮義。

對於復古派的批判，「新變」派則反唇相譏，如蕭綱《與湘東王書》：

> 比見京師文體，儒鈍殊常，競學浮疏，爭爲闡緩……未聞吟詠情性，反擬《內則》之篇；操筆寫志，更摹《酒誥》之作；遲遲春日，翻學《歸藏》，湛湛江水，遂同《大傳》……若以今文爲是，則古文爲非；若昔賢可稱，則今體宜棄；俱爲盍各，則未之敢許……裴氏乃良史之才，了無篇什之美。是爲學謝則不屆其精華，但得其冗長；師裴則蔑絕其所長，惟得其所短。謝故巧不可階，裴亦質不宜慕。

對於裴子野個人，「新變」派並不否定他的學術成就，肯定他是「良史之才」。但人們進一步看到文與史的區別，認爲文學不是學術，有它獨特的發展規律。「新變」派正是從文學的角度，批評了復古派的文章是「質不宜慕」，「了無篇什之美」，違反了

時代發展的潮流。

　　《文心雕龍》正是產生於這個齊梁之際。當時復古與「新變」的理論，劉勰太熟悉了。裴子野與蕭綱的文學爭論，雖然略後於《文心雕龍》的成書年代；但一代文風的轉變，並非突然從空而降，而是淵源所自，由來已久，劉勰當早已熟聞。當時復古與「新變」兩派的理論，已漸由片面而趨極端，各執己見，難以兩立，因而阻礙了文學正常、健康的發展。這都是劉勰所不能贊成的。因此，在吸收前人文學成就，總結當時文學論爭的基礎上，就自然出現了另成一派的《文心雕龍》的理論體系。劉勰後來作東宮通事舍人，昭明太子蕭統「深愛接之」（《梁書・劉勰傳》）。蕭統又曾廣泛引納文學之士，討論篇籍，商榷古今，如何遜、劉孝綽、王筠等曾參加《文選》的編撰工作，以具體作品來闡明「通變」的理論。據說，劉勰也曾為《文選》出過主意（參見陸鴻凱《文選學・纂集第一》）。此事是否屬實，可以繼續討論。但劉勰與蕭統及其門下的文人集團曾經一道研究過文學問題，這是肯定的。劉勰與蕭統等人的理論不必盡同，但強調「文質彬彬」，主張「隨時改變」，理論上確是相通的。《梁書・何遜傳》：「（范雲）曰：頃觀文人，質則過儒，麗則傷俗，其能含清濁，中古今，見之於何生矣！」復古派「質則過儒」不美，「新變」派「麗則傷俗」不雅，只有調和折衷，取長捨短，「麗而不浮，典而不野」①，「事出於沈思，義歸乎翰藻」②，這才是文之極致。這正符合劉勰「擘肌分理，唯務折衷」（《文心雕龍・序志》）的理論主張。這就逐漸形成了當時新的一派──「通變」派。當日文壇，就其思想傾向而言，不管自覺與否，事實是人各有派，各派都有自己的理論主張。與當時儒、道、釋三家並立、兼容百家的思想「解放」相配合，文學理論批評領域也出現了百家爭鳴的新局面。後來唐代的劉知幾在《史通・自敍》篇中說：

「詞人屬文，其體非一，譬甘辛殊味，丹素異彩，後來祖述，識昧圓通，家有詆訶，人相掎摭，故劉勰《文心》生焉。」由此可見，當日文壇有形與無形的鬥爭，是促進《文心雕龍》產生的重要原因之一。

二、《文心雕龍》與南朝駢儷文學的關係

《文心雕龍》對南朝駢儷文學的態度，是肯定還是反對？所謂反對當時駢儷文學，成為後世古文運動先聲的說法，實是一種誤解：㈠南朝是駢儷文學鼎盛的時代，駢儷文學是當時的應用文體。在唐代古文運動尚未出現的時候，劉勰不可能超越時代，自己另搞一套。即如他的《文心雕龍》，也是完全採用標準的駢文寫成的。㈡《文心雕龍》的理論體系，是在總結古文學發展事實的基礎上產生的，他對近代和當代的駢儷文學，既有非議和批評，也有肯定和頌揚，不可一概而論。如《明詩》篇：「宋初文詠，體有因革，莊老告退，而山水方滋，儷採百字之偶，爭價一句之奇，情必極貌以寫物，辭必窮力而追新，此近世之所競也。」對於近代駢儷文學已開始出現的形式主義唯美主義趨向，頗為不滿。但這樣的批評，也並不是否定一切。他在《時序》篇中，又肯定了近代駢儷文學的成就：「自宋武愛文，文帝彬雅，秉文之德，孝武多才，英采雲構。自明帝以下，文理替矣。爾其縉紳之林，雲蔚而飈起；王袁聯宗以龍章，顏謝重叶以鳳采，何范張沈之徒，亦不可勝數也。」劉勰寫《文心雕龍》是在齊梁時代，對於前朝劉宋時代的文學，他不會有所忌諱，故意閃爍其詞。這一切，不管是批評還是追求，都沒有跳出當時駢儷文學的範圍。從創作的角度言，他是為了當時駢儷文學的純潔化、健康化而鬥爭；他的最終目的，還是希望在糾正了缺點之後，使當時駢儷文學的創作獲得

新生和發展。所以《文心雕龍》中又有《聲律》、《麗辭》、《練字》、《事類》諸篇，指導人們從藝術形式和技巧的鍛煉開始，通過努力，寫好駢儷文學。如《聲律》篇：「凡聲有飛沈，響有雙疊，雙聲隔字而每舛，疊韻雜句而必睽；沈則響發而斷，飛則聲颺不還，並轆轤交往，逆鱗相比，迂其際會，則往蹇來連，其爲疾病，亦文家之吃也。」「異音相從謂之和，同聲相應謂之韻。韻氣一定，故餘聲易遣；和體抑揚，故遺響難契。」這與當時沈約、王融等人提倡的「永明聲律說」大同小異，基本精神是一致的。對於沈約等的「永明聲律說」，人們明白它是爲當時的駢儷文學服務的；而對劉勰的類似提法，則認爲是反對當時的駢儷文學。這不是有點奇怪嗎？實際上，劉勰與沈約一樣，也是從文學語言的音律方面，促進了當時駢儷文學的新發展。後來庾信等人的駢文，就在這一理論與風氣的影響下，基本上做到平仄相間，音節鏗鏘，易於吟誦，從而爲文學的發展作出了新貢獻。又如《練字》篇：「是以綴字屬篇，必須練擇：一避詭異，二省聯邊，三權重出，四調單復。」所謂「權重出」與「調單復」，正是爲創作駢儷文學的需要而發；後來如「古文」一類的散文，就不必講這一套。特別是《麗辭》篇，指出了當時一些駢儷文的創作具有「氣無奇類，文乏異采，碌碌麗辭，則昏睡耳目」的毛病，正是爲了使駢儷文學做到「奇偶適變」，「自然成對」。這不是在反對當時的駢儷形式，而是認爲這樣的駢儷形式可以運用得更好些。在劉勰看來，應用駢儷對偶的形式，是很自然的：「造化賦形，支體必雙；神理爲用，事不孤立。」這是爲駢儷文學的發展尋找新根據，開闢新境界，而不是爲了徹底批判並否定當代的駢儷文學。後來的唐代古文運動，是以批判和否定六朝駢儷文學爲基礎的。劉勰並不否定當時的駢儷文學，所以在對待駢儷文學的態度方面，後人認爲《文心雕龍》是唐代古文運動的先聲的說法是

難以成立的。

三、劉勰世界觀的矛盾及
《文心雕龍》理論體系的複雜性

《文心雕龍》是我國古典文學理論批評的重要著作。在過去的封建社會裡，論文的著作都沒有像它這般「體大而慮周」（《文史通義·詩話》）。但由於作者世界觀本身的矛盾，《文心雕龍》的理論體系是精華與糟粕互見，必須具體分析，不可簡單而論。

劉勰準確的生卒生代，還有待進一步的考證。《梁書·文學傳（下）》：「劉勰，字彥和，東莞莒人。祖靈眞，宋司空秀之弟也。父尙，越騎校尉。」「莒」即今山東省莒縣，這只是劉氏的祖籍。西晉亡後，士族大量南遷，劉家僑居京口（今江蘇鎮江），實是京口人。劉勰的祖宗雖屬士族，但到齊梁時代，家道早已中衰。齊建元間，他的堂兄劉祥曾譏諷司徒褚淵，褚氏罵他是「寒士不遜」（見《南史·劉穆之傳》附《劉祥傳》）。由此可見整個劉氏家族，已經破落到「寒士」的地位上了。《梁書》本傳也稱劉勰「早孤」、「家貧」，可見家庭的沒落。劉勰是生活在士族門閥制度盛行的時代。他雖然出身於地主階級中的「寒門」，但由於宗族關係，又與舊的士族門閥的思想意識有千絲萬縷的聯繫。因此他的世界觀複雜，思想中充滿了矛盾，這也是可以理解的。這就決定了《文心雕龍》思想傾向的複雜性：既有儒家思想，又有其他非儒家思想的存在；既有形而上學的一面，又有受辯證法影響的另一面。

劉勰仕宦於梁代，而《文心雕龍》的基本成書時間，則在齊和帝之世，因爲《時序》篇有「皇齊馭寶，運集休明」的說法。這一方面，近人已有詳細考證，不必多說。不過，《太平御覽》卷六〇

一所引《梁書·劉勰傳》中，有「自齊入梁」四字，以說明《文心雕龍》的成書。一般人對此持否定態度。我則認為《太平御覽》的「自齊入梁」四字不可輕易否定。宋時館臣在抄書時，可能有它的版本根據。「自齊入梁」四字，正說明劉勰在梁代有重新修訂《文心雕龍》的可能。古書的「出版」與今天大不相同。在依靠手抄流傳的年代裡，隨時修改的書籍，一經傳抄在外，又會成為另一版本。現在流傳的《文心雕龍》，有許多版本的不同，原因當然很多；但其中不能排斥劉勰在入梁以後略作修改潤色的可能。因此，如果把《文心雕龍》的成書時間，說得太死，斷定就是齊和帝之世，而與梁代無關，也不一定完全合乎事實。

由於舊士族家風的影響，他受傳統儒家思想的薰陶頗深。《序志》篇云：「齒在逾立，則嘗夜夢執丹漆之禮器，隨仲尼而南行。旦而寤，乃怡然而喜，大哉聖人之難見也，乃小子之垂夢歟！」所謂「逾立之年」，就是他開始創作《文心雕龍》的時候。「尼父陳訓，惡乎異端；辭訓之異，宜體於要。於是搦筆和墨，乃始論文。」可見他企圖把儒家的思想原則，具體運用在「論文」的方面。不過，劉勰與當時一般的儒家復古派不同，他推崇儒家，但又不盲從，他在運用傳統儒家思想以糾正當時不良文風的鬥爭中，同時看到了儒家思想對於文學的發展有時也有不利的一面。如《時序》篇談到東漢的文學時說：「及明帝迭耀，崇愛儒術，肆禮璧堂，講文虎觀。」「中興之後，羣才稍改前轍，華實所附，斟酌經辭，蓋歷政講聚，故漸靡儒風者也。」這是否給文學帶來了繁榮？其實不然。所以劉勰又說：「自安和已下，迄至順桓，則有班傅三崔，王馬張蔡，磊落鴻儒，才不時乏，而文章之選，存而不論。」「其餘風遺文，蓋蔑如也。」所謂「蔑如」，據《漢書·東方朔傳贊》顏師古注曰：「言辭義淺薄不足稱。」明顯有輕視之意。他認為儒家的經學，在有些時代裡，又

在不同程度上阻礙了文學的自然發展。可見在分析具體的文學現象時，劉勰並沒有完全被傳統儒家思想所束縛，而是更多地被新時代的新思潮所推動，比較尊重實際，基本實事求是。儒家的「尼父陳訓」對於文學發展的影響，好就說好，壞就說壞。劉勰之所以成為古典文學理論大師，絕不僅僅是儒家思想在起作用，更重要的還是在於他對傳統思想的突破、發展和運用。

劉勰曾受到佛家思想較深的影響。年輕時曾到定林寺依僧祐學習，遂有機會潛研佛典，晚年又請求出家，改名慧地。僧祐有調和儒、釋二教的主張；劉勰也寫《滅惑論》以闡師說，謂「孔、釋教殊而道契」（均見《弘明集》）。儒、釋思想體系，在劉勰看來是可以調和統一的，差異的是思想方法。儒家的經書，如《易經》具有豐富的辯證思想，《文心雕龍》明顯受到它的影響，這與魏晉以來新興的玄學思潮有關。關於這一點，論者已多，這裡從略。而佛家論辨思維之時，則有因明之學，印度的古因明有宗、因、喻、合、結五支，新因明則把它簡化、歸納為宗、因、喻三支，提出了正反相對的種種矛盾，圍繞中心，相互辯詰，最後完成論題。在某種意義上，這可說具有豐富的辯證思想。印度佛家的因明之學早已有之，它的傳入中國，一般地說，是在唐初玄奘法師從印度取經回國之後，開始了大量的譯作。但在梁武帝大同十二年（546年），梵僧真諦即應邀來中國，傳入大乘佛教瑜伽行宗的唯識學說，而瑜伽行宗在五、六世紀之際，對於因明學的革新與發展是作了貢獻的③。因此，大量正式翻譯因明論著雖在唐初，但口頭的論述傳授，或是潛移默化的影響，時代可能要早得多。早在齊梁以前，就有許多胡僧來華，他們在宣揚佛教理論的同時，也自會「各制因明，俱申立破」④。這就可能對中國佛家的思辨方式產生影響。而僧祐是當時的著名僧人，他和他的學生，早已接受印度佛家思辨方式的影響，自屬可能。《梁書》本傳

稱劉勰「爲文長於佛理」。從現存的文章來看，劉勰對於佛家教
義，並沒有什麼新的發展，也談不到什麼創造。然而統觀《文心
雕龍》全書，主要是以傳統儒家觀念立論，難見佛家空門的理論
影響。因此，具體地談到《文心雕龍》，所謂「爲文長於佛理」云
云，並不是指在書中直接宣揚佛家教義，而主要是指運用佛家的
思辨方式，文中具有一定的唯心辯證因素，同時又掌握了佛家立
論時的宏大組織能力，以構成「體大而慮周」的理論體系。范文
瀾先生在《序志》篇注曰：

> 《釋藏》迹十釋慧遠《阿毗曇心序》：「《阿毗曇心》者，三藏
> 之要頌，詠歌之微言，管統衆經，領其會宗，故作者以心
> 爲名焉。有出家開士，字曰法勝……以爲《阿毗曇經》源流
> 廣大，難卒尋究，非贍智宏才，莫能畢綜。是以探其幽
> 致，別撰斯部，始自界品，訖於問論，凡二百五十偈，以
> 爲要解，號之曰心。」彥和精湛佛理，《文心》之作，科條
> 分明，往古所無。自《書記》篇以上，即所謂界品也；《神
> 思》篇以下，即所謂問論也。蓋採取釋書法式而爲之，故
> 能鰓理明晰若此⑤。

范氏所言，很有道理。由此可見，雖然劉勰的思想綜貫儒釋，但
在作《文心雕龍》時，卻主要是接受儒家思想的指導，很少直接宣
傳佛家教義⑥；而在思辨方法、組織能力方面，除了儒家《易經》
及玄學的影響外，又自然地受到佛家影響。「爲文長於佛理」，
正說明他具有一定的唯心辯證思想因素。

　　除此以外，據《諸子》、《比興》、《定勢》諸篇，劉勰同時又接
受了我國先秦諸子的影響，特別是吸取諸子中的辯證思想因素。
正因爲這樣，所以《文心雕龍》對許多作家、作品的具體分析和評

價，新鮮活潑，直到今天還具有生命力，這與《文心雕龍》廣泛接受辯證思想的影響有關。

除了儒、佛的思想影響外，劉勰同時還接受了其他思想影響。《風骨》篇云：「若夫熔鑄經典之範，翔集子史之術，洞曉情變，曲昭文體，然後能孚甲新意，雕畫奇辭。」他是經史子集，無所不究。先秦諸子的思想對他有所影響。如《諸子》篇承認「李實孔師」，推尊老子。實際上，對於諸子百家的思想與文學，他是有所肯定的：「研夫孟荀所述，理懿而辭雅；管晏屬篇，事核而言練；列禦寇之書，氣偉而采奇；鄒子之說，心奢而辭壯；墨翟隨巢，意顯而語質……辭約而精，尹文得其要；愼到析密理之巧，韓非著博喻之富，呂氏鑑遠而體周，淮南泛采而文麗，斯則得百氏之華采，而辭氣之大略也。」如果我們認眞閱讀《文心雕龍》，自會發現一個奇怪的現象：劉勰在尊崇儒家的同時，也批判其讖緯迷信之謬（參見《正緯》《詔策》《誇飾》諸篇）；他在攻擊法家的同時，又在許多地方讚揚了法家的思想、方法和藝術。如《書記》篇謂「管仲下令如流水，使民從也」，對法家管仲稱頌備至。又如對商鞅、韓非和李斯，一方面有「六蝨五蠹，棄孝廢仁」（《諸子》）的攻訐，一方面又讚美「李斯之止逐客，並煩情入機，動言中務」，因而譽之為「上書之善說也」（《論說》）。《封禪》篇又云：「秦皇銘岱，文自李斯，法家辭氣，體乏弘潤；然疏而能壯，亦彼時之絕采也。」實是先貶後褒。對晁錯、王充、仲長統等敢於非孔刺孟、批判儒者的人物，頌辭比比皆是，難以一一枚舉。如《啓奏》篇謂「晁錯之兵事……理旣切至，辭亦暢通，所謂識大體矣」。而劉勰自己那「原夫論之為體，所以辨正然否」（《論說》）的說法，正是本於王充《論衡·自紀篇》的「論說辨然否」。《養氣》篇更加明顯：「昔王充著述，製養氣之篇，驗己而作，豈虛造哉！」可見王充對於《文心雕龍》的影響。

至於魏晉時代的阮籍不爲儒家禮法名教所束縛，嵇康則自稱「非湯武而薄周孔」，他們是對儒家大爲不敬的人物，但劉勰稱頌其詩：「嵇志清峻，阮旨遙深，故能標焉。」（《明詩》）所謂「志」與「旨」，從思想角度立論；所謂「清峻」與「遙深」，則從風格方面著眼。由此可見，劉勰並沒有完全被傳統儒家思想的偏見所束縛。

總之，我們分析《文心雕龍》的思想實質，不能只聽劉勰的宣言，更重要的是看他的具體論述。劉勰在分析具體文學現象、評價作家作品的時候，並沒有完全以「明道」、「徵聖」、「宗經」的儒家思想模式生搬硬套，有時甚至公開主張「總法家之式，秉儒家之文」（《奏啓》）。這些都說明了劉勰世界觀的矛盾及《文心雕龍》思想傾向的複雜性。《文心雕龍》雖以儒家思想爲主導，但絕對不是只此一家，別無分店。《文心雕龍》的理論來源是多方面的：儒家思想在起作用，同時非儒家思想也在起作用；辯證法的因素更是起了重要的作用。劉勰世界觀中儒家與非儒家，形而上學與辯證法因素的矛盾統一，直接導致了《文心雕龍》理論體系的複雜性。一部《文心雕龍》也是當日文壇「百家爭鳴」局面的縮影。

四、「明道」「徵聖」「宗經」的傳統文學觀

《文心雕龍·序志》篇云：「蓋文心之作也，本乎道，師乎聖，體乎經，酌乎緯，變乎騷，文之樞紐，亦云極矣。」很明顯，《原道》、《徵聖》、《宗經》、《正緯》、《辨騷》五篇，都屬「文之樞紐」。所謂「文之樞紐」，也就是文學總論。有人特別把《辨騷》篇從「文之樞紐」中剔出，讓它和下面從《明詩》到《書記》等二十篇一起，列入「文體論」中。這顯然是不合理的。因爲劉

勰自己在《序志》篇中說得很明白,《辨騷》篇是屬於「文之樞紐」,這是一。在我國古代,詩與騷在文體分類中,一般總是詩列前面。如在蕭統《文選》中,屈原的《離騷》與《九歌》,就列在雜擬詩之後。但在《文心雕龍》中,卻是《辨騷》在《明詩》之前。這並不是劉勰故意違反慣例,而是因為《辨騷》與《明詩》不同,它不是「文體論」之一,而是上屬總論,所以不能列於《明詩》之後。這是二。古代常以「詩騷」對舉,或是「風騷」連稱。屈原所開創的騷體文學,和《詩經》一樣,都在文學史上享有盛譽;它的積極浪漫主義精神,和《詩經》所反映出來的現實主義精神一樣,對後代產生了深遠的影響。在這裡,劉勰強調文學的發展是「變乎騷」,這就不是一般的文體論所能概括的問題,而是當然的「文之樞紐」的問題。這是三。

何謂「文之樞紐」?樞紐就是關鍵之所在。在「文之樞紐」的五篇總論中,《原道》、《徵聖》、《宗經》是核心。但有人不這樣看。他們認為這三篇不過是表面上宣揚的「主義」,實際上不過是個招牌或幌子,並不是劉勰的眞正思想。其實,這種看法是求深反淺,根本經不起歷史事實的檢驗。在創作《文心雕龍》的前後,無論是齊的竟陵王蕭子良,還是梁武帝蕭衍這些當權人物,他們或是崇佛過於尊儒,或是乾脆宣布佛教為國教,在這段時間裡,儒學並沒有「中興」,儒家思想也沒有形成一尊的局面。為什麼劉勰內心不信奉,而表面卻必須用它作為招牌或幌子呢?根本沒這個必要。事實恰恰相反,劉勰繼承並發展了荀子和揚雄的主張,在《文心雕龍》中開宗明義就提出了「明道」、「徵聖」、「宗經」儒家傳統文學觀,這正說明劉勰對於儒家思想原則的虔誠。人皆捨之,我獨取之。為了糾正當日文壇「訛濫」的作風,劉勰首先開出了這樣一帖傳統儒家的藥方。

《文心雕龍》中的「道」字,有許多不同的含義。如《指瑕》篇

「若夫立文之道，惟字與義」，這「道」指的是一般的方法；
《才略》篇「諸子以道術取資」，「道」與「術」連稱，指的是學
術；《諸子》篇「莊周述道以翱翔」，指的是老莊之道。這些方
面，現在我們略而不論。《原道》篇的「道」，一指自然之道，一
指儒家之道。如：

> 夫玄黃色雜，方圓體分，日月疊璧，以垂麗天之象；山川
> 煥綺，以鋪理地之形；此蓋道之文也……龍鳳以藻繪呈
> 瑞，虎豹以炳蔚凝姿；雲霞雕色，有逾畫工之妙；草木賁
> 華，無待錦匠之奇。夫豈外飾？蓋自然耳。

這裡的「道」，指的是客觀事物，但首先是指大自然的美學價
值。在「自然之道」的影響下，《文心雕龍》也多少反映出一些具
有唯物傾向的文藝觀。如《明詩》篇：「人稟七情，應物斯感，感
物吟志，莫非自然。」強調的是客觀自然激發了作家的創作靈
感，作品中所表現出來的主觀情志，正是客觀現實的反映。但
《原道》篇的下面筆鋒一轉：

> 人文之元，肇自太極。幽贊神明，易象惟先。庖犧畫其
> 始，仲尼翼其終……至夫子繼聖，獨秀前哲，熔鈞六經，
> 必金聲而玉振；雕琢情性，組織辭令，木鐸起而千里應，
> 席珍流而萬世響。寫天地之輝光，曉生民之耳目矣。

這裡的「道」，指的是通過儒家「聖人」而體現出來的孔孟之
道，所以說「道沿聖以垂文，聖因文而明道」。所謂「寫天地之
輝光」，指的是反映客觀自然之道；但劉勰又進一步強調文學必
須是主客觀的統一，文學家通過作品來「明道」，目的還是要闡

述自己的社會理想,並用它來「曉生民之耳目」,從而達到教育人們的社會目的。應該承認,劉勰對於文學的巨大社會作用是有所認識的。但如果再進一步,當劉勰從自然界一腳跨進了社會領域的時候,他的「明道」,又在很多地方暴露了他的世界觀的局限性。「原道心以敷章,研神理而設教」,「道心」與「神理」並舉;「神道闡幽,天命微顯」(《正緯》),「神道」與「天命」共論。劉勰在《滅惑論》中說:「佛言菩提,漢語曰道。」儒佛相通,都可以通向歷史的唯心主義。從這唯心立場出發,劉勰得出了文原於道的結論。他責備前人論文「並未能振葉以尋根,觀瀾而索源」,並認爲如果作家的創作「不述先哲之誥」,那就必然造成「無益後生之慮」(《序志》)的嚴重社會後果。所以創作應該「徵之周孔」:「徵聖立言,則文其庶幾矣!」(《徵聖》)換言之,他是鼓勵人們在孔孟之道中來「觀瀾索源」。在這裡,他把傳統儒家之道作爲文學的源泉提了出來,這就顛倒了文藝與現實生活的關係。這又反映了他的世界觀中落後保守的一面。

那麼「明道」、「徵聖」、「宗經」之間又是什麼關係?劉勰說:「論文必徵於聖,窺聖必宗乎經。」(《徵聖》)「明道」「徵聖」「宗經」是三位一體,最後落實和體現在儒家的經典之中。所以《宗經》篇是「文之樞紐」中核心的核心。「經也者,恆久之至道,不刊之鴻教」(《宗經》),這又充分暴露了他的方法論中形而上學的觀點。這守舊的傳統思想與形而上學的思想方法,限制了《文心雕龍》進步理論體系的發揮。對於《文心雕龍》中這類封建性糟粕,就不能「言必稱劉勰」,或予以辯護。在清除了這些封建糟粕以後,書中的民主性精華就會大放異彩。就以《宗經》篇爲例,它在具體討論「經典」作品時,如果堅持「恆久之至道,不刊之鴻教」的說法,那就沒法討論,也不必討論了;

但劉勰沒有這麼做，他把這些「經典」，當作一般的優秀作品來
對待，從文學的角度立論，分析其優劣，指出它值得後人學習和
借鑑的地方。如評《春秋》：

> 《春秋》五例，義既極乎性情，辭亦匠於文理……《春秋》辨
> 理，一字見義；「五石」「六鷁」，以詳略成文，「雉
> 門」「兩觀」，以先後顯旨；其婉章志晦，諒以邃矣。

這主要是從文學語言的修辭藝術的角度來分析研究。對於這類優
秀的「經典」作品，劉勰認為只要認眞學習，善於吸取，就會達
到「往者雖舊，餘味日新」的境界，從而爲自己的創作開闢出一
片新天地。這又把「經典」從高不可攀的天上拉回到現實土壤上
來，非常實在。正因爲他是從文學的角度立論的，所以《宗經》篇
最後總結說：

> 故文能宗經，體有六義：一則情深而不詭，二則風淸而不
> 雜，三則事信而不誕，四則義直而不回，五則體約而不
> 蕪，六則文麗而不淫。

這「六義」標準就是衡量作家作品的一把標尺。爲了批判近代以
來「將遂訛濫」的文風，反對「詭」「雜」「誕」「回」「蕪」
「淫」的弊病，他從內容與形式兩方面提出了新標準：「情深」
「義直」「事信」主要是從思想內容角度立論；「風淸」「體
約」「文麗」則主要是從藝術形式方面著眼。這樣一正一反，說
得很透徹，具有較高的理論價值。

五、「文之樞紐」與《正緯》《辨騷》

關於「文之樞紐」，前面已討論了三篇。後面還有《正緯》和《辨騷》兩篇表現出不同的思想苗頭。

《正緯》一篇，人們往往不加注意。可能認為讖緯之學已成陳迹，沒有重提的價值，因而忽視了這篇文章的重要性。實則《正緯》與《辨騷》一樣重要，它不僅從學術上糾正了讖緯之偽，同時也批判了封建統治者的符命迷信之說：「至於光武之世，篤信斯術，風化所靡，學者比肩……乖道謬典，亦已甚矣。」於此可看出他世界觀中進步的一面。這一思想，幾乎貫穿全書。如《祝盟》篇謂「義存則克終，道廢則淪始，崇替在人，咒何預焉」，又謂「後之君子，宜存殷鑑，忠信可矣，無恃神焉」。即在《封禪》篇中，雖因文章固有體例等關係，不便公然反對，但說「戒慎以崇其德，至德以凝其化」，對於這類宣揚天命迷信之文，頗多微辭。這些材料都說明了《正緯》篇首先有破除神道迷信的意義。

其次，他從文學的相對獨立性出發，認為緯書也自有價值，它們「事豐奇偉，辭富膏腴，無益經典而有助文章」。緯書中有許多神話傳說雖然類乎荒誕不經，但因它「有助文章」，所以不能一筆抹煞。事實上，所謂「事豐奇偉」，就是充分肯定了藝術想像的妙用，強調了神話傳說的浪漫主義精神；所謂「辭富膏腴」，又從藝術形式的角度評論，十分強調文采修飾的重要性。這種見解，超出當時的一般儒士文人之上，也是值得重視的。

另外，《正緯》的所謂「正」，作動詞用，可有二解：一是糾正讖緯迷信之義；一是正確理解和運用緯書的價值。所謂「正確理解和運用」，也就是必須善於發現緯書中神話故事一類文章的文學價值，「芟夷譎詭，糅其雕蔚」，從中吸收有益的營養，以

作爲創作的借鑑。人們從「正」而引到「奇」，無「奇」則不顯其「正」，奇、正相生，變化無窮。這也是一個重要的文學規律。在「文之樞紐」中立《正緯》篇，正說明了它的重要。因爲從文學的角度言，緯書屬於「奇」文一類，它與經典之「正」，相反相成，相得益彰。《定勢》篇曰：「然淵乎文者，並總羣勢；奇正雖反，必兼解以俱通。」「舊練之才，則執正以馭奇；新學之銳，則逐奇而失正。」後面的《辨騷》篇也談到：「自風雅寢聲，莫或抽緒，奇文郁起，其《離騷》哉！」論緯書文章之「奇」，也正可引出下篇提到的《離騷》「奇文」，從而展現了文學中不同於現實主義的另一廣闊領域。因此，《正緯》與《辨騷》二篇列於「文之樞紐」，是有道理的。

　　至於《辨騷》篇，它的意義更明顯。劉勰認爲屈原的作品，「氣往轢古，辭切來今，驚采絕艷，難與並能」，它達到了「酌奇而不失其眞，玩華而不墜其實」的藝術境界。在推崇《離騷》楚賦的同時，劉勰也直接批評了班固諸人對於屈原的錯誤評價，認爲這是「褒貶任聲，抑揚過實」。這種見解也超出時人之上。屈原是我國最早的積極浪漫主義大師。劉勰能從不同的創作方法、道路立論，高度評價了《離騷》，並就歷史上的有關論爭，作了規律性的總結，這在理論上是一個很大的進步。他把《辨騷》置於「文之樞紐」之中，確是很有見地。如果說「文之樞紐」的五篇文章中，《原道》《徵聖》《宗經》更多是重在「理」（也即思想內容）的方面，那麼《正緯》《辨騷》則更多是重在「文」（也即藝術形式）的問題。一個「樞紐」的兩組文章，從不同方面說明了文學的本質與價值。

六、《文心雕龍》中的辯證法因素

劉勰思想中具有一定的辯證因素。他不僅接受儒家《易經》辯證思想和佛敎思辨方式的影響,而且對先秦諸子中的辯證法也有一定的研究。如《定勢》篇利用《韓非子‧難一》中的故事說:

> 奇正雖反,必兼解以俱通;剛柔雖殊,必隨時而適用。若愛典而惡華,則兼通之理偏,似夏人爭弓矢,執一不可以獨射也;若雅鄭而共篇,則總一之勢離,是楚人鬻矛譽盾,兩難得而俱售也。

劉勰藉此討論文藝中的矛盾現象,這也說明了《文心雕龍》中的辯證法因素的來源是多方面的。

辯證法因素對《文心雕龍》理論體系的形成關係很大。在文藝領域,他不僅承認了矛盾現象的存在,並且看到了矛盾的運動與轉化,如《麗辭》篇:「造化賦形,支體必雙,神理爲用,事不孤立。」《練字》篇:「異體相資,如左右肩股。」這就是承認文學現象的矛盾性。《定勢》篇謂「文變殊術」,「執一不可」,這又是承認文學中的矛盾現象處在運動變化之中。其他如《附會》篇謂「文變無方」,《通變》篇謂「設文之體有常,變文之數無方」,又曰「文律運周,日新其業」等等,也都是承認事物在矛盾中運動、轉化,並不斷地前進。以上材料說明了《文心雕龍》中充滿了藝術辯證法。在繼承並總結前人成就的基礎上,劉勰具體揭示了文藝領域的幾十對矛盾:

關於內容與形式的關係問題:華而實,情與采,眞與僞,文與理,麗淫與麗則,爲文造情與爲情造文;

關於文學的繼承與發展問題：古與今，新與舊，因與革，通與變，資故實與酌新聲，望今制奇與參古定法；

關於文章體制問題：常與變，體與數，奇與正，雅與俗；

關於藝術風格問題：文與質，剛與柔，庸與俊，清與濁，典雅與新奇，遠奧與顯附，繁縟與精約，壯麗與輕靡；

關於創作準備與藝術構思問題：才與學，博見與貫一，虛靜與外累，思速與思緩，拙辭孕巧意，庸事萌新芽。

當然，《文心雕龍》所提出的矛盾現象還很多，這裡難以一一枚舉，所論也未必盡是合理。一個封建地主階級的理論家，他的論述是有具體階級內容的，如崇雅頌而抑鄭衛，多少流露了他對民間文學重視不夠的偏見。所以，他雖然揭示了文藝中的種種矛盾現象，但並不等於就是合理地解決了矛盾。唯心思想和形而上學觀點的干擾，限制了《文心雕龍》辯證法的發揮。不過，我們評價古人的歷史功績，並不是根據他是否提供了現代所要求的東西，「而是根據他們比他們的前輩提供了新的東西」（列寧《評經濟浪漫主義》）。劉勰揭示了文藝現象中的一系列矛盾，前人還沒有這樣系統地整理過，就是對古典文藝理論的一大貢獻。

另外，《文心雕龍》雖以傳統儒家思想爲基礎，有它保守的一面；但在分析具體文學現象時，因受辯證法的支配，又時常自覺或不自覺地否定了本來想要肯定的保守看法。如在古與今這對矛盾中，劉勰雖然首標《原道》《徵聖》《宗經》，認爲文學的發展是「彌近彌淡」（《通變》篇），當然是強調復古的重要了。但辯證法又使他看到古與今的矛盾對立與轉化。因而他又說：「時運交移，質文代變。古今情理，如可言乎！……故知歌謠文理，與世推移。」（《時序》篇）承認古今文學隨著社會歷史而發展變化的規律。所以他一方面反對「競今疏古」（《通變》篇），一方面又批評「貴古賤今」（《知音》篇），指出必須根據具體情況而「參

伍因革」，絕不可以泥古而不變。他強調「參古定法，望今制奇」的通變，認爲只有這樣，才能「騁無窮之路，飲不竭之源」，眞正完成「文律運周，日新其業」的歷史使命（以上均見《通變》篇）。文藝辯證法使他時時取下附有階級偏見色彩的眼鏡，肯定了文學與現實的聯繫，看到了文學的因創沿革之間的關係，這就必然導致了對復古思想的否定。這是不以劉勰的主觀意志爲轉移的。在劉勰身上，辯證法完成了「對自身的破壞」這一光榮的使命。在研究《文心雕龍》的過程中，如果我們對它的理論體系能去其「神祕的外殼」，那自會發現它的「合理內核」，從而獲益匪淺，受用無窮。

---

①見蕭統《答湘東王求文集及〈詩苑英華〉書》。

②見蕭統《文選序》。

③參見石村《因明述要》第一章中《因明與佛學》一節。

④見神泰《因明正理門論述記》。

⑤見范文瀾《文心雕龍注》卷十《序志》篇注〔二〕。

⑥劉勰撰寫佛教文章時，當然著力宣揚佛教理論。這與《文心雕龍》之以儒家思想爲主，各不干涉，互不矛盾。類似情況，歷史上不乏其例。如晉代葛洪的思想綜貫道與儒，他撰寫《抱朴子》時，內篇爲道家，外篇爲儒家，角度不同，互不干涉。

（原載《文心雕龍學刊》第一輯，齊魯書社 1983 年版）

劉勰《文心雕龍》與理性主義的理論思辨

一

魏晉以來，玄學漸盛，諸家「師心獨見，鋒穎精密」（《文心雕龍‧論說》），以簡明清晰之義理，而開啓理性思辨的精神。此時，釋經迻譯，蔚然成風，尤在南朝「專精義理」（湯用形《漢魏兩晉南北朝佛教史》第十章），由宗教信仰進一步回歸哲學。當其時，論難之風甚盛，而思辨氣氛愈濃。於是有《文心雕龍》。

魯迅以「解析神質，包舉洪纖，開源發流，爲世楷式」，並稱《文心》與亞里斯多德的《詩學》。在歷史的影響上，《文心》固不宜與《詩學》並論，但它們確實在探本溯源、「解析神質」、導入體系思維等方面具有相當的理論貢獻。因此《文心》的價值，不僅因其具體的成功藝術探索，局部的規律把握，貼切生動的作家作品評析；而且對於以經驗主義思維爲主的文論傳統來說，《文心》所表現出的理性主義的色彩便顯得更具卓越性。

我們所說的「理性主義」和「經驗主義」，是在思維方式意義上來確定其內涵的，所以區別於歐洲的作爲哲學派別的大陸理性主義和英國經驗主義。經驗主義思維，在思想的表述上往往與平常的意識狀態保持一致，如黑格爾所說的：「思想每每穿上當時流行的感覺上和精神上的材料的外衣，混合在這些材料裡面，

而難於分辨。」(《小邏輯・導言》)理性主義思維,則超出那自然、感覺的意識,克服經驗思維通常具有的散漫雜多的知識形式,而「達到眞正必然性的知識的反思」(黑格爾)。「必然性」反思,在寬泛的意義上講,就是從現象的偶然多樣性走向本質的必然統一性。

我們以此爲背景,從四個方面來考察《文心》的思維特徵。包括:本體思維、系統思維、概念思維和邏輯思維。

二

在易變與偶然的現象中尋求有普遍性和永久性的原則,在「多」中尋求一個本原的「一」,構成了本體思維的基本內涵。在古典形態的哲學中,它往往決定著思想深度。因此,劉勰以《原道》開篇,即表現著他在理論上的深度追求。

劉勰在《滅惑論》中曾說:「至道宗極,理歸乎一;妙法眞境,本固無二。」他便以這種具有鮮明的時代特色的「圓通」精神,將歷史上的各種本體思想糅於其文章理論中。《書記》云:「陰陽盈虛,五行消息,變雖不常,而稽之有則也。」又在《議對》中稱董仲舒「本陰陽之化,究列代之變」。可見。除了衆所周知的道家、易家及佛家對劉勰的本體觀念產生影響之外,陰陽五行學說中的「變雖不常而稽之有則」的觀點,也在劉勰的思維中留下印迹。顯而易見,他並沒有將它們眞的「圓通」起來,──這樣的高度不是那一時代所能達到的。但是,在我們看來,在某點上,劉勰確乎已汲取了諸家學說的共同精神,即《論說》中所表述的;「窮乎有數,追於無形,迹堅求通,鈎深取極,乃百慮之筌蹄,萬事之權衡也。」這裡的「有數」,是具體有形的現象;透過現象洞察深層的最終本質,便是「追於無形」、「鈎深

取極」。這也就是本原的追問。

於是，劉勰便由此確立了他的文學理論中的本體觀：複雜衆多的文學現象是由本體「道」（或曰「太極」、「神理」等）決定的，「道」中蘊含著文學創作的普遍原則，即所謂「振本而末從，知一而萬畢」（《章句》）。

按漢代的宇宙構成論，常建立在「三」的觀念上，如《漢書·律曆志》說「太極元氣，函三爲一」，馮友蘭以爲這「三」是指天、地、人（《中國哲學史新編》第三冊）；揚雄《太玄圖》就說得明白了：「夫玄者，天道也，地道也，人道也。」這種一而生三的觀念，强調了現象之生成的外在形式的靜態區分。另外，「體」與「用」這對本體論範疇，在劉勰的時代特別引起關注，如湯用彤所說：「魏晉以訖南北朝，中華學術界異說繁興，爭論雜出，其表面上雖非常複雜，但其所爭論實不離體用觀念。」（《漢魏兩晉南北朝佛教使》第十章）劉勰所說的「道」與「文」的關係，便是以「道」爲「體」而「文」爲「用」；又按一而生三的觀念，「文」被分爲天文、地文以及人文。《文心》之「文」，乃「用」之一。這是劉勰所將展開的全部理論的內容的邏輯起點。

牟世金在《文心雕龍譯注·引論》中指出，貫穿於《文心》全書理論的基本思想是「銜華佩實」，即內容與形式的完美統一的觀念，而《原道》中提出的本體觀念實未構成其理論的基本點。但是，我們看到，在劉勰的表述中，「銜華佩實」之說其實是以「文本乎道」的本體論爲依據的，內容與形式的關係是體用關係的延伸。他說：「言之文也，天地之心。」（《原道》）作爲道體的外在顯現的天文地文皆「郁然有彩」，則人類再創造的文章也就更當如此了。《麗辭》又說：「造化之賦形，支體必雙，神理爲用，事不孤立。」文辭之有對偶，也是「神理」（「道」之異

名）之本然。總之，劉勰是以「道」爲依據而推演出文章之有形式美的必然性。《情采》：「五情發而爲辭章，神理之數也。」就是說，由「情」自然地表現爲「采」，「爲情而造文」，正是合乎「神理」的基本原則的。所以，「銜華佩實」固然是貫穿於《文心》的統一的美學思想，但這是劉勰堅持著體用本不離的觀念的緣故。何況，形式與內容的關係本不足以作爲一個理論體系的基本點，因爲這種關係是派生的，它自身爲更爲根本的觀念所支配。

　　不過，很明顯的是，貫穿於其理論的，更多的是「師乎聖，體乎經」（《序志》）的思想。那麼，「本乎道」與徵聖宗經之間又構成什麼關係呢？劉勰以如下表述將他的徵聖宗經觀念納入到本體論之中：「道沿聖以垂文，聖因文而明道。」（《原道》）聖人是「道」的眞正領會者，而聖典是「道」的完全體現者。在此聖人和經典已被提到了與「恆久之至道」（《宗經》）相等的高度，所以，「道」、「聖」、「經」三者在本質上構成了沒有差異性的「一」。這就是劉勰的「道—聖—經」三位一體的本體觀念。《宗經》云：「百家騰躍，終入環內。」這「環內」，既是聖典，也是「道」。《議對》又云：「大體所資，必樞紐經典。」以此聖典爲樞紐，正如同以自然之道爲樞紐。按中國古代哲學常有本體與本源一而不二的現象，劉勰的文「本乎道」也就有文「源於道」即「人文之元肇自太極」（《原道》）的意思，於是聖典獲得了本源的特性，被劉勰稱爲「羣言之祖」（《聖經》）。《徵聖》中所說的「論說辭序，則《易》統其首；詔策章奏，則《書》發其源」云云，便是指聖典的本源性，實際上也是「肇自太極」之說的具體化。

　　「王弼以爲聖人與道合體」（唐・陸希聲《道德經傳序》），可知魏晉玄學時代，兩漢經學中的崇經觀念已被包容於本體思想

中。劉勰的三位一體的本體觀，正是這一思潮的反映。

三

本體思維使「多」統歸於「一」，系統思維把「一」貫通於「多」。「一」是一系統的樞紐，「樞中所動，環流無倦」（《時序》），系統中的點都繞著一個中心展開，於是就呈現為「圓」。黑格爾就曾把哲學的體系看作是一個圓（《小邏輯・導言》），而劉勰的文學之思，也在趨向這一境界。

劉勰認為，「圓」是一種美感。它可以指文章形式安排上的有序性，如《鎔裁》：「首尾圓合，條貫統序。」也可以是內外諸要素構成上的和諧性，如《風骨》：「骨采未圓。」或者是義理表述上的嚴密性，如《麗辭》：「理圓事密。」而劉勰之作《文心》，其理論體系也是「圓」的完成，此所謂「驗己而作」（《養氣》）。

理論之圓，即系統性，首先表現為理論自身的有機性。劉勰要求理論的闡述必須具有「使心與理合，彌縫莫見其隙」（《論說》）的嚴密性，當然這種嚴密性有賴於系統中諸環節之間的統一性。正如文章美的創造，在整體上應保持同一的品格，「若雅鄭而共篇，則總一之勢離」（《定勢》），因而理論的展開，也必須保持一個基本點，這樣才能「驅萬塗於同歸，貞百慮於一致」（《附會》），若三十之輻共成一轂。否則「一物攜貳，莫不解體」（《總術》），正如圓心有二，必不成圓。因此，居於圓心的「一」，即三位一體的「文之樞紐」，便具有作為理論的靈魂將諸環節整合為一體的功能。對於歷史，劉勰以一個統一的權衡準則，品藻流別，臧否百家，俯視著文壇的紛紜變化，凡「入矩」之「純粹者」或「出規」之「踳駁者」（《諸子》），無不昭然可

鑑。對於創作活動,劉勰「割情析采,籠圈條貫」(《序志》),總結出種種規則,也都是恪守著「立文之道」(《情采》)的基本精神。總之,劉勰的理論展開,遵循著「並駕齊驅而一轂統輻」(《附會》)的系統原則,使理論的各個部分都能趨於共同的「一」而聯結爲有機的整體。

系統的理論,還必須具有周延性,即歷史中的重要現象以及創作活動的各種環節,都能包籠於其宏觀的理論視域中。這就是劉勰自己說的:「按轡文雅之場,環絡藻繪之府,亦幾備矣。」(《序志》)「備」,就是周延。他以爲,「精思以纖密」,即對具體的現象能作細密的分析,固然重要;但若「慮動難圓」(《指瑕》),即缺少一種全面思考的能力,終歸是思維上的瑕病。所以,理論家應當是「辨雕萬物,智周宇宙」(《諸子》)。對於歷史,思維主體應「標心於萬古之上,而送懷於千載之下」(《諸子》),超出一己的狹隘識見,全面考察歷史之始終,使其呈現清晰的整體風貌。劉勰還深刻地認識到,周延的理論並不單是在量上具有周遍、囊括整個歷史和創作的過程的涵蓋畫面,還要它們統一於一個理論的核心。在《序志》中,劉勰就批評了以前的理論家「各照隅隙,鮮觀衢路」,只看到局部,而不知更爲廣闊的風景,其根本的原因就在於「未能振葉以尋根,觀瀾而索源」,即缺乏一種追溯事物之本原的思維。沒有本原的觀念,就沒有高屋建瓴、統籌全局的理論制高點。同樣,他批評陸機《文賦》「號爲曲盡,然泛論纖悉,而實體未該」(《總術》),因爲未能確立理論的主幹,所謂「曲盡」,也只能與「雜亂」(《序志》)爲伍。總之,系統之周延,必須依託於本體思維。

再次,我們看到,系統的理論不僅在於能把豐富而全面的內容聚合爲一個有機體,還通常使它自身表現爲外在的條理性,即內在的邏輯展開與外在的表述秩序相結合。《附會》說:「首尾周

密，表裡一體，此附會之術也。」這裡雖然講的是文章的寫作，卻也反映了他注意思維條理化的觀念。我們已經表明，劉勰在《文心》中提出的寫作主張，其實也是貫徹於《文心》自身的。那麼《章句》所說的「裁章貴於順序」，就同樣適合於他自己對《文心》的要求。《文心》建「樞紐」，明「綱領」，顯「毛目」，彌綸羣言，雜而不越，確實實現了劉勰所祈求的秩序之圓美。

當然，系統之「圓」，是靈活而變動的，所謂「圓者規體，其勢也自轉」（《定勢》）。無論是創作思維還是理論思維，都應當是「名理有常」與「通變無方」（《通變》）的統一。劉勰在分析作家的風格時，一方面指出「總其歸塗而數窮八體」（《體性》），另一方面又認識到「八體屢遷」，而不是簡單化地把各作家的風格硬套入「八體」之中。又比如，「銜華而佩實」，對於所有文體來說是「常」，但諸文體又有自己的寫作法則，這是「變」；同時，就一種文體而言，這種寫作法則便屬於「常」，而具體的文章則爲「變」了。可見，就是「常」與「變」的關係，也是變動的。以簡馭繁，並不是讓現象去遷就本質，而是在用簡一規範繁多的同時，不喪失系統自身對具體而多變的現象的適應性。

現在，我們已從有機性、周延性、條理性和變通性四個方面分析了劉勰的系統思維。雖然在他的時代文學理論屬於「自覺」期，但漢以來的學術思想中的系統觀念已爲他作了較爲充分的準備。他在《議對》中稱道董仲舒「祖述《春秋》，本陰陽之化，究列代之變，煩而不恩」，以爲仲舒能以陰陽變化的必然性爲本，窮究複雜的歷史現象。劉勰反對感應之說，但卻不妨礙他去吸收董仲舒的解釋世界的系統精神。他又在《鎔裁》中說道：「夫百節成體，共資榮衞。」《附會》：「夫能懸識腠理，然後節文自會。」此以人體的有機性來比擬文章，則表明古代自然科學尤其是醫學

（如《黃帝內經》）中的樸素的系統觀念，在相當程度上啓示著劉勰。

「圓」的觀念，無疑受到了佛學的影響。劉勰所說的「義貴圓通」（《論說》）、「辭貫圓通」（《封禪》）等，本借了佛學的概念。「圓」爲性體靈活周遍，「通」爲開拓妙用無礙。按此精神，劉勰靈活而全面地去認識文學現象，看到了存在於各種現象之間的或隱或顯的必然關係，並能熔鑄百家，折中衆說，從而建立起一個龐大而豐滿的理論體系。至於佛學的體系性的哲學思維對劉勰的影響，范文瀾已經點明，他說《文心》「蓋採取釋書法式而爲之，故勰能理明晰若此」（《文心雕龍‧序志注》）。

我們還注意到《文心》中反覆出現的「條例」一詞，如《徵聖》「五例微辭以婉晦」、《史傳》「按《春秋》經傳，舉例發凡」、「品酌事例之條」、《書記》「觀此四條，並書記所總」、《總術》「大判條例」等等。按「條例」原是經學尤其是古文學派的學問，它從經書的內容中歸納出若干律規和筆法。同名物訓詁之學相比，它表明了經學中理性思維的進步。劉勰在《論說》中曾說：「若夫注釋爲詞，解散論體，雜文雖異，總會是同。」章句之學，易墜於煩雜碎亂，而「條例」實具「總會」之功，將經傳義理進行歸納，使之具有條理性，這正是一種「尋繁領雜之術（《史傳》）。劉勰的系統思維特別強調「綱領」的明確，如《明詩》「綱領之要可明」、《議對》「此綱領之大要也」，以及《附會》「附辭會義，務總綱領」、《序志》「綱領明矣」等等。「綱領」觀念可說是「條例」之學的系統化方向的發展。另外，古文經學大家鄭玄在《詩譜序》中說：「欲知源流清濁之所處，則循其上下而省之；欲知風化芳臭氣澤之所及，則傍行而觀之。此詩之大綱也。舉一綱而萬目張，解一卷而衆篇明。」古文經學的學術思維，作爲先驅，已顯出系統化的傾向。而劉勰的「鋪觀列代，

而情變之數可監；撮舉同異，而綱領之要可明矣」（《明詩》），
以及「乘一總萬，舉要治繁」（《總術》）諸說，與鄭玄的話是多
麼相似。劉勰的學術觀念本偏向於古文經學一家，那麼他從中吸
取理論思維的營養，也是明白的事實。

四

　　概念是理性思維的基本單位，它通常體現著思維的抽象程
度。當然，經驗思維也會根據理論的需要而產生概念，但是它的
內容常常是與自然的感覺表象不分離的，因而是直觀的、模糊
的、描述性的。這常常被認為是中國古典思維的一個重要特徵。
自佛學進入中土後，知識分子開始面對大量陌生的佛學概念，起
初他們以「格義」的方式加以接受，構成了歷史上第一次本土文
化與異域文化之間的概念對話。南朝以來，隨著譯經的增多，以
及出於宗教觀念的考慮，人們尤其是僧侶知識分子需要以透徹的
佛學思維理解那些抽象的概念。人們因此而漸漸適應佛教哲學所
具有的概念思維，他們的抽象水平也就大大地提高了。劉勰是經
過了佛學薰陶的，其《文心》把佛學概念消化吸收於無形，如「圓
通」、「般若」，無不經過了悟，而不像宋代以禪喻詩之風那樣
（以嚴羽的《滄浪詩話》為典型），對佛學概念的理解顯得漫不經
心。

　　概念思維的一個重要特點，是能將豐富而具體的理論內容歸
納為某一範疇。《文心》的下篇主要討論了二十四個問題，分別設
定「毛目」，而其中的許多「毛目」已具有了範疇特徵，如「神
思」屬於創作心理範疇，「風骨」屬於審美範疇，而「通變」屬
於發展論範疇，等等。可以說，劉勰的文學理論已初步呈現範疇
體系之規模，即以範疇為綱去展開理論的具體內容。我們特別要

指出這一點，是因爲在古典的理論著作中，是極少有這種體例
的。

在《文心》中，劉勰一再強調思理的清晰度。《論說》一文說：
「要約明暢，可爲式矣。」即以「明暢」爲義理表達的必要條
件。又如《檄移》要求檄文「事昭而理辨」、《議對》稱道董仲舒
「事理明也」、《總術》則說「辯者昭晰」等。當然，理論思維的
清晰度不僅體現在一般文章所共有的條理上，而且更主要的是因
體現於概念的透明度，即對概念內涵作直接而明確的界定分析。
這一點或許最典型地反映在劉勰對「風骨」的內涵闡釋中，因爲
我們有鍾嶸作爲比較。鍾嶸在他的《詩品》中提出了「風力」概
念，但並沒有直接給出其內涵。他說「建安風力」，則我們對
「風力」的理論取決於對「建安」文學背景的理解；又說「幹之
以風力，潤之以丹彩」，則我們須借助於上下文如與「丹彩」的
對應關係去捉摸其內涵。顯然，鍾嶸將「風力」的內涵隱於知識
背景和語境之中了，因而它是不穩定的、不透明的，而我們的理
解主要是一種感覺。相應地，劉勰卻對「風骨」的含義作了直接
的提示。他說：「結言端直，則文骨成焉；意氣駿爽，則文風清
焉。」這是從「骨」、「風」兩則側面作定義。又說：「練於骨
者，析辭必精；深乎風者，述情必顯。」這是從創作的角度進一
步加以論述。他還辨析了相關概念如「氣」、「采」等與「風
骨」的關係。鍾嶸的概念運用方式是傳統意味的，而劉勰所注意
的對概念內涵的透明界定，便顯得非常獨特，具有更強的思辨
性。

如果把劉勰在「論文敍筆」部分的「釋名以章義」，以寬泛
地理解爲一種概念的界定行爲，那麼我們對他的概念思維的特徵
將了解得更多。如何「釋名」呢？他說：「舉匯而求，昭然可鑑
矣。」（《祝盟》）又在《銘箴》中說：「詳觀衆例，銘義見矣。」

這裡告訴我們，明確概念的外延，是定義的一種有效方式。所以，「選文以定篇」（《序志》），並不外在於「釋名以章義」，兩者統一於對概念的把握。但概念是通過內涵而指向外延的，以外延來「釋名」，只是間接的提示。因此，所謂「釋名以章義」，主要是指內涵的直接給與。要尋求概念的透明度，是不能缺少這一點的。

劉勰一般用單個語詞去解釋文體之名的意義，而且有意地選用與其音近的字。表面上看，其中多屬文字的附會，意義並不大。但是我們說，在某種程度上，抽象是對具體的簡化，反過來，簡化便有可能包含著抽象的趨向。劉勰的一字釋名，實具有抽象概括的意義。此外，這種釋名方式，還有追求內涵的明晰性的目的，比如「詩者，持也」，就突出了詩的「持人情性」的內涵特徵；「賦者，鋪也」，則點出了鋪敍這一表現手法對「賦」的標識性意義。劉勰是要以此來顯明「名」的最核心的內涵。儘管一字釋名仍未脫章句訓詁的皮毛，而且以一字對接一名總不免牽強，但這裡畢竟已有了一些抽象、簡約、明晰的因素，不妨說是現代性的概念界定方法的萌芽。

概念思維在傳統文論中一直比較貧乏，尤其是對概念的內涵界定，缺少一種自覺的意識。這正是傳統文論未能擺脫經驗主義思維的原因之一。雖然劉勰還不可能成熟地運用概念思維，也沒有真正地確立科學的概念分析方法，但他在這一方面已具有相當的自覺意識，因而相比前人，已居於更高的思維水平。

五

劉勰在《雜文》中談到「漢來雜文，名號多品」，對此，一方面要「甄別其義，各入討論之域」，另一方面則「總括其名，並

歸雜文之區」。前者重在揭示概念的個別規定性和概念間的差異性，屬於一種概念思維。後者重在建立概念與概念間的聯繫，它是邏輯性的。前者為思維提供了個體單元，而後者則將個體單元編織成有機的理論網絡，即系統。因此，邏輯思維是一個理論體系的凝固劑。

劉勰說：「類聚有貫。」（《雜文》）「類」，就是概念的集合；「貫」，就是概念間的意義關聯。概念間只有建立起這種關係，才能成為一「類」。這是劉勰所提出的概念集合的一個基本原則。他在《論說》中分析道，議、說、傳、注等八種文體概念，雖然各有各的規定性，但都以「研精一理」為內容，也就是符合了「類聚而求」（《諸子》）的「有貫」原則，便可統歸一類，故曰：「八名區分，一揆宗論。」又如，軒轅唐虞之「命」、三代之「誥誓」、七國之「令」、秦代之「制」等，雖然其名不一，但在性質上卻有共同的「貫」，即皆為帝王文告，因而可類聚為「詔策」。

「類」按照「有貫」的原則進行聚合，就可以「總括其名」。「總名」與其所屬的「類」之間就產生了邏輯上的從屬關係。由於劉勰十分關注這種關係，所以他在「論文敘筆」時，能夠將不同等級的「文」安置得井然有序，避免了連續劃分中的越級現象。「文」最高的屬概念是「道之文」，根據一而生三的宇宙構成觀念，劃分出天文、地文、人文三個子項。「人文」作為次一級的屬概念，從有韻無韻的角度劃分出「文」、「筆」兩個子項。作為種概念的有韻之「文」和無韻之「筆」，分別又是詩賦頌贊和史傳論說之母項。而「文」、「筆」諸子項又有其下屬的子項。如此等等。顯然，劉勰對各種文體概念的從屬關係的囿別區分，是非常具有邏輯感的。

「類」是劉勰的文學思想的重要表述方式。如《宗經》的「文

能宗經，體有六義」，這「六義」便是一個「類」，它概括出了劉勰的文學批評的基本標準。又如《鎔裁》有「三準」、《知音》有「六觀」，也都是「類」，分別闡述規範文意的基本準則和理解文情的基本方法。這些「類」的內部各項之間，也就是同一屬的諸種概念之間，構成了並列關係。並列關係的建立，一要保持統一的前提，二要相互間不相容，這是基本的邏輯原則。比如「六義」，以劉勰對文章形式和內容的構成要素的分析為理論前提，「情」、「風」、「事」等六個種概念基本保持著不交叉的關係。「三準」、「六觀」也是大體如此。而各「類」中最能顯示劉勰的邏輯思維能力的，應當是《體性》中的「八體」。

「體」是指作家風格，即作家個性在作品中的顯現。「體」作為屬概念，它包含了八個種概念，這就是「八體」。劉勰認為，構成作家個性的因素有四，即才、氣、學、習；在創作中它們分別決定著「辭理」、「風趣」、「事義」、「體式」四方面。因為個體因素存在著兩極的現象，如才有庸俊、氣有剛柔等，所以文章的四個方面相應地也就會有兩極，如「事義」有深淺，而體分「遠奧」與「顯附」；「體式」有雅鄭，則體有「典雅」與「新奇」之別。劉勰對「體」的劃分，遵守著一個統一的視角，即作家主體構成因素；八個種概念具有不相容的並列關係，並且按劉勰自己所稱：「總其歸塗，則數窮八體。」清代劉開亦說：「論及體性，則八途包乎萬變。」（《孟塗駢體文》卷二《書文心雕龍後》，皆以為上述對「體」的劃分已是周延的了。無論如何，至少劉勰在主觀上已意識到避免劃分不全的邏輯錯誤。

我們不妨將劉勰的「八體」與唐代皎然在《詩式》中提出的「辨體有一十九字」作思維上的對比。我們說，皎然的「一十九字」還停留在感覺表象的多樣性中，不如劉勰的「八體」經過自覺的「總歸其塗」的邏輯歸納。此其一。其二，「一十九字」不

符合劉勰所說的「類聚有貫」的原則。它們不是從統一的理論前提推演出來的，所以不屬於一「類」，如貞忠節志是道德範疇，高逸氣情又屬審美範疇。其三，皎然「辨體」的諸種概念之間存在著相容交叉的關係，如「悲」與「怨」、「逸」與「閒」、「達」等，至於「情」與「悲」、「怨」還含有一定的從屬關係。這樣，它們就構不成並列關係了。可以說，劉勰與皎然的這種差別，也就是理性思維與經驗思維的差別。

六

從今天看《文心》，它還有許多不成熟的地方，尚不能完全滿足理性的要求。如他的「三位一體」的觀念，將聖典提高到「恆久之至道」的完美體現之高度，是缺少理性論證過程的，而更多的帶有信仰主義色彩。從整體上講，劉勰的「三位一體」其實主要落實在「經」上，那麼他的理論體系也就等於建立在宗經觀念上了，其觀念自不免帶有信仰主義的獨斷論色彩，而理性主義就相應地變得脆弱了。又如，《神思》所揭示的「神與物游」的創作心理過程，通常只符合一些形象性較強的文章寫作，卻不適用於大多數的實用性文體。這表明他雖然能「精思以纖密」，卻仍然「慮動難圓」（《指瑕》）。至於「位理定名，彰乎大易（衍）之數」（《序志》），完全是形式的模仿，其篇目體例之設定，便有拼湊之嫌，而沒有從理論自身的邏輯出發。

但是，在中國古代文論發展史上，罕有著述能在理性思辨的水平上與《文心》匹敵。宋末嚴羽的《滄浪詩話》，清初葉燮的《原詩》，雖然也在不同程度地為建立自成一家的詩學體系而努力，然而就理論體系的龐大、嚴密和完整等方面來說，與受玄風佛學薰染的《文心》有著較明顯的距離。

　　然而劉勰在理論思維上所達到的高度同《文心》在歷史上所產
生的效應這兩者之間，是非常不和諧的。《文心》所閃耀的理性思
辨的光芒沒能照出多遠。隋唐以降，隨著玄學時代的結束，儒家
的重在倫理教化的實用觀念開始消解理性思辨的力量。正如我們
在《文心》與《詩式》的局部比較中已看到的，理性思維的生命力已
萎縮，理論家又重新退回到經驗的水平上去了。此後，詩話、筆
記、評點成了文論家表達思想的主要方式。他們在表述中保留了
感覺的親切內容，不願馳騖於形上空玄的抽象概念之中，以當下
最真切的體驗去代替那純思的邏輯推演，以感知去代替思辨。人
們用詩話代替了《文心》，正如用貴在覺悟而不要理性、脫略名相
而不立文字的南禪去代替重思辨的唯識宗一樣。

　　近代以來，在西方思想的影響下，我們逐漸走出了經驗主義
思維的閫閾。我們的現代理性主義固然不必要從中古時代的《文
心》尋找起點，卻可以讓《文心》的精神重新活躍起來。

王更生（1991），《文心雕龍新論》，文史哲出版社，台北。

王運熙、楊明（1989），《魏晉南北朝文學批評史》，上海古籍出版
　　社，上海。

王葆玹（1997），《今古文經學新論》，中國社會科學出版社，北京。

興膳宏（1984），彭恩華譯，《興膳宏〈文心雕龍〉論文選》，齊魯書
　　社，濟南。

湯用彤（1997），《漢魏兩晉南北朝佛教史》，北京大學出版社，北
　　京。

陸侃如、牟世金（1981），《文心雕龍譯注》，齊魯書社，濟南。

范文瀾（1958），《文心雕龍注》，人民文學出版社，北京。

金春峰（1997），《漢代思想史》，中國社會科學出版社，北京。

顧易生、蔣凡（1990），《先秦兩漢文學批評史》，上海古籍出版社，

　　上海。

　　黑格爾（1980），賀麟譯，《小邏輯》，商務印書館，北京。

一九九八年十二月於上海

＊此作與羊列榮合著

（原載台灣師範大學國文系編《文心雕龍國際學術研討會論文集》
，台北文史哲出版社二〇〇〇年版）

《文心雕龍》和古典歷史主義*

劉勰說，「軒轅之世，史有倉頡」（《史傳》），雖不足信，卻也道出了歷史觀念產生的悠久。人類擺脫原始蒙昧而進入理性文明，必然伴隨著一種歷史主義的渴望：在不可捉摸的自然與命運中尋求一個可以理解的因果規則，以便爲人自身的存在確立一個合理的方向。因此，歷史觀念其實是與人類文明一起產生的。隨著古代學術的發展，歷史主義遂成爲一種思維的方式：不再把對象看作是一個靜止的點，而是表明著歷時的深度和某種必然性，而不像無主的落花在四季更替中隨風而逝。

《文心雕龍》有許多思想超越了其同代的文論家，尤其是它的「籠罩羣言」的理論視野和體系，令後人難以企及。其內含的歷史主義精神，是促成這一成就的重要力量。劉勰的歷史觀念所達到的高度足以使他在當時乃至後世傲視羣雄。

我們所要測量的就是這一高度。

一、《文心》與史學

自覺的歷史觀念要以史學的方式來完成。在魏晉南北朝時代，史學之風極盛，而有了專門的所謂「乙部之學」①。劉勰對當時史學的繁榮，有著切身的感受。如《文心・史傳》裡說的，「魏代三雄，記傳互出」，而僅是後漢史的編撰者，就有七家。他的歷史激情不能不因此被帶動起來。要理解劉勰的文學觀，就

必須理解他的歷史觀；而《史傳》一篇，集中體現了劉勰對由傳統史學積澱而來的歷史主義精神的領會。

從歷史的現象中尋找政治和道德的原則，或者說用以維持政治和社會秩序的依據，是傳統史學的明確標的，即《史傳》中說的：「表徵盛衰，殷鑑興廢；使一代之制，共日月而長存，王霸之迹，並天地而久長。」按照這一標的，揭示文學變遷的規則、從歷史中推衍文學創作的內在規定性遂成為《文心》的重要旨意。這裡，歷史既非表現為不可知的偶然性，亦非以神祕的力量為動力，鮮明表現了古代史學所具有的人本觀念，也就是劉勰說的：「崇替在人。」（《祝盟》）劉勰還把史學的理性賅括為「務信棄奇」，它成為劉勰歷史批評的重要精神。「務信」，就是要實證，追求歷史的眞實性；「棄奇」，即反對歷史的神祕主義，也就是《正緯》篇所讚揚的桓尹張荀等人對漢代流行的天人感應觀念或讖緯的批判所顯示出來的那種精神。他自己對緯書的反對態度也是明朗的②。又由於這一史學觀念帶有梁啓超所說的「貴族性」③，因而劉勰在考察文學變遷時，十分注重文學與政治和道德的關係，如《明詩》篇說文與「政序相參」，在《程器》篇還專門討論了作家的品質；有時還誇大了君主的影響力。

劉勰所理解的史學精神主要體現在這一段文字中：

> 奸慝懲戒，實良史之直筆，農夫見莠，其必鋤也。若斯之科，亦萬代一準焉。至於尋繁領雜之術，務信棄奇之要，明白頭訖之序，品酌事例之條。曉其大綱，則衆理可貫。

他說，孔子作《春秋》而寓褒貶於一字，便已確立了一種具有普遍意義的以公正和道義為主要內容的歷史批評準則，所謂「萬代一準焉」。這就是「直筆」。「析理居正」，是為公正；「奸慝懲

戒」，是爲道義。而其根本又在於「依經以樹則」、「附聖以居宗」，也就是一切從聖典出發。劉勰由此建立起他的文學史批評觀念：「平理若衡，昭辭如鏡」（《知音》）；以及，「矯訛翻淺，還宗經誥」（《通變》）。

至於史學的寫作上的成就，比如對複雜的歷史內容的富有秩序感的敍述、對主題思想的歸納總結等等，是劉勰創作論的重要來源之一。他甚至仿效了史書的體例，比如採用了「贊」和「序」。他在《頌贊》篇中說：「遷《史》固《書》，託贊襃貶；約文以總錄，頌體以論辭，又記傳後評，亦同其名。」「記傳後評」，指司馬遷的《太史公自序》和班固的《敍傳》，用以說明著述之意，而劉勰的「以馭羣篇」的《序志》是效此而作。至於「贊」，劉勰認爲不僅有襃貶的作用，也是對全篇中心論點的總括，所以他借用了這一撰述體例。另外，《文心》的所謂「六書」（《宗經》）、「三準」（《鎔裁》）或「六觀」（《知音》）等，就能依稀見出史書或經學之「條例」的影響。《文心》清晰的組織結構不妨說顯示了劉勰的歷史秩序感，而龐大得近乎無所不包的理論框架更是歷史主義觀念的產物：以歷史發展的本質的必然性窮盡一切變化中的現象。

《史傳》體現了劉勰歷史主義觀念的一個主要淵源及其文學理論形成的重要思想基礎。但清代的紀昀在評點《文心》時，顯然沒有看出它的理論價值。說：

> 彥和妙解文理，而史事非其當行，此篇文句特煩，而約略依稀無甚高論，特數衍以足數耳！學者欲析源流，有劉子元之書在。

劉知幾的《史通》，確實在史學的價值上高出劉勰的《史傳》，但

《史傳》畢竟對古代史論有開創之功，並對《史通》有一定的影響
（參見劉知幾自序），這是不應忽略的。更不可忽略的還在於，
《史傳》一篇，對劉勰之所以「妙解文理」乃是一個重要的說明：
正是通過對史學發展的研究和總結，劉勰得以深入地領會了一種
歷史主義精神，而在他的自覺的文學意識中融入了自覺的歷史意
識，爲古典文論建立起十分明晰的歷史維度。

二、樞紐經典：一種中心論歷史觀

文明初期，爲了了解紛繁複雜的空間世界和瞬息萬變的時間
世界，人類必須尋找一個適應他們的理性水平的「中心點」，以
便形成可以理解的秩序。同時，由於時間要通過空間來發現，比
如表示時間開始的「元」，就是從空間意義上引伸出來的，以至
於最初的歷史本質論通常是寓於本體論的。所以，當老子提出
「道」的本體論時，一種對歷史的本質認識也蘊涵其中了。「執
古之道，以御今之有。能知古始，是謂道紀。」（十四章）這裡
的「道」既是空間世界的，也是時間世界即歷史的「中心」。這
就擺脫了對世界的偶然性的感覺。又說：「天下有始，以爲天下
母。既得其母，以知其子。」（五十二章）「母」就是「道」，
領會了它，歷史就可以認識了。一種必然性的以及可知性的歷史
觀念在老子的哲學裡得到了比較清晰的表述。《墨子・非攻》：
「以往知來，以見知隱。」《禮記・大學》：「物有本末，事有終
始。」也都表達了古典歷史觀念的一個基本信念。

《易傳》也許更強調變易，認爲無論是空間還是時間中的事物
都是「上下無常，剛柔相易，不可爲典要，唯變所適」的（《繫
辭下》）。這一變易哲學深刻地影響了劉勰。他看到，「文變多
方」（《附會》），「九變之貫匪窮」（《總術》），變易是文學創

作的特性：「時運交移，質文代變」（《時序》），「情數運周，隨時代用」（《章句》），文學也以同樣的特性穿過時間之維。劉勰是最早將《周易》所揭櫫的「易」的宇宙精神貫徹於文學理論中的。

但是《易傳》又認為一切都以宇宙陰陽二氣相生相易為依據，則變易並不是一個沒有方向、偶然而不可捉摸的過程，而是有「典常」可尋的。所以《易傳》才提出「原始要終」的思想，以把握歷史變易的規則。其強調歷史的必然性和可知性的精神又是與老子相通的。劉勰繼承了這一精神，「洞曉情變」（《風骨》）成為《文心》的宗旨之一。他說，不論現象多麼複雜，「巨細或殊」，卻「情理同致」（《明詩》），所以雖然「道心惟微」，本質是藏而不露的，但是「鋪觀列代，而情變之數可監」（《明詩》）。在《總術》篇，他說文章的寫作應當「乘一總萬」，因為「理有恆存」。既然是「理有恆存」，也必然恆存於歷史。正如《滅惑論》所說：「至道宗極，理歸乎一。」使紛繁多變的現象歸於「一」，以「一」馭萬，也是對文學史研究的要求。在劉勰看來，文與「神理共契」（《明詩》），可變的是時間，不易的是「神理」，歷史乃是圍繞著中心「一」不斷變遷流動的過程，所謂：

　　蔚映十代，辭采九變。樞中所動，環流無倦。（《時序》）

這裡的「樞」，就是中心「一」。「樞紐」之說，源於緯。《詩緯》云：「星惟北辰不動，其餘俱隨極以轉旋。」故緯書以「含樞紐之神」名北斗（為中央黃帝座）④。眾星隨「含樞紐之神」旋轉，歷史也是這樣的。

那麼，作為「一」的「樞紐」又是什麼呢？上面說過，本體

論可以同時確立空間世界和時間世界的「中心」。在此意義上說，《原道》諸篇所論述的本體之「道」或「太極」，不僅是創作的「樞紐」，也是歷史的支點。劉勰提出一個「自然之道」，是為了確立文學本質、創作以及歷史發展的依據。《原道》說，文的產生，「誰其尸之？亦神理而已」。「自然之道」就是此「神理」，是那個作為「一」的「樞紐」。以本體為歷史的本質和推動力，是在老子、《易傳》那兒就已形成的觀念。

但在此「中心」裡，《易傳》增加了一個新的維度，那就是「聖人」。聖人極深研幾而作《易》，「《易》與天地準，故能彌綸天地之道」（《繫辭上》）。這無異於說，唯有聖人才是宇宙和歷史的真理的發言人，才能指引歷史的發展方向。「聖人」從此就居於這「中心」裡了。在獨尊儒術的經學時期，歷史的「中心」漸漸被「聖人」占了，而本體論色彩反變得模糊起來。這一變化對劉勰有極其深刻的影響，那就是在《文心》的體系裡，「聖人」和他的經典成了真正的中心。《宗經》云：「百家騰躍，終入環內。」「環內」之說，雖然帶有道家的色彩，卻已不是指本體之「道」，而是儒家經典。所以就像《議對》裡說的：「大體所資，必樞紐經典。」《宗經》一篇，立五經為根本，才是劉勰歷史中心觀的真正表述。而諸子百家、楚騷以及各種文體，莫非是「枝條」，是羽翮⑤。

「道沿聖以垂文，聖因文而明道」（《原道》），這就是從本體論向經典中心論過渡的邏輯。劉勰本是要把二者統一起來，其實是以後者取代前者了。當經典成為立論的中心時，關於歷史的本質思考就被一筆帶過了，所謂「自然之道」、「太極」、「神理」等等，幾乎可以說成了一些多餘的虛指概念。這就是導致《原道》所原之「道」與《文心》理論體系相脫節的原因。崇尚經典，實質上是一種價值觀念，而劉勰顯然沒有把價值論從本質論

中分離出來。所以，他所確立的歷史「中心」，與其說是歷史的本質和規律，不如說是歷史批評的價值準繩。本質論的不足，本也是傳統史學的弱點。

於是，「樞中所動」和「理」所恆存的文學中，最終就等於是以聖典爲中心、源源不斷地產生新文本的過程。「常道曰經」（《總術》），經典的意義就在於它對時間之維的超越，這樣，經典就成爲歷史變遷中不可更易的中心點（《總術》所說的「分經以典奧爲不刊」，即此意）。「經典沈深，載籍浩瀚，實羣言之奧區，而才思之神皋也。」（《事類》）劉勰眞是滿懷著對經典的崇敬，以爲經典已包容了文學的一切眞義，唯有領會它的完整精神，才能使創作「擇源於涇渭之流，按轡於邪正之路」（《情采》），永遠地皈依「常道」！

劉勰以《易》的精神肯定了歷史的發展，面對「蔚映十代，辭采九變」而不斷向前的態勢，他有著「文律運周，日新其業」（《通變》）的讚嘆和期望。可是他又擔心這種變化會出乎「環」外。文質代變固然是文學發展的生命力的表現，但後世之文，乃從經典派生而來，於是歷史的變遷不免又是一個愈來愈遠離中心的過程了：

> 詳其本源，莫非經典。而去聖久遠，文體解散；辭人愛奇，言貴浮詭；飾羽尚畫，文繡鞶帨；離本彌甚，將遂訛濫（《序志》）。

事實上，《文心》所勾勒的文學史，不都是一派欣欣向榮的景象，倒像是有脫出經典之「環」的趨向：

> 雅聲浸微，溺聲騰沸（《樂府》）。

中和之響，闃其不還（《樂府》）。

韶響難追，鄭聲易啓（《樂府》）。

逐末之儔，蔑棄其本（《詮賦》）。

年積愈遠，音徽如旦。降及品物，炫辭作玩（《頌贊》）。

季代彌飾，絢言朱藍（《祝盟》）。

總之，在《文心》裡，「模經爲式」以「入典雅之懿」（《定勢》）的呼籲一直是很強烈的。儘管在他看來皈依經典是康莊大道，並不與反對「循環相因」的「慕顰之心」（《雜文》）的觀點相矛盾，但依於經典爲文學設定一個不可超越的「先驗理念」，畢竟使《易》的真正的變易精神有所萎縮了。這表明《易》的變易哲學在經學時代是不可能產生類似於近代進化論思想那樣的歷史觀念的。把歷史的理想定位於過去，那麼把握歷史的未來總是意味著向一個本源的中心點的銜接，於是一種追思遙遠的「聖人時代」的傷感情緒，不可避免地要成爲這種古典歷史主義特有的氣質。

以經典本位的眼光看歷史當然是有局限的，但是，在劉勰認爲，經典有著思想意義上和審美形式上的整體典範性，因而以經典爲本的觀點既可以成爲批評形式主義風氣的有效的理論武器，同時又包含了形式上的美學要求。應該說，他的「樞紐經典」並不褊狹。實際上，它在《文心》中所起的作用仍是積極的，因爲它帶來了十分明確的具有統一「中心」的批評意識。

三、古典的實證

「依經以樹則」加上「按實而書」，構成了史學家「析理居正」的「直筆」精神（《史傳》）；而文論家「平理若衡，昭辭如鏡」（《知音》）的批評，亦有同樣的兩方面要求。堅持「樞紐經典」的基本原則是必需的，但對歷史對象作客觀考察也十分重要。劉勰看到，即使批評有相似的出發點，亦仍不免有不同的取向，比如評價《離騷》，劉安、班固、王逸和揚雄四家都是「舉以方輕」，卻褒貶不一（《辨騷》）。為克服主觀性以確保公正原則，歷史的實證是前提，這主要是因為歷史對象要在時間之維中發生變易：

> 世夐文隱，好生矯誕，真雖存矣，偽亦憑焉。（《正緯》）若夫追述遠代，代遠多偽。（《史傳》）

劉勰還援引了公羊與荀況的話來說明這種變易對歷史認識的消極作用⑥，並稱之為「訛濫之本源」（《史傳》）。為了全面而客觀地了解歷史對象，就必須把它放置於發展變化的完整過程中，以及同一時代的各種歷史因素的相互關係中，來進行考察。這就是共時歷時相統一的實證方法。

歷時性，一指「原始要終」⑦，一指「閱時取證」（《明詩》）。

「原始要終」，指從發生的整個過程去把握對象的實質，而側重點在於溯源。劉勰有十分自覺的溯源意識，在文體論中的「原始以表末」部分表現得最為突出。幾乎每一篇都要「討其源流」（《詮賦》），然後再立個「大體」——結構雖然有點單調，

意識卻更顯得明瞭。追溯源流，反映了一種從根本上把握歷史對象的觀念。從方法上講，本源確乎更能清晰地顯示對象本質，對流變有著相當的決定性作用。所以劉勰說：「本體不雅，其流易弊。」（《諧隱》）如果文章之體一開始就鄙俗，則其變遷就難免會產生弊端。若不正其源，必然是積重難返，所謂「舊染成俗，非一朝也」（《指瑕》），此弊端終成爲定勢而難以克服。所以溯源不僅僅只是認識歷史法則，實具有正本清源、「參古定法」（《通變》），從而使文學的發展歸於正軌的重大意義。《文心》能提出許多精闢的思想，正是依於這種「原始要終」的精神。

「閱時取證」，指考察時代以爲依據。《時序》指出，隨著一時代的政治、學術和社會狀況的變化，文學也同時「與世推移」，故而一代有一代的特色。是謂「文變染乎世情，興廢繫乎時序」。關於劉勰對文學和時代的關係的認識，今人知之已詳。但是可以補充一點，即劉勰對文學的時代性的理解，包括了自律性和他律性兩個方面。「風動於上，而波震於下」，此一「風」屬於外部動力，爲他律。《通變》說：「斯斟酌乎質文之間，而櫽括乎雅俗之際，可與言通變矣。」質文與雅俗的時代變化，屬於文學內部的嬗變；《時序》談到漢代文學「雖世漸百齡，辭人九變，而大抵所歸，祖述《楚辭》」，這也是屬於文學自身的相互影響——此爲自律。正因爲文學歷史有其自律性，所以才談得上「參伍因革」的通變之術（《通變》）。《通變》與《時序》的主題差異，實際上表現了側重點的不同，一者重在自律，一者重在他律。

共時性，是以某個時代爲橫截面，通過對文學活動的內因與外因的考察，來揭示文學在此一時代的特徵。從內因上看，《體性》篇所論的作家的「才」、「氣」、「學」、「習」，和《定勢》篇所論的文體自身的規定性，都決定了文學創作的風貌的差

異。在外因上，劉勰所論因素，大體上有政治、學術以及社會狀
況。有關內容今人也已論之甚詳，茲不贅述。要注意的是，這裡
涉及諸共時因素對文學活動的作用力是不是等一的問題。《時序》
裡說晉代「世極迍邅」，而文學「辭意夷泰；詩必柱下之旨歸，
賦乃漆園之義疏」，其主要的作用力在於時代的學術風氣即玄
學；而同樣的「世積亂離」，卻產生了「梗概而多氣」的建安風
骨，其作用力則在社會狀況。可見劉勰對諸共時因素的作用力的
非均衡特點是有所覺察的。

　　「終古雖遠，曠焉如面」（《時序》），或者說「世遠莫見其
面，覘文輒見其心」（《知音》），就是「知人」；而孟子早說過
「知人」先在「論世」。劉勰所推崇的古文經學大家鄭玄在《詩
譜序》中說：「欲知源流清濁之所處，則循其上下而省之；欲知
風化芳臭氣澤之所及，則傍行而觀之。」這裡已經很清楚地把孟
子的「論世」觀點具體化為共時性與歷時性相統一的原則。劉勰
是繼承了從孟子到鄭玄的學術精神，並使之更加翔實。

　　劉勰說「文疑則闕，貴信史也」、「文非泛論，按實而書」
（《史傳》），是以遵循史料為歷史實證的基本精神。他通常運用
的是一種歸納實證法，亦相當於梁啟超所說的「搜集排比法」
⑧，它把歷史事件排比起來加以研究，以便透過紛繁的現象而發
現意義、總結規則，如《祝盟》所說：「舉匯而求，昭然可鑑
矣。」《銘箴》：「詳觀眾例，銘義見矣。」《文心》文體論中對各
體寫作「大體」的歸納都是遵循了此一方法的。這種方法在寫作
上還可以起到強化義理的作用，比如他曾稱讚鍾會的檄文「徵驗
甚明」（《檄移》）、晁錯的對策「證驗古今，辭裁以辨，事同而
贍」（《議對》）等。

　　但是當劉勰「正緯」時，其實證觀念的局限性就顯露出來
了。他的證偽方式是「按經驗緯」（《正緯》），即以經正緯奇、

經顯緯隱這些非實證性的觀念為論證依據，這實際上是價值觀先行於實證，結果否定了自己曾說過的「將核其論，必徵其言」（《辨騷》），即史料實證先於價值批評的觀點。近代的科學實證觀念是與此不同的。梁啓超曾說：「乾嘉間學者，實自成一種學風，和近世科學的研究法極相近，我們可以給它一個特別名稱，叫做『科學的古典學派』。」⑨這裡所說的「近世科學的研究法」，相當於英國的培根所建立的那種歸納法則，是不在主觀上預設價值論前提的。另外一個原因是，實證主要不是觀念，而是方法，要有具體的手段來支持。正是完善而細密的考證方法實現了乾嘉學派的「科學」精神。相比之下，在劉勰的時代，還沒有相應的實證手段來貫徹他的「務信」精神，以至於他的「原始」常常不盡合乎史實。上述兩點表明了古典的實證與「近世科學的研究法」之間的距離。

四、劉勰與鍾嶸的歷史觀的比較

清代章學誠曾以史學家的眼光並稱《文心》《詩品》，尤其讚揚了《詩品》的「知溯流別」，說：

> 蓋《文心》籠罩羣言，而《詩品》深從六藝溯流別也。論詩論文而知溯流別，則可以探原經籍，而進窺天地之純、古人之大體。此意非後世詩話家流所喻也（《文史通義·詩話》）。

按章氏所論，《詩品》為後人所不及之處在於考鏡源流而使人由流溯源。那麼，劉勰所具有的歷史主義精神和鍾嶸的「知溯流別」，究竟有何差別呢？

　　鍾嶸的歷史觀，與當時發達的「譜學」有淵源關係。作譜以示世系蕃衍，淵源很古，而晉代以降，臻於極盛⑩。其時門閥制度以及相應的九品中正制，重族姓別士庶；而徭役制度也以士庶之分爲服役與否的標準。爲證明家族身分，作家譜的風氣由此盛行。永嘉之亂，「中原冠帶隨晉渡江者百家，故江東有百家譜」（顏之推《觀我生賦》自注），此後乃有「譜學」（百家譜爲統譜，總括各豪門望族的家譜）。劉宋以後望族有所衰落，而新門興起，但南朝政府仍十分尊重舊望，而舊望更借重家譜以高自標置，用以維護自身的利益。鍾嶸祖籍潁川，鍾氏是當地望族，西晉末徙居江南，到鍾嶸一代，已成舊望。有這樣的家族史，鍾嶸就必然處於濃厚的譜學氣氛之中，而薰染極強的譜系觀念。譜學對鍾嶸的影響，體現在兩個方面。一是品評觀念。家譜是人物品評的重要依據，所以熟悉譜系，諳練百氏，六朝時已成了士大夫的基本修養，如蕭繹說：「譜牒所以別貴賤，明是非，尤宜留意……百世衣冠，不可不悉。」（《金樓子‧戒子》）甚至成爲擔任吏部的條件，如宋‧僧綽能「究識流品，諳悉人物」而徙尚書吏部郎（見《宋書》本傳）。毫無疑問，譜學對品評之風具有推動的作用。二是譜系觀念。爲了辨別族姓之貴賤、門第之高卑，譜學必須辨清族姓的來源和支脈。如摯虞因「其子孫不能言其先祖」而作《族姓昭穆記》（《晉書》本傳）。《詩品》以國風、小雅、楚辭爲詩歌的遠祖，除了小雅只有阮籍單傳之外，國風與楚辭都分出若干支，構成一個條理分明的詩歌譜系。

　　在譜學的影響下，鍾嶸的歷史觀表現出對詩人之間的傳承關係的特別關注，如《詩品》常常標明「源出於」某某，一如譜學所重的血緣關係。譜學要清楚地辨析各支脈的輩分，而《詩品》亦將詩歌流派略以世代爲先後分爲三個層次。總之，譜學的那種譜系秩序在《詩品》中表現得很清晰。但是家族史與詩歌史在性質上畢

竟是不同的，正如《四庫全書總目提要》所批評的：「惟其論某人
源出某人，若一一親見其師承者，則不免附會耳。」（卷一九
五）研究歷史本是要使之呈現為某種秩序，但鍾嶸的秩序觀念顯
然偏於極端了，不免有削足適履之嫌。劉勰同樣強調追溯淵源，
但是其高於鍾嶸之處在於沒有把文學的通變簡單化，正如《樂府》
篇中所說的：「音聲推移，亦不一概矣。」鍾嶸限於譜系的思
維，劉勰卻從傳統史學、哲學乃至緯學中廣泛地汲取歷史精神，
而以歷時與共時兩個維度把歷史的演變空間開拓得非常閎闊，許
多共同促成文學發展和創作風格形成的內外因素都得到揭示。劉
勰對譜學也有所考察，在《書記》篇裡解釋「譜」曰「注序世統，
事資周普」，並說鄭玄就是取法於此而作《詩譜》的。鄭玄在《詩
譜序》中所表達的「欲知源流清濁之所處，則循其上下而省之」
的溯源思想，是與譜系觀念有關的；而劉勰的歷史觀對鄭玄有所
繼承，則至少可以說是受了譜學的間接影響。但是劉勰作為寒
士，主觀上沒有望族出身的鍾嶸那樣濃厚的譜系觀念。

　　劉勰與鍾嶸對一些文論著作都有所批評。可是劉勰的一個出
發點是歷史感：

> 君山、公幹之徒，吉甫、士龍之輩，泛議文意，往往間
> 出，並未能振葉以尋根，觀瀾而索源（《序志》）。

而鍾嶸的著眼點是審美評價：

> 觀斯數家，皆就談文體，而不顯優劣（《詩品序》）。

很顯然，劉勰把尋求文學歷史的本質和規則以期規範文學創作和
發展方向為溯源的目的，而鍾嶸重在辨析流別和詩美的品評。所

以，劉勰注重對歷史的總結，比如通過「原始以表末」來揭示各文體的寫作「大體」，或則「閱時取證」以概括出文學演變的規律。他在體例上採用了「約文以總錄」（《史傳》）的「贊」的形式，也表明了這一點。鍾嶸的溯源卻基本上帶有現象描述的性質，也就是說，在揭示源出和品評之後，便止了步，沒有明顯的歷史歸納意識。《詩品序》有一些關於詩歌本質和創作的深刻見解，卻不是經由歷史的考察而來，不如說是從對具體作品的品評中體會出的。可見，章氏的「知溯流別」以「窺天地之純、古人之大體」的評語，宜於稱《文心》，《詩品》卻有些不敢承當。

有學者說，劉勰「或許可以說是中國古代第一個意識到明確闡釋文學傳統之重要性的批評家。誠如艾略特（T. S. Eliot）曾指出的，「真正的古典主義需要一種能夠認識歷史和『歷史意識』的『成熟心智』。」⑪雖然就以文論而言，摯虞的《文章流別論》已表現了一定的歷史意識。但是，一種開闊的、明亮的歷史視野確實是在《文心》中得到第一次展現的，因此也可以說一種認識文學歷史的「成熟心智」在《文心》中得到了第一次體現。

---

①按《漢書·藝文志》中《春秋》項下所收史書，不過十一種三百五十餘卷，而《隋書·經籍志》史部已有八百一十七部，一萬三千多卷，並注曰「通計亡書合八百七十四部」等，可見魏晉以來的史書驟增一千倍。其盛如此。

②鄧國光：「《文心雕龍》涉及的緯學因素，不論大小，均無涉於神祕怪異，顯示劉勰於緯學的認識和運作的實踐上的一致性。」參見《〈文心雕龍〉假緯立義初探》。按劉勰還反對作品去表現一種神祕怪譎的內容，批評《離騷》中奇異的描述，稱之為「詭異之辭」、「譎怪之談」等——這一點也應當從「一致性」上去理解。

③梁啟超《中國歷史研究法》之第三章《史之改造》說：「舊史中無論何

體何家，總不離貴族性，其讀者皆限於少數特別階級——或官閥階級，或智識階級。」梁氏因此稱之爲「帝王家譜」。

④參見鄧國光《〈文心雕龍〉假緯立義初探》，《文心雕龍研究》第三輯，1998年。

⑤《史傳》：「傳者……實聖文之羽翮。」《諸子》：「述道言治，枝條五經。」《時序》：「唯文章之用，實經典之枝條。」

⑥《史傳》：「公羊高云：『傳聞異辭。』荀況稱：『錄遠略近。』蓋文疑則闕，貴信史也。」按：公羊語見《公羊傳·隱公元年》；荀子語見《非相》，原話爲：「傳者久則論略，近則論詳。」故引語應爲「錄近略遠」。

⑦按：此爲《繫辭》語。《文心》裡的「原始要終」有兩義：《章句》：「原始要終，體必鱗次。」《附會》：「原始要終，疏條布葉。」指掌握篇章之始終；《史傳》：「原始要終，創爲傳體。」《時序》：「原始以要終，雖百世可知也。」以及《序志》：「原始以表末。」指了解歷史對象發生的始終。

⑧梁啓超《中國歷史研究法補編》總論第一章。

⑨梁啓超《中國近三百年學術史》之三《清代學術變遷與政治的影響（中）》。

⑩有關譜學史的論述，參見周一艮《魏晉南北朝史學發展的特點》，載《中國文化與中國哲學》第2輯，1987年。

⑪〔美〕孫宜康《劉勰的文學經典論》，《文心雕龍研究》第3輯。

＊此作與羊列榮合著

（見《論劉勰及其〈文心雕龍〉》，學苑出版社二○○○年版）

文學批評史中之殷璠及其《河岳英靈集》

一

我國的詩歌發展到齊梁時代，出現了風行一時的宮體詩，流連於輕豔綺靡的性情，拘泥於雕琢繁瑣的聲病，雖然對於後代律詩的形成也提供了歷史的經驗敎訓，但畢竟是過大於功。這就是文學史上的齊梁體，其餘瀾波及初盛唐詩壇，引起了時人的不滿，於是有識之士紛紛提倡改革。從初唐四傑到李白，詩壇中以「復古」爲革新的調子愈來愈響。特別是陳子昂的《與東方左史蚪修竹篇序》，更是一篇革新詩風的綱領，它繼承古代「風雅」的優良傳統，提倡「風骨」「興寄」，堅決掃蕩六朝以來「彩麗競繁」的頹風。由此可見，初盛唐詩壇有兩大派相對立：一是爲藝術而藝術，一是爲人生而藝術。在「爲藝術」與「爲人生」的鬥爭中，殷璠站在什麼立場？從他編撰的《河岳英靈集》（以下簡稱《英靈集》）來考察，應該說基本傾向是繼承了陳子昂的「風骨」「興寄」之說，主張爲人生而藝術；但他又有取於「爲藝術」派的優點，對陳子昂那忽視藝術（或是對藝術性重視不夠）的偏向有所匡正。因此，殷璠可說是當日詩壇中的折衷派。他的文學思想，就體現在《河岳英靈集》中，這是殷璠編選的當代詩歌總集。以選詩矯枉俗弊、倡導新風，是當時的一種風氣。殷璠《河岳英靈集序》（以下簡稱《集序》）稱：「梁昭明太子撰《文

選》，後相效著述者十有餘家。」但其中通過選詩標舉文學宗旨，以成一家之論，而理論價值又較高的，在唐代應首推殷璠的《英靈集》。

二

關於殷璠的史料，所傳甚少。四部叢刊影明本《英靈集》題稱「唐丹陽進士殷璠」，清康熙年間編纂的《丹陽縣志》也稱是唐代天寶進士。古代公私目錄的記載相同。而《全唐文》小傳則謂「璠，丹陽人，處士」（見《全唐文》卷四三六）。考殷璠《集序》有「爰因退迹，得遂宿心」云云，「退迹」二字，表明他曾考過進士，或是做過小官，後來歸隱，所以進士、處士，實集一身。他既考過進士，而唐代考進士的地點只有京師長安和東都洛陽兩個地方。因此可以肯定，殷璠到過長安或洛陽。他編纂當代詩選《英靈集》，必須長期搜集材料，廣泛接觸各方人士，而京師（或東都）正是全國的政治、經濟、文化中心，四方詩人雲集之地，編選當代詩選條件最為有利。由此可以推測，殷璠曾在長安（或洛陽）生活過一段時間，後來由於某些原因，仕途失意，「退迹」離京，隱居於故鄉丹陽（即今鎮江），並從事於著述，編有《英靈集》及《丹陽集》（已佚，後人有輯佚本）。

《英靈集》編撰成書的時間較長。《英靈集》所收作品的起迄年限，由於版本的不同，《集序》有兩種不同的說法：一是「起甲寅，終乙酉」（據《全唐文》）；一是「起甲寅，終癸巳」（據四部叢刊影明本及汲古閣本）。甲寅是唐玄宗開元二年（714年），起點是共同的，並無異議。但終限年則有「乙酉」與「癸巳」二說。「乙酉」是玄宗天寶四年（745年），「癸巳」是天寶十二年（753年），也即是安史之亂爆發前兩年。所謂終限

年，又與編撰成書的年代密切相關。二說是非，姑且勿論，但以此推之，《英靈集》的成書年代，大約是在天寶四年至天寶十二年前後。據此，我們就可以進一步因世論人，具體考察殷璠的思想傾向。初盛唐時，六朝以來的門閥思想還有一定的影響。因而一些出身寒微、滿懷抱負的知識分子經常備受壓抑，仕途坎坷，懷才不遇。殷璠也逃脫不了這一命運。他嚮往建功立業，具有盛唐氣魄；但又功名不就，怨憤頗深。因此編《英靈集》，藉他人之酒杯，澆自己的塊壘。以選詩評人來抒情述懷，字裡行間流露出選家的思想傾向和強烈感情，這是《英靈集》的明顯特點之一：

㈠評常建：「高才無貴士，誠是言哉。曩劉楨死於文學，左思終於記室，鮑照卒於參軍，今常建亦淪於一尉，悲夫！」

㈡評王季友：「然而白首短褐，艮可悲夫！」

㈢評李頎：「惜其偉才，只到黃綬。」

㈣評薛據：「據為人骨鯁有氣魄，其文亦爾。自傷不早達，因著《古興》詩云：『投珠恐見疑，抱玉但垂泣。道在君不舉，功成嘆何及。』怨憤頗深……可謂曠代之佳句。」

㈤評孟浩然：「余嘗謂禰衡不遇，趙壹無祿，其過在人也。及觀襄陽孟浩然，馨折謙退，才名日高，天下籍甚（一作「臺」），竟淪落明代，終於布衣，悲夫！所選《歸故園作》有『不才明主棄，多病故人疏』之句。」

㈥選王昌齡《緱氏尉沈興置酒南溪留贈》詩：「古時青冥客，滅迹終一尉。」

由此可知，殷璠是個失意之士。他目睹開元盛世，並見天寶漸衰之迹，報國無門，怨怒交征，情不自禁地形於筆端。所以他針對豪門權貴，庸人俗世，力主改革時弊。可惜他理想未竟，風波已起，「退迹」之舉，實出無奈。因而學習司馬遷發憤著書，因人評詩，抨擊時病，以明理想與抱負。如所選常建《江上琴

興》：

> 江上調玉琴，一弦清一心。泠泠七弦遍，萬木澄幽陰。
> 能使江月白，又令江水深。始知枯桐枝，可以徽黃金。

以玉琴的清泠，標誌自己的高潔。「衆人」（即俗人）視枯桐如
不雕之朽木；而常建、殷璠則謂「可以徽黃金」，雖「枯」而有
大才大用蘊藏其間，只待知音的出現，用以表明自己的雄心壯
志，老而不已。此詩雖含悲音，但並不絕望，這正是盛唐詩歌的
本色。通過選篇與評述，我們可看到殷璠的思想情感與爲人。
《英靈集》是他匡世救俗的一張特殊藥方。

三

　　從《英靈集》看，殷璠的文學思想在當時應屬於先進者的行
列。

第一，殷璠具有今勝於古的文學發展觀。

　　隨著歷史的曲折發展，文學的發展也是時高時低，波浪式地
前進。因此，以個別時代或某種具體文學樣式而言，可能產生復
古倒退的現象；但從文學的總體發展趨勢而論，則必然由低級向
高級發展。這是文學的發展規律。殷璠理解並具體運用了這一藝
術規律，對於當代新文學的偉大成就堅決予以肯定。他所熱情歌
頌的李白、岑參、高適及王維、孟浩然的詩篇，在今天的我們看
來是古詩；但在當時卻是氣象日新的新篇章。對當代新詩的謳
歌，實際上就是支持了當日盛唐詩壇那朝氣蓬勃的新生事物，從
而促進了當代之文學的發展。

　　㈠評王維詩：「詎肯慼於古人也。」（影明本無此語，據

《唐詩紀事》校補。）

　　㈡評李白詩：「然自騷人以還，鮮有此體調也。」

　　㈢評張謂詩：「亦何必歷遲遠探古迹，然後始爲冥搜。」

　　㈣評常建詩：「屬思既苦，詞亦警絕，潘岳雖云能敍悲怨，未見如此章。」

　　㈤評陶翰詩：「歷代詞人，詩筆雙美者鮮矣。今陶生實兼之。既多興象，復備風骨，三百年以前，方可論其體裁也。」

　　㈥評崔顥詩：「可與鮑照並驅也。」

　　㈦評綦母潛詩：「潛詩……歷代未有，荊南分野，數百年來，獨秀斯人。」

　　上述材料證明，殷璠高度評價了當代詩人的藝術成就。但殷璠今勝於古的文學發展觀，也不是機械地割裂古今文學的歷史聯繫，無視古人的成績與貢獻。眞正的文學家，正是在繼承古代文學優良傳統的基礎上，從中吸取營養，發展與壯大新文學的機體。光批判而不繼承，同樣是錯誤的盲動。所以殷璠在《集序》、《集論》中，猛烈抨擊那些「攻異端，妄穿鑿」而譏曹劉的輕率浮誇之風。他誠懇指出，曹植的詩雖然「多直語」，「少切對」，但「逸駕終存」，「雅調仍在」，仍是值得借鑑與學習的。他盼望盛唐詩壇，出現「海內詞場翕然尊古，南風周雅稱闡今日」的壯觀。這裡的「尊古」，並不是抱殘守缺，食古不化，而是發揚古代風雅比興的精神，用以促進當代文學的發展。這實是以「復古」爲革新的論調。

　　第二，對於詩歌的本質及其藝術特徵有較深刻的認識。現把有關論點略作歸納如下：

　　㈠強調詩歌的社會作用，認爲詩歌必須爲世所用，否則不成其詩。《集序》曰：「然絜瓶庸受之流，責古人不辨宮商，詞句質素，恥相師範。於是攻乎異端，妄爲穿鑿，理則不足，言常有

餘，都無興象，但貴輕豔，雖滿篋笥，將何用之？」他標舉出
「理」「用」二字，就把玩弄藝術的輕豔之作斥爲異端，趕出了
詩歌王國。而他所選詩篇，多是發憤抒情之作，這樣來「讚聖朝
之美」，實是把詩歌當武器，積極影響社會與人生，並對上面極
盡諷諫之責。言必在理，立足於用，大力提倡風雅傳統，這就必
然影響到中唐時期的新樂府運動。在爲人生而藝術的詩歌理論的
發展中，從陳子昂到白居易，中間就經由李白、杜甫、殷璠等而
發展、壯大。

㈡闡述文學的內容與形式的關係，頗有辯證因素。詩歌必須
有「理」，才可致「用」；但僅有「理」，也不是詩，當然也就
無所施其「用」了。對於那些片面追求聲律詞藻之美而無視思想
感情是否健康的創作傾向，殷璠認爲這樣無益於社會人生，應予
批判。這就在內容與形式的關係上分清了主次，即內容決定形
式。但反過來說，殷璠也不像腐儒那樣，唱唱復古老調，完全無
視於藝術的形式美。他對詩歌的藝術美是十分重視的。他所拒之
門外的，僅是缺「理」無「用」的形式。只有內容與形式天衣無
縫的密切配合，才能臻於神境。如《集論》關於聲律的見解：

> 昔伶倫造律，蓋爲文章之本也。是以氣因律而生，節假律
> 而明，才得律而清焉。預於詞場，不可不知音律焉……自
> 漢魏至晉宋，高唱者十有餘人，然觀其樂府，猶有小失；
> 齊梁陳隋，下品實繁，專事拘忌，彌損厥道（凡按：純求
> 音律，必壞音律；僅求形式，必壞形式。「彌損厥道」云
> 云，正是對於齊梁詩病一針見血的批判）。夫能文者，匪
> 謂四聲盡要流美，八病咸須避之，縱不拾掇，未爲深缺。
> 即「羅衣何飄飄，長裙隨風還」（曹植《美女篇》句，十字
> 俱平，是永明聲律中最忌之病），雅調仍在，況其他句

乎？故詞有剛柔，調有高下，但令詞與調合，首末相稱，
中間不敗，便是知音。而沈生（沈約）雖怪曹王（曹植、
王粲）曾無先覺，隱侯（沈約諡號）去之更遠！

他一方面十分強調詩歌音律的重要，認爲不知音律，就不可「預
於詞場」，失去了作爲詩人的資格：所以他很稱賞劉眘虛詩的
「聲律宛態」，認爲「自永明以還，可傑立江表」。一方面又從
批判齊梁聲病說入手，反對不顧「理」「用」，無病呻吟，片面
追求聲律的傾向。這種論調，祖於梁代的鍾嶸，鍾氏在《詩品序》
中曾嚴厲批判了沈約等人的永明聲律說：「於是士流景慕，務爲
精密，襞積細微，專相陵架。故使文多拘忌，傷其眞美。余謂文
制本須諷讀，不可蹇塞，但令清濁通流，口吻調利，斯爲足
矣。」但比較鍾、殷二家之論，應該說殷璠之論是後來居上，較
爲深刻，更加全面：一是鍾嶸由於一時鬥爭的需要，矯枉過正，
視聲律爲贅疣，這實是片面偏激之詞；而殷璠則首先肯定了聲律
在詩歌創作中的重要地位，因而無此弊病。一是鍾嶸在梁時反對
永明聲律說，時代條件並不成熟。詩歌是語言藝術，應該特別重
視聲音形象的創造。從樂府古詩發展到沈約諸人的永明聲律，應
該說是一個進步。沈約的四聲八病之說，正是在詩歌的聲調音節
方面的一個探索。既是探索，當然就有成功，也有失敗。後來的
藝術實踐證明，特別是八病之說，容易束縛詩人的手腳，顯然是
一種消極聲律；但這樣的摸索在詩歌發展中卻也是一個重要的過
程，證明了此路不通，免得後人再走彎路。這也是一種貢獻，怎
麼可以一筆抹煞？而且，永明聲律在講究四聲等方面，對唐代今
體詩（律、絕）的積極聲律——平仄律的形成，也是有貢獻的。
到了盛唐的開、寶時代，詩人們已比較普遍地掌握並運用了既簡
明可依、又變化萬千的平仄律，如果這時再瑣屑於永明聲病，當

然是一個倒退。殷璠正是在條件成熟之後，堅決反對詩歌聲病的
倒退。反對倒退，也就是維護了積極聲律的健康發展，爲格律更
完美地體現思想情感服務。這就具有時代的進步意義。

　　㈢從選詩標準看殷璠對文學的認識。從《集序》及對有關詩人
的評價中，可以看出他「刪略羣才」的具體標準有三：一是「惡
華好樸，去僞從眞」。所謂「樸」，並非質樸無文，而是「眞體
內充」的樸實之意。而「僞」與「眞」，則是一對矛盾，它們不
僅指詩歌所反映的客觀事物的眞實與否的問題，而且進一步關聯
到創作主體、思想情感是否眞摯健康的問題。一是反對時俗輕豔
卑陋之習，提倡風雅之作，由此可見他對藝術與人生關係的態
度。一是要求格高調逸，聲律與風骨兼備。從這三方面看，他對
詩歌藝術的理解是比較全面的。如《集論》所概括：

> 璠今（原作令，據《文鏡祕府論》校改）所集，頗異諸家：
> 既閑新聲，復曉古體；文質半取，風騷兩挾；言氣骨則建
> 安爲傳，論宮商則太康不逮。將來秀士，無致深憾。

這段話所包含的內容很豐富。如「既閑新聲，復曉古體」，既要
溝通古今，有所借鑑；又能神明變化，創立新體。這種意見確有
見地。又如「文質半取」云云，強調藝術風格應質樸與華美統
一，並無偏頗之弊；再如「風騷兩挾」云云，雖然殷璠根本不懂
現實主義和浪漫主義這些現代術語，但對這兩種具體創作方法的
不同，他卻隱約覺察到了，並且一視同仁，風、騷並重。他絕對
不會像後來的柳冕之流，因爲提倡風雅，就大罵屈原、宋玉那富
於浪漫主義光彩的騷體文學是「亡國之音」（《謝杜相公論房杜
二相書》）。他沒有因爲強調爲人生而藝術，就只偏於現實之
眞，而忘記浪漫主義的豐富想像。所以他對李白詩歌給予了極高

的評價。如果對詩歌藝術的本質和特徵沒有較深刻、全面的認識，就不可能這樣來加以概括。

第三，剖析創作過程，揭示了創作主體的藝術修養與形成作品藝術風貌的內在關係。《集序》曰：

> 夫文有神來、氣來、情來，有雅體、野體、鄙體、俗體。編紀者能審鑑諸體，案詳所來，方可定其優劣，論其取捨。

什麼是「神來、氣來、情來」？什麼是「雅體、野體、鄙體、俗體」？我以爲當指創作過程中作者的主觀因素與形成作品藝術風貌的關係。所謂「雅體、野體、鄙體、俗體」，是指作品誕生之後那客觀外現的藝術風貌。「雅體」之雅，源於《詩經》「風雅」之雅，而範圍更廣，如具有建安風骨的作品，《集論》稱爲「雅調」；又如評王維詩是「詞秀調雅」，評孟浩然詩是「半遵雅調」，這就更擴大化了，從人品繼而談到作品格調的高尚。殷璠指出這類「雅調」是學習的楷模。野體次之，而鄙、俗二體則不足掛齒。所謂「鄙體」和「俗體」，當指「理則不足，言常有餘，都無興象（一作比興），但貴輕艷」的作品。這類詩歌，庸俗卑陋，不合「理」道，正反映出作者人格的低下。至於「野體」之「野」，就是在大道之外，另闢蹊徑的意思。如評常建詩：「建詩似初發通莊，卻尋野徑，百里之外，方歸大道。」儘管是「野」，卻能終歸「大道」，而與「雅體」相吻合。這樣的「野」，富於創新精神，殷璠當然也是稱賞肯定的。

但作品的外在藝術風貌是怎樣形成的呢？這就必須「案詳所來」，才能「定其優劣」而論取捨了。殷璠主要是從創作主體——即詩人的構思立意、氣質情感這些方面去找原因。所謂「神

來、氣來、情來」，是從三個不同角度討論形成作品藝術風貌的主觀因素而論。「神來」指詩歌構思想像的新穎巧妙，它與《文心雕龍・神思》中的「神思」相似：「其思理爲妙，神與物游。神居胸臆，而志氣統其關鍵；關鍵將塞，則神有遯心。」要保證詩人不會「江郎才盡」，永葆「神來」之筆，就必須進一步探索「志氣」這個關鍵。所謂「氣來」，肇自「志氣」之「氣」，本指詩人的特殊思想氣質而言；但在創作過程中，又因人們所稟氣質的不同，而行文氣勢自然有異，從而形成不同的藝術風格。這與後來韓愈《答李翊書》中的「氣」也有些相似：「氣，水也；言，浮物也；氣之與言猶是也，氣盛則言之短長與聲之高下者皆宜。」《集序》中的「氣來」，即指「文氣」在詩歌創作過程中的作用。但「文氣」又與詩人的性情有關。所謂「情來」，既是指詩人創作時的眞摯感情，又進一步在作品賦予客觀事物以千姿萬態的無窮生機與情趣，從而形成了主客觀渾融一體的絕妙藝術。沒有眞情實感的詩歌，就像一具沒有靈魂的傀儡，儘管鬚眉畢肖，但卻毫無神氣可言。由此可見，「神」、「氣」、「情」三者既各自區別，又相互聯繫，它們從不同角度，說明了創作過程中詩人應具備的主觀條件。把「神來」、「氣來」、「情來」僅僅看成品詩類別，或是作家作品風格流派的分類是不妥當的。如所錄李白《遠別離》：

> 君失臣兮龍爲魚，權歸臣兮鼠變虎……帝子降兮綠雲間，
> 隨風波兮去無還。慟哭兮望遠，見蒼梧之深山。

情深氣足，構思奇絕，似有神助。又如所選常建《送李十一尉臨溪》：「天際一帆影，預懸離別心。」詩人細緻地觀察了事物的特徵，並用來體現人們的離情別緒。遠離摯友，百感交集，千言

萬語，何從說起？別後生死茫茫，令人日夜懸心，因見天邊懸帆
而觸目心驚。這首詩情眞思巧，耐人尋味，境界頗佳，堪稱「神
來」之筆。這類作品，屬於「雅調」，它們是「神」「氣」
「情」三者完美統一的結晶。「神」「氣」「情」三位一體，密
不可分，這樣剖析創作過程，對發掘詩歌美感特徵起了積極的作
用。

第四，對詩歌藝術的審美價值，有深切而具體的認識。

　　殷璠既提倡詩歌藝術的個性化和風格的多樣化，又隱約類聚
區分爲陰柔之美與陽剛之美兩大類別。他既欣賞孟浩然的「文采
芊茸」，又讚嘆賀蘭進明的「經籍滿腹」；既傾心於王維的「詞
秀調雅」，又擊節於李白的奇逸天縱；既高度評價高適那直抒胸
臆的慷慨高歌，又謳歌盧象那既雅且平、素有大體的國士風度。
的確，他善於從富有不同個性特徵的藝術風格，去發現詩歌那動
人心弦的審美價值。如評崔署：「署詩多嘆詞要妙，清意悲涼，
送別、登樓，俱堪淚下。」點明了詩歌那引起千古共鳴的藝術感
染力。又如評王灣：「游吳中作《江南意》(《國秀集》選此詩題爲
《次北固山下作》，頭、尾兩聯不同)詩云：『海日生殘夜，江春
入舊年。』詩人已來，少有此句。」批評貼切得體。這兩句詩的
形象概括力很強。它描繪的是具體的景色，無意說理而理自在，
無心抒情而情自露，有限的景色描寫中有無盡的新意穎脫而出：
在那衰敗陳舊的事物中，正寓有欣欣向榮的新生希望。詩句千錘
百錬又不見雕刻斧鑿痕迹。從思想到藝術，這首詩都反映出盛唐
的氣象與本色。再如評王維詩有「在泉爲珠，著壁成繪」之語，
不僅形象地概括了王維那「詩中有畫」的藝術風格，而且評語本
身也猶如一幅動人的山水畫，有聲有色，美不勝收，具有美學價
值。由此可見殷璠的審美眼光。

　　殷璠的藝術評論不僅細膩入微，而且概括力強。他把《英靈

集》入選作品，隱約區分爲陰柔之美和陽剛之美兩大類：

以陽剛之美見長的主要有李白、陶翰、高適、岑參、薛據、王昌齡、李頎等。他們的審美趣味與藝術風格，近於嚴羽《滄浪詩話》中的「沈著痛快」，也就是《英靈集》中的「骨奇」者。其中以「風骨」「氣骨」「骨鯁」品詩論人凡六處，以「奇」「逸」論詩二處，以「語峻」「聲峻」論詩二處，以「驚耳駭目」許王昌齡一人。所謂「奇逸」，就是「不俗」，不俗則風骨錚錚，氣魄宏偉。另外又以「旣多興象，復備風骨」評陶翰，又可見「興象」這一評語並非王孟詩派所專有。根據不同版本，《集序》中的「興象」一作「比興」，也就是說，「興象」與「比興」意思有接近的一面，所以「興象」又與「風骨」有機聯繫。《英靈集》中的「興象」與後代神韻派那「羚羊掛角，無迹可求」意義上的「興象」是有區別的。

以陰柔之美見勝的有常建、王維、孟浩然、綦母潛、劉眘虛等。他們的審美趣味與藝術風格近乎嚴羽《滄浪詩話》的「優游不迫」，也就是《英靈集》中的「調遠」者。其中以清雅閒逸評詩凡九處，以出常情、出常境、善寫方外、凌俗不凡論詩許人者九處，以思苦議人者三處，以意表、興象譽詩各一處，以「文采葦葦」獨許孟浩然。這些人多數屬於文學史上的所謂王（維）、孟（浩然）詩派。這派詩人，貌似陰柔其外，實是柔中有剛者也大有人在。他們的詩表面悠然自得，「惟安之適」，實是牢騷滿腹，無處可訴，因而借詩發揮，寄情「物外」。看似不食人間煙火，渾身靜穆，實是理想與抱負不容於朝，因而出之以「野」，處之以「閒」。這樣的投閒置散，對於心比天高的詩人來說，是巨大的痛苦，也是封建時代的一幕悲劇。這類詩人旣不滿於現實，又缺乏鬥爭勇氣。他們受傳統「溫柔敦厚」詩教的影響，「主文而譎諫」（《毛詩序》），所以其詩「興僻」「旨遠」，寄

託遙深，以「怨」字見長。但要眞正做到「怨而不怒」是困難的，因而王孟詩派中人也常有旣怨且怒、柔中有剛的作風。如常建的「殘兵哭遼水」、王維的「戰聲煙塵裡」即屬此例。

四

如上所述，殷璠常用「超常境」、「出常情」、「削盡常言」、「善寫方外」之類的評語來讚頌王孟詩派。有人據此就以爲是脫離現實的藝術傾向。這樣理解未免望文生義，失之片面。爲了論述方便，現把《英靈集》中的有關材料抄錄如下：

㈠評常建：「建詩似初發通莊，卻尋野徑，百里之外，方歸大道。所以其旨遠，其興僻，佳句輒來，唯論意表。至如『松際露微月，清光猶爲君』，又『山光悅鳥性，潭影空人心』，此例數十句，並可稱警策。然一篇盡善者，『戰餘落日黃，軍敗鼓聲死；今與山鬼鄰，殘兵哭遼水』，屬思旣苦，詞亦警絕。」

㈡評王維：「維詩詞秀調雅，意新理愜，在泉爲珠，著壁成繪，一句一字，皆出常境。」

㈢評劉眘虛：「眘虛詩情幽興遠，思苦語奇，忽有所得，便驚衆聽……並方外之言也。」

㈣評張謂：「謂《代州北老翁答》及《湖中對酒》，行在物情之外，但衆人未曾說耳。」

㈤評王季友：「季友詩愛奇務險，遠出常情之外。至如《觀於舍人西亭壁畫山水》詩：『野人宿在人家少，朝見此山謂山曉。半壁仍棲嶺上雲，開簾放出湖中鳥。』甚有新意。」

㈥評崔顥：「顥少年爲詩，名陷輕薄，晚節忽變常體，風骨凜然，一窺塞垣，說盡戎旅。」

㈦評綦母潛：「善寫方外之情。」

㈧評孟浩然：「浩然詩文采葺葺，經緯綿密，半遵雅調，全削凡體。至如『眾山遙對酒，孤嶼共題詩』，無論興象，兼復故實。又『氣蒸雲夢澤，波動岳陽城』，亦爲高唱。」

㈨評儲光義：「儲公詩格高調逸，趣遠情深，削盡常言，挾風騷之迹，浩然之氣。」

綜而論之，殷璠的所謂「常境之外」、「方外之言」、「全削凡體」云云，與庸人常境、凡言俗體相對而成立。什麼是「凡」與「常」？怎樣才算「方內」？正確理解這些概念，是解決問題的關鍵。

有人以「方內」「常境」指社會現實生活。基於這樣的認識，那麼殷璠所提倡的超乎「常境」、脫離「方內」的雅調，就必然具有脫離現實、不關心社會疾苦的不良傾向。這樣來理解超凡脫俗，實是似是而非。因爲「凡」、「俗」、「方內」、「常境」等術語，殷璠另有所指。如所選王維《入山寄城中故人》：

> 中歲頗好道，晚家南山陲。興來每獨往，勝事空自知。行
> 到水窮處，坐看雲起時。偶然值林叟，談笑無還期。

這一類詩，出乎「常境」，頗有「方外」之味。說它流露出封建士大夫的某種閒適情緒當然可以；但斷言它完全脫離現實則不可。對於爭名逐利的混濁官場來說，清靜「好道」無疑也是一種消極的抗議。類似情況，史上不乏其例。如韓愈曾批評柳宗元好佛老，但柳在《送僧浩初序》中分辯說：「且凡其爲道，不愛官，不爭能，樂山水而嗜閒安者爲多。吾病世人逐逐然唯印組爲務以相軋也，則舍是其從焉。吾之與浮屠游以此。」雖然王維的情況與柳宗元有所不同，但在不願與世俗同流合汙這一點上，卻是相似的。他與那「逐逐然唯印組爲務以相軋」的利祿之人沒有共同

語言；相反，卻與那些士大夫視爲「小人」的農夫林叟「談笑無
還期」。這一鮮明對比，不正說明「常境」之「常」與庸俗之
「俗」是相通的嗎？超「常」就意味著脫「俗」。這樣的用法，
在唐人是常見的。柳宗元的《乞巧文》批判了世俗社會中的巧媚
人：「突梯卷臠，爲世所賢。」所謂「突梯」，注謂「隨俗
貌」，也即指「諂貌淫詞」。但這樣的「俗」，卻偏是世人所好
之「常」。它代表的是庸俗、腐朽與黑暗，當然應予譴責和批
判。只是批判的方式很多，有的激烈抗爭，有的消極退隱，道路
不同，效果有別。

　　殷璠的「方內」「常境」「凡俗」云云，還有更深入的一層
意思，即直接針對豪門權貴、公子哥兒、凡夫市儈之類的俗人俗
事而發。開、寶之時，號稱「盛世」，但「珠玉買歌笑，糟糠養
賢才」（李白《古風‧燕昭延郭隗》）是當時上流社會的普遍現
象。只要是名門望族的王公貴人，雖是胸無點墨的草包，卻仍然
是世人頂禮膜拜的偶像。風俗漸靡，士風日下，反映到詩歌創作
上，就形成了風雅喪盡的「歌兒舞女，且相喜愛」（元結《劉侍
御月夜宴會序》）的淫豔之風。這使正直的文學家痛心疾首，視
此上流社會的「常」與「俗」爲蟊賊、爲蛀蟲，必欲蕩滌乾淨而
後快。殷璠正是通過選詩傾瀉了這種感情。如所選張謂《題長安
主人壁》：

　　　世人結交須黃金，黃金不多交不深；
　　　縱令然諾暫相許，終是悠悠行路心。

從藝術上看，這首詩並非傑作，因爲它的議論太露，缺乏「蘊藉
微遠之致」，所以沈德潛譏諷它是「粗派」作品，簡直像散文發
議論（《說詩晬語》一二二條）。但是一貫重視「情幽興遠」含蓄

藝術的殷璠，為什麼偏偏要選這首詩呢？因為從思想內容考慮，可以寄託與發泄自己的感慨。它撕下了庸人俗世那溫情脈脈的金錢面紗。在《英靈集》中，所謂「凡」「俗」「常」之類，可說是庸俗卑污的近義詞。再如評崔顥，說他「少年為詩，名陷輕薄，晚節忽變常體，風骨凜然」，這裡的「常體」，也就是指「輕薄」之作。對醉心「輕薄」、流連聲色的詩歌「常體」加以抨擊，應該是名正言順，怎麼可看作脫離現實呢？恰恰相反，對於腐朽事物的批判，對於黑暗勢力的抗爭，正是引導人們嚮往光明，正視現實。殷璠批判這種「陷於輕薄」的「常體」，歌頌那「說盡戎旅」「風骨凜然」的詩篇，正是發揚了古代現實主義文學的優良傳統，從文藝反映生活的角度出發，力求詩歌富於濃烈的生活氣息和健康的高尚情趣。這種藝術要求，對今天文藝的發展仍然有借鑑的意義。

正確理解了《英靈集》中「超凡」「驚俗」「方外之言」「物情之外」等概念後，就可以進一步評價王孟詩派了。現以位居全書之首的常建為例。殷璠雖讚賞他那閒散淡雅的詩句，如「松際露微月，清光猶為君」，「山光悅鳥性，潭影空人心」之句，謂其「可稱警策」，這是從脫「俗」的角度著眼，歆羨詩人的高尚情操。但下面筆鋒一轉，馬上指出《弔王將軍墓》詩才是「一篇盡善」的好詩：

> 嫖姚北伐時，深入強千里。戰餘落日黃，軍敗鼓聲死。
> 嘗聞漢飛將，可奪單于壘。今與山鬼鄰，殘兵哭遼水。

慷慨高歌，蒼涼悲壯。對於愛國將士的同情，對於統治者窮兵黷武的控訴，字字句句，和淚帶血。這類詩歌，寄託遙深，立意遠大，為人生的傾向強烈，富於時代氣息。怎麼可因它們超乎「常

境」、不合「物情」就視爲脫離現實？在剖析和評價王孟詩派時，殷璠對那些具有鬥爭精神、深刻反映現實的作品，同樣擊節欣賞，毫無偏見。由此可見殷璠胸懷的闊大。

五

最後，談談《英靈集》沒選杜甫詩歌的原因。《英靈集》是部盛唐詩選，殷璠與杜甫是同時代人，爲什麼杜詩竟然會「名落孫山」、榜上無名？這就引起人們的懷疑與攻訐。從宋到今，不斷有人因此指責殷璠的選詩宗旨不公，說他片面欣賞王孟詩派，具有脫離現實的藝術傾向，因而歧視杜甫，排斥杜詩。這話似是而非。

首先，根據前面的敍述，殷璠的文學宗旨具有爲人生而藝術的傾向，他強調的是建安風骨。據《全唐詩》：「當明皇時，章句之風，大得建安體，論者推李（白）杜（甫）爲尤。」李白杜甫都是具有建安風骨的佼佼者，殷璠爲什麼偏要選李遺杜？從《英靈集》的選詩標準看，殷璠是不可能排斥杜詩的。所以，《英靈集》沒選杜詩，應是另有原因。

其次，《英靈集》成書最早在天寶四年左右，當時杜甫是個詩名未顯的青年，大量的佳作，尚未創作出來；並且正巧他又長期在外漫遊，足迹不到長安。殷璠當時雖然可能正在長安（或洛陽），但卻沒有機會認識杜甫，當然杜詩無法入選。天寶四年後，殷璠早已「退迹」隱居於故鄉丹陽，而杜甫卻偏在天寶五年結束了他的漫遊生涯，「西歸到咸陽」，開始了他十年困守長安的潦倒生活。長安與丹陽，一北一南，遠隔萬水千山。在古代交通不便的情況下，這個障礙更使他們難以相交相知。總之，由於活動時間的出入和地域空間的隔閡，杜甫與殷璠這兩個文學家，

可能永遠不相謀面，無緣相識。不知其人其詩，也就無從選起了。

再次，唐時活字版印刷術尚未發明，書本全靠手抄流傳。而限於人力，手抄本的數量是很有限的。從天寶四年到十二年，杜甫雖已有少數佳作如《麗人行》之類，但丹陽地僻，消息比較閉塞，殷璠不大可能有機會看到剛在京師寫出不久的杜詩。沒有看到杜詩，當然又無從選起了。

第四，唐詩的傳播也經常依賴歌伎者流的歌唱。因此，詩歌的音調宛轉流暢，合於歌唱需要，也就有助於作品的迅速流傳。如李白的《清平調》三首之類。又如白居易的詩，幾乎是婦孺皆知。唐宣宗評白詩，曾有「童子解吟《長恨曲》，胡兒能唱《琵琶篇》」（《全唐詩話》卷一「宣宗條」）之句。而杜甫詩歌的音節偏於沈鬱，難於歌唱。因此當時杜詩即使有些名篇，但流傳的速度與範圍受到了一定的局限。當時住在丹陽的殷璠看不到杜甫《麗人行》之類的詩歌，也屬可能。

第五，據明代胡應麟的《詩藪》，認為天寶年間，杜詩「或未盛行」，評論界是「議論未定」。當時的杜甫不是名流，又缺乏有力者的推薦與介紹，這在一時也影響了杜詩的傳播。

總之，《英靈集》沒選杜甫詩，有它的客觀歷史原因，而與殷璠的選詩標準無關。

（原載《古代文學理論研究》第12輯，上海古籍出版社1988年版）

嚴羽論杜甫

在中國古典文學理論批評發展史上，宋代嚴羽《滄浪詩話》是繼劉勰《文心雕龍》、鍾嶸《詩品》之後，比較能夠自成理論體系的一部論詩專著，影響深遠，後世對它的認識和評價，分歧很大，爭訟不息。其中，嚴羽是怎樣認識和評價杜甫及其詩歌？這是一個重要關鍵，弄清這一問題，對於正確理解《滄浪詩話》的理論本質，將大有裨益。

古往今來，指責嚴羽暗中（或實際）否定杜甫及其詩歌者不乏其人。如清・黃宗羲《張友心詩序》：「滄浪論唐雖歸宗李（白）杜（甫），乃其禪喻，謂詩有別才，非關書也；詩有別趣，非關理也，亦是王（維）孟（浩然）家數，與李、杜之海涵地負無與。」因為黃宗羲是著名的進步思想家，所以後人對他的意見較為尊重，相信並加以發揮的人很多。如許印芳《滄浪詩話跋》說：「嚴氏雖知以識為主，猶病識量不足，僻見未化，名為學盛唐，準李杜，實則偏嗜王孟沖淡空靈一派，故論詩唯在興趣，於古人通諷諭、盡忠孝、因美刺、寓勸懲之本意全不理會。」古人如此，今人的批判火力則更為猛烈。歸其要點，約有以下數端：一曰嚴羽論詩，「準李杜」是假，「嗜王孟」才是真；二曰《滄浪詩話》中的「別材」、「別趣」之說，與杜詩神情不類，旨趣各異，而合於「王孟家數」；三曰嚴羽論詩，否定了杜詩那「通諷諭、盡忠孝、因美刺、寓勸懲之本意」。

事實究竟怎樣？如果我們認真閱讀、全面理解《滄浪詩話》，

並能結合嚴羽的其他著作，那就不難發現，上述責難，都是站不
住腳的。

一

首先，從客觀材料的處理這一方面看，《滄浪詩話》中論及杜
甫及杜詩的文字有二十處之多，竟占全書的十分之一左右（因文
多從略）。其中，除《考證》篇中的某些條文，因是辯證材料真偽
一類的客觀陳述，屬無褒無貶的「中性」文字之外，其餘的十幾
條引文，全是一致的肯定與熱烈的頌揚。如果嚴羽真是不滿或否
定杜甫及其詩歌，為什麼他偏要花費這樣大量的篇幅，來「熱
情」地撒個彌天大謊呢？請看事實：《滄浪詩話》從它的開篇《詩
辨》始，就明確宣稱學詩者必須「以李（白）杜（甫）二集枕藉
觀之」；到最後的《考證》篇中介紹杜甫的交友與為人：「少陵與
李白，獨厚於諸公。詩中凡言太白十四處，至謂『世人皆欲殺，
吾意獨憐才』；『醉眠秋共被，攜手日同行』；『三夜頻夢君，親情
見君意』；其情好可想。《遯齋閑覽》謂二人名既相逼，不能無相
忌，是以庸俗之見，而度賢哲之心也。予故不得不辯。」從杜甫
的思想、性格，到杜詩藝術的成就、影響，無不深探力取、潛心
研究。他稱杜甫是「賢哲」，可見對其思想、為人的傾心，誰要
無端詆毀杜甫，他就會站出來和他辯論。而從藝術角度看，他認
為學詩者必須「枕藉觀之」，把李白、杜甫的詩集，時刻放在身
邊，夜以繼日地學習，然後才能從中悟出創作的奧妙。這與後面
所說「次獨取李杜二公之詩熟參之……其真是非自有不能隱者」
是同一意思。這是發自肺腑的由衷之言，而非矯飾作態的虛假標
榜。這樣明顯地提倡宗奉李白、杜甫，哪有一丁半點暗中反對的
意思？正因為嚴羽宗奉李杜，所以他對李杜詩歌的藝術特點，也

是力加比較，孜孜研討，從而作出了中肯的批評：

> 李、杜二公，正不當優劣。太白有一、二妙處，子美不能道；子美不有一、二妙處，太白不能作。

> 子美不能爲太白之飄逸，太白不能爲子美之沈鬱。太白《夢遊天姥吟》、《遠離別》等，子美不能道；子美《北征》、《兵車行》、《垂老別》等，太白不能作。論詩以李杜爲準，挾天子以令諸侯也。

> 少陵詩法如孫（子）吳（起），太白詩法如李廣。少陵如節制之師。

「論詩以李杜爲準」，這裡說得何等明白！這是在對李白、杜甫詩歌進行了深刻研究之後得到的認識，並且提到理論上來加以總結。所謂「挾天子以令諸侯」，把杜詩作爲效法的典範，推上了古典詩歌發展頂峯的地步。這樣宗奉杜甫，如果說有缺點錯誤的話，那就是崇拜過分，而不是態度的虛假。試想，又有哪一個批評家、理論家會熱烈地公開號召人們學習他所否定的人物和作品？對於李白、杜甫之詩，嚴羽雖說是「正不當優劣」之，但這是從它們的藝術光彩和價值、影響來說的；而對於學習者來說，則嚴羽似乎更傾向於杜詩。因爲李詩如李廣用兵，漫無拘束，無法可尋，難覓途徑；而杜詩則如孫子、吳起所部勒的「節制之師」，動見規矩，有路可通。比較言之，他的論詩以李杜爲準，實更傾向於杜甫。所以他雖然常是李杜並稱，但論詩的天平並非永遠平衡，因而在《詩評》篇中又說：「少陵詩，憲章漢魏，而取材於六朝；至其自得之妙，則前輩所謂集大成者也。」這裡就略去李白，而單獨評論杜甫詩歌的「自得之妙」，並給以「集大成者」的盛譽。所謂「集大成」，就是於詩之上乘者無所不包、無

所不精。這就是以具體的藝術批評作論據，來說明論詩必須「準
杜甫」的道理。杜甫《戲爲六絕句》詩也有「轉益多師是汝師」的
話，嚴羽說他是「憲章漢魏，而取材於六朝」，確是有據之論。
這說明了處於黃金時代的唐詩，正是在繼承與發揚前人成就的基
礎上前進一步，而創造了唐詩的「自得之妙」。而作爲具有上乘
「第一義」的唐詩典範，嚴羽又首推杜詩。於此可見，嚴羽以言
簡意賅的文字，作出了符合歷史實際的概括，也證明了他對杜甫
及其詩歌的鑽研與傾心。論詩以杜甫爲宗，確是他的一貫主張，
並非一時的興到之語，這是無可置疑的事實。

　　而對於王維、孟浩然的詩歌，雖然人們斷言嚴羽是偏嗜其沖
淡空靈，醉心於消極遁世的脫離現實傾向。批判極爲嚴厲，但卻
不合實際，未能擊中要害。在整部《滄浪詩話》中，與討論李杜的
文字相比，提及王維、孟浩然的文字一共只有五條。其中除兩條
是客觀陳述毫無褒貶抑揚的「中性」材料外，有一條論及王維，
雖然褒稱「名家」，但並非專稱，而是混廁諸唐人中，一筆帶
過，影響甚微。於此可見他對王維詩歌的態度。

　　另外，當時永嘉「四靈」（徐照、徐璣、翁卷、趙師秀）及
江湖詩人推崇姚合，姚合編選《極玄集》竭力推崇王維，但嚴羽卻
在《滄浪詩話》中對「四靈」及江湖詩人深致不滿，多所譏評，這
又從另一側面證實了他對王維詩歌不甚賞識的態度。如果像某些
人所說，他是以王孟詩派爲宗的話，爲什麼《滄浪詩話》竟然如此
草率，對於宗主王維幾乎不作任何評論，這不太奇怪了嗎？這種
矛盾現象將作如何解釋？至於說到孟浩然，他有具體批評。但正
如復旦大學中文系編寫的《中國文學批評史》中冊所說：「對於孟
浩然詩，（嚴羽）只是從『妙悟』方面肯定其勝過韓愈的以才學爲
詩，從音節的『有宮商金石之聲』加以諷詠讚賞。」在諸唐人詩中
並沒有特別突出的地位。這樣肯定孟浩然詩，與「論詩以李杜爲

準」，頌揚李杜詩歌臻於出神入化的極致，「至矣，盡矣，蔑以加矣」，二者相比，理論評價顯然是大有區別的。對孟詩僅作一般性的肯定；而對杜詩，則以響亮的語言，公開號召人們師法學習，以資楷模。事實說明，在嚴羽心目中，杜詩與孟詩，地位的高低是懸殊的。因此可以說，嚴羽的「準李杜」，不假；「偏嗜王孟」，非眞。客觀材料所顯現的歷史實際就是如此。

二

其次，從理論上來分析，嚴羽的「別材」「別趣」之說，並非只是「王孟家數」，它同樣可以「海涵」杜詩，所以不能說是「偏嗜王孟沖淡空靈」一派的理論。人們經常引用以下《詩辨》中的一段，來論證嚴羽理論唯重王孟詩派的「興趣」，而與杜詩異其旨趣：

> 夫詩有別材，非關書也；詩有別趣，非關理也。然非多讀書、多窮理，則不能極其至。所謂不涉理路，不落言筌者，上也。盛唐諸人惟在興趣，羚羊掛角，無迹可求。故其妙處透徹玲瓏，不可湊泊，如空中之音，相中之色，水中之月，鏡中之象，言有盡而意無窮。

關於「別材」、「別趣」的理論本質，古今爭論甚多，因不是本文討論的範圍，難以詳論。但據現在許多學者的研究，嚴羽的「別材」、「別趣」及「吟詠情性」之說，已涉及到創作的特殊思維規律及詩歌的藝術特徵諸問題，它所討論的範圍，絕對不是王孟一派的「沖淡」詩風所能概括的。實際上，嚴羽心目中的李杜詩歌，同樣合於「別材」、「別趣」之旨。人們常因《滄浪詩

話》用「妙悟」來評孟浩然詩，就認爲孟是「別材」、「別
趣」、「吟詠情性」的典型。但嚴羽談杜詩，認爲只要人們「枕
藉觀之」，就能「自然悟入」，說明杜詩不僅可「悟」，而且更
有「悟」的價值。孟詩杜詩，同樣是「悟」，怎能厚此薄彼，因
此說孟詩是有「興趣」，而杜詩就毫無「興趣」可言了呢？另據
今人研究，嚴羽的「別材」、「別趣」之說，已隱約窺見詩歌創
作中的形象思維規律。這樣，人們就會進一步發問：難道只有
王、孟詩歌才運用形象思維，而他所熱烈頌揚的李、杜詩歌卻毫
無形象思維可言嗎？李杜詩歌巧於運用形象思維，所以嚴羽「別
材」、「別趣」之說，不僅不會排斥杜詩，相反，他是在深入研
究杜甫等大師和名家的創作實踐以後，總結出這一理論的。這怎
能說是與杜甫異其旨趣呢？

　　不過有人認爲嚴羽「別材」、「別趣」之後，還有「非關書
也」、「非關理也」的下文。杜甫自己不是說過：「讀書破萬
卷，下筆如有神。」（《奉贈韋左丈丞二十二韻》）讀書明理，議
論風發，是其詩歌藝術通往成功的途徑之一，所以劉仕義《新知
錄》說「杜子美詩所以爲唐詩冠冕者以理勝也」。這與嚴羽那
「非關書」、「非關理」的「別材」、「別趣」之說，不是背道
而馳了嗎？這話似是而非。因爲參照上面引文自可明白，嚴羽在
說了「非關書也」、「非關理也」以後，還有「然非多讀書、多
窮理，則不能極其至」的話。這一句話，《詩人玉屑》引作「而古
人未嘗不讀書、不窮理」。雖然文字有些出入，含義不盡相同，
但認爲「讀書」、「窮理」與詩歌創作的「別材」、「別趣」並
不矛盾，則意思是一致的。關於這一點，郭紹虞《滄浪詩話校釋》
所論非常清楚：

　　　　陶淵明好讀書不求甚解，而詩格甚高，可見讀書並不妨礙

作詩。讀書可以增加人們的間接生活知識，所以問題不在讀書不讀書，而在如何讀法……所以滄浪所謂「古人未嘗不讀書」，正指出這個關鍵。古人讀書讀得破，書爲詩用，不爲詩累；後人要在詩中賣弄學問，所以讀書愈多，性靈愈窒……實則滄浪只言「非關理」沒説不要理（**凡按**：滄浪只言「非關書」，沒説不要書），分寸之間自有區別，以此責滄浪，滄浪也不能承認……滄浪別才別趣之説正是針對當時詩病而發，足爲當時救病之藥……理語和理趣有別（**凡按**：宋道學先生之詩多作理語，而杜詩則作理趣）……講得死成爲理障，説得活便是理趣……爲什麼理語不必入詩中？即因爲理語屬邏輯思維，不合形象思維的要求……實際上理語理趣的分別，正是邏輯思維和形象思維的分別。正因詩屬形象思維，所以能從形象中説明事理。

所以嚴羽的「非關書」、「非關理」，並不是說詩歌創作全然不要讀書明理，不可抒發議論。關鍵還在於怎樣讀書明理，怎樣發表議論。作詩不同於讀書做學問，不能直接用來發表空洞說教，闡述抽象道理。「詩」屬形象思維，「理」屬邏輯思維，二者之間，彼此有一定聯繫，所以說是「古人未嘗不讀書不窮理」，這裡的「古人」，指的主要是如李白、杜甫之類在詩壇中享有盛譽的名家；但是又有本質的區別，因爲所屬的思維範疇不同，所以說是「詩有別材」、「詩有別趣」。這樣的理論闡述，本來說得較全面，頗有一點辯證法因素，爲什麼偏要加以機械割裂而作片面理解呢？明白了「別材」、「別趣」之說是指詩歌的創作思維規律而言，那麼自然清楚它同樣是符合杜詩的創作實際的。實則嚴羽所否定的只是當時宋詩的弊病；反對道學先生把詩歌藝術變

爲高頭講章，或學問家的抽象說教的不良傾向；對於江西詩派動
輒掉書袋賣弄學問的「來歷」、「出處」，嚴羽也多所譏評。這
與杜甫的「讀書破萬卷，下筆如有神」的議論風發、恰當明理，
又生什麼干涉？本無矛盾，硬生矛盾，這就是無事生非的挑剔
了。後來還是沈德潛的《說詩晬語》說得較爲明白：「嚴儀卿有
『詩有別才，非關學也』之說，謂神明妙悟不專學問，非教人廢學
也。」所以《滄浪詩話・詩辨》一開篇，就要求學詩者必須讀書：
「先須熟讀《楚辭》，朝夕諷詠以爲之本；及讀《古詩十九首》，樂
府四篇，李陵蘇武漢魏五言皆須熟讀，即以李杜二集枕藉觀之，
如今人之治經。」不僅提倡詩人讀書，而且進一步要求「熟
讀」，嚴羽何嘗主張廢書廢學！嚴羽的缺點並不是主張不讀書，
而是沒有提出如何善於讀書的問題，讀死書與讀「破」書，一字
之差，效果截然不同。如果眞像杜甫那樣把書讀「破」了，理解
古典文學著作的精神實質，那就必然會走出書本，面向生活。嚴
羽提倡學習杜甫是實，但他自己是怎樣學習杜甫的？應該怎樣全
面、準確地理解杜詩的藝術本質？等等，他都閃爍其辭，沒有加
以全面的理論概括。但總的來說，嚴羽的「別材」、「別趣」之
說，在理論上並非與杜甫異其旨趣。只要眞正「讀書破萬卷」，
善於讀書學習，理解精神實質，就有可能在創作時「下筆如有
神」，豁然頓悟，合於「別材」、「別趣」的藝術特徵。

可能還有人說，嚴羽詩論強調「羚羊掛角，無迹可求」的
「興趣」，與王孟山水田園詩派那沖淡空靈的「優游不迫」詩風
相合，而與杜詩那雄渾悲壯的「沈著痛快」詩風相左。因而他在
理論上實際否定杜詩，是自然的。這種說法至少是片面的。嚴羽
認爲詩歌「大致有二：曰優游不迫，曰沈著痛快」（《詩辨》）。
「優游不迫」屬陰柔之美，「沈著痛快」見陽剛之美。陶明濬
《詩說雜記》卷七：「古來詩人多矣，詩體備矣，嚴氏所云兩大界

限，實足以包舉無遺矣。」「優游不迫者即陶（淵明）韋（應物）一體，從容閒適，舉動自如。」「至於沈著痛快……則傾囷倒廩，脫口而出」，「為此體者，要使驅駕氣勢，……必使讀吾詩者心為之動，情為之感，擊節高歌，不能自已」。一個作家，在不同時期的不同條件下，藝術風格有時也是會轉化的。王、孟詩歌雖多「優游不迫」之趣，但如孟浩然《臨洞庭湖贈張丞相》：「氣蒸雲夢澤，波撼岳陽城。」與杜甫《登岳陽樓》的「吳楚東南坼，乾坤日夜浮」，同為詠洞庭湖的千古名句，氣象雄渾開闊，有「沈著痛快」之風。杜詩多「沈著痛快」，但也不乏「優游不迫」之致。如《春夜喜雨》；「隨風潛入夜，潤物細無聲。」觀察細緻入微，落筆從容不迫，形容維妙維肖，把春天細雨給寫活了。

至於說到「羚羊掛角，無迹可求」云云，這與司空圖《詩品》中的「不著一字，盡得風流」一脈相傳，並非從藝術風格方面立論，而是從創作思維、創作方法角度著眼的。它要求詩歌創作必須委婉含蓄，以少總多，創造情景相生、虛實互用的意境，以便達到「言有盡而意無窮」的境界，在有限的藝術外殼中，容納無盡的內容。對於「優游不迫」的詩歌有這種要求，對於「沈著痛快」的詩歌也有這種要求。這一理論，主要是對「盛唐諸人」詩歌創作的理論總結。而「盛唐諸人」中，既包括了以王、孟為首的恬靜閒遠的山水田園詩派，也概括了以高適、岑參為代表的氣象壯闊的邊塞詩派，更概括了詩仙李白、詩聖杜甫的藝術，不同流派，不同風格，其成功之作大都可入於「無迹可求」之域。另外，如果我們結合嚴羽的《答出繼叔臨安吳景仙書》來看，他是以「雄渾悲壯」四字來概括盛唐詩風的。可見主要是從「盛唐諸人」中總結出來的「無迹可求」、「惟在興趣」理論，似乎與杜詩更接近些，而不以「優游不迫」的王孟詩風為主要代表。比較

而言，嚴羽本人更欣賞的是李杜詩風，他在《詩評》中說：「李杜數公，如金鵄擘海，香象渡河，下視（孟）郊（賈）島輩，直蟲吟草間耳。」可見對於李杜那筆力雄渾、氣勢非凡詩風的讚賞。

三

　　最後，我認為嚴羽對於杜詩那「通諷諭、盡忠孝、因美刺、寓勸懲」的現實內容，雖有重視不夠之嫌，《滄浪詩話》很少直接談詩歌與現實生活的關係；但因此而認為他對詩歌的現實主義精神持否定態度，具有脫離現實的傾向，卻論據不足，不合事實。比如說，他在《詩評》篇中特別舉出杜甫的《北征》、《兵車行》、《垂老別》諸詩為例，來說明杜詩的藝術光彩，並據此推出了「論詩以李杜為準」的重要論點。在這裡，嚴羽雖然主要是從藝術角度著眼，但杜詩中的藝術名篇很多，為什麼只以《北征》、《兵車行》、《垂老別》為例呢？可見此中另有意思。試想，《北征》諸詩，不正是社會動亂、民生疾苦的現實反映嗎？這些作品，正是古人所說的「通諷諭、盡忠孝、因美刺、寓勸懲」的文學典型。即使是對於杜甫的一般贈答應酬之作，嚴羽也是力求透過現象看本質，從現實精神方面來發掘其深刻的社會意義。如《詩評》曰：「古人贈答，多相勉之詞……杜子美云：『君若登台輔，臨危莫愛身』，往往是此意。」他所引用的是杜甫《奉送嚴公武入朝》詩，希望嚴武入朝，能夠仗節死義，為國獻身，幹出一番「解民倒懸」的大功業來。這不就是「通諷諭……寓勸懲」又是什麼？再結合他對唐詩的總評價來看，則態度更為明朗。他在《詩評》中說：「唐人好詩，多是征戍、遷謫、行旅、離別之作，往往能感動激發人意。」這又說明了嚴羽對於反映現實詩篇的重視。他何嘗只是「偏嗜王孟」而欣賞「流連光景之詞」！所謂「好詩」，

就是指優秀詩篇。「好詩」在「征戍」、「遷謫」、「行旅」、「離別」，而罕見於山水、田園之中，於此可見他所提倡的是有思想的藝術，並非一味消極避世。而杜甫寄身於兵戈騷亂之中，所創作的也多是這類以「征戍」、「遷謫」……爲題材的「好詩」，《北征》諸詩，正是閃爍著現實主義光輝的傑作。由此可見，人們指責嚴羽「於古人通諷諭、盡忠孝、因美刺、寓勸懲之本意全不理會」，是不合歷史事實的。而且，《滄浪詩話》主要是從詩歌的藝術體制、藝術標準方面來討論問題，因此對於思想內容、現實意義等方面較少論及，這也是因研究各有偏重，完全是可以理解的。怎能因此就得出結論，斷言嚴羽否定了杜甫的現實主義創作精神呢？

（原載《復旦學報》社科版1987年第4期）

爲「批評」正名

　　文學的批評不等於批判，更不是懸在作家頭上的「棍子」，我國古代的確有此理解。「批評」原是「批」和「評」的複合詞，屬並列結構，「批」當然有批判、抨擊之義，但這只是其中的一面，批點、批改則可兼褒、貶二義；而「評」則是評改、審定的意思，好則說好，壞則說壞，並非專屬貶意，如獲獎優秀文學作品的評定，是廣大讀者和專家批評的結果，這類批評，非但不貶，反有褒意。因此，嚴格地說，「批評」一詞是中性字眼，其中可以包含現在意義的批評或批判，而同時也允許有表揚與頌美，有「美」有「刺」，這才是全面的批評。一部貫通數千年的《中國文學批評史》，其稱「批評」云者，就是既有對於拙劣作家作品及其錯誤創作傾向的批評或批判，但更多的是對於古今優秀作家作品的欣賞和總結，用古人的話來說，就是美刺並興而不悖。文學的進步，作家求提高，是離不開批評的。古代文學運動要獲得健康發展，就必須培養一大批青年作家，形成一支生龍活虎、朝氣蓬勃的文學隊伍，才能繁榮文學事業，取得長足的進步。但是，文學青年的成長，有個鍛鍊的過程，沒有批評，行嗎？文壇前輩指出青年創作的缺點，是必要的，不過這還不是完整意義的批評；提攜後進，獎掖青年，一見佳妙，讚嘆連聲，大力予以介紹和推薦，這同樣是一種有效的批評。批評缺點，從反面指出不能走那條路；稱頌佳妙，則積極從正面予以肯定並樹立榜樣，指明了前進的方向。批評無論是「美」還是「刺」，都應

該殊途同歸，目標一致，與人爲善，熱情地幫助青年迅速成長。歷史的事實說明，健康的批評促進了青年作家的成長，保證了文學隊伍的不斷擴大，從而迎來了文學的春天。

比如唐、宋二代文學事業生機勃勃，唐詩宋詞成了中華文明的驕傲，形成了封建社會雙峯並峙、二水分流的黃金時代。文學高潮的到來，原因很多，但是健康的批評，培養了一大批優秀青年作家，不斷爲文學隊伍輸進了新鮮血液，洋溢著青春的活力，形成了時代的强音，也是不容忽視的因素。

因此，正確理解「批評」非常重要。不過「批評」有寬、嚴之異，寬者多頌美佳妙，嚴者多譏評缺陷，一正一反，形成了完整意義的「批評」。「批評」應該以「嚴」爲是，還是以「寬」爲好？必須審時度勢，視具體情況而論。以師生間的批評爲例。如唐代古文運動領袖韓愈，其散文雄踞唐宋八大家之巔，東坡譽之爲「文起八代之衰」；他的詩歌繼李杜後，另闢蹊徑，自成一家，卓犖特立，開一代之風氣，影響了後來的宋詩發展；韓愈不愧於古代文學大師的稱號。但是他沒有因此而傲視一切，相反，他對文學青年一般取「寬」的態度，批評滿腔熱情，認爲他們是未來和希望。詩人張籍是他的學生。貞元十四年（798年），韓愈在汴州（今河南開封）任鄉試主考官，曾力薦張籍進京赴進士試，並在士大夫中廣爲延譽稱揚。一時聲名流播，引人注目。果然，次年張籍因師薦登進士第。對張籍的詩歌，韓愈曾大力推薦，如《病中贈張十八》詩云：「籍也處閭里，抱能未施邦。文章自娛戲，金石日擊撞。龍文百斛鼎，筆力可獨扛。」揚美之意，溢於言表。元和初，又作《醉贈張祕書》稱：「張籍學古淡，軒鶴避雞羣。」從詩歌的風格和人格、格調和境界，予以充分肯定。類似「寬」的頌美性批評，給學生以鼓舞和力量，愈加激發其創作熱情。張籍明白，老師所稱「龍文百斛鼎，筆力可獨扛」，豈

是一般詩人能夠勝任？於是愈發上進，以副師望。後來張籍成為
著名詩人，就與韓愈的稱揚提攜有關。但是，韓之於張，不僅有
「寬」的稱揚，同時也有「嚴」的批評。當張籍成為中唐詩壇的
一顆新星冉冉升起之時，韓愈曾經寫了一首《調張籍》詩，題稱為
「調」，就帶有師友之間的調侃與批評之意，如末尾四句：「顧
語地上友（按：指張籍），經營無太忙。乞君飛霞珮，與我高頡
頏。」這是篇末點題，筆墨間流露出不滿，在詼諧的戲謔筆調
中，寓藏著嚴肅的勸戒與批評。張籍當時已小有名氣，或許忙於
唱和應酬，或是一頭扎進故紙堆中去尋找靈感，因而很難寫出品
味高尚、格調上乘的優秀詩篇。為此，韓愈借古為喻，現身說
法，熱切希望和學生一起，提高眼界，開拓視野，學習李杜的創
作精神，攀登藝術高峯，在詩歌王國中自由翱翔。又如張籍曾兩
次寫信給老師，批評韓文有「以駁雜無實之說以為戲」之弊；韓
愈沒有擺出師道尊嚴的架式而嚴厲斥責，而是誠懇地連回二信
（《答張籍書》《重答張籍書》），進行了深入的討論，指出了學生
批評之失誤處，他反駁說，以文為戲，亦莊亦諧，嬉笑怒罵，
「惡害於道哉」？寓「教」於「戲」，正是開拓古文領域，增添
了文學的力量。類似的批評與反批評，反覆辯難，理明情摯，言
辭懇切，出於至誠，誰不感動？批評之「嚴」，不在於表面的聲
色俱厲。除敵人外，厲詞呵斥，即使親如師友，也容易引發牴觸
心理，產生消極作用，效果決然相反。後來的事實說明，韓張之
間，沒有因批評與反批評而傷了感情，韓愈臨歿之際，張籍守護
牀邊，可見師生間生死不渝的交誼。張籍不僅沒有被「嚴」格批
評所「打垮」，相反，由於老師指點迷津，立刻領悟，於是勇氣
倍增，披荊斬棘而行，終於錘鍊成為中唐新樂府運動的中流砥
柱。白居易曾寫《讀張籍古樂府》詩加以熱烈頌揚：「尤工樂府
詩，舉代少其倫。為詩意如何？六義互鋪陳，風雅比興外，未嘗

著空文。」於此可見張籍詩歌的現實主義光彩。韓愈張籍，詩風異貌，人所熟知。但作爲老師，韓愈的批評並沒有強人同己，以求一律；相反，韓愈雄偉奇崛，但他同樣很稱讚張籍詩歌的「古淡」風味！如此批評，出於公心，因勢利導，的確難能可貴。而張籍在老師那寬嚴兼備的批評之下，迅速成長，樂府詩與王建齊名，史稱「張王」，並非浪語。張籍沒有辜負韓愈那隨勢寬嚴的批評與期望！

再舉宋代之例。在北宋的詩文革新運動中，梅堯臣（字聖俞）被譽爲宋詩的「開山祖師」（見劉克莊《後村詩話前集》卷二），蘇軾（號東坡）則是詩文詞賦、琴棋書畫無不精妙絕倫的天才巨擘。梅、蘇二人對於文學青年都很關心，就批評言，梅嚴而蘇寬，莘莘學子各受其惠。聖俞偏重指出青年創作的缺點與不足，以圖來日改進提高；東坡則喜歡表揚後進，讚美優點，以爲後來繼續攀登之梯。梅、蘇二人的批評，雖有寬嚴之異，但態度皆出於至誠，培養青年作家的目標又顯然是一致的。宋葛立方《韻語陽秋》卷一記載了一則文壇佳話：

> 梅聖俞早有詩名，故士能詩者，往往寫卷投擲，以質其是非。梅各有報章，未嘗輕許之也。《讀黃萃詩卷》則云：「鳳凰養雛飛未高，雞鶩成羣翅終短。」《讀蕭淵詩卷》則云：「野雉五色且非鳳，知時善鳴雞若何？」《讀孫旦言詩卷》則云：「汲井欲到深，磨鑑欲盡生。」《讀張令詩卷》則云：「讀之不敢倦，十來能曉一。」《讀邵不疑詩卷》則曰：「既觀坐長嘆，復想李杜韓。」皆因其短而教誨之也。東坡喜獎與後進，有一言之善，則極口褒賞，使其有聞於世而後已。故受其獎者，亦踊躍自勉，樂於修進，而終爲令器。若東坡者，其有功於斯文哉，其有功於

斯人哉！

由此可見，梅、蘇之批評有寬嚴之異，具體方法不同，但經其薰陶指點，一樣「終爲令器」，有利於青年作家的成長。或有人以爲梅堯臣對於後生晚輩過分嚴肅認眞，老是說三道四，批評似乎有點不近人情。其實不然。梅氏愛之深而責之嚴，對於學生的進步和提高，同樣是有其熱切期望的。而且，他的批評不僅有「嚴」，也還有「寬」的一面。如廣西詩人歐陽闢（字晦夫），是梅堯臣的學生。他要返回廣西老家探親時，梅作《送門人歐陽闢還桂林》詩贈行：「客心如萌芽，忽與春風動。又隨落花飛，去作西江夢。我家無梧桐，安可久留鳳？鳳巢在桂林，鳥哺不得共。無忘桂枝榮，舉酒一相送。」預祝門生經過嚴格的學習和鍛鍊之後，化爲展翅高飛的鳳凰。又如當日年輕的蘇軾剛由四川鄉下初次入京時，士大夫「無有知者」，就是梅堯臣向歐陽修熱情推薦，大力提攜，廣爲宣揚，於是很快奪高第而名滿京華，從此，一顆天才巨星飛懸中天，輝映文壇。據胡仔《苕溪漁隱叢話前集》卷三十一載：

> 東坡云：先君與梅二丈（**按**：指梅堯臣）游，時軾與子由甚少，未有知者。梅公獨深知之。家有老人泉，公作詩曰：「泉中有老人，隱見不可常。蘇子居其間，飲水樂未央。泉中必有魚，與子日徜徉。泉中苟無魚，子特玩滄浪。歲月不知老，家有雛鳳凰。百鳥戢羽翼，不敢呈文章。去爲仲尼嘆，出爲盛時祥。方今天子聖，毋滯此泉旁。」聖俞没今四十年矣。南遷至合浦，見其門人歐陽晦夫，出其詩稿數十幅，其遺晦夫詩云：「我家無梧桐，安得久留鳳」，晦夫年六十六，尚少余一歲（**按**：曾敏夫

《獨醒雜志》引作「余雖少一」，考蘇軾卒年六十六，則
《獨醒雜志》稱引爲是），然白髮蒼顏略相似，困窮亦不相
遠，執手大笑，曰：「聖俞所謂鳳者，豈例皆窮如此
乎！」

東坡雖是天才，但年輕未出名時，則落寞眾人無異，士大夫未嘗
正眼視之。但是，以嚴格批評著稱的梅堯臣卻慧眼識英雄，拔之
於眾人之隊，一時「聲名赫然，動於四方」（《宋史・蘇軾傳
論》）。於此可見，梅之批評雖然以「嚴」著稱，但是也有
「寬」的一面，寬嚴因人而異，隨事以發，更合乎文學實際。

　　再說蘇軾。東坡的批評，以「寬」爲主，對待學生，更是滿
腔熱情，關懷備至。他曾興奮地對人誇道：「頃年於稠人中驟得
張（耒）秦（觀）黃（庭堅）晁（補之）及方叔（李廌）、履常
（陳師道）。」（見其《與李方叔》）言下不無得意之色。前四名
是文學史上著名的「蘇門四學士」，加上後二人，就成了「蘇門
六君子」。他把學生的成就，視爲老師的幸福與驕傲，這是何等
的胸襟！這種爲整個文學事業著想的做法，不僅在古代，即在今
天，也是不多見的，非常之寶貴。如晁補之還是十七歲的翩翩少
年時，曾隨父赴杭州拜謁當時名動海內的東坡，獻上習作《七
述》，東坡不是往抽屜裡一扔了事，而是很快捧讀，擊節連聲，
「稱其文博辯雋偉，絕人遠甚，必顯於世。（補之）由是知名」
（《宋史・晁補之傳》）。東坡這類文壇佳話不勝枚舉。再以東坡
與秦觀師生之間的批評而言，東坡曾說：「少游文章如美玉無
瑕，琢磨之功殆未有出其右者。」（見李廌《師友談錄》稱引）對
學生的刻苦努力和創作成就，讚嘆不已。他很賞識秦觀的才華，
譽其有「屈宋之才」，給予極高的評價。對秦詞《滿庭芳》（山抹
微雲），東坡也很稱讚，美之曰「山抹微雲秦學士」（見葉夢得

《避暑錄話》)。元豐間,秦觀作《和黃法曹憶建溪梅花》詩,東坡和詩云:「西湖處士骨應槁,只有此詩君壓倒,東坡先生心已灰,爲愛君詩被花惱。」(《和秦太虛梅花》)對秦詩甚爲推許。他又曾給王安石寫信力薦秦觀,云:「向屢言高郵進士秦觀太虛,公亦粗知其人,今得其詩文數十首,拜呈。詞格高下,固已無逃於左右。此外博綜史傳,通曉佛書,若此類未易一一數也。」王安石回信與東坡同調,稱讚秦詩「清新娛麗,鮑、謝似之」,又說:「公奇秦君,口之不置;我得其詩,手之而不釋。」(見《苕溪漁隱叢話前集》卷五十胡仔按語)東坡之「屢言」,一再推薦也;「口之不置」,稱頌不已也。東坡批評之「寬」,無以復加!後來,秦觀一再遭貶斥,抑鬱寡歡,英年早逝,東坡悲慟欲絕,喊天哭地,大聲疾呼:「少游已矣,雖萬人何贖!」眞情流自肺腑,也可見學生在他心目中的地位。但是,批評之「寬」,並不等於遷就姑息。璞玉未經琢練,則於頑石無異。對於秦觀這位得意門生,東坡也時加敲擊磨煉,針對其創作缺點,毫不留情地予以指出,這又可見其批評之「嚴」。如批評秦詞《滿庭芳》云:

> 少游自會稽入京,見東坡。坡云:「久別當作文甚勝,都下盛唱公『山抹微雲』之詞。」秦遜謝。坡遽云:「不意別後,公卻學柳七(**按**:指柳永)作詞。」秦答曰:「某雖無識,亦不至是。先生之言,無乃過乎?」坡云:「『銷魂當此際』,非柳詞句法乎?」秦慚服。然已流傳,不可復改矣(黃昇《唐宋諸賢絕妙詞選》卷一蘇軾《永遇樂》注引;《宋詩話輯佚·高齋詩話》所載相似而較略)。

秦觀《滿庭芳》詞(山抹微雲),風格纏綿悱惻似柳永。「學柳七

作詞」，並非過錯。這一點顯出了東坡的士大夫偏見。不過東坡認爲《滿庭芳》詞雖爲佳作，但是美玉微瑕，其具體字句卻有問題，他明確指出秦詞格調不高的創作缺陷。「銷魂當此際，香囊暗解，羅帶輕分」，寫男女之事，如此繪聲繪色，的確格調不太高雅。這一批評，一針見血，秦學士無法辯解，其「嚴」可知。又如秦詞《水龍吟》，開篇即爲「小樓連苑橫空，下窺繡轂雕鞍驟」，詞句非常華麗。但東坡卻頗爲不滿，批評云：「十三個字，只說得一個人騎馬樓前過。」（《歷代詞話》卷五引《高齋詩話》從藝術上指出了秦詞堆砌藻飾之弊，內容欠充實，感情不豐滿。這也是一語破的之論，令作者心悅誠服。

而在被批評的作家一面，如秦觀對待批評的態度如何？批評對其創作又產生怎樣的影響？如前述東坡對其《滿庭芳》詞的嚴格批評，雖因作品已廣爲傳唱而「不可復改」，但他表示「慚服」，也就是接受批評，引爲教訓。據《王直方詩話》載，他曾有和釋參寥詩云：「樓閣過朝雨，參差動霽光。衣冠分禁路，雲氣繞宮牆。亂絮迷春闊，嫣花困日長。平康何處是？十里帶垂楊。」孫莘老讀此詩至末尾二句，嚴厲地批評說：「這小子又賤相發也。」因爲詩中有「平康何處是」句，平康里是唐都長安的一個地名，多爲妓女聚居之所；而詩和參寥，參寥是和尚，該是六根清淨，不近女色，但是秦詩卻引其注眼於平康里，所以批評家斥之有輕薄俗賤之相。這類批評，「嚴」詞難聽，但秦觀接受批評，以實際行動來糾正錯誤。後來他編《淮海集》時，就把末尾「平康」一聯刪汰，改爲「經旬牽酒伴，猶未獻《長楊》」，以《長楊賦》呼應前二聯之「禁路」和「宮牆」，呼應貼切，格調高雅了許多。對孫莘老的嚴厲批評，秦觀尚能虛心接受，更何況是老師蘇軾的善意批評呢？秦觀《淮海詞》流傳千古，當與東坡諸人那寬嚴結合的正確批評有關。

　　總之，在文學發展的歷史長河中，寬嚴結合的正確批評是很重要的，寬嚴又自有原則。批評之時，如若喪失良心，挾私泄憤，排斥異己，信口雌黃，則寬嚴皆誤，不值一文。反之，出以公心，堅持原則，滿腔熱情，審時度勢，因人而異，因事而發，則寬嚴皆宜。批評無論寬嚴美刺，目的只有一個，就是熱心幫助作家，培養文學青年，繁榮時代創作。如梅堯臣與蘇東坡，二者對待文學青年，正反相輔而行，寬嚴互補以用，成為古代批評的典範。他們從不同角度，發揮了健康批評的理論優勢，因而當時的文學青年各受其惠，大批青年作家迅速成長，從而促進了北宋詩文革新運動的深入發展。對此，清‧何文煥盛讚梅嚴蘇寬的故事，頗有感慨地說：「嗚呼！如二公者，安得世有其人？」（見《歷代詩話考索》）

　　最後還想補充幾句，批評代替不了創作。被批評者是怎樣正確對待批評的？這是青年作家成長的又一關鍵。東坡《答毛滂書》云：「文章如金玉，各有定價，先後進相汲引，因其言以信於世，則有之矣。至其品目高下，蓋付之眾口，絕非一夫所能抑揚。軾於黃魯直（庭堅）張文潛（耒）輩數子，特先識之耳……軾豈能為之輕重哉？非獨軾如此，雖向之前輩也不過如此也。」所論極其坦率而深刻。如果被批評的作家藝術家，能夠正確地全面認識批評的意義，並且因此而無不「踴躍自勉」，則才華橫溢的青年作家將鍛鍊得更加爐火純青，文學事業也將後浪推前浪，迅猛發展，蒸蒸日上，前途無量。

　　歷史的經驗值得注意。今天，有個別的作家藝術家，視文藝批評為「天敵」，他們一聽到「批評」二字，不禁憂心忡忡，內心騷騷然，再也難以保持心理平衡了。這也難怪，因為他們對於四人幫極左思潮的「棍子」記憶猶新，心有餘悸。但是，物換星移，事過境遷，昔日揮舞批評「棍子」的四人幫，今何在哉？在

改革開放的大環境中，只要堅持實事求是的精神，則何懼之有？「棍子」不是批評。現在，發展健康的批評，正是現代文學發展的需要。以古爲鑑，該是爲文藝「批評」正名的時候了。

（原載《文藝理論研究》1992年第3期，華東師大出版社版）

關於葉燮的學術思想

解放以來，有些先生爲了論證《原詩》的高度美學價值，爲這一「價值」尋找哲學思想基礎，於是就根據現代哲學的黨性概念，把唯心主義與唯物主義不可調和的鬥爭說法，搬用到古人頭上。他們把古人的思想簡單、機械地一分爲二，不是唯心，就是唯物，沒有任何調和折衷的餘地。據此，他們給葉燮戴上了「最傑出的美學家」、「傑出的唯物主義思想家」的桂冠，有的甚至稱他「建立了一個光輝的唯物主義體系」①。這種看法，目前很流行，富有代表性。但它是否符合葉燮的思想實際呢？經研究，我們發現，葉燮的世界觀相當複雜，既有唯物的一面，又有唯心的一面。剖西瓜式的論斷看來不行了。

葉燮生活在明清之際。這是動盪的年代，階級鬥爭和民族鬥爭極其尖銳激烈。社會中的各階層，在時代風暴的襲擊下，各自翻騰變化，以便適應新的形勢。再加以明代萬曆以後，隨著城市經濟的發展，我國的資本主義開始萌芽，這對封建社會的傳統思想也產生了巨大的衝擊作用。時代在變，社會在變，人的思想也因之而變。儘管由於民族、階級、階層等具體社會地位的不同，人們的思想千差萬別，道路、方向也各不相同，但時代思潮的一個重要特點是「變」，這是毫無疑問的。當時的文學領域也是這樣。就以詩歌創作爲例，派別林立，衆說紛云，不管是復古派、神韻派、公安派、竟陵派的後學，還是唐詩派和宋詩派，都是極盡變化，互爭正統。葉燮自然也受到時代的洗禮，因而在文學理

論上特別強調因時適「變」。他的所謂「變」就是運動，也就是指文學發展變化的律動。

但在康熙中期平定三藩叛亂以後，國家基本統一，形勢日趨穩定。這又是雨過天霽、出現「昇平」景象的時代。伴隨天下一統而來的是要求思想的統一。當時的封建統治者，極力提倡程朱理學作爲思想正宗。由於統治思想的影響，當時社會思潮的另一特點就是要求「正」。所謂「正」，就是穩定牢固，不動不變，承認現存制度的合理，不許觸犯傳統的尊嚴。這一「正」的特點，同樣影響了當時的文學。如在慶祝康熙皇帝五十誕辰時，滿朝文武競獻鞍馬寶器，但康熙「卻之再三」，並告誡羣臣：「朕素嗜文學，爾諸臣有以詩文獻者，朕當留覽焉。」②康熙又是怎樣「關心」文學的呢？他強調說：「文章以發揮義理、關係世道爲貴。」③並明確指出：「凡厥指歸，務期於正。」④於是封建文人根據這一精神加以發揮，正式提出了「清眞雅正」的標準。實際上，這是要求萬變不離於「正」，強調文學直接爲封建禮教服務。這對葉燮的思想與學術也同樣產生了影響。他雖然強調文學的發展變化，但最後仍然擺脫不了正統思想的桎梏。由此可見，葉燮的世界觀及其學術思想的複雜性，其根源在於時代。下面予以舉例說明：

葉燮思想有解放的一面。他雖開口「吾儒」，自稱儒家，但對儒家經典，卻能有所懷疑。他在《考徵說》中說：「夫《春秋》爲孔子手筆，三傳（《左傳》、《公羊傳》、《穀梁傳》）又皆同時門弟子所作……乃三傳疑同，不可枚舉。一尹氏也，《公》《穀》以爲卿士，左氏以爲婦人，將以誰爲信邪？」《春秋》三傳，同在儒家十三經之列。在封建社會中，人們引經據典，不敢稍有乖離。但思想較爲解放的有識之士則不然。漢代的王充有《問孔》、《刺孟》之篇，唐代的劉知幾有《疑經》、《惑古》之問⑤。明末的李贄則愈加

大膽。懷疑錯誤，就是在通往眞理的道路上前進了一大步。葉燮
從事於美學理論的研究，主要是在五十歲罷官歸隱以後的幾十年
內，這是程朱理學昌盛的康熙盛世。在這樣的特定環境中，他能
繼承先輩的思想成果，對傳統思想有所懷疑與突破，這是非常可
貴的。例如他在《從祀說》中，就直接批判了作爲思想正宗的宋明
理學：

> 聖人之道，內之爲身心性命之微，外之爲天下國家之大，
> 故內聖必出爲外王，外王必本諸內聖，無二道也……夫神
> 聖文武，用各不同，是皆所爲聖人之道……乃後之儒者，
> 每以能言性命者爲理學之真傳，謂之儒者；至於立功立德
> 之人，勳蓋天壤，業被生民，於聖人外王之道，無毫末之
> 媿，徒以其未嘗言性命談身心……而揮之聖門之外，噫，
> 亦可異也！……宋儒謂自孟子沒而道統絕一千四百年，而
> 濂溪周子（敦頤）起而紹其緒，吾竊不敢以爲盡然也⑥。

他列舉了呂尚、張良、諸葛亮、郭子儀、宗澤、岳飛等歷史人
物，說明雖然他們不曾談過「性命身心」理學，但在歷史實踐中
卻有「回天平亂救民」之功，這同樣合於儒道，更加値得頌揚。
在這裡，葉燮從社會實踐的角度，以不敢苟同的態度，婉轉地批
判了宋明理學的空談性命。重實踐、反空談，強調儒道之變，這
在程朱理學統治的時代，無疑是思想比較解放的一種具體表現。

　　當然，無論葉燮思想如何「解放」，但最後仍是萬變不離於
「正」。他批判宋明理學，強調「立功立德」，目的還是爲了追
蹤儒家「聖門」，維護封建綱紀。表現在政治思想上，他與一般
的封建士大夫同樣都是封建制度的衛道者。如其《王安石論》，認
爲王安石「廢祖宗之成畫，創行新法」，因而「天下騷然，而宋

遂亡於金」⑦，表現了反對政治革新的頑固態度。這又與他重
「變」的理論相矛盾。另外，他又誣蔑農民起義為盜賊。如《始
入廬山過萬杉寺晤可紹上人》詩：「為言家蜀涪，少小罹寇毒
（葉燮自注：張獻忠賊）。修羅兵刃雨，排戶鑱骨肉。」由此可
見其政治思想的保守性。但這只是一面。另一方面，他又具有愛
國憂民的某些積極思想因素。比如說，他認為官吏必須奉公守
職，「澤在斯土而利斯民」⑧。即使是「身在草野」，也不能自
暴自棄，而應該是「志未嘗一飯而忘乎吾君與吾民」⑨。其《寶
應重修六事亭碑記》一文，更是反對橫征暴斂，企望革弊興利，
「要使民無所苦於役，財與力皆寬然而有餘」，以保百姓「世受
其福」。這就要求官吏兢兢業業，「無負斯職與斯民」⑩。於此
可見，葉燮的政治思想，進步與保守共存一體，不是用「唯心」
或「唯物」一語可以簡單概括得了的。

在哲學上，葉燮的思想更為複雜。他以儒為主，縱貫佛老，
又兼及諸子百家，可說是包羅萬象，熔唯心與唯物於一爐。從唯
物的角度看，他曾一再表示反對「西晉諸子崇尚虛無」的玄談
⑪，要求人們注重社會實際。其《山居雜詠》詩：「水流花間開，
無人物自轉。」認為世界及其運動，是不以人的主觀意志而轉移
的客觀存在。他在《考徵說》中又進一步加以發揮：

> 天地之浩邈，日月星辰之遼遠，疑其高之絕難憑者；然天
> 官家以一定之數測之，而無毫末之或爽。四時之榮枯，百
> 物之生謝，疑其事之難豫（預）知者，然觀物者以自然之
> 理推之，遂如操券之必信也。

在這裡，他進一步認為客觀世界中又自有「一定之數」、「自然
之理」的存在。所謂「數」與「理」，實際是指客觀事物內在的

運動發展規律。抓住了事物的規律，那麼世界萬物的紛繁變化也就可以認識和駕馭了。這一唯物主義思想對他美學理論體系的形成影響很大。他在《與友人論文書》中說：「盈天地間萬有不齊之物之數，總不出乎理、事、情三者。故聖人之道，自格物始，蓋格夫凡物之無不有理、事、情也。」⑫《原詩》內篇下：「自開闢以來，天地之大，古今之變，萬匯之蹟，日星河岳，賦物象形，兵刑禮樂，飲食男女，於以發爲文章，形爲詩賦，其道萬千。余得以三語蔽之：曰理、曰事、曰情，不出乎此而已。」「文章者，所以表天地萬物之情狀也。」在葉燮的美學理論體系中，「理、事、情」是一組獨特的概念，它是客觀世界的具體化，不僅指自然現象，而且包括了社會現象。文學要寫「理、事、情」，也就是文學必須反映客觀存在的現實生活。從這一角度觀察問題，那麼葉燮當然可以稱爲唯物主義的思想家和美學家了。但這僅僅是事情的一面。如果我們從另一角度來考察，就會發現問題的複雜性了。

在古人中，極少有什麼純粹的唯物主義者。葉燮的思想中同樣存在著許多唯心主義的成分。他因家學淵源，從小研讀佛教典籍，成年後，更與僧侶道士交往甚密，切磋議論，深受影響。當然，研讀佛經道藏，如果是爲了批判，也可以通往唯物主義。但是，葉燮沒有這個意思。他的好友稱他「久知妙解在優曇」⑬。他在詩中也說：「影現空華悟缽曇，閒中觀妙我師聃（老子）。」⑭其實，他不僅自己鼎佛悟道，而且還勸友人一道參禪頂禮⑮。由此可見葉燮對於佛、道二家學說的傾心。實際上，葉燮除了受到儒家體系中某些唯心思想的影響外，更是雜糅佛老，形成了儒道佛三位一體的某種唯心主義傾向。他在《紫石留雲庵募修引》中說：

二氏（佛、老）之學，儒者每斥爲不道。乃釋氏之微言，往往無害於儒者之言性；而果報（因果報應）之說，則又類於儒者福善禍淫之說也。此不特無害於儒家之體，且無害於儒家之用矣。道家之說，釋氏又斥而不道，而道家又每援釋氏因果之說，以徵其感應之事。是道不能援釋之體而似乎援釋之用矣。

予嘗評二氏之學，釋之大旨曰「無生」，道之大旨曰「不死」……徐考其用，則實有出於一道者……亦可知其說之相類而相通，反而求之，終無戾乎福善禍淫之說而已……終以興起人爲善之意而已矣。

當然，葉燮的尚禮佛老，與世間俗人焚香叩頭式的迷信大不相同，他和柳宗元相似，是從理論上、思想上肯定佛老的。比較而言，佛老二家，他對佛學的研究更深，所受的影響更大。如其《永定寺大悲殿碑記》：

而觀世音菩薩則至仁人也。然在吾儒則謂之仁，在菩薩則謂之悲。儒者以仁應天下之欲，極形容之，則曰仁如天……菩薩有大悲，無異乎仁者有大欲，其感人之深，入人之固，釋典極侈言之矣。而未能知其吻合吾儒仁者之事。故於文發明其說以記之⑯。

三教當中，他仍然是以儒爲主。其《李泌論》曰：「儒者之疾夫釋老二氏者，以其遺君親、拂時務也。觀泌之崎嶇納忠於人主父子骨肉之間，動中倫舍，使神仙如此，吾亦將引進之於夫子之門，亦何病泌乎？」⑰中唐李泌，雖好神仙之道，但曾歷事玄、肅、代、德四朝，是肅宗以後的三朝宰相，爲平定安史之亂作出了歷

史的貢獻。在這裡，葉燮從李泌的歷史實例得到啓發，認爲只要從根本上不違背儒家的忠孝仁義，那麼佛老之道完全可以和儒家之道合而爲一，同樣能夠維護封建制度與禮教秩序。特別是在罷官歸隱後，葉燮更是大談佛事，這對他的文學事業及理論建設，的確產生了明顯的影響。他曾明白宣稱：「世出世法，本無二法，法法皆然。即詩文一道亦爾。」⑬在這裡，他就把唯心的佛學理論，直接運用於文學理論體系之中。這樣的美學體系，當然雜有唯心成分，所以他在《原詩》外篇上就用佛學概念來解釋儒家的「詩言志」說：「志也者，訓詁爲『心之所之』，在釋氏，所謂『種子』也。」他的詩文創作和文學理論，就此和佛學結下了不解之緣。事實充分說明，葉燮的哲學思想非常複雜，同時具有唯物與唯心的兩種對立傾向。在不同時期，不同問題上，兩種傾向表現爲此起彼伏、你消我長；但又常常相互妥協，共存一處，構成了矛盾的統一體。所謂葉燮「建立了一個光輝的唯物主義體系」的說法，並不全面。如果因爲葉燮美學理論有貢獻，就推斷他是一個傑出的唯物主義思想家；那麼按照這種推理方法，凡是雜有唯心主義的人，他們就應該被趕出美學的王國。這種說法，難道是符合美學歷史發展實際的嗎？

大量的史實說明，並不是只有唯物主義者才對美學思想、文學理論有所貢獻的；不少的唯心論者也曾有所建樹，在美學的歷史發展中起了一定的積極作用。如《文心雕龍》的作者劉勰，他作出了傑出的貢獻；但關於他的思想，有不少學者認爲是唯心的，如王元化先生在《文學沈思錄》的第一篇文章中，就說他是個「客觀的唯心主義者」。如果說關於劉勰的思想傾向，學術界還有爭論，可以姑置勿論。那麼《詩式》的作者——中唐詩僧皎然，二十四《詩品》的作者——晚唐的司空圖，宋代的嚴羽，清代的王漁洋，他們思想中的唯心傾向很明顯；但他們有關「神韻」、「意

境」的詩論，符合我國古典詩歌的發展實際，具有一定的美學價值，從而促進了文學事業的發展，這是無法否認的事實。歷史證明，「聰明的唯心主義比愚蠢的唯物主義更接近於聰明的唯物主義」⑲。即使是貨眞價實的唯心主義者，他們在美學史上的貢獻也是不可一筆抹煞的。列寧在《談談辯證法》中說：

> 從粗陋的、簡單的、形而上學的唯物主義的觀點看來，哲學唯心主義不過是胡說。相反地，從辯證唯物主義的觀點看來，哲學唯心主義是把認識論的某一特徵、方面、部分片面地、誇大地……發展（膨脹、擴大）爲脫離了物質、脫離了自然的神化了的絕對。唯心主義就是僧侶主義。這是對的。但（「更確切些」和「除此而外」）哲學唯心主義是經過人的無限複雜的（辯證的）認識的一個成分而通向僧侶主義的道路的⑳。

這就是說，唯心主義也不全然都是胡說八道，它也曾是人類「無限複雜的（辯證的）認識的一個成分」。世界上很難找到一個絕對純粹的唯心主義者。唯心論者也是人，他們生活在世界上，旣要吃飯，又要穿衣，一天也離不開客觀的物質世界。唯心論者也無法全然擺脫「物質」的「誘惑」與影響。所以，當他還來不及把自己所認識的世界加以「片面地誇大地」歪曲的時候，那麼他在認識的特定階段，也可能對世界事物的某些特徵，作出合乎實際的說明。比如皎然，從哲學上看，這個和尙的世界觀基本上是屬唯心的「僧侶主義」；但他的論詩專著卻不等於是純粹的唯心主義的「胡說」。《詩式》中有不少正確闡明了文藝的思維規律及其發展變化的地方，我們怎能一概斥爲「唯心」而忍心拋棄呢？如果把唯心主義比作一座大廈，那麼我們不應該只是遠遠地觀望

一下，就對它妄加評斷，而是應該「深入到大廈裡面去，那就會發現無數的珍寶，這些珍寶就是在今天也還具有充分的價值」㉑。唯心論者尚且有「無數的珍寶」，可以「具有充分的價值」，更何況葉燮思想還具有唯物主義傾向的另一面呢！一個思想複雜的人，他對世界的認識和反映，經常在這方面是唯心的，在另一地方卻能作出合乎事實的唯物主義解釋。如近現代的科學家中，有不少是信教的；但不能因此把他作出的科學的結論，說成是唯心主義的。對待作爲美學家的葉燮也是這樣，無庸諱言，葉燮世界觀中有唯心的成分，這對他的美學理論體系當然有一定的影響，不承認這一點，就不是科學的態度。但當他正確地分析了文學現象，並提到理論的高度作出了合乎規律性的總結時，我們就應該承認這是合乎唯物主義的。葉燮的美學思想雖然複雜，他對詩、文的觀點也不全然一致，但從具體的詩論角度看，葉燮《原詩》的詩歌理論體系應該說基本上是屬唯物主義範疇的。

在方法論上，葉燮受到儒家《易經》、道家的《老子》、《莊子》，特別是佛家思辨方式的影響，具有一定的辯證因素。他不僅承認事物的矛盾，而且看到了矛盾的運動與變化。他在《洞庭東山靈應宮高眞堂碑記》中說：「夫凡萬有之事與物，無不各有對待。」㉒其《題雪窗紀夢後》：「世間萬法，不出事理二者。惟事與理各各對待而成。」㉓他把「對待」的理論，又自然地運用到文學理論體系中，所以《原詩》在論到詩歌風格時說：「陳熟、生新，二者爲對待。對待之義，自太極生兩儀以後，無事無物不然。」所謂「對待」，用現在的話說，就是「矛盾」及矛盾的對立。即使表面「同一」，其中也必然寓含了矛盾、鬥爭與轉化，這是「無事無物不然」的現象。是矛盾「對待」推動了事物的運動、發展與變化。在三百年前，能夠得出這樣合乎辯證法的結論，確是難能可貴的。但遺憾的是，他並沒有把這一光輝的辯證

思想貫徹始終。從認識的全過程看，佛學的因果循環論對他也有不好的影響。如其《二取亭記》云：

> 釋碓庵子時過予，相對坐亭上。問予曰：「亭有名乎？」予曰：「未也。」碓庵曰：「君之草堂名『二棄』。凡物之義不孤行，必有其偶爲對待。棄者取之對待也⋯⋯堂爲棄而亭爲取，妙義循環，道盡於此也。盍名亭爲『二取亭』乎？」余曰：「有是哉！夫道本無可棄，本無可取，道之常也；有棄有取，道之變也。有棄斯有取，有取斯有棄，道之變而常也⋯⋯」遂請碓庵書之以名吾亭㉔。

這段話充分反映出葉燮思想中方法論的複雜性，其中既有辯證法，又有佛家的「妙義循環」之論。變來變去，仍然受到佛家「空無」思想的影響，因此應該說是不徹底的辯證法。在他的文學創作及《原詩》的理論體系中，違背辯證法的循環論是有蹤迹可尋的。所謂「屈伸循環」、「憂樂循環」、「妙悟循環」之類，不一而足，並非偶然的興到之語。這種獨特的認識世界的方法論，對他的美學思想也產生了深刻的影響。《原詩》在論述詩歌的發展變化時，雖然到處閃爍著辯證思想的光輝；但其中也不乏循環論的影子，如說詩歌的發展歷史「節節相生，如環之不斷；如四時之序，衰旺相循」。他又以樹木成長爲例，認爲自宋以後之詩，不過花開而謝，花謝而復開（內篇下）。現在，當人們極其重視葉燮及其《原詩》的藝術辯證法時，也必須同時指出這種不徹底的辯證法中所包含的神祕性。只有一分爲二，具體分析，才能眞正揭示葉燮美學思想的光輝。

———————

① 《論王國維境界說與嚴羽興趣說，葉燮境界說的同異》，見《文匯報》
　　1963年3月2日。

② 見《大清歷朝實錄》卷二一一《聖祖仁皇帝實錄》。

③ 同上書，卷四十三。

④ 見蕭一山《清代通史》上卷，第633頁。

⑤ 見於王充《論衡》及劉知幾《史通》。

⑥ 見《己畦文集》卷三，以下簡稱「文集」。

⑦ 見文集卷二。另參《原詩》內篇下：「法一新，此王安石之所以亡宋
　　也。」

⑧ 文集卷三《郡邑祀典說》。

⑨ 文集卷五《樂志堂記》。

⑩ 文集卷七。

⑪ 文集卷十八《張處士傳》。另文集卷八《廉讓堂詩序》，謂謝安有功國
　　家，「不徒如晉世之崇尚虛無者」。

⑫ 文集卷十三。

⑬ 喬萊（石林）《和己畦先生過白田贈五律十六首督和甚力又示余覃
　　字韻因答八首》（之八），《己畦詩集》（以下簡稱「詩集」）卷六
　　附。「優曇」及下面引到的「缽曇」，是梵音 udum bara（優曇
　　缽花）的音譯，即曇花。《妙法蓮華經‧方便品第二》：「佛告舍利
　　弗，如是妙法，諸佛如來，時乃說之，如優曇缽花，時一現耳。」
　　按佛教傳說，輪轉王出世，曇花才生。這裡以曇花難現，喩佛教妙
　　義之難得。

⑭ 見詩集卷六《再疊侍讀前韻八首答無功孝廉》。

⑮ 喬萊《己畦見答十首，會朱匡孺、王方若、劉禹美、鄭千子、陶文
　　虎、劉彝上、舍侄雲漸、長子崇烈各有和酬因疊前韻八首簡己
　　畦》，喬氏自注：「己畦勸余參禪。」見《己畦詩集》卷六附。

⑯⑰文集卷七、卷二。

⑱文集卷八《廬山大林寺心壁上人詩序》。

⑲見列寧《哲學筆記》。

⑳見《列寧選集》第二卷，第715頁。

㉑恩格斯：《路德維希·費爾巴哈與德國古典哲學的終結》，見《馬克思恩格斯選集》第四卷，第215頁。

㉒㉓㉔據郋園全書刻夢篆樓刊本《己畦文集》卷七、卷二十二、卷六。

（原載《學術月刊》1984年第1期）

葉燮《原詩》的理論特色及貢獻

　　葉燮（1627～1703年），字星期，號己畦。江蘇吳江。晚年
寓居吳縣橫山，談詩論文，設席講學，人稱橫山先生。在明末清
初，他的散文創作能夠自成一家；詩歌創作更是直抒胸臆，寫出
了不少直接反映現實、關心民生疾苦的詩篇。如他在寶應縣令任
上所寫的《紀事雜詩》十二首（如《御馬來》、《軍郵速》、《荷鍤夫》
等）①，批判社會黑暗，眞誠同情人民，具有深刻的社會意義。
因此我們說，清初詩壇，不可無此一家。當時的詩壇領袖人物王
士禎曾給予高度的評價：「（先生）詩古文鎔鑄古昔，而自成一
家之言。每怪近人稗販他人以備貨作活計者，譬之水母以蝦爲
目，蠻不能行，得狟貜負之乃行②。夫人無目則已矣，而必藉他
人之目爲目，假他人之足爲足，安用此碌碌者爲？先生卓爾孤
立，不隨時勢轉移，然後可語斯言之立。」（沈德潛《歸愚文
鈔・葉先生傳》引）其實，這不僅是在評價其文學創作，而且更
進一步窺見了葉燮《原詩》文學理論的不朽價値。比較而言，葉燮
在文學事業中的主要貢獻，還在於他建立了具有完整而嚴密的理
論體系。《原詩》是一部闡述詩歌基本原理與發展變化的理論專
著，對我國古代的詩歌創作和理論批評，進行了比較全面的總
結。它集中反映了葉燮對於我國古典文學理論研究的貢獻。現
在，這本書一版再版，深受歡迎，並被廣泛引用，這自有它的原
因。和以前那汗牛充棟的詩話曲語、圈批評點之作相比較，《原
詩》這部詩話，猶如王冠上的寶石，閃閃發光，令人注目。在古

典文論專著中，它在理論上確是別開生面，自成體系，值得學習
與研究。下面就其理論特色及貢獻，作簡要的探討。

一、系統性

《原詩》的理論特色，首先就在於它的系統性。從《原詩》這一
名稱，也反映了這個特點。所謂「原」，就是推究詩歌本原，力
圖闡釋文學創作中的根本問題。《原詩》內外篇上下四卷，「內
篇，標宗旨也；外篇，肆博辨也，非以詩言詩也。」（沈珩《原
詩序》）所謂「肆博辨」，並非漫無目標的炫耀才學，而是通過
具體的藝術分析，來說明論詩的「宗旨」；而所謂「宗旨」，就
是詩歌文學的基本原理及創作規律等。清代的《四庫全書總目提
要》曾指責它說：「雖極縱橫博辨之致，是作論之體，非評詩之
體也。」其實，《總目提要》「作論之體」的譏評，恰恰從反面說
明了《原詩》突破傳統的獨創精神和新的理論貢獻。而即使是具體
的「評詩」，因為批評有了堅實的理論基礎，所以能夠高瞻遠
矚，窮本探原，確有真知灼見，常能勝人一籌。對於具體的文學
事實，它不僅剖析了具體現象，說明了「是什麼」；而且進一步
深入探索，說明了「為什麼」。這怎能說是「非評詩之體」呢？
於此可見，葉燮《原詩》正是在尖銳複雜的文學鬥爭中，借鑑前人
成就，建立了一個比較嚴密、比較合乎文學實際的理論體系，以
便總結過去，指導當今、啟迪未來，從而促進了文學事業的健康
發展。在我國的古典文學理論批評專著中，除劉勰《文心雕龍》
外，應該承認《原詩》確是一部比較成熟、最成體系的著作。現就
其理論體系的概貌作個簡要的勾勒：「本原」論、「正變」論、
創作論、批評論。它的「本原」論，討論的是文學與現實的關係
諸問題。在這裡，葉燮提出了「感觸起興」和「克肖自然」的美

學原則,認為詩人是因為現實生活的觸動而有所「感」,因所「感」而產生了創作衝動;創作又必須「克肖自然」,以真實地反映現實為原則;而所謂反映,並不是刻板被動的機械摹仿,而是強調「詩外工夫」和「風人之旨」,也就是說,詩人是通過創作來積極干預生活,參加鬥爭。它的「正變」論,可理解為藝術發展的方法論,著重討論的是詩歌發展的因革沿創、源流正變諸問題,批判復古的謬論,堅持創新的精神,充滿了藝術辯證法的光彩。它的創作論,是全書的中心內容,對創作的態度、創作的基本要素和基本過程,創作的客觀條件——理、事、情,創作的主觀條件——才、膽、識、力,以及有關形象思維和開拓詩歌「境界」的特殊藝術規律等,進行了比較全面的總結。其中有不少富於啟發性的見解,比如談詩人的創作思維時說:「詩之至處,妙在含蓄無垠,思致微渺,其寄託在可言不可言之間,其指歸在可解不可解之會,言在此而意在彼,泯端倪而離形象,絕議論而窮思維,引人於冥漠恍惚之境,所以為至也。」(《原詩》內篇下,以下只注篇數。)這些意見,貌似玄妙莫測,實是合乎文學創作的實際,指出了形象思維不同於一般理性思維的特殊性。它的批評論,包括了以下三方面的問題:一是一般的批評原理及批評標準;二是作家論;三是作品論。葉燮認為廣求「譏彈」很重要,文學批評是一把客觀的標尺,不可「以人為斷」,不能因是古人、名人或權威,就盲目崇拜、不敢批評,甚至是劃出了與常人「截然為二」的標準③;更不能因人廢言、因派廢論,信口雌黃、隨意抑揚;而是應該「一以文為斷」④,根據客觀文本給予公正的評價。比如葉燮論詩非常推崇蘇軾,但對蘇氏不正確的言論,卻又絕不推崇。蘇軾曾譏評白居易詩是「局於淺切……讀之易厭」,葉燮則針鋒相對地指出,白詩中雖有「矢口而出」的淺俗一面,但如諷諭詩一類,「言淺而深,意微而顯」,其藝術

特點是「俚俗處而雅亦在其中，終非庸近可擬」（外篇下）。通過這些閃爍著辯證思想光輝的具體批評，又回過頭來檢驗了《原詩》理論原則的正確與否。由此可見其理論體系之一斑。這當然不是「就詩以言詩」的膚泛不切之論，它比以往的詩論著作，確實高明得多。

從先秦到明清，我國的古典詩論經歷了長期的歷史發展，取得了很大的進步。葉燮的《原詩》，正是在廣泛汲取前人成就的基礎上，在理論上繼續前進了一大步。但是，如果是只有繼承而毫無批判和創新，那麼理論的發展就會停滯，甚至是倒退。葉燮認清了這一點。他沒有停步不前，而是更加努力地鍛鍊了自己的批判眼光。在認真地研究了歷代的詩歌理論以後，他發現了許多問題，因而提出了自己的懷疑、不滿和批判。他從不迷信「權威」。在古代文論領域，甚至是像劉勰這樣的理論大家，或是像鍾嶸這樣的論詩專家，都不能避免《原詩》的批判。葉燮談到六朝文論時說：「其時評詩而著為文者，如鍾嶸、如劉勰，其言不過吞吐抑揚，不能持論。」（外篇上）這話是苛刻一些。但劉勰《文心雕龍》、鍾嶸《詩品》，也不是十全十美；指出缺點，更有助於揭示它們的真正價值。《文心雕龍》雖然「體大而思精」，但並非專門論詩之作，因此它的有關詩論部分稍顯單薄，時有掛漏甚至是片面、錯誤之處。比如像已被同時代的鍾嶸評為「古今隱逸詩人之宗」的陶淵明，劉氏卻隻字不提，由此可見《文心雕龍》的偏見與局限。後來葉燮的《原詩》，一反這種漠然視之的態度，而認為六朝詩家中，陶潛「最傑出」，其詩「闢境界、開生面」，「名句無人能道」（外篇下）。至於鍾嶸《詩品》，雖然專門論詩，但品評失當之處，正不在少數。古人對它的批評已經很多了。如宋·葉夢得《石林詩話》、明·王世貞《藝苑卮言》、清·王士禎《漁洋詩話》，認為鍾氏評曹操詩「古直」，列下品；譏陶淵

明詩「質直」，鮑照詩「不避危仄，頗傷清雅之調」，俱列中品，都是明顯失當。而在敍述詩歌發展的源流演變方面，則錯誤更多，所以《四庫全書總目提要》批評鍾嶸《詩品》說：「惟其論某人源出某人，若一一親見其師承者，則不免附會耳。」據此，葉燮對於劉勰、鍾嶸這些不是尋本探源之論提出批判，也沒有什麼不可以。而且我們必須看到，《原詩》的批判鋒芒，主要不是指向《文心雕龍》和《詩品》的。他是在向讀者證明，像劉勰、鍾嶸這樣傑出的理論家，尚有如許缺點，遑論其他！實際上，他下面筆鋒一轉，又回過頭來肯定了劉勰、鍾嶸的理論成就：

> 然嶸之言曰：「邇來作者，競須新事，牽攣補納，蠹文已甚。」斯言為能中當時、後世好新之弊。勰之言曰：「沈吟鋪辭，莫先於骨，故辭之待骨，如體之樹骸。」斯言為能探得本原（外篇上）。

所謂切中時弊、「探得本原」之論，就是能把具體的問題提到理論上來加以根本解決。由此可見對於劉、鍾二氏的理論，葉燮的評價是很高的。《原詩》的批判對象，主要還是唐宋以來詩話評點一類的著作。葉燮認為它們就詩論詩，瑣屑零碎，缺乏系統的理論，不是高屋建瓴，不能有力地指導文學的創作欣賞和批評。他曾嚴肅指出：「詩道之不能長振也，由於古今之詩評雜而無章，紛而不一。」所謂「雜而無章，紛而不一」，就是缺乏系統的理論指導。這一批評雖然打擊面過分寬泛，但還是有一定事實根據的。

唐宋以後，談文論詩風氣盛行，唐人的書信題跋序記，特別是宋以後的詩話曲語、圈批評點之作，更是盛極一時，不可勝數。這類著作，當然自有它的價值；但除少數外，大都缺乏系統

的理論，經常有許多應酬話、門面話、大話、空話、假話、廢話
夾雜其間。以詩話類為例，就其性質而言，歐陽修《六一詩話》開
其端：「居士（按：即歐陽修）退居汝陰，而集以資閒談也。」
詩話從它一誕生，就和士大夫茶餘飯後的消遣「閒談」結下了不
解之緣。許顗《彥周詩話》更是開宗明義：「詩話者，辨句法，備
古今，紀盛德，錄異事，正訛誤也。」所論雖比歐陽修詳盡，但
仍離不開「閒談」的範圍，明顯不是理論性的著作。後來的詩話
有所發展與進步，如張戒《歲寒堂詩話》、黃徹《碧溪詩話》，重
「言志」而兼及某些藝術分析；葉夢得《石林詩話》、王世貞《藝
苑卮言》等，則主要是從具體的詩歌藝術及其源流演變入手，而
旁及思想內容。前人的這些思想資料，都對葉燮《原詩》理論體系
的形成產生了積極的影響。但更多的詩話仍舊沿著「資閒談」的
路線發展。這就使許多詩話著作近乎小說筆記，雖然披沙揀金，
不乏真知灼見；但缺乏理論，更談不到什麼系統；即使偶有一點
兩點理論發揮，也因限於詩話傳統體例，不能暢所欲言，難以一
以貫之，東拉西扯，零敲碎打，而且時常前後不一，自相矛盾。
當然這就談不到什麼完整、系統的理論了。其實不僅是詩話如
此，其他題跋序記、圈批評點的一類著作，情況也大致相似：敘
述具體生動，妙趣橫生，偶爾一二點，也能搔到癢處，這是它們
的長處，值得後人學習與借鑑；但零亂繁瑣，就詩論詩，目光短
淺，即興漫話，未經周密的思考，缺乏系統的理論基礎，因此不
能解決大的原則問題，這又是它們的缺陷。對於前人的優缺點，
葉燮洞若觀火，一語破的：

> 唐宋以來，諸評詩者，或概論風氣，或指論一人，一篇一
> 語，單辭複語，不可殫數。其間有合有離，有得有失。如
> 皎然曰：「作者須知復變；若惟復不變，則陷於相似，置

古集中，視之眩目，何異宋人以燕石爲璞。」⑤劉禹錫
曰：「工生於才，達生於識，二者相爲用而詩道備。」⑥
李德裕曰：「譬如日月，終古常見，而光景常新。」⑦皮
日休曰：「才猶天地之氣，分爲四時，景色各異；人之才
變，豈異於是？」⑧以上數則語，足以啓蒙砭俗，異於諸
家悠悠之論，而合於詩人之旨爲得之。其餘非戾則腐，如
聾如瞽不少（外篇上）。

在對前人著作充分研究之後，葉燮是學習與批判並舉，力求揚長
避短，自成理論體系。正由於他能比較正確地對待前人成果，所
以《原詩》才有可能建立起一整套比較合乎實際的詩歌理論體系。
沈珩《原詩序》曰：「然自古宗師宿匠所以稱詩之說，僅散見評價
間，一支一節之常耳；未嘗有創闢其識，綜貫成一家言，出以砭
其迷、開其悟……星期先生……乃復憫學者障錮於淫詖，怒焉憂
之，發爲《原詩》內外篇……非以詩言詩也。」這評價是公允的。
所謂「非以詩言詩」，也就是能站到理論的高度上來進行系統的
總結。這正是《原詩》理論能夠高瞻遠矚、勝人一籌的地方。系統
的理論建設，是《原詩》的一大特色。

二、針對性

有爲而發，針對性強，是《原詩》的另一理論特色。明人論
詩，好標新立異，自樹門戶，各承師說，彼此對立，攻訐不息。
以李夢陽、何景明爲首的前七子，以王世貞、李攀龍爲首的後七
子，雖然他們之間也有所爭論，具體意見並不完全相同，但復古
的基本傾向是一致的。據《明史·文苑傳》載，他們「倡言文必秦
漢，詩必盛唐，非是者弗道」，尺尺寸寸，追摹古人。於是詩歌

與現實的關係，詩人的性情與創作個性、藝術風格諸問題，就被復古的聲浪所淹沒了。到了明清之際，復古派的影響仍然很大。其間雖有以袁宏道（中郎）為首的公安派，以鍾惺、譚元春為首的竟陵派，先後起來矯正七子的復古流弊，主張「獨抒性靈，不拘格套，非從自己胸臆中流出，不肯下筆」⑨。但遺憾的是，處於末世的封建士大夫的「性靈」與情趣，仍是遠離現實生活，具有嚴重的消極頹廢傾向。這種偏頗之論，同樣給詩歌創作和理論的發展，帶來了新的危機。而入清以後，「國初諸老，尚多沿襲」⑩。當時，不僅前明文壇的流弊依然存在；而且有些「名流」，標榜宋元，「稱詩多獵范（成大）陸（游）之皮毛而遺其實」（內篇上）。這樣的獵奇標新，更加等而下之。關於清初的詩派，當時納蘭性德的《原詩》揭露說：「十年前之詩皆唐之詩人也，必嗤點夫宋；近年來之詩人皆宋之詩人也，必嗤點夫唐……矮子觀場，隨人喜怒，而不知自有之面目，寧不悲哉！」對於當日文壇的種種嚴重不良傾向，葉燮很不滿意，嚴加抨擊，他說：「錮習沁入人心，而時發於口吻，弊流而不可挽，則其說之為害烈矣。」（內篇上）他為力挽狂瀾，發憤而著《原詩》，所以與往常一般「資閒談」、作消遣的詩話不一樣，針鋒相對，鬥爭性強，他說：

> 乃近代論詩者，則曰：《三百篇》尚矣；五言必建安、黃初；其餘諸體，必唐之初、盛而後可。非是者，必斥焉。如明·李夢陽不讀唐以後書，李攀龍謂「唐無古詩」，又謂「陳子昂以其古詩為古詩，弗取也」。自若輩之論出，天下從而和之，推為詩家正宗，家弦而戶習。習之既久，乃有起而掊之，矯而反之者，誠是也；然又往往溺於偏畸之私說。其說勝，則出乎陳腐而入乎頗僻；不勝，則兩

散。而詩道遂淪而不可救。由稱詩之人……既不能知詩之
源流，本末正變盛衰，互爲循環；並不能辨古今作者之心
思才力深淺高下長短，孰爲沿爲革，孰爲創爲因，孰爲流
弊而衰，孰爲救衰而盛，一一剖析而縷分之，兼綜而條貫
之（內篇上）。

這明顯是針對當日明淸文壇的種種積病陋習和不良傾向，刨根究
柢，展開鬥爭，力圖從理論上加以徹底的淸算，從而爲樹立健康
的新文風而努力。

三、靈活性

正因爲樹立了對立面，鬥爭方向明確，因而《原詩》的理論常
帶論辯之風，分析綜合，層層剖析，反覆辨難，廓淸迷霧。既有
雄辯氣勢，又能深入淺出地把本來很深奧的理論，加以生動有趣
的說明，靈活運用，人易接受。靈活性是《原詩》的又一理論特
色。

所謂靈活，並不是沒有原則性，而是根據不同硏究對象的具
體情況，靈活地運用理論原則，使它更加符合文學發展的實際。
這種生動的靈活性，主要來自於深刻的藝術辯證法。如：

陳熟、生新，二者於義爲對待。對待之義，自太極生兩儀
（即開天闢地）以後，無事無物不然：日月、寒暑、畫
夜，以及人事之萬有——生滅、貴賤、貧富、高卑、上
下、長短、遠近、新舊、大小、香臭、深淺、明暗，種種
兩端，不可枚舉。大約對待之兩端（按：即矛盾的雙
方），各有美有惡，非美惡有所偏於一者也。其間惟生

死、貴賤、貧富、香臭，人皆美生而惡死，美香而惡臭，
美富貴而惡貧賤。然逄、比之盡忠，死何嘗不美！江總之
白首⑪，生何嘗不惡！幽蘭得糞而肥，臭以成美；海木生
香則萎，香反爲惡。富貴有時而可惡，貧賤有時而見美，
尤以易明。即莊生（即莊子）所云：「其成也毀，其毀也
成」之義。對待之美德，果有常主乎！……推之詩，獨不
然乎？（外篇上）

這裡的所謂「對待」，近於現在所說的「矛盾」。世界的萬事萬
物，都有矛盾「對待」。詩歌藝術也一樣存在著矛盾「對待」，
以及在一定條件下「對待」雙方的轉化。正因爲葉燮掌握了藝術
辯證法這一銳利的武器，所以他能根據具體時代、環境和對象，
巧加變化，神而明之，以便把抽象的理論化爲具體的藝術分析，
因而所論常能切中時病，合於實際，無往而不達。《原詩》論詩歌
創作，以爲「其道在善於變化，變化豈易語哉！」（內篇下）
《原詩》的理論分析，就常是根據事物的發展變化，靈活、巧妙地
運用藝術辯證法，對於種種文學現象，從正面、側面、前面、後
面等不同角度，加以多層次的分析論述，所以既具體而不呆板，
靈活中又帶原則性，確實令人信服。比如明代的後七子領袖王世
貞，對他的復古主張，《原詩》的批判極爲嚴厲。但可貴的是，葉
燮又堅持了藝術辯證法，絕不因派廢論或因人廢言。通過深入、
具體的研究分析，他認爲王世貞的文學理論批評是「排沙簡金，
尚有寶可見」（外篇下）。他明確地說：「王世貞詩評甚多，雖
祖述前人之口吻，而掇拾其皮毛，然間有大合處。」（外篇上）
這樣一分爲二的靈活分析，很有說服力。《原詩》理論愈是辯證靈
活，就愈加深刻地反映了它的內在邏輯力量。他曾以人體美作比
喻，認爲「美之絕世獨立」，也不過是就人們的「耳目口鼻之

常，而神明之」（內篇下）。美與醜當然有「常」──也即有一定的規矩法度。但美與醜這對矛盾，又是可依一定的條件而轉化，所以又不能刻板地完全以規矩論。美是有常形，又無常形。如果機械地樹立一個美人作標準，鼻子多高、嘴巴多大、眉毛多長、眼睛多寬，都有一定的尺寸規定，那麼恐怕天下找不出第二個美人來了。因為事物的矛盾運動，決定了世界上絕不可能有完全相同的兩個人，即使是雙胞胎，父母也辨認得出來。在實際生活中，天下的美人多得很，貌不相同，各極其妍。所以只有「神而明之」，才能在人們的「妍嬿萬態」之中，發現「絕世獨立」的真正的美。人體美是這樣，藝術美也一樣的道理。拿機械的尺度、固定的模式來衡量作為精神食糧的詩歌藝術，沒有不失敗的。要想創作出美的文學作品，僅僅背誦幾條創作法則一類的教條是不行的。美的創造與欣賞，也必須根據具體的不同情況，「神而明之」，變化日新。文學藝術的創作思維本是一種靈活多變的矛盾運動，因此葉燮就用「虛實相成，有無互立」的理論來加以概括，他認為要達到這樣的藝術「神境」，絕非一般呆滯的庸人、藝術的懶漢「可摹擬而得」的（內篇下）。話說得何等辯證，何等靈活，因此理論就愈能符合實際，愈加深刻透徹。

四、實踐性

陸機《文賦・序》談到創作甘苦時曾說：「恆患意不稱物，文不逮意。蓋非知之難，能之難也。」有時人們在理論上似乎明白，但一到實際創作，又會突然糊塗起來。這種「非知之難，能之難」的現象確實存在。為什麼？這是因為文學家對創作實踐缺乏自覺的認識；或是雖有實踐經驗，但沒有提到理論上來加以規律性的總結，因而文學理論與創作實踐之間出現了脫節與矛盾。

總之，一種脫離了創作實踐的理論，就是盲目的理論。而盲目就是似是而非，難以切合實際。古代有不少理論批評專著，多少有這個弊病。它們有的專談詩格詩法，過分瑣屑機械，在實際創作中，這樣的「知」，反而是束縛人們的手腳，限制創作個性的發揮，所以它就不是真「知」；有的是空談理論，又往往不著邊際，玄而又玄，難有實用意義。即使是像嚴羽《滄浪詩話》這樣理論性強的名著，它也曾教人只讀唐以前詩，而不是面向現實，反映時代。從這一特定角度看，也可以說它是盲目的理論，對文學創作不可能有什麼實際的指導意義。所以葉燮對嚴羽《滄浪詩話》的批判特別嚴厲，指責其理論是「惝恍無切實處」（外篇上）。

《原詩》就力求避免上述弊病。葉燮既是理論家、批評家，同時又是作家和詩人，富有創作的實踐經驗。而重要的是，他又善於在實踐中學習、探索與總結，所以《原詩》的理論就常常結合實際，道破了創作的甘辛。《原詩》的理論體系，一反空疏膚泛陋習，特別強調理論與創作實踐的關係。當有人問：「多讀古人之詩而求工於詩而傳焉，可乎？」他的回答是否定的。在這裡，他把創作實踐提到理論規律上加以總結，並明確宣稱：「欲其詩之工而可傳，則非就詩以求詩者也。」（內篇下）宋代陸游在《示子遹》詩中曾說：「欲求詩語妙，工夫在詩外。」所謂「非就詩以求詩」與「工夫在詩外」，說的是同一意思，都是指作家必須有豐富的生活實踐而言，陸、葉二氏的現實主義精神是一脈相承的。如果理論家對詩歌創作實踐沒有深刻的了解與切身的體會，那麼他就不可能從文學與現實的關係這一角度來指導創作。「非就詩以求詩」，表面離開了「詩法」，但卻是真正符合創作實際的理論。而且葉燮在強調「詩外工夫」的同時，也並沒有忘記創作規律中的「詩內工夫」——也即一般關於格律聲色、藝術技巧方面的具體詩「法」。比如對於聲韻，他反對的是拘限聲病、縛

人手腳;至於詩歌的聲調韻律,他何嘗不去認眞推敲。他說:

> 七古終篇一韻,唐初絕少;盛唐間有之;杜(甫)則十有
> 二三,韓(愈)則十居八九。逮於宋,七古不轉韻者益
> 多。初唐四句一轉韻,轉必蟬聯雙承而下,此猶是古樂府
> 體。何景明稱其「音韻可歌」,此言得之而實非。七古即
> 景即物,正格也。盛唐七古,始能變化錯綜。蓋七古:直
> 敍則無生動波瀾,如平蕪一望;縱橫則錯亂無條貫,如一
> 屋散錢;有意作起伏照應,仍失之板;無意信手出之,又
> 苦無章法矣。此七古之難,難尤在轉韻也,若終篇一韻,
> 全在筆力能舉之,藏直敍於縱橫中,既不患錯亂,又不覺
> 其平蕪,似較轉韻差易。韓之才無所不可,而爲此者,避
> 虛而走實,任力而不任巧,實啓其易也。至如杜之《哀王
> 孫》,終篇一韻,變化波瀾,層層掉換,竟似逐段換韻
> 者。七古能事。至斯已極,非學者所易步趨耳(外篇
> 下)。

他對文學的內部規律,對於藝術技「法」的實際運用,分析又是
何等的細緻!詩歌是語言藝術中最富音樂性的文體,研究詩歌創
作,怎能不去推敲聲律呢?但聲律用韻,貌似有「法」,而在文
學發展實際中,卻又千變萬化,所以實是既有「法」,又無
「法」(參閱內篇下「法有死法,有活法」一段)。七言古詩,
轉韻易見變化;終篇一韻則便於前後條貫,氣勢通暢。可說各有
優缺點。而眞正的大家作者,絕不生硬摹仿他人,總是根據自己
的筆力及表達情感內容的需要,靈活運用,匠心獨運,因而有了
新的創造。如杜甫七古的聲韻,何景明因它「去古遠甚」,「調
失流轉」,不合漢魏古體之「正」,因而譏爲「詩歌之變體」

⑫。而葉燮則一反復古論調，根據文學實際加以研究和總結，認
爲杜甫七古能在終篇一韻的情況下，「變化波瀾，層層掉換，竟
似逐段換韻者」，給予極高的評價。杜甫這樣用韻，隨心所欲而
不逾規矩。這實際是在舊「法」之上而「自我作法」了。用韻是
這樣，其他藝術技法也一樣。所以葉燮強調說：「詩而曰『作』，
須有我之神明在內……以我之神明役字句，以我所役之字句使
事，知此，方許讀韓（愈）蘇（軾）詩。不然，直使古人之事，
雖形體眉目悉具，直如芻狗，略無生氣，何足取也！」（外篇
上）這是從創作實踐中悟出的甘苦之言，所以切實有味。由此可
見，《原詩》的理論是以堅固的創作實踐爲基礎，又反過來指導了
創作實踐的發展。因此，他的朋友林雲銘以爲《原詩》所論，是
「作詩之原，亦即論詩之原」⑬。所謂「作詩」與「論詩」，也
就是兼指創作實踐與理論批評而言的，「作」與「論」爲同
「原」，也就是創作實踐與理論批評渾爲一體。從這裡可以看
出，葉燮注重創作實踐的研究，並把它提到理論上加以規律性的
總結；又回過頭來，以理論指導了創作的進步。實踐性是《原詩》
理論體系的又一重要特色。

　　當然，葉燮《原詩》的理論也非盡善盡美，它也有自己的時代
局限。由於唯心思想因素及形而上學觀點的影響，《原詩》無法把
唯物主義美學原則和藝術辯證法貫徹始終，因而理論體系中時有
自相矛盾之處，靈活之中又有欺人惑世的不實之詞。如他一方面
強調文學要反映客觀現實中的「理事情」；一方面卻說：「夫備
物莫大於天地，而天地備於六經。」⑭強調文學創作要在儒家的
「六經」中討生活，所以又說詩歌創作「必取材於古人，原本於
《三百篇》」（內篇下），明顯受到儒家傳統文學觀的束縛。還有
《原詩》論文學的歷史發展，充滿了辯證思想的光彩；但有時卻自
違其例，自覺或不自覺地陷進了唯心的形而上學的泥坑，認爲文

學的發展不管怎麼變化，最終又回到了「互爲循環」的軌道上
（內篇上），所以說詩歌發展到宋，能事已畢，「自宋以後之
詩，不過花開而謝，花謝而復開」（內篇下）。《原詩》理論雖有
針對性，鬥爭性強；但也時有意氣用事的攻訐詆毀。如對嚴羽、
高棅、劉辰翁三人理論的攻擊幾無完膚，不一分爲二，不具體分
析，這樣簡單的一概否定，既不合辯證法，又打擊面過寬，無助
於文學的進步。再如揚謝（靈運）抑曹（植），故作翻案文章，
完全不合文學創作的歷史實際等等。由此可見，《原詩》的理論缺
陷也是明顯存在的。但金難足赤，人非完人，我們也不必因此而
苛求古人。而且，就《原詩》總的理論傾向而言，是瑕不掩瑜，值
得學習與借鑑。

　　歷史的經驗值得注意。今天我們總結《原詩》的理論特色及貢
獻，希望能對建立符合中國民族特色的馬克思主義文藝理論體系
起到有益的借鑑作用。

---

　①見《己畦詩集殘餘》。

　②蠻和狟貐（一作「巨虛」，或「駏驉」），都是古代傳說中的野獸
　　名。蠻足短，善覓食而不善行走；狟貐足長，善行走而不善覓食。
　　所以二者相互依賴，蠻必待狟貐負之而後行。

　③參閱《原詩》外篇上評「在杜則可，在他人則不可」一段。

　④見《己畦文集》卷三《選家說》。

　⑤見皎然《詩式》。皎然名畫，中唐詩僧。

　⑥見劉禹錫《董氏武陵集紀》。

　⑦見李德裕《文章論》。

　⑧見皮日休《松陵集紀》。

　⑨袁宏道《序小修詩序》。

　⑩見沈梣憙《原詩序》。

⑪江總（519～594年），字總持。南北朝時的詩人、政客，歷仕梁、
　陳、隋數朝，被葉燮視爲氣節喪盡的無恥文人之典型。

⑫何景明《明月篇序》。

⑬林雲銘《原詩序》。

⑭《己畦文集》卷八《與友人論文書》。

　　　　　　　　　　　（原載《文學遺產》1984年第2期）

葉燮論創作思維

　　在中國文學批評史上，清初葉燮（1627～1703年）的《原詩》，是一部繼往開來的論詩專著，它以充滿了藝術辯證法的嚴密理論體系吸引著我們。這裡，就其創作思維的理論作些論述。

　　一、明確指出了詩人創作思維的特殊性，是「絕議論而窮思維」。

　　用今天的話說，也就是與一般的邏輯思維不同的特殊思維方式。葉燮所說的「可言之理」、「可徵之事」，是指按照一般邏輯思維就能認識和反映的客觀存在。詩人如果僅是按照一般邏輯思維方式，機械地重複生活中的「可言之理」、「可徵之事」，那何必還要詩人饒舌！

　　二、詩人創作思維始終是結合了生活本身那個別、具體、生動的形象，來認識世界，反映生活。

　　葉燮認為，詩人創作時，應「設身而處當時之境會」，深入生活，去觀察、去捕捉生活的獨特面貌。只有完整地把握了創作對象的個體特徵，並結合詩人此時此地的獨特體會來構思和想像，藝術形象才會「恍如天造地設，呈於象，感於目，會於心」。所謂「感於目」，是指詩人對於具體可感的生活形象的觀察；「會於心」，是觀察後的獨特感受，從而產生創作衝動，形成創作激情；「呈於象」，是指按照生活本身的個別、具體形式，用可見、可聞、可感的生動藝術形象來反映。如杜詩「晨鐘雲外濕」之言，按照邏輯思維作一般推理，可說絕無此事。鐘在

廟中，不放露天，怎麼會被雨淋濕？更何況晨鐘以聲波的形式傳播，無象無形，無影無迹，鐘聲又有何「濕」可言？而且人只能依靠耳朵聽聲，怎會在鐘聲中聽出它是乾是濕？按照生活常理，是不可能的。但實際上，詩人創作時遵循的並不全是邏輯思維規律，而主要是形象思維規律。當時杜甫「因聞鐘聲有觸而云然也」。清晨雨中，鐘聲陣陣，詩人根據平日的感性生活積累，展開了想像的翅膀。他因苦雨，有了無法上岸與友人敘舊的苦衷，對於雨之「濕」特感苦惱，這時恰巧晨鐘天半傳來，觸動了他神經中樞的敏感點，於是乎化物為我，體會到鐘聲和自己一樣，也有被雨淋「濕」的苦惱，因此產生了聲「濕」而人的心更「濕」的特殊藝術效果。一個「濕」字，確是無法替代的詩眼，它把無生命的晨鐘給寫活了。

三、創作必須「以情為主」。

詩人的創作總是把主觀的思想感情，始終貫串、融會在生動的形象之中。如對《詩經》，葉燮則從藝術的角度以為，多半是「情偶至而感，有所感而鳴」（內篇下）。好就好在感情真摯動人。但詩人的情感並非赤裸裸的顯露，而是通個藝術形象來抒發。所以他在《赤霞樓詩序》中說：「詩者，情也；情附形則顯。」①如果「情」不附「形」，無論詩人怎樣激動，同樣也不會產生出好詩來。詩歌創作是「情」與「形」的完美結合。如他經常提到的幾首唐詩：「蜀道之難，難於上青天」（李白《蜀道難》），「似將海水添宮漏」（李益《宮怨》），「春風不度玉門關」（王之渙《涼州詞》），「天若有情天亦老」（李賀《金銅仙人辭漢歌》），「玉顏不及寒鴉色」（王昌齡《長信怨》）等，都是「情」與「形」完美統一的藝術典範，他以這些「情至之語」作根據，深入地探索了詩人的創作思維，認為「作詩者在抒寫性情」，「有性情必有面目」（外篇上）。形象思維必有真「情」

在。

但是，葉燮《原詩》的「情」，與一般人的理解不盡相同，有時指主觀情感，有時又指客觀生活中理事情之「情」。就客觀之「情」論，它是指客觀事物姿態萬千的具體情狀和氣韻。不同事物，情狀各異；即是同一事物，在不同條件下，也呈現出各不相同的獨特面貌與情趣。藝術的主觀之「情」，是生活中客觀之「情」的反映，因此創作就必須隨著事物姿態情狀的變幻，隨物賦形，寫出生活中那無一雷同的個性。

而就主觀之「情」而論，具體是指作家的思想情感。不同的人，性情不一：即使是同在一人身上，時間不同、環境不同，感情的波浪也隨之起伏變化。在創作中，客觀之「情」必須通過主觀之「情」來反映。客觀事物的萬千情韻一旦進入藝術思維的領域，其中必然有詩人的心血在沸騰。只有主客觀二「情」融而為一，藝術創作才會顯出無窮的活力。因此，形象思維堅持「以情為主」，也就意味著肯定了創作個性。而強調藝術個性，必然要求藝術風格的多樣性、豐富性。即使是「有時也不得不作」的應酬詩，也要注意是我去應酬，而不是人人可將去應酬的（外篇下）。詩中無「我」之性情，喪失了創作個性，就不是真正的藝術。

四、有「情」必有「理」，「情必依乎理」（內篇下）。

形象思維包含了「情」與「理」的統一，而藝術之「理」始終是與個別、具體、生動的形象融匯在一起的。葉燮的「絕議論而窮思維」，說明的是詩歌不同於調查報告或學術論文，不能按照理論思維的方法，在藝術作品中直接說教或空發議論。如宋代的一些道學先生，把詩歌變成了押韻的高頭講章，「理」勝於「情」，明顯缺乏情感與個性，這就根本違反了形象思維的規律，容易犯公式化概念化的毛病。這是一方面。而另一方面，葉

燮也不否定「理」在創作思維中的合法地位。如前所述,對於客觀事物來說,「理」指規律或道理,是詩歌反映的當然對象;而對作家這一創作主體而言,「理」又指理智以及在理智支配下的議論。「詩是心聲」,所謂「心」,無非包括了「情理」二字。「情」是情感,更多的是屬於潛意識的範疇;「理」指理智,一般屬於自覺意識的範疇。人們的思想情感,也就是感情與理智的辯證統一。詩歌既然是「心聲」,當然理智的思維活動也活躍在創作的過程中。所以形象思維並不否定理智活動,更不絕對排斥議論。關鍵在於怎樣議論。葉燮巧妙地回答了這一問題。他以為詩人可以無議論,也可以有議論,「議論縱橫,思致揮霍」(內篇下),同樣合於藝術創作的要求。他以文學史上的成功事例,說明了詩人的巧妙議論,同樣是屬於形象思維範疇的:

> 從來論詩者,大約伸唐而詘宋。有謂「唐人以詩為詩,主性情,於《三百篇》為近;宋人以文為詩,主議論,於《三百篇》為遠。」何言之謬也!唐人詩有議論者,杜甫是也。杜詩五古,議論尤多。長篇如《赴奉先縣詠懷》、《北征》及《八哀》等作,何首無議論!而以議論歸宋人,何歟?彼先不知何者是議論,何者為非議論,而妄分時代邪!且《三百篇》中,二雅為議論者,正自不少。彼先不知《三百篇》,安能知後人之詩也!如言宋人以文為詩,則李白樂府長短句,何嘗非文!杜甫前、後《出塞》及《潼關吏》等篇,其中豈無似文之句!為此言者,不但未見宋詩,並未見唐詩(外篇下)。

如他曾提到的杜甫《前出塞》(之六):「挽弓當挽強,用箭當用長;射人先射馬,擒賊先擒王。殺人亦有限,立國自有疆;苟能

制侵陵，豈在多殺傷！」楊倫《杜詩鏡銓》評曰：「六章忽作閒評論一首，復提醒本意。」楊倫所謂「評論一首」，也就是一首議論詩。議論看來似「閒」，但實際不「閒」，它在整組詩中，有「復提醒本意」的作用，可見議論的重要。《前出塞》共九首，它猶如現在的電影，不斷移動角度，變換畫面，構成了一個藝術整體。而「苟能制侵陵，豈在多殺傷」這樣明確的理智議論，在這一藝術整體中，既起了點題作用，又以充滿感情的議論，成功地塑造了憂國傷時的詩人形象，把對守邊將士愛國精神的歌頌，與對封建統治者窮兵黷武的批判，自然地融於一體，促進了詩歌主題的深化。這樣的議論，近乎散文的理智議論，在形象的塑造中，起到了畫龍點睛的藝術妙用。在葉燮看來，能否議論，主要應服從於形象塑造的需要。像宋代江西詩派中某些人，以抽象、空洞的議論為詩，缺乏真情實感，毫無形象思維，當然不宜提倡。葉燮所說的「絕議論」，所「絕」（排斥）的正是這類議論。藝術形象本身就是一種特殊的意識，作家通過它，對現實生活進行思想估量和感情評價。又怎能撇開理智的思想活動，來作純粹潛意識的感情思考呢？有思想就必有議論。反對創作的抽象化，並不是不要議論。蘇軾的《題西林壁》，就是一首以議論為主的哲理詩：「橫看成嶺側成峯，遠近高低各不同。不識廬山真面目，只緣身在此山中。」這首千古傳誦的佳作，把深邃的哲理，描繪得妙趣橫生。這就成了葉燮所說的藝術「至理」。「至理」來自於「至情」，「至情」又依乎「至理」，二者相互依賴，辯證統一。因此，詩人不僅可以議論，而且議論得妙，更能增添藝術的熠熠光彩。

五、藝術的想像、虛構和境界的開拓創造。

在文學創作中，正確認識和處理生活真實和藝術真實的關係，也是形象思維的重要任務之一。用葉燮的術語說，也就是客

觀現實中的理事情與藝術中的理事情之間的關係。文學家是怎樣溝通二者，從而塑造了動人的藝術形象的呢？一方面，他指出，文學作品中的理事情，源於生活中的理事情；但另方面又指出：「要之作詩者，實寫理事情，可以言言，可以解解，即爲俗儒之作。」這是不是自相矛盾？不然。葉燮清楚地看到了生活眞實與藝術眞實的辯證關係。他說：「可言之理，人人能言之，又安在詩人之言之！可徵之事，人人能述之，又安在詩人之述之！」如前所述，所謂「可言之理」，是指按一般邏輯思維方式就可認識的道理；「可徵之事」是指生活中已經發生、人們明顯可見的實事。如果文學作品僅僅是一般地敍述、描寫已經發生的理和事，那不就成了生活的翻版了麼！自然主義地敍述生活、摹影現實，這是「人人能言之」、「人人能述之」，詩人不就成了多餘的了麼！詩人自有詩人的天職。藝術形象比生活原型更高、更美、更令人神往。葉燮所說的「泯端倪而離形象」，不能望文生義，理解爲詩歌不需要形象，而是在說明藝術形象與生活「形象」的聯繫和區別。如果創作拘泥於瑣屑生活現象的摹仿，那麼生活現象不計其數，詩人將何以措手足？人生壽命有限，生活「形象」無窮，一味機械摹仿，詩人將有不勝其勞之弊。因此，所謂「泯端倪而離形象」，它要求藝術離開並擺脫這種無謂的生活現象的束縛；實際上，這是對詩歌形象的創造提出了更高的藝術要求。與其他的文學樣式相比較，詩歌有獨具特點的藝術形象。在大量的古典抒情詩中，感情形象和意境的開拓，非常重要。只有運用形象思維，才能完成這一任務。具體地說，詩人是通過想像、虛構、誇張及其他典型化手法，來創造「虛實相生、有無互立」的藝術境界的。

詩人的想像最豐富。在創作中，沒有想像，就沒有詩歌的藝術生命。葉燮常說：「遇之於默會想像之表」，有時又說是「遇

之於默會意象之表」（內篇下）「想像」與「意象」並舉互用。所謂「意象」，相當於意境；而「想像」則是構成「意境」的必要手段。詩人一插上想像的翅膀，就突破了時間與空間的限制。葉燮在《養鶴澗》詩中說：「想像飛鳴態，如聞霄漢音。」（《己畦詩集》卷九）實際上，當時他看到的是澗中家鶴，牠們並沒有展翅高翔。但詩人調動了平日的生活積累，產生了耳聞目睹鶴鳴九霄的眞切感覺。通過藝術的想像、虛構及其他典型化手法，詩人不僅敍寫生活中已發生的事情，而且運用想像抒寫雖還未曾發生、但可能發生的事情，這也就是他所說的「妙會從空索」（《詩集》卷二）。詩人憑藉想像和虛構，「一日可永千古，一室可盡大地」①，他們只須描繪富有典型意義的「一日」、「一室」，「千古」、「大地」便自然地呈現出來。那些拘泥迂執、不能「睥睨今昔」、不敢「奮筆」前行的詩人，因爲折斷了想像的翅膀，缺乏虛構的本領，處處以摹仿寫「眞」爲極則，最後必然一事無成。

但在開拓詩歌境界的創作活動中，想像和虛構並不是跑野馬似的胡思亂想，而是採用了「集」的辦法來驅遣素材，塑造形象。他在《滋園記》一文中說：

> 凡物之生而美者，本乎天者也，本乎天自有之美也。然孤芳獨美，不如集衆芳以爲美。待乎集，事在乎人者也。夫衆芳非各有美，即美之類而集之。集之云者，生之植之養之培之，使天地之芳無遺美，而其美始大（文集卷六）。

這裡所說，雖是園林藝術，但實與文學相通。說明藝術美源於生活美。但生活中美的事物，常是零星分散、「孤芳獨美」，不足以引起人們的注意，因而難以感人。而藝術創造的任務，就

在「集衆芳以爲美」。所謂「集」，用現在的話說，就是近乎典型化的藝術手法。如魯迅所說，作家筆下的人物，「往往嘴在浙江，臉在北京，衣服在山西，是一個拼湊起來的角色」（《我怎樣做起小說來》）。詩歌境界的創造，同樣用「集」的藝術手段，開拓出一片衆美交相輝映的新天地。這樣的藝術美，雖是「本乎天自有之美」，但卻不一定實寫某人某事，更不一定直接說理，而是通過藝術境界的形象之美來描繪，「使天地之芳無遺美，而其美始大」，因此顯得比生活原型更美，更富有普遍意義。所以他在《原詩》中讚嘆說：「天下惟理事情之入神境者，固非庸凡人可摹擬而得也！」藝術境界的創造，澆灌了詩人的多少心血，付出了艱苦的藝術勞動。一般的藝術懶漢，根本無法企望藝術境界的殿堂。

葉燮繼承並發揚了傳統文論中「意境」說的精華，但他貴在對「境界」的特點作了更加深入的探索。

一是生動的形象性。他反對「直寫理事情」，強調巧妙運用「比興」手法，塑造富於「寄託」、意旨遙深、情趣生動、韻味雋永的詩歌藝術形象。但詩歌不同於小說、戲劇之類，除極少數長篇敘事詩外，幾乎沒有什麼完整的情節與故事，更沒有完整的人物刻畫。我國古典詩歌，大多數是抒情詩，它往往只是通過一時的情景交流，抓住一閃即滅的心靈火花，描繪某種環境氣氛，渲染某種特定情趣，開拓境界，化「無」入「有」，以形傳神，感人肺腑。

一是無盡的含蓄性。葉燮強調「境界」的藝術妙用：「詩之至處，妙在含蓄無垠，思致微渺」，它是「言在此而意在彼……引人於冥漠恍惚之境」。在藝術境界中，詩人以他的豐富想像，喚起了讀者的無限藝術聯想。所謂「思致微渺」，正反映出「境界」這一有限的外殼，蘊藏了無限豐富的內涵。這樣的「含蓄無

垠」，爲讀者的藝術再創造開闢了道路。因此，詩歌的境界也就
具有了無限的藝術活力。

　　一是矛盾的靈活性。葉燮以爲詩歌境界具有自身內在的矛盾
性：「其寄託在可言、不可言之間，其指歸在可解、不可解之
會。」話似迷離恍惚，實是包含了創作與欣賞的藝術辯證法。所
謂「可言」與「不可言」，是一對矛盾；「可解」與「不可
解」，又是一對矛盾。那些不懂藝術的人，由於沒有眞正把握詩
歌境界的藝術特徵，所以他們心目中的「可言」、「可解」，就
是指按一般邏輯思維方式來觀察生活，解釋生活。如果這樣看待
藝術，當然詩歌境界中就充滿了矛盾與荒謬。比如「春風不度玉
門關」這樣的名句，如果拘於生活實事，當然是絕無此理、「絕
不能有其事」了。玉門關在我國甘肅境內，並非地處南極北極，
怎麼會「春風不度」呢？如果這樣苛求，那麼，許多藝術作品當
然是「不可言」「不可解」了。但是，如果把握了詩歌境界的藝
術特徵，情況就大不相同了。爲便於說明，現抄錄王之渙《涼州
詞》如下：

　　　黃河遠上白雲間，一片孤城萬仞山。
　　　羌笛何須怨楊柳，春風不度玉門關！

　　就是這樣一首似乎是「不可言」「不可解」的短詩，卻成了
千古絕唱。據薛用弱《集異記》載，它在唐玄宗開元年間創作出來
不久，隨即不脛而走，爲人所傳唱。直到現在，它仍然是短詩珍
品，有人甚至評它是唐人七絕的壓卷之作（見王世懋《藝圃擷
餘》）。文學史上類似的矛盾現象，不勝枚舉。從創作角度看，
純粹寫景是絕無僅有的，一般是情景交融，這是「境界」的藝術
要求之一。王之渙這首詩，用「春風不度」的藝術誇張，寫盡邊

關的荒涼，正是爲了襯托征人遠戍的痛苦。明・楊愼評論說：
「此詩言恩澤不及邊塞，所謂君門遠於萬里也。」(《升庵詩話》
卷二）君主無情，猶如楊柳不遇春風，這正是征人的特殊感受。
詩人因此而抨擊了封建統治者不恤民情，不給衞國戰士以人間的
溫暖。沒有溫暖，猶如寒冬不見天日一般。詩人從這一特定環境
和特殊情緒出發，移情於景，以「春風不度玉門關」的神來之
筆，最後完成了本詩藝術境界的創造。通過對於「境界」的理論
研究，葉燮就這樣化「不可言」「不可解」爲「可言」「可解」
了。如果按照一般邏輯思維方式，以自然主義「寫實」方法，把
「春風不度」改成「春風已度」或「將度」、「又度」，那就違
背了眞情實感，實而不化，「非板則腐」了。從創作思維的角度
立論，這樣改動恰恰違背了詩歌的藝術特徵，化「可言」「可
解」爲「不可言」「不可解」了。高明的文學理論家，就必須糾
正這一常見的錯誤，闡明詩歌開拓境界、塑造形象的特殊思維規
律。葉燮的「境界」說，深入揭示了這個藝術矛盾。在他看來，
「可言」「可解」與「不可言」「不可解」，正是矛盾的辯證統
一關係。另外，《原詩》中「虛實相生，有無互立」，「至虛而
實，至渺而近」等等，都一樣深刻地揭示了「境界」的種種內在
矛盾。這些理論貌似玄而又玄，實是充滿了藝術辯證法，顯得旣
靈活，又切合實際。

　　總之，葉燮關於創作思維的論述，大大超越了前人，作出了
新的貢獻。這些理論，直到今天仍然具有啓迪意義，很有借鑑的
價値。

---

①見於葉燮《己畦文集》（二棄草堂刊本）卷八。

（原載《江淮論壇》1984年第4期）

葉燮《原詩》及其批評論

　　在目前葉燮美學思想研究中，批評論沒有得到足夠的重視，這是一件憾事。事實上，批評論是葉燮理論體系中的一個有機組成部分。《原詩》是一部光輝的美學理論著作，其具體的文學批評，散見於各個篇章（特別是外篇）。如果再結合其詩文的有關部分，就可以簡明地勾勒出葉燮批評論的概貌，它包括以下兩個方面的問題：一是一般的批評原理及標準；一是對歷代作家作品的具體批評。通過這些具體的批評，可窺見其理論之一斑。

一、對古今批評混亂現象的批判

　　在《原詩》外篇中，葉燮指出，我國古代的詩話、評點一類的著作很多，其中一些具體批評，不乏真知灼見。如湯惠休評謝靈運詩是「芙蓉出水」，沈約稱王筠詩是「彈丸脫手」，這些批評如果稍加引伸，就會產生「啓蒙砭俗」的作用。類似的批評，生動、形象又具體，富有啓發性，是它們的優點。但其中也有不少是即興漫筆式的發揮，缺乏統觀全局的系統理論指導，彼此割裂，這又是它們的明顯缺陷。他說：「唐宋以來諸評詩者，或概論風氣，或指論一人，一篇一語，單辭複句，不可殫數。」①葉燮對六朝唐宋文學批評狀況的批評，雖有其片面之處，但確也指出了其弊病所在。

　　對明清之際文學批評風氣的種種陋習弊端，葉燮曾給予尖銳

的批評，概括起來有如下幾點：

㈠門戶之見，高自標榜，相互吹噓，彼此詆毀，違背眞理，自欺欺人

明淸文壇，派別林立，不管是前後七子的復古派，還是矯枉過正的公安派、竟陵派，或是淸初風靡一時的宋詩派，大家因門戶之見，嚴守師說，相互攻訐，意氣用事。葉燮指出：近代論詩者，「……百喙爭鳴，互自標榜，膠固一偏，剿獵成說。後生小子，耳食者多，是非淆而性情汨，不能不三嘆於風雅之日衰也！」（內篇上）這種「百喙爭鳴」式的批評只能是「骫骳皮毛形似之間」的膚淺不切之論，所以容易顚倒是非，混淆視聽。爲什麼會出現這種現象？葉燮認爲是這些批評家「欲高自位置，以立門戶」。像這樣「好爲高言大論，故作欺人之語」，就不是批評家應有的公正態度②。眞正的文學批評，應該淸除門戶偏見展開百家爭鳴。只有這樣，才能促進文學事業的健康發展。

㈡求合於古人

葉燮在《己畦文集自序》中指出，時人文風只「求合於古人」。他們以古人的是非爲是非。「以爲如是則合，不如是則不合。不合則雖有匠心之作，不可爲也，不敢爲也。」創作如此，批評也一樣。他們以是否合於古人之作爲具體的批評標準，用古人的標尺，來衡量現代創作。對於這種做法，葉燮極其反感。他認爲批評家應該具有自己的膽與識。有了膽識則是非明、美醜彰，「不但不隨世人腳跟，並亦不隨古人腳跟」③。他以射箭爲例，說明批評只要能「百發百中」，達到目的，就是高明，因此也就「不必學古人」④。比如對於建安詩歌，古往今來，衆口交譽，葉燮本人也很欣賞。但是，對於後七子領袖李攀龍，以是否

合於建安古詩爲標準，批評後代詩歌，得出「唐無古詩」的荒唐結論，說什麼「陳子昂以其古詩爲古詩，弗取也」⑤，葉燮針鋒相對地批評道：「盛唐諸詩人，惟能不爲建安之古詩，吾乃謂唐有古詩。」⑥「即如左思去魏未遠，其才豈不能爲建安詩耶？觀其縱橫躑躅，睥睨千古，終無絲毫曹（植）劉（楨）餘習。鮑照之才，迥出儕偶，而杜甫稱其『俊逸』；『俊逸』則非建安本色矣。奈何去古益遠，翻以此繩人耶？」⑦文學創作是機巧神明，適時應變，具體批評正應指出這一道理；怎麼可以眼睛朝後看，專門以「合於古人」與否作爲批評準繩來縛人手腳呢？

㈢求媚於今人

《己畦文集自序》又指出時人批評的另一重大弊病，是在求媚於今人：「以爲如是則合，爲時人所尚；不如是則不合，爲今人所不尚。苟合焉，則雖有昧心之作，亦敢爲也，亦忍爲也。」對於這種昧著藝術良心，違背客觀標準，專門溜鬚拍馬，奉迎顯貴的「批評」，葉燮斥之爲奴顏婢膝的「媚」。他在《贈季偉公序》中說：「今之所謂名者，大約皆能媚於世，而世則從而悅之而稱之者也。」⑧一批無恥文人和沒有骨氣的批評家，沆瀣一氣，「以好惡媚」，甚至是「以文章忠信媚」，他們「略無疑忌瞻顧，侈言以爲言，放然以爲行，其媚之所及施者，人爭悅之……而世且從而譽之尊之，甚矣爲喬嶽，爲景慶。甚矣名之時義顛倒紊亂旁見錯出而爲變態若此也。」⑨所以他在《原詩》外篇上有「詩之亡也，亡於好名」之嘆。他嚴厲指責這類「媚」式批評，黑白混淆，是非顛倒，美醜不分，是爲文壇之一大害。他所批評的「今人」，常是指那些左右輿論、操縱「詩之壇坫品題」的文壇領袖人物，或「當世之名公卿先生」。他的批判鋒芒直接指向當時的文壇領袖及貴近權要，確有非凡的勇氣。他的《原詩》及其

理論批評，正因此得罪了一批以文學作商品交易的顯赫人物，所以備受打擊，而不爲「時人」、「今人」所歡迎。這也是《原詩》在清代不受重視、流傳不廣的原因之一。對於這些嚴重後果，他早已預料到了，但卻置之不顧。他在《放歌行同人再集魏里涉園賦》詩中明白表示：「高論何妨天地寬，閒評寧怕蛟龍怒？」⑩公正的態度，正確的批評，追求的是眞理，當然就不怕「蛟龍怒」了。因怕得罪人而媚言媚行，這就不是眞正的批評。對於這些「好名」的作家、批評家，他感慨道：「非好垂後之名，而好目前之名。目前之名，必先工邀譽之學，得居高而呼者倡譽之，而後從風者羣和之，以爲得風氣。」這是不說眞話的「迎合」，而「迎合」也就是「媚」⑪，人一「媚」就喪失氣節，就不可能堅持公正的批評。另外，葉燮還指出：「詩之亡也，又亡於好利⋮⋮媒虛名以網厚實。於是以風雅壇坫爲居奇，以交遊朋盍爲牙市，是非淆而品格濫，詩道雜而多端，而友朋切劘之義因之而衰矣！」⑫這些意見，一針見血，何等尖銳！「工邀譽之學」，「以交遊朋盍爲牙市」，猛烈抨擊了當時文學界的不正之風。文學批評的「商品」化，使他痛心疾首。因此，他大聲疾呼，堅決反對求媚「今人」、毫無是非標準的批評。他強調的是「友朋切劘之義」。眞正的文學批評，是無所畏忌的。

二、闡明文學批評的重要性

在揭露和批判了古今批評的種種積病之後，葉燮進一步從理論上闡明了正確運用文學批評的重要性。現把他的意見稍加概括：

首先，葉燮指出，沒有批評就不會進步。文學要創新、要發展，就必須堅持「友朋切劘之義」，廣泛接受批評指導，多方徵

求議論「譏彈」。但有的文學家不是這樣。他批評齊梁文壇領袖
沈約「自炫一長，自矜一得……唯恐人之議己，日以攻擊詆毀其
類爲事。此其中懷狹隘，即有著作，如其心術，尚堪垂後乎！昔
人惟沈約聞人一善，如萬箭攢心；而約之所就，亦何足云！」⑬
葉燮對沈約的評價是否完全正確，還可討論。但這段話的主要精
神在於：爲了保證文學的健康發展，必須建立正確的理論批評，
以反對日以相「攻擊詆毀其類爲事」的錯誤批評。文學批評，即
使是「一字之褒貶」，也是一件極其嚴肅的事情，不應草率從
事，信口雌黃，不負責任。他在具體批評晚唐詩歌時說：

> 論者謂「晚唐之詩，其言衰颯」。然衰颯之論，晚唐不
> 辭；若以「衰颯」爲貶，晚唐不受也。夫天有四時，四時
> 有春秋。春氣滋生，秋氣肅殺。滋生則敷榮，肅殺則衰
> 颯。氣之候不同，非氣有優劣也。使氣有優劣，春與秋亦
> 有優劣乎？故衰颯以爲氣，秋氣也；衰颯以爲聲，商聲
> 也。俱天地之出於自然者，不可以爲貶也。又盛唐之詩，
> 春花也：桃李之穠華，牡丹芍藥之妍豔，其品華美貴重，
> 略無寒瘦儉薄之態，固足美也。晚唐之詩，秋花也：江上
> 之芙蓉，籬邊之叢菊，極幽豔晚香之韻，可不爲美乎？夫
> 一字之褒貶以定其評，固當詳其本末；奈何不察而以辭加
> 人，又從而爲之貶乎！則執盛與晚之見者，即其論以剖明
> 之，當亦無煩辭說之紛紛也已⑭。

這個批評，乃有爲而發。明前後七子詩評，高唱「詩必盛唐」，
以盛唐作標準來畫線，於是人們「稱詩必曰唐詩；苟稱其人之詩
爲宋詩，無異於唾罵。謂『唐無古詩』，並謂『唐中晚且無詩也』」
⑮。他認爲這樣以某朝某代某家某作爲標準的「批評」，爲害

「尤烈」。他對盛唐、晚唐的詩歌作了具體的比較和批評，認為生活美是多方面的，因此藝術美也就豐富多彩，無論是盛唐還是中晚唐詩歌，「俱天地之出於自然者」，它們是不同時代、不同社會的真實反映。比如晚唐李商隱《樂遊原》詩：「夕陽無限好，只是近黃昏。」充滿了衰颯氣象。但這正是晚唐社會的反映，是當時知識分子的特殊心理感受，既真實，又動人，怎能因為「衰颯」就一筆抹倒了呢？盛唐詩像春天極妍鬥豔的牡丹，晚唐詩是經風傲霜的秋菊，各極本色，美不勝收。怎麼可以只准說牡丹美，而不許人們賞菊怡情呢？生活中絕無此理。文學批評家的任務，就是根據不同時代的不同作品，具體剖析，從理論上「詳其本末」，「以定其評」，用批評來啓迪作家，引導讀者。因此，即使是「一字褒貶」，批評也應力求合乎客觀實際，以便最大限度地發揮批評的指導作用。

其次，文學批評還應獎掖後進，樂善愛才，為新文學隊伍的發展輸送新鮮血液。他曾借古議今：

> 古人之詩，必有古人之品量。其詩百代者，品量亦百代。古人之品量，見之古人之居心；其所居之心，即古盛世賢宰相之心也。宰相所有事，經綸宰制，無所不急，而必以樂善、愛才為首務，無毫髮媚嫉忌忮之心，才為真宰相。百代之詩人亦然。如高適、岑參之才，遠遜於杜；觀杜甫贈寄高、岑諸作，極其推崇讚嘆。孟郊之才，不及韓愈遠甚；而愈推高郊，至低頭拜東野，願郊為龍身為雲，四方上下逐東野⑯。盧同、賈島、張籍等諸人，其人地與才，愈俱十百之；而愈一一為之嘆賞推美。史稱其「獎掖後輩，稱薦公卿間，寒暑不避」。歐陽修於詩，極推重梅堯臣、蘇舜欽。蘇軾於黃庭堅、秦觀、張耒等諸人，皆愛之

如己，所以好之者無不至。蓋自有天地以來，文章之能事，幸於此數人，絕無更有勝之而出其上者；及觀其樂善愛才之心，竟若欲然不自足，此其中懷闊大，天下之才皆其才，而何娼嫉忌忮之有⑰！

這些古代文學大師們「樂善愛才」、「獎掖後輩」的故事，對後人很有啟發。中肯的批評就最好的「獎掖」。所謂「獎掖」，並不是對青年的創作，只許頌揚，不能「譏彈」；而是好就說好，壞就說壞，實事求是，美醜自辨。這樣的批評與「獎掖」，為青年指明了方向。葉燮所論是有充分的事實根據的。比如張籍是韓愈的學生與朋友，但韓愈對於張籍詩歌的批評，有讚美，也有微辭。他在《醉贈張祕書》詩中說：「君詩多態度，靄靄春空雲……張籍學古淡，軒鶴避雞羣。」給予很高的評價。但在《調張籍》詩中，又批評了他對李白、杜甫詩歌藝術重視不夠的缺點。詩題中的所謂「調」，就是含有批評的玩笑。所以有最後四句：「顧語地上友，經營無太忙。乞君飛霞珮，與我高頡頏。」韓愈並沒有因為師生情誼而放棄批評。又如秦觀（少游）是「蘇門四學士」之一。蘇軾對他的文學天才稱賞備至，據李廌《師友談錄》載：「東坡言少游文章如美玉無瑕，又琢磨之功，殆未有出其右者。」但對秦觀創作中的缺點，又同時進行了嚴肅的批評。據彭孫遹《詞藻》（卷一）載：

秦少游自會稽入京見東坡，坡云：「久別，當作文甚佳。都下盛唱公『山抹微雲』之詞⑱！」秦遜謝。坡遽云：「不意別後公卻學柳七⑲。」秦答曰：「某雖無識，亦不至是；先生之言，無乃過乎？」坡云：「『銷魂當此際』，非柳七句法乎？」秦慚服。又問道：「別作何詞？」秦舉

> 「小樓連苑橫空，下窺繡轂雕鞍驟」。坡云：「十三個
> 字，只説得一個人騎馬樓前過！」

蘇軾的批評，切中要害。這樣指出缺點，不但不會損害秦觀的創
作積極性，相反，被批評者知道什麼路不能走，端正了創作方
向，於是前進的步伐也就更快更穩了。秦觀能在詞壇上卓然自成
一家，與蘇軾這個嚴師的批評「獎掖」有關。傑出的批評家，就
是這樣以具體的批評來培養青年，指導創作，爲當代文學隊伍的
發展壯大輸送了新鮮血液，從而促進了文學的健康發展。

三、文學批評自有客觀標準

關於文學批評的一般原理及批評的標準，自古以來，爭論紛
紜。當時人也有兩種流行的看法：一是看人說話，好惡隨意，信
口開河，以批評作交易，實際上，在這些「批評家」的眼裡，文
學批評並沒有一定的標準；一是雖然承認批評「標準」的存在，
但這「標準」是指某一先驗的固有程式而言。以詩歌論，就是以
古已有之的詩「法」作爲具體批評作家作品的標尺，時代可變，
世界可變，但批評的標尺永遠不變。

葉燮明確指出了這兩種意見的錯誤。比如對於杜甫，當時有
的批評家因他是詩家宗師，盲目崇拜，不敢以批評一般詩人的標
準來衡量杜詩。葉燮認爲這不是公正的態度，違背了批評的客觀
標準。文學批評是一把客觀公正的標尺，不因張三加其長，不爲
李四減其短，它對大小詩人，一律平等，而不能隨心所欲，信口
雌黃。再偉大的文學大師，也不是盡善盡美的完人。杜甫寫了那
麼多的應酬詩，怎麼可能字字珠璣，沒有敗筆？但有的批評家以
維護「權威」的姿態出現，把杜詩的疵病也當成了寶貝，說什麼

「在杜則可，在他人則不可」。葉燮反駁說：

> 斯言也，固大戾乎詩人之旨者也。夫立德與立言，事異而
> 理同。立德者曰：「舜何人也，予何人也，有爲者亦若
> 是。」乃以詩立言者，則自視與杜截然爲二，何爲者哉！
> ……然則「在杜則可，在他人則不可」之言……無有是
> 處。是其人既不能反而得之於心，而妄以古人爲可不可之
> 論，不亦大過乎！⑳

因爲杜甫是宗師巨匠而改變客觀的批評標尺，顯然是錯誤的。但
是，掌握正確的客觀批評標尺並非易事。如果在具體批評中不能
「詳其本末」，而只是根據片面的所聞所見，或者僅憑主觀的好
惡，必然使批評失當。葉燮在《考徵說》中指出：「聞者聞於人，
見者見於記載，然耳聞則人言有可憑有不可憑；目覽則載記有同
有不同，二者俱有言人人殊之患。」因此，爲了克服文學批評中
「言人人殊之患」，克服批評的主觀性盲目性，就必須進一步在
正確理論的指導下，努力建立合乎文學藝術特徵和發展實際的客
觀批評標準——「一定之數」。在具體批評中，不管是今人還是
古人，是大人物還是小角色，都應該「詳其本末」，據「一定之
數」「以定其評」。這樣，才能使批評允當，符合客觀實際。

　　客觀實際在變化，批評標準也不能是一成不變的僵化公式。
葉燮很重視「變」。他認爲人們立身處世，有時「進以禮以蹈其
常」，有時又「進以義以蹈其變」，「君子惟義之宜而已」㉑。
所謂「義」，韓愈《原道》說是「行而宜之之謂義」。葉燮熟悉韓
集，他也是以隨時適變之宜來談「義」的，所以說「惟義之
宜」，強調的是合乎實際變化的重要。文學批評的道理也是這
樣。對於具體文學現象的批評，既要「辨其源流本末」，提到理

論上來認識和分析，堅持原則，「不可以二三其旨」；但又必須
看到文學隨時代、隨社會而變化的實際，按照「惟義之宜」的原
則，「徐以察其異軌殊途」，而「不可執一而論」㉒。比如「文
以載道」這個老問題，葉燮從封建意識出發，認為天經地義；但
他又繼承並發揮了韓愈「師其意不師其辭」㉓的觀點：「夫文之
本乎經者，襲其道非襲其辭……而本乎道者，原非執一法以泥
之，一律以格之者也。當其神明在心，變化在法，左宜右有，無
所不可，而用意根柢處必一定而有在……故文之為本，一本而萬
殊，亦萬殊而一本者也。」㉔所謂「萬殊而一本」，「用意根柢
處必一定而有在」，就是認為不管具體批評怎樣變化，但萬變不
離其宗，自有客觀標準的存在。而所謂「一本而萬殊」，「原非
執一法以泥之，一律以格之」，又同時指出了批評標準不是先驗
的固有之「法」，可以到處生搬硬套，而是隨時代的變化，生活
的進步，具體現象的差異，而適時應變，「左宜右有，無所不
可」，力求合乎文學發展的實際，以發揮文學批評的指導作用。
文學批評標準，既是這樣固定，又是那樣的不固定！葉燮的意見
似乎玄妙，但卻合乎藝術的辯證法。對於那些玩弄固有詩「法」
的批評家，葉燮嘲笑道：

> 五十年前，詩家羣宗「嘉隆七子」㉕之學，其學五古必漢
> 魏，七古及諸體必盛唐。於是以體裁、聲調、氣象、格力
> 諸法，著為定則。作詩者動以數者律之，勿許稍越乎此
> ……然以此有數之則，而欲以限天地景物無盡之藏，並限
> 人耳目心思無窮之取……其言未有不窮，而不至於重見疊
> 出者寡矣！㉖

他在這裡，既是論創作，也是談批評。當時的理論批評家以

古人作品的體裁、聲調、氣象、格力「著爲定則」，形成框框，進行批評的時候，「動以數者律之」：合乎古人框框就是成功；相反，超出框框，稍有不合，就羣起攻之，斥爲異端。這種教條式的批評，看不到文學的發展變化，束縛了作家的藝術思維，限制了創作與欣賞的自由。對於這類明顯錯誤的「批評」，葉燮認爲人們可以不予理睬。眞正的批評家應該追求眞理，堅持原則：「確然有以自信，舉世非之，舉世譽之，而不隨其所搖。安有隨人之是非以爲是非哉！」㉗

那麼正確的文學批評應該堅持什麼原則？這些原則又是根據什麼原理產生的呢？葉燮說：

> 其道宜如《大學》之始於「格物」，誦談古人詩書，一一以理、事、情㉘格之，則前後、中邊、左右、向背，形形色色，殊類萬態，無不可得。
>
> 苟於情、於事、於景、於理，隨在有得，而不戾乎風人「永言」之旨，就其詩論工拙可耳，何得以一定之程格之，而抗言風雅哉！㉙
>
> 後世評詩者……泛而不附，縟而不切，未嘗會於心，格於物，徒取以爲談資，與某某之詩何與？……歷來之評詩者，雜而無章，紛而不一，詩道之不能常振於古今者，其以是故歟？㉚

客觀公正的批評，與先驗的不變的「一定之程」是根本不同的。創作是「格物」、「會心」的統一。優秀詩人是以心靈去體驗、去感受，用心音的顫動，自覺或不自覺地發出了時代的强音。葉燮認爲，批評家的任務，就是揭示作家創造美的祕密。批評家要眞正了解作家作品，同樣也必須「格物」「會心」，但與創作不

同的是在於順序。創作是先感物起興，然後「詩以人見」，它的過程是：「格物」→「會心」→主客觀統一的作品。文學批評的順序恰恰相反，是「人又以詩見」㉛，它由具體的分析作品入手而見「人」，通過把握詩人心靈的震動，去探索時代生活的脈搏。它的過程是：作品→「會心」→「格物」。因此，「格物」、「會心」，同樣是批評家應該牢牢銘記的一般原理。批評中的「格物」，就是分析作品是否形象地反映了客觀事物的本質，時代的精神；批評中的「會心」，就是通過具體作品，去捕捉人類心靈的旋律，分析作家創作的情感與趣味，以及這種情感趣味是否健康，從而斷定這些作品是「有我」之作，還是「喪我」之作。而批評中的所謂「格物」、「會心」，並不是老一套的批評模式，它是「因時遞變」，隨時代與生活的進步而日異月新。只有藝術創新，才具藝術活力。因此，分析創新精神，是揭示美的祕密的關鍵。藝術創新，是指在前人的基礎上，有所前進，作出新的貢獻。葉燮常用創新的標尺，去具體衡量作家作品，揭示其「格物」、「會心」的祕密。他爲藝術的創新精神，尋找了充分的理論根據。他說：「乾坤一日不息，則人的智慧心思，必無盡與窮之日。」因此，必然是「自我作詩，而非述詩」，成功的作品，絕非摹仿的贗品，而是獨創的「新詩」㉜。喪失創新精神，藝術花朵就會凋謝。相反，是那些眞正把握了「格物」、「會心」原理的「新詩」，爲文學花壇增添了絢麗的光彩。唐詩的繁榮，與當時詩人「獨開生面」、各有創新的藝術本色有關。葉燮曾具體加以批評。詩歌發展到李白、杜甫，似乎發展到頂、路已走完。但有本領的藝術家，不會因此裹足不前，他們一方面學習李杜，一方面又另闢蹊徑，自成一家：「如韓愈、李賀之奇桀，劉禹錫、杜牧之雄傑，劉長卿之流麗，溫庭筠、李商隱之輕豔」，「一一皆特立興起」，具有「唐人本色」

㉝。他以創新的標尺,具體衡量了唐詩的新發展、新貢獻。總之,無論時代和文學怎樣變,「格物」、「會心」的一般原理與藝術創新的批評標尺,仍然是客觀存在的。

在文學批評中,既要批評「人」(作家),又要品量「文」(作品),那麼究竟是評「人」爲先,看人說話;還是論「文」爲主,以作品爲斷呢?葉燮認爲,應該以「文」爲斷,因「文」見「人」,這樣的批評才能名實相副。他以《文選》爲例:

> 自周秦下逮蕭梁,操觚之家當以萬計,昭明(蕭統)不求諸人而求諸文,因文以見人,而人可屈指數,文亦可屈指數。而世亦未嘗譏其不備。自後唐宋人亦皆有選,率就文論文,未嘗於文之外,別有鶩也。竊怪近今之選家則不然,爲文選而實則人選。文選一律也,人選則不一律也。或以趨附,或以希求,或以應酬交際,其選以人衡,何暇以文衡量?不以文衡,於是文章多棄人,天下多棄文矣!……然則何以正之?正之以文之一……一以文爲斷,如是則文歸於一而人從之,而名乃不掩乎實㉞。

葉燮認爲,批評家在處理「人」(作家)和「文」(作品)的關係時,如果以「人」爲斷,那就容易發生主觀偏差,就會因關係、勢利而變更批評標準。或曲意逢迎,凡是名人大家,親朋上司,概是優秀之作,而將權勢顯赫的「名公巨卿」之作俱奉爲圭臬和楷模;或肆意貶毀,凡是不見經傳的無名小輩,就肯定不會有什麼好作品。即使布衣匹夫出身的優秀作家,也被斥爲左道旁門,拒之於文學王國之外。這樣「以人爲斷」的批評,勢必扼殺文學隊伍中的大批新人新作,使粗陋庸俗的作品氾濫,破壞讀者的審美欣賞,也必然使文學倒退。

正確公正的批評應該一切「以文爲斷」。葉燮這個觀點，大概是受歐陽修和蘇軾的影響。蘇軾在《答謝民師書》中引用歐陽修話說：「文章如精金美玉，市有定價，非人所能以口舌貴賤也。」葉燮因此得到啓發並加以發展。文學創作一旦完成，作品就由主觀意識化爲客觀存在，所以「文」的藝術價值也就「市有定價」。即使由於錯誤批評，影響了一時聲譽，但歷史的公正批評，終會恢復它的本來光彩。所以葉燮主張批評應該首先「以文爲斷」，然後「因文以見人」。這樣才不會因「人」廢「文」，更不會成爲創作道路上的絆腳石、攔路虎。批評一旦實行「以文爲斷」的原則，那麼即使是名人大家或顯赫人物的作品，如果缺乏藝術創新精神，違背了「格物」、「會心」的原理；閉門造車，仿效古人，就會毫不客氣地予以批評指出，以期改正。葉燮在具體的批評實踐中，正是堅持了「以文爲斷」的客觀原則。比如古典作家中的白居易和陸游，作品很多，葉燮對他們都很尊崇。但可貴的是，他從不偏袒名家，迷信權威，而是堅持「一以文爲斷」。他說：「古人不朽可傳之作，正不在多：：後人漸以多爲貴。元（稹）白（居易）《長慶集》實始濫觴，其中頹唐俚俗，十居六七；若去其六七，所存二三，皆卓然名作也……《陸游集》佳處固多，而率意無味者更倍。」㉕只要批評堅持「以文爲斷」，那麼無論名人大家、公卿權要，或是青年後生，無名之輩，他們的作品都會得到公正的評判，因而各顯本色。葉燮這些論斷，說明他是能夠堅持文學批評中的實事求是原則的。

四、閃爍辯證思想光輝的具體批評實踐

葉燮的具體批評實踐表現在以下三個方面：作家論、作品論，以及對於批評家的批評。在批評中，他常把具體的作家作

品，放到一定的歷史地位中去，從發展的觀點來分析其功過是非。他的許多具體批評，具有某些辯證觀點，令人耳目一新，因而也就很有說服力。比如對於六朝文學，自唐以後，抨擊幾無完膚。如陳子昂《與東方左史虬修竹篇序》：「漢魏風骨，晉宋莫傳……僕嘗暇觀齊梁間詩，彩麗競繁，而興寄都絕，每以永嘆。」在初唐時代，陳子昂矯枉過正，對六朝文學採取了簡單的一棍子打倒的做法。葉燮對陳子昂雖然推崇，但對他並不盲從。當他把六朝文學放到歷史發展天平上去稱量的時候，就發覺情況不盡如此。因此，他的批評就不同於陳子昂了：

> 建安、黃初之詩……一變而爲晉，如陸機之纏綿鋪麗，左思之卓犖磅礴，各不同也。其間屢變而爲鮑照之俊逸，謝靈運之警秀，陶潛之澹遠。又如顏延之之藻繢，謝朓之高華，江淹之韶嫵，庾信之清新。此數子者，各不相師，咸矯然自成一家。不肯沿襲前人以爲依傍，蓋自六朝而已然矣㊱。

> 六朝詩家，惟陶潛、謝靈運、謝朓三人最傑出，可以鼎立。三家之詩不相謀：陶潛澹遠，靈運警秀，朓高華，各闢境界開生面，其名句無人能道。左思、鮑照次之。思與照亦各開生面。餘子不能望其肩項。最下者潘安、沈約，幾無一首一語可取，詩如其人之品也。齊梁駢儷之句，人人自矜其長；然以數人之作相混一處，不復辨其爲誰，千首一律，不知長處何在！㊳

> 六朝諸名家，各有一長，俱非全璧。鮑照、庾信之詩，杜甫以「清新」、「俊逸」歸之㊳，似能出乎類者；究之拘方以內，畫於習氣，而不能變通。然漸闢唐人之戶牖，而啓其手眼，不可謂庾不爲之先也㊴。

對於六朝文學，不管是對整個時代，還是各別的作家作品，他都能以辯證的發展眼光看問題，旣不全盤肯定，也不一概罵倒。他實事求是，認爲有功有過，「俱非全璧」。對於潘安、沈約一類駢儷文學作家，千首一律，「不復辨其爲誰」的不良文風，他提出了嚴厲的批評。但又不能因此而否定六朝的優秀之作。他在具體批評中，一一指出了各個名家的藝術特色。他拿起了創新的標尺來衡量，高度評價了六朝文學中「不肯沿襲前人以爲依傍」、「各闢境界開生面」的創新精神，說他們是人人「自成一家」，各有新的貢獻。在中國文學發展史上，六朝文學雖有不少缺點，但「漸闢唐人戶牖，啓其手眼」，這份功勞是不可抹煞的，現在看來，葉燮的這個批評是公允的，有充分的事實作根據。就以詩歌聲律而論，如果沒有六朝「永明聲律」的四聲八病之說，沒有庾信等大批詩人的藝術實踐，唐朝的近體詩（律絕）這種爲人喜愛的新文學樣式，是難以出現的。唐人借鑑了「永明聲律」，加以改造、發展，化消極的拘限聲病爲積極的簡易可行的平仄律。因此可以說，沒有六朝人在聲律方面的探索，也就不會有唐人的近體詩。雖然唐人反對六朝的調門極高，但事實證明，唐人在許多方面受到六朝文學的啓發，從中汲取營養，壯大了新文學的肌體。葉燮以批評家的辯證眼光，揭示了這層祕密。

葉燮對六朝文學的批評，是不是僅從藝術標準出發，沒有觸及思想內容呢？不是的。比如他對謝靈運詩評價很高，爲什麼？其《廉讓堂詩序》說：晉宋時代的謝氏家族從謝安開始，「敗勁寇，安社稷」⑩，「質有其文」，「不徒如晉世之崇尙虛無者。故其後文章彪炳之彥蔚起，代有其人」；「即靈運近乎放誕，然其自比魯連、子房，忠義憤激，以《述祖德》一詩，猶見不忘生民規矩。」⑪很明顯，他是因「文」見「人」，通過對於《述祖德》之類作品的批評分析，充分肯定了詩人「不忘生民規矩」的「忠

義憤激」之情。對文學批評中的思想及藝術兩大標準，他不是機械地割裂，孤立分論，而是加以有機統一的評述。

葉燮的其他具體批評實踐，同樣閃爍著辯證法的光彩。他認爲「論文有順、逆二義」⑫，不應只見一面，不及其餘。比如評白居易詩，許多人譏其「老嫗可曉」是低人一等的「俚俗」，連蘇軾也加以嘲笑，指責它「局於淺切，不能變風操，故談之易厭」⑬。葉燮並不因是蘇軾所言就人云亦云，他針鋒相對地指出「此言亦未盡然」，並對白詩進行具體的一分爲二的批評。在白居易詩集中，構思不精，「矢口而出」的淺俗之作不少，所以令人「讀之易厭」，從這方面看，蘇軾的批評有一定道理；但更應該看到，白詩另有它成功的一面：「然有作意處，寄託深遠。如《重賦》、《不致仕》、《傷友》、《傷宅》等篇，言淺而深，意微而顯，此風人之能事也。至五言排律，屬對精緊，使事嚴切，章法變化中條理井然，讀之使人唯恐其竟，杜甫後不多得者。人每易視白，則失之矣……白俚俗處而雅亦在其中，終非庸近可擬。」⑭類似的批評，從思想到藝術，剖析透徹，很有見解。對於白居易《重賦》一類的諷諭詩，葉燮認爲它們的成功不僅在於關心人民疾苦，而且這一崇高的思想，是通過「言淺而深，意微而顯」的生動藝術形象，自然地流露出來，潛移默化，感人更深。在我國文學史上，譏評白詩「淺」與「俗」的人正不在少數。但葉燮能力排衆議，明辨是非，並指出了白詩的主要藝術特點恰恰是「俚俗處而雅亦在其中」，這是難能可貴的。

又如對於杜詩的批評，儘管葉燮最爲推尊杜甫，但在他的批評天平上是人人平等，對杜詩的瑕疵，他同樣明確指出，毫不留情；他不像有些人那樣，抱著「在杜則可，在他人則不可」的錯誤態度。所以葉燮指出：

古今詩集，多者或數千首，少者或千首，或數百首。若一
集中首首俱佳，並無優劣，其詩必不傳。又除律詩外，若
五七言古風長篇，句句俱佳，並無優劣，其詩亦必不傳。
即如杜集中，其率意之作，傷於俚俗率直者頗有，開卷數
首中，如爲南曹小司寇作「惟南將獻壽，佳氣日氛氳」等
句，豈非累作乎！又如《丹青引》，真絕作矣，其中「學書
須學衞夫人，但恨無過王右軍」，豈非累句乎！譬之於
水，一泓澄然，無纖翳微塵，瑩淨徹底；清則清矣，此不
過澗澨潭沼之積耳！非易竭，即易腐敗，不可久也。若大
海之水，長風鼓浪，揚泥沙而舞怪物，靈蠢畢匯，終古如
斯，此海之大也。百川欲不朝宗，得乎？㊺

　　葉燮指出，在文學批評中，「優」與「劣」是一對矛盾，它
們是相比較而成立的，沒有缺點，也就無所謂優點。他具體批評
了杜詩，說其也有缺點，缺點就不可學習。對於要麼把杜甫視爲
「完人」，毫無缺陷，全盤接受；要麼以「完人」要求詩人，一
旦發現杜詩居然也不是十全十美，又橫加挑剔的批評家，葉燮是
很不滿意的。他指出，如果以「俗儒」的觀點作準繩來批評，就
會導致「詩亡，而詩才亦且亡」㊻的嚴重後果，會把文學創作引
入邪路。所以葉燮一反「俗儒」之所爲，主張批評應從「高者、
大者、遠者」著眼，抓住主要矛盾，體會精神實質，放眼全局，
細加剖析，公正批評，認眞負責，「正不必斤斤爭工拙於一字一
句之間」㊼。葉燮對杜詩的具體批評，很有說服力，對後人很有
啓發。

　　以上所談，是葉燮對於歷代作家、作品具體批評的事例。至
於對文學理論批評家，應當如何正確地對待自己的文學批評實
踐，他也有一些很好的見解。他認爲批評家責任重大，應該有嚴

肅認眞，知錯必改的態度，以免害人誤己。這樣，他對自己的文
學批評，就能虛心接受別人意見。比如他自己對於詞的創作，原
先抱有傳統偏見，以爲是「詩之餘」，它的情調「柔嫵婉變」，
只適合閨中十五、六歲少女低眉輕唱，而與「寄託感興」的風人
之旨無關；至於蘇軾、辛棄疾等豪放派詞，他又曾批評說：「鬚
眉之本色存，而詞之本色亡。」後來有個名叫魏州來的道士批評
了他，認爲這是「只知其一，不知其二」的錯誤意見：「唐人艷
體詩，首推李商隱，然其寄託深遠，多藉美人幽離之思，靡曼之
音以寫之，蓋得楚騷之遺意者。古之才人，凡其胸中抑鬱不平而
不得申者，正言之不可，泛言之不可，乃意有所觸以發其端，而
攄其莫能言之隱也。作詞者亦是志而已矣，夫何病乎？」葉燮認
爲這個意見很對，承認自己原來看法是片面的，他說：「善，是
余之所未逮。」⑱作爲一個文學理論批評家，葉燮嚴以律己；但
對同行，即使是處於對立地位、矛盾很深的論敵，他也從不隨便
否定一切。有時雖然一時衝動，意氣用事，相互攻訐不息，事後
他卻能冷靜地深刻反省，服從眞理。比如他與汪琬，文學宗旨不
合，各立門戶，教授生徒，彼此拿起了理論批評的武器，猛烈地
攻擊對方。葉燮曾著有《汪文摘謬》一書，嚴厲指責汪琬作品的種
種錯誤。但在汪琬死後，他又深刻檢查了自己。據沈德潛《葉先
生傳》載：

> 後鈍翁（汪琬）没，先生謂「吾向不滿汪氏文，亦爲其名
> 太高，意氣太盛，故麻列其失，俾平心靜氣，以歸乎中正
> 之道。非爲汪氏學竟謬螫聖人也。且汪没，誰譏彈吾文
> 者？吾失一諍友矣！」固取向時所摘汪文短處悉焚之。

沈德潛是葉燮的嫡傳學生，所記必有根據。有批評就有反批評，

這是正常現象。在文學鬥爭中，葉燮一般既能堅持理論原則，又不固執己見。他並不以爲自己的批評就一定是眞理。一旦在歷史實踐的檢驗中發現錯誤，批評家就應從善如流，隨時改正，以對整個文學事業負責。因此，批評家和作家同樣都應該歡迎別人的「譏彈」和批評。

又如：明代後七子領袖王世貞，他是葉燮《原詩》的重點批判對象：「王世貞、李攀龍輩盛鳴於嘉（靖）隆（慶）時，終不如明初之高（啓）楊（基）張（羽）徐（賁），猶得無毀於今日人之口也。」⑭他對王世貞這些代表正統的復古派理論批評家，態度極其嚴厲。但在具體批評中，他卻從不以門戶之見來否定一切。對王世貞的詩文創作，葉燮一方面指出了他那貪多務得的弊病；一方面又公正地批評說：「覓其佳處……排沙簡金，尚有寶可見。」⑮而對於作爲理論批評家的王世貞，他也能一分爲二，正確的肯定，錯誤的批判，進行了實事求是的分析與批評。他說：「王世貞詩評甚多，雖祖述前人之口吻，而掇拾其皮毛，然間有大合處。如云：『剽竊摹擬，詩之大病；割綴古語，痕迹宛然，斯醜已極。』」⑯在這裡，王世貞具體反對「剽竊摹擬」，主張「神與景觸，師心獨造」⑰。這又突破自己的復古論局限，無疑是正確的，因而葉燮在批評中予以充分的肯定。在《原詩》中，他對王世貞有很多的肯定批評：

　　王世貞曰：「十首以前，少陵較難入；百首以後，青連較易厭。」斯言以蔽李杜，而軒輊自見矣⑱。
　　李賀鬼才，其造語入險，正如蒼頡造字，可使鬼夜哭。王世貞曰：「長吉師心，故爾作怪，有出人意表；然奇過則凡，老過則稚，可謂不可無一，不可有二。」余嘗謂世貞評詩，有極切當者，非同時諸家可比。「奇過則

凡」一語，尤爲學李賀者下一痛砭也⑤。

　　王世貞曰：「七言絕句，盛唐主氣，氣完而意不盡；
中晚唐主意，意工而氣不甚完，然各有至者。」斯言爲能
持平⑤。

從對於王世貞批評論的批評，可見葉燮的態度及其批評論中的辯
證法。在具體批評實踐中，即使是對論敵或重點批判對象，他也
絕不因派廢論，因人廢言。這才是眞正批評家應有的公正的、科
學的態度。

---

①上述引文，均見《原詩》外篇上。以下引用《原詩》文字，只注篇名。

②以上引文，均見外篇下。

③④均見內篇下。

⑤⑥⑦均見內篇上。

⑧見二棄草堂家刻本《己畦文集》卷十。以下凡引文集者，只注文集卷
　數。

⑨以上引文，見文集卷十《贈季偉公序》。

⑩詩集卷三。

⑪外篇上。

⑫外篇上。

⑬外篇上。

⑭外篇下。

⑮內篇上。

⑯見韓愈《醉留東野》詩。

⑰外篇上。

⑱秦觀《滿庭芳》詞。

⑲柳七，指柳永，北宋著名詞人。是當時詞壇上婉約派的主要代表人

物。

⑳以上引文，均見外篇上。

㉑文集卷十《送顧遷客赴陝序》。

㉒文集卷十三《與友人論文書》。

㉓韓愈《答劉正夫書》。

㉔文集卷十三《與友人論文書》。

㉕嘉隆七子，指以王世貞、李攀龍為首的後七子。

㉖外篇上。

㉗內篇下。

㉘葉燮《原詩》把客觀事物概括為理、事、情三項。內篇下：「曰理、曰事、曰情三語，大而乾坤以之定位，日月以之運行，以至一草一木一飛一走，三者缺一，則不成物。」

㉙內篇下。

㉚外篇上。

㉛「詩以人見」及「人又以詩見」等語，均見外篇上。

㉜內篇下：「若夫詩，古人作之，我亦作之。自我作詩，而非述詩也。故凡有詩，謂之新詩。」

㉝內篇上。

㉞文集卷三《選家說》。

㉟外篇下。

㊱內篇上。

㊲外篇下。

㊳杜甫《春日憶李白》詩：「清新庾開府，俊逸鮑參軍。」

㊴外篇下。

㊵指謝安在淝水之戰中的功勳。

㊶見文集卷八《廉讓堂詩序》。

㊷外篇上。

㊸㊹㊺均見外篇下。

㊻㊼均見外篇上。

㊽以上引文，均見文集卷八《小丹丘詞序》。

㊾內篇下。

㊿外篇下。

(51)外篇上。所引王世貞語，葉燮略有刪節，見《藝苑卮言》卷四。

(52)王世貞《藝苑卮言》卷四。

(53)(54)(55)均見外篇下。

（原載《中國文藝思想史論叢》第二輯，
北京大學出版社1985年9月第一版）

《三管詩話校注》前言

一

　　當清代中葉「乾嘉盛世」的沈重帷幕在歷史舞台上最終落下之際，鴉片戰爭的隆隆炮聲震撼了神州大地的時刻，梁章鉅正在廣西巡撫任上。他主政廣西五年，清廉自潔，官聲甚佳，又熱心於廣西的地方文化事業，曾做出了巨大的貢獻。尤為可貴的是，他在廣西巡撫任上，政暇談藝，即著手編撰《三管英靈集》五十七卷和《三管詩話》上、中、下三卷。《三管英靈集》的「三管」，原指唐代嶺南五管中的廣西三管：即桂管、邕管和容管，所轄境土相當於今廣西省，故古人常以「三管」雅稱廣西。《三管英靈集》是一部古代廣西詩歌總集，輯錄廣西通省古近人遺詩。同類性質的總集，明以前不見編選。入清以後，有汪森《粵西詩載》和張鵬展《嶠西詩鈔》。前者收錄古代至明末有關廣西的詩詞作品，但不錄清人之作，於古又有掛漏。後者所錄，上起明之蔣冕，下迄嘉慶，則又忽略古作。於是梁章鉅在充分吸取前人成就的基礎上，針對上述二書的缺陷而加以彌補，又廣泛參考各種方志（**按**：如當時新撰謝啓昆本《廣西通志》及各種府、縣志），搜羅近現代人詩集，注意輯佚挖掘工作，既精選古作，以反映歷朝廣西詩歌發展概貌；同時又重視近現代的作家作品，廣加搜輯，略加評論，表現了「不薄今人愛古人」（杜甫《戲為六絕句》）的公正態度。

網羅繁富，體例詳備，兼有《粵西詩載》與《嶠西詩鈔》之長，與之鼎足而三，成為研究廣西詩歌發展及文化歷史的重要參考著作。

二

梁章鉅（1775～1849年），其族係出於安定梁氏。字閎中，又字茝林（或作「芷林」），晚年自號退庵。原籍福建長樂縣，居南鄉江田里。清初，遷居福州，故又為福州人。自明至清中葉二百餘年，梁氏世以讀書為業，紀昀督學福建時，曾以「書香世業」四字旌匾其家。故自章鉅父輩以前，雖乏達宦，但其家族具有較高的文化素養，對於章鉅本身，自有良好的家風傳統影響。其父梁贊圖，字斯志，又字翼齋，乾隆三十三年（1768年）舉人，考補內廷咸安宮教習，調選汀州府寧化縣學教諭，實際是一個頗有學識的教師。少年梁章鉅即隨侍父親讀書，從小受到嚴格的教育，為以後的著述生涯奠定了堅實的基礎。乾隆五十九年（1794年）成舉人，嘉慶七年（1802年）登進士第，時年二十八。以翰林院庶吉士用教習，散館授禮部主事。入仕前，曾輯《東南嶠外書畫錄》；登仕後，公務之暇，照樣勤於著述，表現了學者的本色。不久因病家居，掌浦城南浦書院講席。後考選軍機章京，入直軍機，加入宣南詩社，任禮部員外郎，外任湖北荊州知府，江南淮海河務兵備道，管理盤運漕糧總局，江蘇、江西按察使，山東、江蘇布政使，四次護理江蘇巡撫九年有餘，授甘肅布政使，道光十六年（1836年）升任廣西巡撫，二十一年升江蘇巡撫，兩江總督裕謙兵敗自殺後，署理兩江總督。在廣西巡撫任上，中英鴉片戰爭爆發，曾率兵至梧州防區堵截英侵略軍。調任江蘇巡撫時，甫離廣西，即直趨上海前線，與提督陳化成同心協力，練兵練炮，搜捕巨奸，刁斗森然，嚴陳以待。後以頭痛舊疾

復發，數次暈倒職位，遂引疾歸田。但仍關心國家大事，力主抵抗侵略，其《歸田瑣記》卷一《堵江口》曰：「余僑寓邗上……聞海上警報，怃然憂之。」他曾對地方官建議：「夷情如此猖獗，難保其不犯長江，則瓜洲一帶口門，不可不預爲之計。」預先提出動用地方財政，募民兵奮起抗戰，在長江一帶布防埋伏，以廢船堵江口，在船上伏槍炮，層層扼隘，重重阻擊，「英夷雖猛，恐亦不能飛來矣」。可惜未被採納施行。又因戰亂，東西萍寄，「不但無田可歸，竟至有家而不能家」（見梁章鉅《歸田瑣記》卷一《歸田》）。後其三子恭辰任浙江溫州知府，遂卒於溫州，時年七十五。

梁章鉅歷任地方官。一般刮地皮的貪官是「一年清知縣，十萬雪花銀」。梁章鉅則基本保持清廉的書生本色，熟知民間疾苦，頗富同情之心，讀其《河上雜詩》《監利喩民》《苦雨》諸詩可知（見《退庵詩存》）。他的家境並不富裕，但卻常自掏腰包爲地方修建古迹（如廣西五詠堂），積極救濟災民。林則徐在道光十二年作《題梁芷林方伯〈目送歸鴻圖〉》詩，稱頌曰：「惻悱救時心，卓犖經世務。不辭一身瘁，殘黎活無數。豈無危言阻？勇者能不懼。」（見《林則徐詩集》，海峽文藝出版社1987年版）據《退庵自訂年譜》，林則徐所述當爲道光十一（1831年）年事，時梁章鉅護理江蘇巡撫：「辛卯，五十七歲。江淮大水成災，流民蔽江而來，每日以萬計。乃率屬捐廉（**按**：廉，指官吏的養廉金，相當於後代的附加工資之類），出示募捐，一面給船咨送，一面設廠留養。計自秋初至孟冬三月餘日，資送出境者六十餘萬人，自初冬至次年春季在廠留養者四萬餘人，復自捐棉衣萬襲，以爲廠中禦寒之具，於三月末陸續資送北返，沿途頗有頌聲。何竹葤郡丞爲作《目送歸鴻》畫卷，高雨農舍人澍然爲之記。」（見《退庵自訂年譜》）林則徐之稱譽，言之有據，並非詩人溢美之辭。

　　梁章鉅的性格，沈靜穩重，寡言少語。但與近代啓蒙思想家
們一樣，都具有一顆火熱的心。他與林則徐、龔自珍、魏源等知
名人物，交誼頗深，思想共鳴。他和龔自珍，相交數十年，情誼
非一般。其《師友集》云：「仁和龔定庵主事⋯⋯抱負恢奇，才筆
橫恣不爲家學所囿。初入京師，即與程春廬及余訂交⋯⋯，丙
申，余由甘藩入覲，君約程春海侍郎、徐星伯、吳虹生二中書，
飲於虹生寓齋，爲文以餞之（**按**：即龔自珍《送廣西巡撫梁公序》
三篇）⋯⋯余嘗刻入《宣南贈言》中，而讀者嫌其語多觸忌，此井
蛙之見耳。君之歸也，掌丹陽講席。適余在上海防堵，郵書論時
事，並約即日解館來訪，稍助籌筆。余方掃榻以待，數日而凶問
遽至，爲之泫然。」龔自珍力主改革，「語多觸忌」，但梁氏不
以爲嫌。在鴉片戰爭的隆隆炮聲中，二人書信往返，討論時局，
共商對策，龔氏並應邀入梁氏江蘇巡撫幕府，同仇敵愾，共同抗
敵，以圖復興。其思想之共鳴，於此可見一斑，惜龔氏天年不
永，溘然遽逝，遂致梁氏泫然之嘆，悲乎！又梁氏與魏源，也頗
有交誼。如其《毗陵舟中有懷邗上諸君子，人繫以詩，皆一年中
往來至熟者》組詩中有《魏默深州牧》詩云：「默深名進士，而甘
牧令卑。不默復不深，外宦豈所宜？比年富著作，時流多驚疑。
此才合台省，優爲國羽儀。」默深，魏源字，官至江蘇高郵知
州，故稱州牧。梁氏又於「時流多驚疑」句下自注云：「默深著
書甚富，近復成《聖武記》及《海國圖志》，尤爲創闢。」魏源的啓
蒙思想與改革主張，在《聖武記》和《海國圖志》中有集中的反映。
梁氏譽之爲「創闢」之著，推魏源爲國家「羽儀」，可見其思想
共鳴。至於林則徐，則爲故鄉知己，感情尤深，生死不渝，二人
往返交遊之迹，可於二家著述中見之。梁氏以嘉慶十三年（1808
年）入福建巡撫張師誠幕，後二年薦林則徐以自代。《退庵詩存》
卷十七有《錄別五百字送林少穆服闋入都》詩。鴉片戰爭後，林則

徐作爲抗戰派領袖被貶斥流放，但章鉅卻頌之爲「遠邇所同
欽」，云：「以逐臣而猶爲民爲國，豈復是尋常報稱之情！」
（見梁章鉅《浪迹叢談》卷二《少穆尚書贈聯》）他在夢中，都在盼
望林則徐遇赦生還，其《半東園日記詩》自注云：「昨有傳林少穆
已賜環（還）入關者，爲之喜而不寐，實謠言也。余福州老屋在
屏山之麓，與少穆爲比鄰者數年。」而《林則徐詩集》中贈梁之作
也不少。梁氏五十誕辰，林則徐親自作畫題詩以賀，詩題是《梁
芷林觀察章鉅五十初度，寫〈報閩圖〉寄祝，並繫以詩》：「玉館
昭華已奏功，鶴飛一曲趁淸風。仙心合擬淮南子，壽骨遙推河上
公。秋是八千還遇閏，詩成五十未稱翁。看君直節長承露，驗取
高崗百尺桐。」此詩是道光四年（1824年）作於蘇州，時林則徐
署江蘇布政使。則徐所畫，當爲梧桐圖以賀壽。其善繪事，於此
可見，惜今放佚不傳。梁章鉅去世，林則徐爲作《墓誌銘》以寄
哀。梁林二人，思想品格及爲人大節，必有本質一致之處，才能
友誼長盛而不少衰。比較而言，梁章鉅受傳統文化薰陶較深，政
治上不如林則徐激進；但作爲一個正直的愛國知識分子，在國家
存亡、民族危難的關鍵時刻，卻與林則徐一樣經受了時代戰火的
洗禮，凜然正氣，直貫斗牛，激動人心。因此，他的思想和著
作，雖然存留了一些傳統的印記，但透過現象看本質，總體傾向
並非保守，而時有改革火花的閃亮。在學術上，梁氏著述勤勉，
作品宏富，世所罕見，著作等身，並非虛譽。作爲地方行政長
官，其中不免有某些集體著作或幕僚代筆捉刀，但重要著作，相
信多爲親筆，他人多是據其立意布局，查找資料，盡抄輯之功。
據隨侍廣西幕府的章惇《歸田瑣記跋》云：「如《楹聯叢話》、《三
管詩話》、《銅鼓聯吟》諸刻，皆成於簿書叢雜之餘。即至梧江防
堵，戎馬倥傯，羽檄飛馳，中夜數起，而尙能抽暇創成《三國志
旁證》一書。其忙中整暇如此，況今日之優游田里，閉戶著書，

俗緣不干，眞想自適者乎？」其著作，據其《歸田瑣記》卷六《已
刻未刻書目》，已有四十一種之多。當時作者年近七十，後來又
在最後的五、六年裡，增添了許多作品。據林則徐撰《墓誌銘》，
其著作有六十七種，今附目於下：

《論語集注旁證》二十卷，《孟子集注旁證》十四卷，《夏小正
經傳通釋》四卷，《倉頡篇校證》三卷，《經塵》八卷，《稱謂錄》十
卷（**按**：實際爲三十二卷），《古格言》十二卷，《三國志旁證》三
十卷，《文選考證》四十六卷，《國朝臣工言行記》十二卷，《樞垣
紀略》十六卷，《春曹題名錄》六卷，《南省公餘錄》八卷，《退庵隨
筆》二十四卷，《試律叢話》十卷，《楹聯續話》十二卷，《楹聯續
話》四卷，《楹聯剩話》二卷，《巧對錄》四卷，《農家占驗》四卷，
《東南嶠外詩話》三十卷，《長樂詩話》八卷，《南浦詩話》四卷，
《雁蕩詩話》二卷，《閩中閨秀詩話》二卷，《武彝遊記》二卷，《滄
浪亭志》四卷，《梁祠輯略》二卷，《梁氏家譜》四卷，《吉安室書
錄》十六卷，《東南嶠外書畫》二十卷（**按**：「畫」後應加一
「錄」字），《退庵題跋》二十卷，《退庵續跋》二卷，《歸田瑣記》
十卷（**按**：今中華書局排印本爲八卷），《浪迹叢談》十一卷，
《浪迹續談》八卷，《浪迹三談》六卷，《退庵文存》二十四卷，《藤
花吟館詩鈔》十二卷，《退庵詩存》二十四卷，《退庵詩續存》八
卷，《師友集》八卷，《寒檠雜詠》一卷，《藤花吟館試帖》二卷，
《東南嶠外詩文鈔》三十卷，《閩詩鈔》五十卷，《閩川文選》五十
卷，《三管英靈集》五十八卷，《江田梁氏詩存》九卷，《宣南贈言》
二卷，《滄浪題詠》二卷，《東南棠蔭圖詠》三卷，《邗江別話》四
卷，《北行酬唱集》四卷，《銅鼓聯吟集》二卷，《吳中唱和集》八
卷，《三山唱和集》十卷，《戲彩亭唱和集》一卷，《閩文復古鈔》六
卷，《閩文典制鈔》四卷，《師友文鈔》二十四卷，《八家師友鈔》十
二卷。

　　人們只要瀏覽一下他的著述目錄，自會爲其淵博學識所懾服。上自天道自然，下至山川地理，高層的禮樂刑政文化，低層的農家耕作謠諺，無不娓娓道來，淵源有據。在清代筆記作家中，堪稱大家。其學術思想，當然打上了乾嘉學風的時代烙印。其中有不少與經學考據有關的著作，但思想卻不爲經學所拘囿，並不以經學專門名家，而是致力於更爲廣泛的文史探索和整理工作，可以稱之爲「雜家」。所謂「雜家」，絕無絲毫貶義，而是博洽古今，思路開通之謂，也就更加針對現實需要，寫什麼就像什麼。在鴉片戰爭風雲突變之中，敵人的洋槍洋炮，和現實的腐敗無能，使他深感革除弊政的必要。因此，在正統人士痛罵明末改革家張居正爲「亂臣賊子之不如」時，在戲曲舞台演出《大紅袍》加以醜化詆毀之際，梁章鉅在這種反改革的大合唱中，投進了一聲高亢的不協和音調。他因古思今，稱頌張居正的改革具有「振作有爲之功」，爲「濟時之賢相，未可厚非」，所以著述中屢屢稱引其《張太岳集》（見梁章鉅《浪迹叢談》卷六及《浪迹續談》卷五）。又如《浪迹叢談》卷五有《英夷》《鴉片》《天主教》諸則，對於清王朝的腐朽，外侮日深；對於英侵略者販賣鴉片毒害我國人民，又仗其船堅炮利，橫行霸道，氣焰囂張；對於傳教士以傳教爲名，行文化侵略之實，「在地方必與其長吏相結，厚餽遺，有事則官長徇庇之，以故其教益張」，憤激之情，溢於言表，論及則「深爲扼腕」而慨嘆：「其焰復張，甚爲可恨，因錄舊事以正告夫當事者。」言外之意，弱食中國者，非僅洋人侵略，「當事主持者」腐敗無能，自甘爲虎作倀，無異引狼入室，當然同樣難逃罪責。《浪迹叢談》寫於道光二十六年（1846年），是其致仕家居的晚年之作。作爲一個致仕官員，權勢已失，說話不能不收斂含蓄一些。同一卷中，又有《水雷》《炮考》諸則，一方面稱引許乃濟奏摺：「夫以中國易盡之藏，塡海外無窮之壑，日增月益，貽

害將不可言。」憤怒抨擊外國侵略者，要求奮起抵抗。故身先士卒，率師禦敵。另一方面又並不排斥洋人的先進科學技術，主張加以學習，爲我所用，以便富國強兵。如《水雷》一則「竊謂此器甚好，非夷人之巧心莫能創造，非洋商之厚力亦莫能仿成。惟是大海茫茫，波濤洶湧，此器如何能恰到敵船之底，又恰能使敵船渾然罔覺，坐待轟擊，則皆非瞽儒淺識之所敢知矣！」可見並非一味排外，思想較爲開明。對於洋人先進兵器的思索，抨擊淺識「瞽儒」那些睜眼瞎、頑固派，可見其文化觀念已經開始更新。只是天不作美，不久作古，只能面對國恥大辱而抱恨九泉了！

三

梁章鉅不僅是學者，而且是個詩人，他的詩文，雖然難入少數天才上乘之列，但在嘉慶道光年間，也堪稱自成一家。嘉慶年間，他曾學詩法於翁方綱。《退庵詩存》卷首有翁方綱題記品評其詩云：「手腕境界，迴異時流……不名一家，而能奄有衆家之美者也。憶昔併几論詩，謝蘊山之圓雋，馮魚山之縱橫，皆不若茝林之得路，不過沈著按切而已，無他巧也。而一時才雋，竟皆莫能近，惟蘭卿可爲茝林畏友耳。蘭卿之失，在手腕輕鬆，然衆妙之門，無不可以銳入；茝林之失，在貪寫正面，欲求其鬆而不可得。」對於梁氏詩歌優劣，評說得體。其古詩下筆百千言而滔滔滾滾，取材奧衍，用筆雄健，其選韻雖險，而控縱自如，出自杜甫韓蘇而能化而用之者。其近體詩質實不佻，明白流暢，韻味醇厚，頗富意境，時得唐人三昧。如其《八月十五夜率成》詩云：

西風客子寒不眠，夜色欲午花含煙。

今月古月共一照，舉頭低頭都可憐。

六千餘里故山遠，二十一回明鏡圓。

此情此景悄誰遣？空庭衣露森吟肩。

直抒胸臆，羌無故實，萬里長宦，故鄉思戀，情景宛然。其《北東園日記詩》（見《歸田瑣記》卷八）有一絕云：「半夜揮成《喜雨》詩，平明唱遍瞽兒詞。侯門都作沈沈夢，翻笑衰翁局外癡。」自注云：「拙作《喜雨》詩，和者數家而已，餘皆噤不出聲。」關心民瘼，情溢於辭，抨擊沈沈夢中之豪門權貴，意在言外。總之，梁氏之詩，健筆圓熟，辭隨意遣，舒卷自如，頗富書生本色。道光十二年（1382年），吳廷琛序其詩曰：「茞林才大而學瞻，於經史百家之言，無所不究。覽其為詩也，陶冶羣籍而杼軸予懷，奄有衆美而不名一家：時而為諧諧和易之音，則垂紳正笏佩玉鏘鳴，不足以形其春容而莊雅也；時而為發揚蹈厲之作，則鯨魚掣海，威風昂霄，不足以形其瑰瑋而騰踔也；時而為曼衍奇恣之觀，則風雨雷霆交發並至，龍蛇虎豹變現出沒，不足以形其震盪而翕闢也。其間次韻疊韻，更唱疊奏，則八音繁會，異曲同工，又如天孫雲錦，絕無裁縫針線之迹。」所論雖不免溢美成分，但從宏觀視之，大體不差。他雖出於翁方綱門下，但卻絕不墨守翁氏「肌理」之說，敢於度越師門而自成名家。翁詩瘦硬杈枒，近於黃山谷。茞林則詩思開張而多變化。這與其詩學理論的指導密切相關。

四

梁章鉅的文藝興趣廣泛，不僅是一般傳統文人的琴棋書畫，就是正統士人不齒的戲曲小說，他也無所不窺，並無偏見。觀其《歸田瑣記》卷七《小說》《封神傳》《三國演義》《金聖嘆》諸則，知其

嗜小說。而其《浪迹續談》卷六有《看戲》《文班武班》《生旦淨末》《工尺》諸則,知其好戲曲。他在《看戲》中稱引龔小峯之語曰:「讀書即是看戲,看戲即是讀書。」以為「得之」。把看戲與讀書等同看待,在古代實是驚世駭俗、石破天驚之語。其《文班武班》中又說:「在京師日,有京官專嗜崑腔者,每觀劇,必攤《綴白裘》於几,以手按板拍節,羣目之為專門名家。余最笑之……既以演戲,則徵歌選舞,自以聲色兼備為佳。若徒賞其低唱恬吟,則但令一人鼓喉,和以一笛足矣,又何必聚一班數十人於後台,為之結彩張燈,肆筵設席,而品評其行頭之好、腳色之多乎?」所論比近現代一批遺老遺少開明得多,與現代戲劇理論頗有接近之處。但比較而言,他那博取眾長的開明文藝思想,不僅散見於詩文集及諸筆記中,而且集中體現在他豐富的詩話著作中。其詩話著作,據現存資料,包括《退庵隨筆》及《浪迹叢談》中的《詩話》卷,共十二部之多,在詩話作者中,堪稱「富翁」。現正逐步整理,準備今後匯編出版。其中有不少著作屬於地方詩話,如《東南嶠外詩話》、《雁蕩詩話》、《閩川詩話》、《閩中閨秀詩話》、《長樂詩話》、《南浦詩話》等。而《三管詩話》三卷,即是其中一部具有代表性的優秀地方詩話。古代中國是個詩歌的王國,有詩則有「話」,因而自北宋歐陽修《六一詩話》創體之後,詩話著作如林,成為我國傳統詩論的特殊著作形式。而隨著詩話創作的繁榮,分類趨於細密,因此具有專門化傾向的地方性詩話於清時興起。蔡鎮楚《中國詩話史》云:「地方性詩話最突出的特點,一是地域性,論詩的對象與範圍只限於一定的區域之內……二是通於方志,或以詩存人,或以人存詩,使數以千百計的地方詩人特別是無名詩人及其詩歌賴以僅存,為編輯地方人物志和地方藝文志提供了極其豐富的寶貴資料……為後人研究和編寫鄉土文學史……提供了很多方便。三是博於詩事,寓詩旨的探求於考

述詩事之中。」優秀地方性詩話的共同特點和文化貢獻，《三管詩話》無不具備。梁章鉅廣西巡撫任內，在編撰《三管英靈集》的同時，即著手《三管詩話》的編寫工作，其《三管詩話·自序》稱：「余撫粵西將五年（**按**：自道光十六年至二十一年，即1836～1841年），隨時訪錄都人士舊詩，已得數百家，約可編成四十餘卷（**按**：實際出版爲五十七卷）。閒綴詩話若干條，附於各家之後……所綴詩話，好事者以先睹爲快，乃復加刪潤，別爲三卷，先付梓人。昔秀水朱氏（**按**：指朱彝尊）編《明詩綜》，綴以《靜志居詩話》，近人即有專取詩話別訂成書者。今亦竊仿其例……區區抱殘守闕之心，當亦都人士所不忍聽其湮沒者。拾遺捃逸，尚望同志者擴而充之云爾。」這是他在道光二十一年五月即將離開廣西時所辦的最後一大快事。《三管詩話》所紋，無不與廣西詩人或廣西詩事有關，其地域性的特色非常明顯。我們今天整理出版《三管詩話》，並且加以校注，當然不僅是爲了「抱殘守闕」，保存古籍，而主要是爲現在地方的文化建設提供寶貴的參考與借鑑。回顧歷史的運行軌迹，有利於今後開拓康莊大道。如明末袁崇煥，作爲一個抗擊後金（入關後稱淸）的愛國將領，謝本《廣西通志》無傳；而作爲一很有特色的慷慨詩人，朱彝尊《明詩綜》、汪森《粵西詩載》、張鵬展《嶠西詩鈔》均不見著錄。幸虧梁章鉅積極搜訪，從其後人袁玨處得其所輯袁崇煥《樂性堂遺稿》二卷，「如獲拱璧，並亟登之《三管集》中者，蓋十之七八」（見《三管詩話》卷上）。袁詩精華，幸賴以存，爲廣西詩壇增添光彩。《三管詩話》又列二則，專論崇煥之詩，並稱引其《九河故道詩》評云：「合而觀之，知公不但洞精韜略，兼有行水（**按**：即治水）之長。瞻言百里，豈詩人所能窺其涯涘哉！」於人於詩，給予很高的評價。又如《三管詩話》卷中，稱引吳淇《粵風續九》、李調元《粵風》、金虞《壯家詩序》、梁紹壬《秋雨庵隨筆》、吳湛

《粵歌》、趙文龍《瑤歌》、吳代《偈歌》、黃道《壯歌》，比較廣泛地
搜集介紹廣西地區諸少數民族詩歌，有利於不同民族文學的比較
研究，以便共同繁榮中華文化。特別是對於少數民族的愛情詩
篇，更有大量的篇幅介紹，可見其對於少數民族文化的重視程
度。這一些不僅符合廣西的地方實際，而且富有民族文化色彩，
在眾多的地方性詩話中，獨放異彩。它對於今後編撰鄉土文學史
或總結少數民族文化，都具有相當的參考價值。而對於士大夫記
錄邊地風土民俗的詩篇，梁氏與一般好奇獵豔者不同，著重民生
疾苦的諷諭之意。如《三管詩話》卷下錄施閏章《昭江黃牛灘寄黃
抑公》詩：「天南瘴癘多故人，屈指黃生多苦辛。一官三載無處
所，寄食羈糜似逐臣。」梁氏按語云：「若以此詩贈今日之太平
守，則人人以為不稱矣。一麾至此者，慎勿但視為畏途也。」又
如錄趙翼出守鎮安的《紀鎮安風土詩》，梁氏按語云：「此詩前半
臚列詳悉，後幅抒寫和平。乃今之守鎮安者，輒怨恨牢愁，儳然
不可終日。固由今昔情形不同，亦其人之度量相越遠哉！」一方
面公開鼓勵人們到艱苦的邊疆地區工作，為國出力；一方面借古
鑑今，嚴肅批判當時的地方官吏，窮奢極欲，貪贓枉法，坑苦百
姓，又不安於邊疆地區的工作。其論合於古代風人之旨。

　　而從文學角度看，《三管詩話》雖然是地方性著作，但既然有
詩，就必須有「話」，當然進一步反映了作者的審美意趣和詩論
觀點。首先，發揚古代優良的風騷傳統，強調詩歌必須有為而
作，有益於世。如《詩話》卷中評謝濟世反對神仙迷信的詩篇，認
為「曉世之意，隱然言外」。又如錄陳僩《東蘭州竹枝詞》：「會
道山中產首烏，年年官遣采山隅。不知更向州民看，姑已白頭蒙
白鬚。」評云：「此詩所謂談言微中。」抨擊時弊，不避本朝，
反映了一定的現實精神。

　　其次，體現出作者對於詩歌藝術特性的認識，如卷下考證永

福縣之蘭麻嶺,稱引柳宗元詩云:「桂州西南又千里,灘水斗石麻蘭高。」但按照地理實際,永福縣在桂林西百里,嶺在縣西南六十里處,距桂林不過百餘華里,詩人所謂「又千里」云者,如何解釋?梁氏簡潔了斷,云:「詩人之言,不必泥耳。」藝術的豐富想像與修辭誇張,正是詩歌的特徵之一。又如卷中稱引朱桓《憎蚊》詩云:「呼童莫漫全驅去,知有山農露體眠。」評云:「雖不必實有其事,而語則可風矣。」如必拘泥事實,斤斤計較,則李白所謂「白髮三千丈」可以不作矣!

再次,梁氏論詩,於清代神韻、格調、性靈三大派,不持門戶派別之見,而是兼取各家之長。《詩話》中善於溯流別辨詩體,時稱沈德潛之語,知其並不排斥格調之說。但比較而言,梁氏於漁洋神韻及隨園性靈,尤爲重視。其眾多詩話著作中,有《讀漁洋詩隨筆》二卷和《讀隨園詩話隨筆》二卷。《三管詩話》中也反映了這一點,強調意境自然,風調清新,情景兼到,意眞理切,不廢雕琢而力趨淡遠,並要求具有創新精神,道「古人所未道」。如卷中稱引胡德琳《歸舟雜興詩》寫揚州云:「畫舫笙簫入夜情,竹西歌吹古蕪城。二分明月無人管,廿四橋頭空復情。」梁氏以爲「獨得含毫邈然之致」。又如評陳仁《送客》詩:「一樽酒盡花同醉,千里人歸月共行。」以爲「情景交融之句,殊難多得」。但對於陳仁《睡燕》一絕:「海棠庭院柳毿毿,舞倦烏衣睡正酣。十二珠簾閒不捲,落花微雨夢江南。」雖然當時已經膾炙人口,但梁氏卻不人云亦云,而是獨具隻眼,批評深入一層,云:「句雖婉麗,然只是題中之意,而無題外之神矣。」可謂一語中的。

第四,在審美鑑賞和文化批評方面,提倡標準公正,切合實際,而不爲時風眾勢所左右。如卷上稱引唐時曹鄴《杏園即席》詩,描繪詩人進士及第後的種種情狀,一時傳爲「藝林笑柄」。但梁氏則轉換視角,據實爲之辯白,云:「然此詩情景逼眞,逐

亦不可磨滅。如『故衣未及換，尚有去年淚』及『對酒時忽驚，猶疑夢中事』，語皆痛切，結處尤得五言之體……至《獻恩門詩》『名字如飛鳥，數日便到越』二語，誠有可笑；然『春風得意馬蹄疾，一日看遍長安花』，詩人情狀，大半如斯，無足怪矣。」在封建社會，進士出身，爲仕宦正途，詩人期待大展胸襟，內心怎能不激動呢？心理分析貼切而深刻，所論超越流俗，切合創作實際。又卷上尖銳批評張鵬展《嶠西詩鈔》的選詩標準：「張通政《嶠西詩鈔》託始於蔣文定公（按：即明嘉靖初宰相蔣冕），即未免有名位之見。而梅軒尚書（按：即蔣冕之兄昇）詩又列文定之後，尊弟而抑兄，豈眞所謂近人論詩多序爵耶？」評論應以藝術顯優劣，而不可因官爵名位定高低。這是梁章鉅的一貫主張，其《南浦詩話》卷八批評魏憲《本朝百家詩》：「入選者多顯官，而列己於末，而朱竹垞檢討不與焉。檢討嘗有詩云：『近來論詩多序爵，不及歸田七品官。』蓋指此也。」藉朱彝尊之口，抨擊了時俗流輩的文學商販惡習。其《三管英靈集》選錄布衣朱依眞詩作獨多，《詩話》又評其「詞旨深穩，落落方家」，因而有「美不勝收」之嘆。可見其理論與實際相一致。

最後，對於現當代詩人論詩詩的重視，又從另一側面反映其詩論觀念。如卷中錄朱齡《題國朝六家詩鈔後》論詩絕句六首，形象地概括了清初六大詩人的藝術風格及其創作歷程，理論生動活潑，易於接受。寫宋琬「猶恐烏台鎖暮煙」，敘趙執信「空自飄零一代才」，記查愼行「奇情變態劇逃遁」，不平則鳴，語多感慨，噴薄而出。「世人誤信滄浪語，未見齋中詠讀書」，強調詩歌作品的書卷氣，與劉勰《文心雕龍》所謂「積學以儲寶」同一意思。此所謂借他人之酒杯，澆自己的塊壘。另外，如選錄袁珏《閱近人詩集漫作》詩，謂「此醴庭（袁珏之字）自抒所得，精理名言，非復嚴滄浪之但拈妙悟者矣」；錄呂璜《示經古書院諸生》

五古三首，反映出當時詩壇宗唐與宗宋之爭，以及乾嘉學風對於
文學思潮的影響，是非功過，自有後人評說，但其影響，仍具一
定參考價值。

五

　　關於校注體例。我記得程千帆先生來信，希望校注之作能學
郭紹虞《滄浪詩話校釋》。作爲郭門弟子，實在慚愧得很，由於條
件限制及功力問題，一時難以企及。但紹虞師治《滄浪詩話校釋》
的方法和道路，的確值得借鑑和努力。也就是說，校注工作，不
能只限於文字訓詁，解釋字面，疏通章句而已；更進一步，應注
出著作文字之外的深層意義，以保證在尊重歷史的實證基礎上，
力求微觀考辨與宏觀鳥瞰的雙向結合，從而提高校注著作的學術
性。具體地說，字字計較，繁瑣考證，不是方向；但只要涉及傾
向、理論及其他影響理解和閱讀的重要問題，則應字斟句酌，詳
加考辨，歷史變遷，天文地理，文物制度，學術流派，詩壇紛
爭，文學思潮，特別是有關廣西詩歌發展的人和事，則應詳加比
勘稽考，以便提供證據，助人思考。作者有志於此，但才疏學
淺，力所未逮，願與讀者共勉。

　　本書底本爲清道光二十一年（1841年）刻本，出自梁氏手
訂，實爲善本。《三管英靈集》所綴《退庵詩話》，是在《三管詩話》
基礎上稍加修改而成，因其後出，故據以作爲對校本。又古書刊
刻，因主客觀原因，掛漏訛誤，在所難免。其稱引諸書，語多節
略，此爲古人通例。其不影響文義者，則一仍其舊，僅在校注中
說明之；如影響文義及理解者，則因其稱引而作他校，據原文一
一校正，並在校注中附錄《詩話》文字而加說明。實在有必要校增
文字，則加〔　　〕號以示別。《詩話》稱引之書，文字與他本有異

者，優劣之辨，不敢自以爲是，僅於校注中注出並加說明，而不敢隨意妄改。至於作者以爲證據鑿鑿而校改文字者，則又於校注中說明原作某某。這樣，一旦作者誤識誤斷，讀者又可據注中所附原文而恢復原貌。另外，以本書前後文字是否矛盾而互證比勘的自校；據書中文字之音韻、訓詁、義理作推斷的理校；各種校勘方法，時而運用，不再一一說明。總之，校勘旨在糾正古書中魯魚亥豕之訛，但必須查有實據；隨意妄改古書以自炫耀，違背科學精神和實事求是之意，當爲世人所不取。

此書得以誕生，梁超然先生曾熱情澆注心血，又蒙廣西人民出版社編輯馬丕環認眞審閱，得以減少差錯，在此一併致以衷心謝忱。疏誤之處，責在作者，望廣大讀者及專家學者不吝賜正。

1991年5月於海上半萬齋

（原載《三管詩話校注》，廣西人民出版社1996年版）

「歷史──美學」雙向研究的成功嘗試
──評《先秦音樂美學思想論稿》①

　　先秦音樂美學思想領域，是一片剛被開墾的處女地：莽莽荒原，迷失西東，泥濘遍地，荆棘叢叢，人們望而卻步，唯有勇敢的開拓者奮鬥其中，爲後人摸索道路，擷取智慧的火種。《先秦音樂美學思想論稿》（以下簡稱《論稿》），就是蔣孔陽先生辛勤開墾的成果。全書除《前言》《後記》外，共收論文十一篇，初稿基本上完成於文化大革命末期，是一部具有獨特風格的美學著作，它通過對於先秦音樂美學思想的具體解剖，重點探索了古代社會中人與人之間的特殊審美關係。全書文筆生動流暢，所論實實在在，一氣流貫地使用了通俗易懂的語言，向讀者娓娓地介紹了博大精深的理論知識。作者立足民族傳統，面向世界文化，書中經常採用中西比較、古今結合的研究方法，力圖在方法論上，結合歷史與美學，開闢出一條「歷史──美學」雙向研究的嶄新道路。

　　怎樣開展中國美學史的研究？目前的學術界分歧很大，借用老話來概括，最突出的是「我注六經」與「六經注我」之爭。前者偏重的是「史」，著眼於歷史材料和事實；後者注重的是「論」，主張六經爲我所用，積極借題發揮，強調從當代的美學理論出發，來考察古代的美學歷史。上述二種研究方法，各有短長。而《論稿》所走的則是史、論結合的「歷史─美學」雙向研究的道路。這是蔣先生在自己的治學生涯中又跨出的新的一步。他

認為「歷史」的研究，强調治學的嚴謹，偏於歷史材料的眞實可靠，近於「我注六經」；而所謂「美學」的方法，則重在根據自己的認識來作深入、細緻的理論分析，近於「六經注我」；二者通過歷史的辯證法，有機結合，渾融一體，正如古人所說，是「合之則雙美，離之則兩傷」。

蔣先生是當代著名的美學理論家，但他對於中國古代文獻資料孜孜以求的鑽研精神及其豐富的歷史知識，則鮮爲人知。蔣先生治學力求謹嚴，特別是《論稿》一書，廣泛涉獵先秦美學諸領域，難度很大。科學的理論闡述必須建立在眞實可信的材料基礎上；而要取得眞實可信的材料，又必須對歷史的發展有深刻的認識。爲了弄清歷史的眞面目，從著作的眞僞、作者的考辨到特定美學概念的辨析，蔣先生都是一絲不苟，精心研討論證的。比如他的《評〈禮記・樂記〉的音樂美學思想》一文，認爲《樂記》是「根據我國先秦時包括歌、舞在內的音樂藝術的實踐，對於我國先秦時期音樂思想的總結」，影響極其深遠。但關於《樂記》的作者和時代，卻是個古今聚訟、迄無定論的問題。作者在這篇文章中，特立《〈樂記〉的作者和時代》一節，詳加考證和論述。這是爲了說明理論的需要。在這裡，作者對於古人或今人的研究成果，廣泛吸收，旁徵博引。對於前人研究中言猶未盡之處，作者則發揮自己的「實證」功夫，提出自己的見解，以補前人之不足。如，蔣先生不同意郭沫若關於公孫尼子是《樂記》的原作者的意見（凡按：史稱公孫尼子爲孔子的弟子或再傳弟子），而基本上同意孫堯年《〈樂記〉作者問題考辨》說法，認爲《樂記》是西漢中期以前儒家論樂的綜合著作。但，《論稿》又把它歸入「先秦音樂美學思想」的範圍，是因爲另有四點補充意見，其中之一是，根據《漢書・藝文志》及《漢書・景十三王傳》等史料，說明漢儒所綜合的正是「先秦舊書」，它的原始作者，「應當是先秦儒者」；又根

據《樂記》所受戰國末年興起的陰陽五行學說的影響，具體說明它是在戰國末年方才最後形成的，然後下了斷語：「它（《樂記》）的成書，可能是在漢初，但它的基本思想、理論體系，以至主要章節，卻在戰國末年，即已形成。正因爲這樣，所以我們把它看成是先秦儒家關於『禮樂』問題的一個總結。」證據確鑿，推論合理。此類例子表明《論稿》所反映出來的「歷史」眼光，大概有以下三層意思：首先是在「實證」方面下功夫，先弄清事實，讓事實說話，這是研究美學史的基本功。建造學術之塔，必須基礎廣闊深厚，才能高聳入雲。

其次，是對關鍵的歷史材料的抉擇與判斷。應該選取最關鍵最重要的材料，來詳加論證。《論稿》正是這樣做的。比如對於孔子，作者在繁重的歷史積案中，挑出《論語・爲政》的一段文字來詳加研討：「詩三百，一言以蔽之曰：思無邪。」因爲「思無邪」一語，對中國傳統美學思想影響巨大，很能說明孔子美學思想的本質。但古往今來，人們對「思無邪」的眞實意思，理解大相逕庭，或是一片頌聲，或是全然否定。蔣先生則不走極端，而是根據事實說話。他在《評孔丘的「正樂」思想》一文中，力求作出合乎歷史實際的解釋，認爲孔子的「思無邪」，就是「非禮無思」，這是他用來「正樂」的一把標尺，以保證詩樂藝術都能「立於禮」，達到純正「無邪」的境界。在孔子看來，「正」與「邪」是一對矛盾，合乎禮的就是「正」，不合乎禮的就是「邪」。因此，孔子的美學思想，只著眼於正邪之別，而不重在是非之分。這對傳統美學思想產生了惡劣的影響。在這一方面，蔣先生認爲孔子「是不能辭其咎的」。這是關鍵的歷史材料所反映出來的一方面。但另一方面，蔣先生同時又根據現存《詩經》的材料，很有見地的指出：「孔丘還只是在理論上提出『思無邪』的要求，在具體做法上，他還沒有走到漢儒以後那樣極端。他的刪

詩，就是一個明顯的例子。現存《詩經》中許多並不符合『思無邪』
的標準的東西，他都保存了下來。《野有死麕》，寫的是淫奔，難
道還不『淫』嗎？《大雅・瞻卬》，罵天罵人，難道還不是『戾』而且
『怒』嗎？可是孔丘都沒有把它們刪掉。」歷史為什麼會有這麼矛
盾的現象呢？原來，孔子是以「禮」來分正邪的。而春秋時代的
「禮」，與後來封建道學先生之所謂「禮」，具有不同的歷史內
容。如男女戀歌（即愛情詩），在宋明的衛道者看來，就是「淫
奔」，無禮之極。但在春秋時代，因為地廣人稀，無論是戰爭或
生產，都深感人口少是不利的，因此當時的奴隸主統治階級，並
不禁止青年男女接觸，所謂「男女授受不親」，是後來封建時代
的禮制觀念。《管子・入國篇》有「合獨」的記載，也就是說，不
許丈夫守鰥，要求寡婦改嫁。《周禮》中的《地官・媒氏》，更有春
天時「令會男女」，「奔者不禁」的記載。今本《詩經》鄭風中的
《溱洧》、《褰裳》諸詩，反映的正是這種歷史事實。因此，孔子之
「禮」，不可能超越時代而具有後來封建時代所謂「淫奔」的觀
念。孔子並不一般地反對民間戀歌，因為這些戀歌，在他看來，
也還是合乎「禮」的。所以說，「詩三百，一言以蔽之曰：思無
邪」。蔣先生關於孔子「思無邪」這一關鍵材料的論證，有力地
說明了不同歷史內容所決定的不同美學觀念。據此，蔣先生認為
對於古人，應有歷史眼光，而「不能只攻其一點，而不及其
餘」。只按照自己的觀點和需要隨心所欲地利用史料，貌似言之
有據，實是對於歷史真實的背叛。

　　《論稿》之所謂「史」，還有第三層意思。對史料的抉擇是出
自人的判斷，而人是有其主觀好惡與感情愛憎的。因此，人們在
對史料下判斷的時候，一定注意不要讓感情蒙住了眼睛。比如對
於法家的「禁樂」，秦始皇的焚書坑儒，人們採取一概否定的態
度。在《評商鞅、韓非的音樂美學思想》一章中，蔣先生對先秦法

家的「禁樂」主張，曾予嚴厲批判，認為法家之「法」，強調的
是君主專制。以「樂」為代表的文學藝術，其藝術特性，是和強
制相反的。因此，法家對儒家之所謂詩、書、禮、樂，全盤加以
否定，攻擊得幾無完膚。法家極端的政治功利主義，對文學藝術
的發展是不利的。但當有人因此而下了法家「不主張給人民任何
文化生活」的結論時，蔣先生卻認為事情是複雜的；法家不是從
根本上反對文學藝術，而是認為比較起「法」和「耕戰」來說，
應當有其輕重緩急，這就是「治定而後制樂」的意思。一旦天下
大定，人主就可以坐「聽絲竹之聲而天下治」（見《商君書‧畫
策》）。至於與法家政策相統一的「歌謠」，法家何曾反對？《商
君書‧賞刑》篇明言：「……民聞戰而相賀也，起居飲食所歌謠
者，戰也。」高唱戰歌，或是拉起嗓子唱起勞動號子，以便促進
「耕戰」，為法家的政治思想路線服務，正是法家所歡迎的。這
是不可否認的歷史事實。只有弄清事實，把正、反面的材料都擺
了出來，把研究對象安放到特定的時代背景、社會思潮及其藝術
實踐這一總的「歷史」系統中去考察，才能進一步勾勒歷史真
相，作出公允的評價。

另外，《論稿》雖是單篇論文結集，但因論文以充分的史實作
根據，由點到線，因線成面，各個篇章一旦組合，就自然勾勒了
先秦音樂美學思想的發展概貌。如《評老子「大音希聲」和莊周
「至樂無樂」的音樂美學思想》一章的開篇，分析了儒家的「禮
樂」，墨家和法家的「非樂」與「禁樂」，說明他們的美學觀點
雖然不同，但他們卻一樣是從政治、經濟上的有用或無用來考慮
的，態度都是積極的。而道家的老莊則不同，他們從形而上學的
「道」的觀點來否定儒家「禮樂」，雖然態度是消極的，但卻是
從更高的藝術境界來取消「禮樂」，從而使音樂和藝術能夠超出
「禮」的規範，「按照音樂和藝術本身的規律來發展」，這又是

積極的。言簡意賅，辯證地描述了先秦美學思想的歷史發展概貌。

但是，「史」中必有「論」。蔣先生認為，為歷史而歷史，發思古之幽情，那是復古倒退，毫不足取。堅持「實證」，弄清事實，是為了闡幽釋微，說明問題。因此，「歷史」方法必與「美學」方法有機結合，雙向並行，才能進一步總結出中國美學思想的歷史發展規律，以便古為今用。在美學史的研究中，純粹的「我注六經」是行不通的。如果正確理解，那麼「六經注我」也是必不可少的。生活在二十世紀八十年代的中國美學史家，怎能沒有自己的立場、觀點和認識？他明確指出：「理論的總結是離不開一定的世界觀的。必須通過實踐的鬥爭，形成一個比較統一的世界觀，然後才能把龐雜紛紜的客觀事物，統一到一個整體的結構中來，說明它們的相互關係，說明它們在整體結構中各自所占的地位和各自所起的作用。」總之，「史」一旦脫離了「論」，缺乏精當的美學理論分析，就無法把握美學思想歷史發展的脈搏跳動。所以《論稿》始終是堅持在「史」的基礎上來發揮其理論優勢的。而其所謂「論」，至少包含了以下幾層含義。

首先，強調美學史家必須善於把握特定歷史時代的學術特點，並以此為據，有的放矢，因「史」作「論」，以進一步指導「史」的研究。比如，蔣先生研究中國古典美學，選擇音樂作為突破口，是因為上古的藝術實踐，常是樂、舞、詩結合在一起，先秦時期之所謂「樂」，並不單純是歌唱鐘鼓之類的音樂，它的作用和意義，絕不僅僅限於音樂活動本身，而是當時「人類活動的總稱」。所以古人的「樂」論也就是文藝理論，「他們的美學思想也集中地表現在有關音樂的美學思想上」。這樣，為了中國古典美學研究的追本溯源，作者不辭辛勞，從自己原來不太熟悉的先秦「樂」論入手，也就是說要把握了時代學術思潮的特點，

研究才能遊刃有餘，這種認識對於學術研究是富有深意的。但是，《論稿》研究先秦「樂」論，為什麼不重「器數」，而主要是探討我國古代音樂美學的哲學基礎呢？那是因為先秦時代的諸子百家關於音樂的言論及其美學思想，始終是「緊密地與他們的哲學思想聯繫在一起，並構成他們哲學體系當中的一個組成部分」（《後記》）。這樣，蔣先生的研究尊重歷史又不為歷史所圍，討論音樂又能超越音樂的圈子，根據時代的學術特點，在更加廣闊的天地中自由馳騁。這是可貴的學術創造。

其次，指出具體的微觀分析必須有宏觀的理論指導。比如正確理解「大音希聲」是研究老子美學思想的關鍵。因此，對於「大音希聲」必須進行深入細緻的具體分析。而一般人多從文字訓詁入手，有的認為「希者微也」，有的則認為「希聲」是無聲，微觀研究雖然具體，但卻常是各執一端，難以說服對方。而蔣先生則不然。其《評老子「大音希聲」和莊周「至樂無樂」的音樂美學思想》一文，對於「大音希聲」並非僅作文字訓詁的考察，而是高瞻遠矚從老子所處的歷史時代、社會基礎及其思想體系入手，來剖析理論的關鍵。他認為與提倡「有為」禮樂的儒家不同，老子是一位看透了人生浮沈和世事滄桑的老人，他覺得一切「有為」都是多餘的，不如聽其自然，「無為而無不為」。表現在音樂美學思想上，就是體現「道」的「大音希聲」的理論。其所謂「道」，是先天地而生的萬物之「母」，是「天地萬物的總原理、總規律」。「大音」指音樂的本身，是音樂的「道」，它本身是我們聽不到的，所以說「聽之不聞名曰希」。人們能夠聽到的，只是音樂的演奏。而演奏出來的音樂，無論怎樣完美，比起音樂的「道」來說，總是有「缺陷」的。這是一種唯心主義的音樂美學思想。但蔣先生同時又辯證地指出，老子的「大音希聲」另有其進步的一面，它「促使我們去探討音樂的『道』，去探

討音樂現象之外的音樂的普遍規律」。如果作者不是把「大音希聲」提到宏觀的理論高度來研究，能有這樣的卓識遠見，從根本上找到音樂現象之外的美學的「普遍規律」嗎？

　　第三，探尋美學思想的矛盾運動及其歷史發展軌迹，反對形而上學的機械理解。同一美學概念，在不同的歷史階段，可能具有不同的意義，不能望文生義。如其《陰陽五行與春秋時的音樂美學思想》，討論同一陰陽五行觀念，對春秋與戰國時的音樂美學思想，卻產生了截然相反的影響。蔣先生指出局部總是從整體中取得自己存在的意義的。據此，他把陰陽五行觀念擺到歷史發展的長河中來考察。春秋時代是奴隸社會開始解體，封建社會開始萌芽的動盪年代，階級鬥爭促進世界觀發生了變化，除了維護奴隸主貴族統治的神學唯心主義天道觀之外，又產生了素樸的唯物主義天道觀，於是陰陽五行觀念隨之興起。天有陰陽之「氣」，地有五行之「物」，構成了紛繁的物質世界。而客觀的五聲，主觀的哀樂感情，也就與天地陰陽相通了。當時的唯物主義思想家，就是從這樣的角度把陰陽五行與音樂緊密聯繫了起來，並進一步用它來解釋音樂在生產鬥爭和社會生活中的重要作用。這一音樂美學思想是進步的。但發展到戰國末期，隨著統治階級理論需要的變化，儒家的思孟學派，就把本來是唯物主義的陰陽和五行，加以唯心主義的改造。到了騶衍，更從「五行相勝」或「五行相生」出發，把宇宙的一切都統一在一個唯心的完整的系統裡面，「從而形成了一個天人合一──天人感應的思想體系」。在這一思想體系的基礎上，音樂被賦予了唯心的神祕色彩。於是陰陽五行的音樂美學思想，就發生了質的變化，逐漸從進步滑向了保守、甚至是反動。有了「論」的正確指導，人們才清楚地看到陰陽五行美學思想矛盾運動的歷史軌迹。於此可見，在美學理論指導下，方能駕馭史料，把握關鍵，理順規律，發現

問題，從而正確地總結了美學思想的歷史發展。因此，《論稿》在「歷史」的基礎上又提出了「美學」的方法。作者正是努力運用馬列主義的理論指導，通過對於「樂」論的具體剖析，從總體上把握先秦時代的審美觀念，並在實踐的基礎上得到了理論的昇華。

總之，《論稿》所嘗試的「歷史──美學」雙向研究的方法，是一條充滿辯證法的道路。對於歷史人物，蔣先生明確地反對學術研究中的形而上學傾向，更反對粗暴地戴帽子打棍子，他說：「歷史上的各個學派，往往難於簡單地畫線。他們往往是同中有異，異中有同。」極其辯證。凡是歷史上有成就的學者，不管他屬何家何派，必然都能反映歷史的某些真實，因而必然都「具有一定的真理性和進步性」②。類似的識見，不勝枚舉。《論稿》閃爍著歷史辯證法的光彩，證明了「歷史──美學」雙向研究方法的正確。這是蔣先生對於中國美學史研究的一個貢獻。

---

①蔣孔陽著，人民文學出版社1986年版。

②參見《論稿》一書的後記。

（原載《學術月刊》1988年第1期）

宋代文論漫談

　　宋代（960～1279年）是繼漢唐之後中國古代封建文明的又一繁榮昌盛時期。和當時正處於中世紀黑暗的西方文明相比，中國的宋文學和文論，呈現了勃勃生機活力，是富有鮮明民族色彩的一顆東方明珠。

　　在中國古代文學理論批評史上，宋文論具有承前啓後的崇高歷史地位，它不僅總結過去，而且著眼於現當代的文學論爭和文學運動，並進一步放眼未來，啓迪後世，因此產生了巨大的影響。宋文論中有以下三方面的問題非常引人注目：首先，它把以詩文爲中心的傳統文論，推向了成熟的高峯；同時又因受到當時新興市民意識的影響，面對日新月異的生活，努力探索諸如詞和小說等新興文學樣式的藝術規律，積極開拓了詞話詞論和小說評點小說理論等新領域。其次，是北宋的詩文革新運動，特別是在散文理論方面對於文與道關係的討論，並非老生常談，而是有其現實的針對性和新內容的。第三，在北宋歐、梅之後，又出現了蘇黃詩風流行的新局面，接著出現了以黃庭堅爲首的江西詩派，他們著眼於詩歌的審美藝術創造和形式批評，提倡奪胎換骨、點鐵成金等方法。此後，江西詩派主盟南宋詩壇，於是圍繞其功過是非，爭論熱烈，出現了百家爭鳴的新局面，從而從各方面促進了宋詩道路的發展。對於上述三個重要方面的研究，時至今日，大都仍停留在淺表層次，深入地指示其理論本質及歷史作用，尚有待努力。

一、北宋的詩文革新理論

　　對於宋代詩文理論發展，我們可作簡明概括：「宋代文學理論延續著漢唐的詩學傳統，而更多一些理性精神。一方面是儒家教化說被推向極端，從詩文革新到理學家周敦頤、邵雍、程頤、程顥，再到南宋朱熹集其成；另一方面，是探索藝術規律的審美理論發展漸趨成熟，從蘇東坡、黃庭堅到南宋陸游、楊萬里，至嚴羽詩學而完成純藝術的理論建構。」①

　　北宋詩文革新運動是怎樣興起的？原來，在宋初建立新王朝而結束分裂局面後，經濟文化迅速發展，士大夫養尊處優，於是在官僚貴族階層產生了附庸風雅的西崑體詩文，他們雕章麗句，詩酒唱和，挹其芳潤，歌舞昇平，因而文風靡麗卑弱形式主義傾向嚴重。西崑體詩，束縛了一般士人自由抒情言志的要求，因而引起普遍不滿。此後，隨著各種社會危機的加深，改革呼聲日益高漲；於是與之同步，形成了一場積極配合政治和思想改革的詩文革新運動。倡導者是歐陽修，梅堯臣、蘇東坡等是其中堅。其主要的理論精神，是反對西崑體的華豔頹廢的形式主義文風，強調繼承和發揚李杜詩歌和韓柳古文的優良傳統，要求文學作品不要無病呻吟，而要關切現實民生，並積極發揮文學的教化作用。不過參加這場運動的人很多，人員魚龍混雜，其認識及目標並不一定完全一致，因此理論成就也各不相同。特別是散文理論方面有關文與道關係問題的討論，人以派分，各道其所道。理學家提倡「文以載道」②，甚至是「作文害道」③，其所稱之道，是唯心先驗的「明心見性」的抽象之理，所稱詩文教化則純是維護封建倫理綱常，文學因此成了純粹的理學附庸和道德說教。這樣的「改革」文學，早已喪失其革新內容，他們反對西崑派，但其主

張是復古倒退的。和理學家相比，眞正的文學革新者是一批進步
的文人，他們發揚了韓愈那以復古爲革新的文學精神。領袖歐陽
修（1007～1072年），字永叔，號醉翁。天聖進士，官至參知政
事。他在《答吳充秀才書》中，提出了「道勝者文不難自至」的主
張。從表面看，與理學家相似；但論其實質，則判然有別，雖同
屬儒道，但並非空談性理，侈談綱常，而是非常注意切中時病的
社會問題，重在民生疾苦的「關心百事」。他提倡道，是要求作
家要有高尚的思想品格，這實是針對當日文壇溺文輕道、脫離現
實的不良創作傾向而發。其實，在文與道的關係問題上，以歐陽
修爲首的古文家，從作文的角度著眼，主張重道以充文，希望散
文藝術達到「縱橫高下皆如意」的至工境界。可見古文家重道的
終極目標仍落在文上。他的門生蘇軾，就把老師的重文傾向發展
到盡善盡美的理論高境。他和歐陽修一樣，也主張文章要「有爲
而發」，反對空文議論，故其《答王庠書》批判文壇流弊云：「儒
者之病，多空文而少實用。」正表現了他的現實精神。但是，他
又認爲道在生活，應隨現實而曲折變化，不應有固定的藝術模
式。他在《答張文潛書》中，就尖銳地批評王安石「好使人同己」
的不良傾向，政治家強行要求統一思想和文風，只能造成「彌望
皆黃茅白葦」的文學荒蕪嚴重後果。據此，他針對文壇現狀，糾
弊補漏，提出了崇尚自然的藝術主張。其《答謝民師書》譽文之美
云：「大略如行雲流水，初無定質，但常行於所當行，常止於不
可不止，文理自然，姿態橫生。」接著又從語言藝術角度，提出
「辭達」新解：「孔子曰：『言之不文，行而不遠。』又曰：『辭
達而已矣。』夫言止於達意，即疑若不文，是大不然。求物之
妙，如係風捕影，能使是物了然於心者，蓋千萬人不一遇也，而
況能使人了然於口與手者乎？是之謂辭達。辭至於能達，則文不
可勝用矣。」他認爲作家應張揚主體意識，自由馳騁思想感情，

而不應有固定的藝術框框。由此可見，他不僅不否定文采，而且
進一步強調文學要充分表達作者的情志和完美地描繪客觀事物的
特徵。這說明了蘇軾對文與道關係的論述，重在藝術審美規律之
「文」的探索，早已超越乃師，從而把北宋的文學革新運動推向
成功之巔。

　　從詩歌方面看。北宋初，王禹偁論詩推崇白居易，批評晚唐
五代以來纖弱佻巧文風，但是影響不大。嗣後西崑派興起，愈加
講究詞藻華麗，片面追求形式，其詩酒唱和之作，缺乏深厚的現
實內容，詩風每下愈況。直到北宋中期梅堯臣、歐陽修等出來，
才扭轉這一局面。特別是梅堯臣，專攻詩歌，成為區別於唐詩的
宋詩道路的「開山祖師」④。梅氏論詩，繼承《詩》《騷》傳統，強
調美刺、興寄，反對空言；提倡平淡質樸的藝術風格，力挽當時
浮豔頹風，在詩歌革新運動中貢獻很大。其理論見諸詩篇，如
《答韓三子華韓五持國韓六玉汝見贈述詩》、《讀邵不疑學士詩
卷》、《寄滁州歐陽永叔》等。歐陽修明言自己曾向梅氏討教詩
歌，二人切磋，觀點大都一致。其《六一詩話》記錄梅氏的藝術見
解云：「詩家雖率意，而造語亦難。若意新語工，得前人所未道
者，斯為善也。必能狀難寫之景如在目前，含不盡之意見於言
外，然後為至矣。」寥寥數語，道盡創作甘苦，見識精妙過人。
梅、歐詩論已開始從以教化說為中心轉向藝術的審美追求。歐陽
修又總結了梅堯臣的創作道路，繼承韓愈的「不平則鳴」說⑤，
發為「非詩之窮人，殆窮而後工」之論，見其《梅聖俞詩集序》。
「詩窮後工」之說影響很大，它是封建社會中許多優秀詩人在創
作上獲得成就時所走過的共同痛苦歷程。繼梅、歐之後，王安
石、蘇軾、黃庭堅，以及南宋中興詩人陸游、楊萬里等，又以其
成功的創作藝術，來實踐其革新詩歌的理論主張，從而成為推動
宋詩發展的一股動力。

二、江西詩派與宋詩道路

唐詩的輝煌成就，對宋人旣是一筆豐厚的文學遺產，同時又是一個巨大的壓力。因爲新時代不允許唱老調。清人蔣士銓描寫了宋詩人的新困惑：「宋人生唐後，開闢眞爲難。」⑥這樣，研究詩之特質，另闢宋詩新路，成了當務之急。黃庭堅及江西詩派的出現，就是這一時代產物，它是宋詩發展鏈條中重要的一環。北宋末年，江西詩派誕生不久，即因黨禁而遭壓制，蘇、黃的詩文集均在毀版禁讀之列。但是，嚴酷的政治迫害，並不能阻止宋詩的發展，江西詩論是禁而不絕。特別是在黨禁解除後的南宋年代，江西詩派藉勢反彈，因而法席流行。由於北宋的古文運動已基本完成了散文方面的革新任務；而宋詩道路的開拓卻仍在繼續探索和發展之中。所以南宋的文學理論批評的發展，是以詩論爲主的。其中，對江西詩論的討論，成了中心話題，並與宋詩道路的新發展密切相關。劉克莊指出：「元祐以後，詩人迭起，一種則波瀾富而句律疏，一種則鍛鍊精而情性遠，要之不出蘇黃二體而已。」⑦蘇軾才華橫溢，隨意揮灑而變幻無方，雖然人所景慕，但是無徑可尋；若乏天才，則勢難追攀，所以人多望之卻步。而黃庭堅詩則以「思理筋骨」見勝，是典型的宋詩特點⑧，加以他主張作詩應該由學致悟，並不斷提示命意布局、聲調韻律、鍛句鍊字諸法，還有奪胎換骨、點鐵成金諸論，諄諄以金鍼度人，學詩者有法可依，有路可循。因此，從總體成就看，黃不如蘇；但由黃氏開創的江西詩派卻因隊伍的擴展而聲勢浩大，終於形成一個新的文學流派，左右了宋詩道路。江西派有「一祖三宗」之說⑨，一祖是杜甫，三宗是黃庭堅、陳師道、陳與義。他們推崇杜詩的創新精神，著重從聲律句法等藝術方面來講詩法，

偏於審美的藝術創造。就其創始人黃庭堅來說，他認爲詩歌不是說教，而是藝術，從審美角度來進行形式批評，有何不可？如莫礪鋒《怎樣讀黃庭堅詩》所說：「黃庭堅提出『奪胎換骨、點鐵成金』的本意，是要更好地借鑑、繼承前人在詩歌語言藝術上的成功經驗，這在『世間好語言已被老杜道盡；世間俗語言已被樂天道盡』（王安石語）的宋代，是具有積極意義的。而黃詩中對此法的實踐也充分體現出求新求變的精神。」[10]黃詩「生新瘦硬」的藝術風格是創造，同樣，音節矯奇，聲律拗峭，也自成特點，是黃氏企望藝術創新的一種表達。從理論上說，以黃庭堅爲代表的江西詩論，力圖衝破傳統教化說的藩籬，而打開通往藝術審美殿堂之路，這正是宋人力求在唐詩之外另闢新路的藝術創新的一種理論探索。稍後的兩宋之際的呂本中是江西詩派的理論代表，其理論作品主要有《夏均父集序》、《與曾吉甫論詩》二帖及《童蒙詩訓》、《紫微詩話》等，因文多不錄。但是，不肖末學徒以入江西詩社爲榮，而忘記其創新本意，拘泥詩法，尺寸不敢稍越，結果流弊日滋，眞正又墜入了新的形式主義泥坑之中。於是有識之士，羣起攻之，如陸游和楊萬里均自江西派入，曾蒙江西之水滋潤；但又入室操戈，最終跳出江西而各自名家。陸游倡言「工夫在詩外」（《示子遹》）的「詩家三昧」（《九月一日夜讀詩稿有感走筆作歌》），楊萬里明言「詩也者，矯天下之具也」（《詩論》），把宋詩的現實主義道路引向縱深發展。陸、楊詩論，成了江西詩論向南宋末年嚴羽《滄浪詩話》審美藝術理論體系的過渡。對江西詩論的批判，由嚴羽作一總結。他批評江西末學「以文字爲詩，以議論爲詩，以才學爲詩」[11]，提倡「詩有別材」、「別趣」、「興象」、「妙悟」諸說，破中有立，自成體系。在詩歌藝術的形象思維方面，有所開拓。總之，南宋諸家詩論，對江西詩論，或補天，或批判，態度有異，內容不一，但是殊途同

歸，目的都是爲宋詩的健康發展開闢新天地。

三、宋代詞論和小說理論的新開拓

　　詞是從民間興起的新詩體，後被文人所用，早見於唐五代。但傳統偏見視詞爲「豔科」，故理論上受人冷落。如五代歐陽炯《花間集跋》，僅僅把詞視爲才子佳人的娛樂工具，而非審美藝術。詞發展至宋而大盛，有婉約派、豪放派之分。需要及時總結，因而詞論詞話應運而生。婉約派方面，李清照《詞論》是第一篇有組織有系統的詞論，對詞提出了高雅、渾成、協樂、典重、故實、鋪敍等藝術要求，並從音律入手，提出詞區別於詩的「別是一家」之說，爲探索詞的獨特藝術本質作出了貢獻。後來宋末元初張炎《詞源》繼之，也從音律入手，對詞提出清空、雅正等藝術要求。豪放派方面則繼承和總結了蘇、辛詞風。如胡寅《題酒邊詞》，盛讚蘇軾詞「一洗綺羅香澤之態」，使人「舉首高歌，而逸懷浩氣超然乎塵垢之外」。劉辰翁《辛稼軒詞序》則激賞辛詞之「淋漓慷慨」，嘆其「英雄感愴，有在常情之外」。婉約、豪放二家詞論，雖然雙峯並峙，但合之則雙美，蔚然爲理論界之勝境奇觀。

　　至於小說理論的開拓，則啓迪明清，更富創新意識。宋代市民意識影響了白話小說的湧現，因而急需批評與總結。洪邁評唐人小說云：「小小情事，淒惋欲絕，洵爲神遇而不自知，與詩律可稱一代之奇。」（《唐人說薈・例言》引）從藝術上肯定了小說與正宗詩歌並重的地位。又如吳自牧《夢粱錄・小說講經史》云：「最畏小說人。蓋小說者，能講一朝一代故事，頃刻間捏合。」肯定小說藝術虛構的特質。但最能概括宋代小說理論成就的，當推羅燁《醉翁談錄》卷一《舌耕紀引》，其中「小說引子」和「小說

開闢」二文，反映了宋人對於小說藝術本質及其巨大作用的理論共識。因文長不錄。還有宋末的劉辰翁，又把詩文評點的方法，延伸到小說批評，其《世說新語評》開闢了小說評點的新領域。此後圈批評點文學被後人大量運用，終於成爲中國古代小說理論的一種重要著作形式。劉辰翁《世說新語評》實開我國小說評點之先河。

研讀宋代文論，不是爲古而古，其目的還在於爲後世的文論發展提供有益的借鑑，因此研讀者要有現代思考。不過，古爲今用不是古人穿現代西裝，而是把古文論擺放到當時的具體歷史環境中，眞正弄清歷史文本的理論本質和意義，這樣才能爲現當代的文論建設提供正確的參照。其次，了解宋代文論，不僅要注意縱向的歷史發展，同時還必須研究橫向的社會需求，各種文化藝術部門相互烘托比較，才能最終擺正宋代文論的歷史位置。最後，要重視具體的比較研究，而不要一概而論，這樣，更能揭示其理論本質，也是一行之有效的研讀方法和途徑。

參考書目

復旦大學中文系編寫《中國文學批評史》中冊，上海古籍出版社1981年版。

郭紹虞著《中國文學批評史》，上海古籍出版社1979年版。

朱東潤著《中國文學批評史大綱》，古典文學出版社1957年版。

羅根澤著《中國文學批評史》第三册，中華書局1962年版。

張少康、劉三富著《中國文學理論批評發展史》下冊，北京大學出版社，1995年版。

郭紹虞主編《中國歷代文論選論》第二册，上海古籍出版社1979年版。

蔣凡、郁沅主編《中國古代文論教程》，中國書籍出版社1994年版。

牟世金主編《中國古代文論家評傳》上、下冊，中州古籍出版社1988年版。

中國人大古代文論資料組編《中國古代文論研究論文集》，上海古籍出版社1989年版。

蔡鎮楚著《中國詩話史》，湖南文藝出版社1988年版。

郭紹虞著《宋詩話考》，中華書局1979年版。

---

①蔣凡、郁沅主編《中國古代文論教程》，中國書籍出版社1994年，第175頁。

②見周敦頤《通書·文辭》。

③程頤語，見《二程語錄》卷十一。

④劉克莊《後村詩話》。

⑤見韓愈《送孟東野序》。

⑥蔣士銓《辨詩》，見《忠雅堂詩集》卷十三。

⑦劉克莊《後村詩話》前集卷二。

⑧錢鍾書《談藝錄》補訂本，第2頁《詩分唐宋》條，中華書局1984年版。

⑨方回《瀛奎律髓》。

⑩見《古典文學知識》1994年第4期。

⑪嚴羽《滄浪詩話·詩辨》。

柳子戲《玩會跳船》漫記

一、無形化有形

中國戲曲的虛擬性的表演程式，來自生活，但比生活更高、更典型。它絕不是自然主義式的照相翻版。它的表演動作，不僅和生活「形似」，而且能「傳神」，使人物動作美化、舞蹈化。人物的一舉手、一投足，都不能隨便，不能含糊。這虛擬性的程式，正是現實主義戲劇美學原則的具體化，與自然主義是不相容的。

山東省魯劇研究院柳子劇團的《玩會跳船》的表演藝術，就具有我國戲劇的無形化有形的藝術特點，而使觀眾相信這是生活的真實，一點也不感到彆扭、牽強或者不懂。

《玩會跳船》這齣戲，全部出場人物只有三個：小姐白月娟（李豔珍飾）、丫嬛雲霞（楊寶森飾）、少年書生蕭文勤（許鳳雲飾）。可是我們在這齣戲中所看到的，卻不止三個人，這是一個萬人競渡的龍舟盛會，是在「來往人不斷……人如織，仕女萬千」的端陽佳節的西湖邊，成千上萬的人造成的熱鬧氣氛，全在三個人的表演裡表現出來了。三個人背靠背，圍成一個圓圈，快移碎步（動作協調一致，達到了輕盈、圓柔的境界）：上身則不時地前傾後仰、左擠右靠（動作適當得體，絕不似醉漢的顛來倒去），他們口裡都念道：「休擠啊！休擠啊！」這就把「車如流

水馬如龍」的盛況,把那「龍舟會上景萬千……萬民喝采聲震天」的氣氛全盤托出,而觀衆也就猶如置身於這一場熱鬧的境界之中了。從演員這一虛擬性的表演中,我們看到了豐富的內容。我想,假如這一場面,用自然主義的方法來處理,眞的動員幾十、幾百人馬上台,舞台氣氛反會比不上這三個人演得熱鬧。

又如另一個場面,白月娟和蕭文勤一見鍾情,兩人頓時呆住,四目相注。這時氣氛突然由緊張、熱鬧轉爲靜寂,這裡的「空白」,卻隱藏著廣闊的意境。他們沒有講一句話,也沒做任何一個動作,但他們的全部心思我們從「空白」之中看得一淸二楚。無聲的「語言」,傳達出他們間相互的愛慕和對舊禮敎大膽的反抗精神,對觀衆富有感染力,相當深刻地塑造了人物性格。這時,丫嬛突然出場,看到這一情景,彷彿看到他們四目之間已連成了一根有形的視線,所以她走到兩人之間,開玩笑似地把這根「線」挪一挪、動一動,而那兩個「塑像」也隨之前後晃動。丫嬛站在他倆之間,做一個舉刀斷線之勢,二人才突然驚醒,馬上又被人羣擠散。通過這段表演,這兩個人物形象就栩栩如生地活在觀衆心目中了。一根無形的線,卻使觀衆相信它的存在,這眞是「化無形爲有形」。這是一種大膽的浪漫主義手法,由於有了生活內容的基礎,這一塑像場面,就更烘托了典型人物性格的發展。

二、波瀾三起

白月娟與蕭文勤對於自己的愛情,十分珍視。蕭文勤守釵送扇,再三叮囑雲霞,要她「千萬珍重」地把題詩的扇子作爲媒人送給小姐,這感情是步步深化的。白月娟回詩送束,也是如此,在雲霞將要送束的時候,三次將雲霞喊回,反覆囑託,這就把她

一瞬間的情感變化抓住，加以細膩地描寫刻畫，使人更感到她對愛情的慎重，體現出她內心不可抑止的喜悅及對美好生活的熱烈希望。

　　第一次，當雲霞在跳船，眼看步步接近自己喜愛的人了，她喊了聲：「回來！」吩咐說：「定要交與本人。」雲霞說了聲「是」，重新向蕭文勤的船靠近，她又喊道：「回來！」再叮囑一聲：「休要被外人看到！」第三次，雲霞再跳船之際，她正喜悅地拿扇子半掩著低垂的臉，對未來作美好的想像，好像還有千言萬語要訴與蕭生知道，所以又轉身喊了聲：「回來！」這一聲的語氣很有分量，雲霞被她的喊聲震驚，差點跌入江中，因此摸著心跳不止的胸口，埋怨地等待小姐的吩咐。但白月娟又感到千言萬語也無法表達盡自己的心情，欲說還休，在臉上現出羞澀、喜悅而又大膽、穩重的神情。最後她才半嗔半喜地說出：「去罷！」

　　這三個「回來」，並不是形式主義的「套子」，而是藝術家根據人物性格精心創造的。波瀾三起，刻畫人物心理入木三分。

三、含蓄與暗示

　　台詞的性格化，是戲劇的重要環節之一。我們看了《玩會跳船》，深感到戲劇語言的藝術魅力。因為被封建禮教和家教所緊緊束縛的白月娟，在龍舟盛會上「看人家成雙結伴，白月娟形隻影單」，因此雖然是「良辰美景」，一派熱鬧氣象，她也無心欣賞。小丫嬛興致特別高，再三要求她繼續看下去，她還是無可奈何地吐出三個字：「回去──罷！」「去」字拖得特別長，念到「罷」時，音轉低，這把白月娟那種不甘心回去卻又不得不回去，因而對封建禮教產生怨恨的心情，很好地表現了出來。

等到白月娟看見赴約而來的情人已到了自己的船邊，爲了不使丫嬛揭開其美事的眞相，又爲了試試蕭生對自己是否眞心，這裡她有幾句語意雙關的台語。她吩咐丫嬛：「老爺送客去了，老太太在後艙打眠，船中無人，千萬別叫他跳咱的船。」這話實際上是暗示蕭生：「船上無外人，大膽過來吧。」丫嬛遵照她的話，果眞要阻止蕭生跳船，她又對雲霞說：「量他也不敢！」這話實際上又是對蕭說的，她的眞意是：「你是否害怕？你有沒有勇氣跳船相會？」這樣的話正傳達出白月娟既熱情又穩重的性格。言有盡而意無窮，弦外之音，耐人尋味。

四、令人細味的結局

兩人船頭盟誓，結百年偕老之約時，對唱的詞句，並非卿卿我我之類，而是在向封建禮敎公開挑戰。就在這歡樂的時刻，突然聽到「老爺回船了！」這消息，眞如靑天霹靂，使蕭生匆促間避之不及。觀眾的心也就緊繫在白、蕭的命運如何這一問題上了。但白月娟這時卻異常堅定沈著，她對驚惶不安的蕭文勤說：「你先到我的艙內躲躲，再作計較！」這句話，意味著矛盾將繼續發展。白月娟口中的「再作計較」，就表示這個年輕的封建禮敎叛逆者，準備著進一步的鬥爭。這個喜劇的結局，不是一般的才子佳人的「團圓」，它不掩蓋社會的矛盾與鬥爭，又向觀眾預示著新的矛盾鬥爭的開始。這樣的結尾，眞是愈嚼愈有味道，把觀眾帶到深一層的意境中去了。

原載《戲劇報》1961年第4期

國家圖書館出版品預行編目資料

蔣凡學術論文集／蔣凡著. --初版. --臺北
市：萬卷樓，民 90
　冊；　　公分
ISBN 957-739-371-3(上冊：平裝
). --ISBN 957-739-373-X(下冊：平
裝)

1.經學-論文，講詞等　2.中國文學-論
文，講詞等
030.7　　　　　　　　　　90018880

蔣凡學術論文集(上)

著　　　者：蔣凡
發　行　人：許錟輝
出　版　者：萬卷樓圖書有限公司
　　　　　　台北市羅斯福路二段 41 號 6 樓之 3
　　　　　　電話(02)23216565‧23952992
　　　　　　FAX(02)23944113
　　　　　　劃撥帳號 15624015
出版登記證：新聞局局版臺業字第 5655 號
網 站 網 址：http://www.wanjuan.com.tw/
E - mail：wanjuan@tpts5.seed.net.tw
經 銷 代 理：紅螞蟻圖書有限公司
　　　　　　台北市內湖區文德路 210 巷 30 弄 25 號
　　　　　　電話(02)27999490
　　　　　　FAX(02)27995284
承 印 廠 商：晟齊實業有限公司
電 腦 排 版：浩瀚電腦排版股份有限公司
定　　　價：700 元
出 版 日 期：民國 90 年 11 月初版

ISBN 957-739-371-3